講談社文庫

新装版

コインロッカー・ベイビーズ

村上 龍

JN283515

講談社

目次

コインロッカー・ベイビーズ

1

女は赤ん坊の腹を押しそのすぐ下の性器を口に含んだ。いつも吸っているアメリカ製の薄荷入り煙草より細くて生魚の味がした。泣きださないかどうか見ていたが、手足を動かす気配すらないので赤ん坊の顔に貼り付けていた薄いビニールを剝がした。段ボール箱の底にタオルを二枚重ねて敷き、赤ん坊をその中に入れてガムテープを巻き、紐で結んだ。表と横に太い字ででたらめの住所と名前を書いた。化粧の続きを済ませ水玉模様のワンピースに足を通したが、また張っている乳房が痛みだし立ったまま右手で揉み解《ほぐ》した。絨毯に垂れた白濁を拭かずにサンダルをつっかけ、赤ん坊の入った段ボール箱を抱えて外に出た。タクシーを拾う時、女はもう少しで完成するレース編みのテーブルクロスのことを思い出して、出来上がったらその上にゼラニウムの鉢を置こうと決めた。ひどい暑さで日向たに立っていると眩暈《めまい》がした。タクシーのラジオは記録的な猛暑で老人や病人が六人も死亡したと伝えた。駅に着くと女は一番奥のコインロッカーに段ボールを押し込み、鍵を生理綿に包んで便所に捨てた。熱と埃で腫らんでいる構内を出てデパートに入り、汗がすっかり乾いてしまうまで休憩所で煙草を吸った。パンティストッキングと漂白剤とマニキュア液を買いオレンジジュースを飲んだ。喉が乾いてしようがなかった。洗面所で、買ったばかりのマニキュアをていねいに塗っていった。

女が左手の親指を塗り終えようとしている頃、暗い箱の中、仮死状態だった赤ん坊は全身に汗を掻き始めた。最初額と胸と腋の下を濡らした汗はしだいに全身を被って赤ん坊の体を冷やした。指がピクリと動き口が開いた。そして突然に爆発的に泣き出した。暑さのせいだった。空気は湿って重く二重に密閉された箱は安らかに眠るには不快過ぎた。熱は通常の数倍の速さで血を送り目を覚ませと促した。赤ん坊は熱に充ちた不快極まる暗くて小さな夏の箱の中でもう一度誕生した、最初に女の股を出て空気に触れてから七十六時間後に。赤ん坊は発見されるまで叫び続けた。

警察病院を経て乳児院に収容された赤ん坊は一ヵ月後に名前が付けられた。関口菊之。関口というのは女が段ボールに書いたでたらめな苗字だ。菊之は、横浜市北区役所福祉事業課の捨子命名表十八番目の名前で、関口菊之は一九七二年七月十八日に発見されたのである。

鉄柵が囲み道を隔てて墓地が見える乳児院で関口菊之は育った。道には桜の並木があった。桜野聖母乳児院。仲間が多勢いた。関口菊之はキクと呼ばれるようになった。言葉を憶えたキクはシスター達が毎日同じことを言って祈ってくれるのを聞いた。信じなさい、お父様は空の上で見守っていらっしゃいます。シスターの言うお父様は、礼拝堂の壁に掛けてある絵の中にいるのだった。髭を生やしたお父様は海に面した断崖の上で生まれたばかりの羊を天に向かって捧げ持っていた。キクはいつも同じことを質問した。この絵の中のどこに自分はいるのか、このお父様は外人だ。シスターはこう答えた。これはまだあなたが生まれる前のお父様の姿を描いたものです、お父様はあなただけではなく他のいろいろなものを誕生させようとなさってます、目や髪の色は関係ありません。

桜野聖母乳児院の仲間達は顔の可愛い順に養子として貰われていった。日曜日、お祈りが終わり外で遊んでいるキク達を何組もの男女が見に来た。キクは醜くかったわけではない。しかし一番人気があるのは交通遺児で捨子はよほど可愛くないと売れなかった。走ることのできる年齢までキクは売れ残った。

この頃キクはまだ自分がコインロッカーで生まれたことを知らされていなかった。それを教えたのはハシと呼ばれる子供だ。溝内橋男も売れ残りの仲間だった。ハシは砂場で話しかけてきた。ねえ、二人しかいないんだよ。他のみんなは死んだんだ、コインロッカーで生き返ったのは、君と、僕の二人だけなんだよ。ハシは痩せて弱視だった。濡れているような目はいつも遠くを見ているようで、キクは話しかけられて自分が透明人間になったような気がした。ハシからは薬の匂いがした。暗く熱い箱の中で叫び続け警察官を振り返らせたキクと違って、ハシはその病弱さのせいで助かったのだ。ハシを捨てた女は赤ん坊を洗わずに全裸で紙袋に詰めコインロッカーに押し込んだ。ハシは蛋白アレルギーによる湿疹のため全身に天花粉を塗られ咳をし続け嘔吐した。病気と薬の匂いが箱の隙間から流れ出て偶然通りかかった盲導犬を吠えさせたのだ。それね、大きくて黒い犬だったの、だから僕ね、犬は大事にするの、犬は大好きなんだ。

キクが初めてコインロッカーを見たのは遠足で行った郊外の遊園地だ。ローラースケート場の入口にありハシが指差して教えてくれた。車輪のついた靴を下げた男が小さな扉を開けて上着とバッグを中に入れる。ただの棚じゃないか、とキクは思った。近づいて中を覗いた。埃が溜まって手が汚れた。ねえ、蜂の巣に似てるだろ？ ハシがそう言った。いつかテレビで見たじゃない？ この一つ一つの箱の中に蜂が卵を産むんだ、僕やキクは蜂じゃないからきっと人間の卵だ、蜂でもそうだったろ？ たくさん卵を産むけど死ぬのが多かったろ？

キクは、礼拝堂の壁に掛けてある絵の中の髭のお父様がヌルヌルした人間の卵を一つ一つコインロッカーの中に置いている様を想像した。でも違うような気がした。卵を置いていくのは女のような気がする。そしてその中で生まれた赤ん坊をお父様が天に掲げるのだ。ね、見てごらん、ハシが声をかけた。髪を赤く染めてサングラスをした女が鍵を持って自分の箱を捜している。卵を産んで置いたのはきっとあんな感じの尻の大きな女だ。きっとあいつは卵を産んでるんだよ。女は自分の箱の前で止まり鍵を差し込んだ。扉が開いて丸い赤いものが転がり落ちたのでキクとハシは声を上げた。女は慌てて両手を拡げ受けようとするが次々と落ちてくる赤く丸いものはキクとハシの足元にも一個転がってきた。卵ではなくてトマトだった。キクは足元の一個を思い切り踏みつけた。汁が靴を汚しただけで赤い卵の中には妹も弟もいなかった。

キクはハシがいじめられたりすると必ず助けた。ハシは体が弱いせいかキク以外の他人と接触するのを嫌った。特に大人の男を恐れていた。ハシの体には涙がいっぱい詰まっているのだとキクは思った。パンを乳児院に届けに来る男が、お前はいつも軟膏臭いなあ、と言って肩を軽く叩いただけで、ハシは泣き出した。キクはこういう時言葉をかけてやるわけではない。ただ黙って傍にいるだけだ。ハシが大きな声で泣いたり怯えて震えたり叱られていないのに謝まったりする時、キクは表情を変えずにいつまでもハシの回復を待った。だからハシは後を追って便所にもついていこうとしたが、キクは拒まなかった。キクにもハシが必要だったのだ。キクとハシは肉体と病気の関係だった。肉体は解決不可能な危機に見舞われた時病気の中に退避する。

毎年桜が満開になる頃ハシは喉から風の音を出し咳に苦しんだが、その年は特にひどかった。神経性の喘息で微熱が下がらないハシは外でキクと遊ぶことができないためか、自閉的な傾向が強くなった。ハシは奇妙な飯事《ままごと》に熱中した。玩具のプラスチック製食器、玩具の鍋、フライパン、洗濯機、冷蔵庫、それらを規則正しく床の上に並べる。その並べ方はある図形になったり能率的な台所の模型になったりするが、共通しているのは、そのミニチュアの家具や食器の配置が終わるとハシが決して変更を許さなかったことだ。他の誰かが玩具の位置を変えたり誤って触れて壊したりすると、ハシは怒り狂った。ハシが怒って仲間やシスターに向かっていくのはこれまで考えられなかった。夜はその模型の傍で眠り、朝起きて異常がないのを知るとしばらく満足そうに眺める。やがて不快に耐えないという表情になる。そして突然何か呟きながら自ら荒っぽく台所を破壊した。ハシは台所や居間だけでは満足しなかった。布の切れ端や糸巻、釘、鋲、自転車の部品、石や砂、ガラスの破片を使って領地を拡大した。女の子が転んで糸巻の塔を崩した時、ハシは飛びかかって首を締めようとした。そんな力はなかったが昂奮してその夜は咳の発作が止まらず高熱を出した。

ハシは、キクが模型を見物するのを喜んだ。ここがパン屋で、ここがガスタンクで、ここが墓地なんだ、と説明した。キクはハシの説明が終わるのを待って聞いた。コインロッカーはどこなの？　ハシは自転車の四角い尾灯を指差し、あれだ、と言った。黄色いプラスチックの格子の奥に小さな電球がある。周囲の金属は錆一つなく磨かれ青と赤の電気コードはきれいに丸く巻かれていた。領地内でそれは際立って輝いていた。領地を案内する時ハシは生き生きとしてキクは不思議な苛立ちを覚えた。ハシが敏感に怯えたり簡単に泣いたりする時、キクは患部のレントゲン写真を見る患者のような気持ちになっていたのだ。自分の中ではまだ隠れている不安や恐怖が衣装をつけて振るまってくれる。キクは身替わりに泣いている傷が癒えるのをただ待てばよかったのだ。ハシは模型の傍で眠るようになった。ハシはキクとは無関係にミニチュアのために怯えたり泣いたりする。傷は肉体を脱して自立したのだ。傷は自らの中に閉じ籠もることができるが、傷を失った体は新しい傷を求めなくてはならない。

ある日、シスターに連れられて小児麻痺のワクチンを飲むために保健所へ行ったキクは帰り道行方不明になり、市バスの操車場で保護された。運転手の話によると、キクは始発の横浜駅西口で乗り込み終点の根岸市民ヨットハーバーまでを途中下車せずに四往復乗り続け、どこへ行くのか聞いても返事をせずに窓から外ばかり見ていたので保護したという。これが最初だった。三日後、昼過ぎに乳児院を脱け出して一人でタクシーを拾った。新宿、とだけ呟き運転手が新宿駅に着けると、次は渋谷、と言った。不審に思った運転手は渋谷駅前の派出所に届けキクは再び保護された。品物を届けに来た酒屋のトラックの荷台に乗り込んだ時は事前に捕まったが、墓参に来た夫婦を騙して鎌倉まで行ったこともあった。これから迷子になるくせに、キクはその時、僕、鎌倉から来たんだけど迷子になっちゃって、そう言ったのだ。

キクには厳重な看視が付けられた。若いシスターがキクを見張った。若いシスターはあまり叱らずにキクを理解しようと努力した。父親の車を借りて時間の許す限りキクを乗せてやり話を聞こうとした。キクはどうして乗り物が好きなの？　あなた、バスや自動車がとても好きよねえ。キクは、地球が回っているからだ、と答えた。地球は動いているんでしょ？　じっとしているのはおかしいよ。本当は地球のせいではなかった。キクは自分でもよくわからなかったのだが、静止が我慢ならなかったのだ。地面の上で動かずにいることが不快でしょうがなかった。自分のすぐ傍で何かが猛烈な速さで回転している。目が眩むスピードで光り輝きながらどこかへ飛び立とうとしている。その爆音で地面は常に微かに震えているのだ。一定の間隔で離陸しその度にキクは置いていかれた、という失望を味わう。すぐに次の出発の準備が始まる。燃料の匂いがして爆発と回転が起こり空気と地面が震動する。空全体を被っているような気もするし耳のすぐ後ろで今にも飛び立ってしまう気配がすることもあるし地中の底深くから震えが伝わることもある。いずれにしてもその中で自分が静止しているのは耐えられないことだ。離陸に向けて震動と爆音が大きくなり比例して不快と恐怖が強くなっていく。だからキクは何とかしなければならなかった。巨大な浮遊物に乗り込まなくてはならなかった。

ある日、車で遊園地に連れて行ってもらったキクはジェットコースターに乗り込み、降りようとしなかった。他の子供のように歓声も上げず無表情のままで乗り続けた。若いシスターは、キクを降ろすように係員から言われた。キクは真青な顔をして全身に鳥肌と汗を浮かべ座席にしがみついていた。若いシスターはキクの小さな指を一本ずつ剝がさなければならなかった。キクの体は硬直していた。この時、若いシスターは、キクが単なる乗り物好きの子供ではなく、ある種の病気らしいということに、初めて気がついた。寝室の床一面に玩具と廃物と瓦礫を敷き詰め、その模型の領地を侵害する者がいると治療中でも注射器の針を暴れて折ってしまうハシと共に、シスター達はキクを連れて精神医を訪ねた。

精神医はハシが床一面に築き上げた模型王国の写真を見ながら、親のない子供が親との関係に飢えて自閉に固執する場合等はみなさんの方が馴れてらっしゃるが、と話し始めた。

「遺伝性の精神病を除き、幼児や児童の神経症は親との関係、環境的因子、この二つが問題になります。みなさんは養育者だから御存知だと思うが、ある意味で子供はみんな神経症的です、子供の精神は肉体と同じような順序で発達しますが、その発達が順調に進行するには周囲からの一定の刺激、支持、供給が必要です、ですがそれらが理想的に与えられるのは全く不可能でさらに自分の力には限界があって、発達をしつつある子供は常に手に余る問題を抱えているわけです。

さて、この二人ですが、児童分裂病の早期症状なのか、そうだとしたら器質的な欠陥、脳障害、代謝異常などがあるのか、また遺伝的なものか、残念ながら今の段階ではわかりません、二人を自閉症だと考えると極めて特殊な症例だということになりますが、私はその可能性が強いと思ってます、共生幼児精神病と呼んでいますが何故この二人は特殊かといいますと、この病気は母親との分離が耐えがたいために発病するのです、自分と他者との区別がつく生後六ヵ月頃、幼児は母親との一体感を失います。そこで六ヵ月以前にあった母親との一体感の心地良い全能感、その幻想の中に逃げ込もうとするのです。外界との対応ができず、外界は自分と母親を引き離す敵意に充ちたものと映り、これを破壊しようとします、そして幻想の中へ全能感の中へと自らを閉じ込めてしまうわけですが、この二人の場合、まず溝内橋男ですが、この子は他人との関りをほとんど拒否してこの不思議な箱庭のようなものを作っています。自閉症には、〝豊かな自閉〟と〝貧しい自閉〟の二種類があって、外界と切り離された患者の精神状況が空っぽの場合、〝貧しい〟、豊かな精神世界がある場合〝豊かな自閉〟とこう呼ぶのです。この溝内橋男はもちろん豊かな自閉です、このような想像力に満ちた作品を造るのですから。次に、関口菊之の場合ですが、この子は静止恐怖を訴えて急激な空間移動を欲しているにもかかわらず、それは外界への積極的な関与とはなっていません、むしろそれは急激な運動によって自分の中へ入っていく試みだと思います、何者かが自分のすぐ傍で轟音と共に飛び立とうとしているという彼の強迫観念は、実は、自分を恐れているのです。溝内橋男を箱庭作りに熱中させているものと関口菊之が恐れているものは同じものです、それは何だと思いますか？　エネルギーです、私はお電話を頂いてから興味をもってコインロッカーで発見された新生児について調べてみました、一九六九年から一九七五年までに全国で六十八人の嬰児が発見されていますが、そのほとんどは死体遺棄となっていますね、大部分が死んでから捨てられ、その残りはコインロッカーの中で死に、例外的に息がある内に発見されたものも病院で死亡しています、つまり、生き残ったのはこの二人だけなんですね、新生児にはもちろん意識現象としての記憶はありませんが、この二人が生後僅か数十時間で死に直面し当然覚えたであろう無意識下の恐怖と、自分の肉体がそれに激しく抵抗して勝ったということは、脳のどこか、乳頭体か前脳、視床下部か、どこかの記憶回路にセットされていることは考えられます、この二人を生き延びさせた強大なエネルギーはどこかにセットされて、ある時期に大脳の統合を妨げるのです。つまり二人のエネルギーは自分で制御できないほど、強いことになります、このエネルギーに方向性を与えるまでこの二人は何年もかかるでしょう」

それではどうすればいいのか、とシスター達は聞いた。二人はこれから学校へ行かねばならないし、養子として貰われていくかも知れない、こんなに自閉的では正常な成長はできないではないか、と。

「有効と思われる治療法があります、エネルギーを眠らせる、ある期間、その力をコントロールできるようになるまで脳の襞に埋め込んでおかねばなりません、凶暴になってしまった神経細胞と代謝物質を凍らせてやらなければね、この治療法はアメリカで幻覚剤による急性分裂病に用いられて開発されたものですが、患者を、もう一度母親の体内に戻すのです、絶対的な平静と秩序を与えるわけです。音を聞かせます、電気操作した人間の心臓音、胎児が母親の胎内で聞く母親の心臓音ですね、人間の心臓は体内では非常な音量で響いているんです、空気ではなく体液の振動で伝わるからです、それは単なる音ではなく様々な器官や血液、リンパ液を震わせて胎児に伝わるために、複雑な、音階さえ感じられます、この音階と音色が昨年アメリカの精神医科学会で発表された時に、マイケル・ゴールドスミスというマサチューセッツ工科大学教授で神経化学を研究している人が面白い意見を述べました、この人は余技に空想科学小説を書くんですが、その心臓音は、航空宇宙局が飛ばしている人工衛星が発する異生物交信音と非常によく似ているというのです、偶然でしょうがね。私はその心臓音を実験的に聞きましたがそれはすごいものですよ、半覚醒状態で聞くと圧倒的な平安と至福を覚えます、宗教家のみなさんにこんなことを言ったら失礼だろうが、その昔キリストが与えた至福感とはああいうものだったかと思いますね」

キクとハシは次の日から通院を始め、睡眠誘導剤を適当量服用して一時間から二時間、胎児が聞くという心臓音を聞かされた。

治療室は十畳ほどの広さで、患者が暴れて衝突しても怪我をしないよう床と壁には柔い材質のゴムが貼られてある。音が出るのは二面の壁と天井に嵌《は》め込まれたスピーカーからだが粗い布地の被いで見えることはない。天井と壁の隙間に小さな光源が並んでいるが、照明は光量の増減が可能で部屋のどの位置でも明るさが均等になるように設計してある。部屋にはかなり大きな長椅子が一つ置いてあるだけで、向かいあった壁には七十二インチのVTR受像機が厚いガラスを隔てた向こうにある。キクとハシはまず睡眠誘導剤を混ぜたグァバジュースを飲み医師に連れられて長椅子に坐る。部屋は、それには気付かないほどゆっくりと暗くなる。VTR受像機のスクリーンには、繰り返して波が寄せる南太平洋の海岸や、新雪を滑降するスキーヤー、夕日を背後から受けて走るキリンの群れのスローモーションフィルム、波を割って進む白い帆船、珊瑚礁を回遊する何万匹の熱帯魚、鳥やグライダー、バレリーナや空中ブランコが映し出される。その映像は、波の大きさや落日の光量や海底の色や帆船の速度、景色や舞台がごく僅かずつ変化した。その微かな変化がわからなくなり意識が薄らいでいくと既に部屋は暗くなっている。音は二人が部屋に入った時から鳴っているが人間の耳には聞こえないボリュームであり、次第に大きくなって眠りに落ちた時には最大となる。五十分から八十分で二人は転《うた》た寝から覚めるが、エンドレスのVTRテープは回り続けていて同じ映像が目の前にあり、時間経過の感覚は全くない。治療は午前十時三十分に開始される。これは太陽光線に変化がない時間帯で部屋に入る時と出る時の時間経過感覚もない。例えば、部屋に入る時は晴天で治療中に雨が降った場合、二人が覚醒する数分前から雨の音を部屋の中で聞かせ最終的な光量を降雨時のそれに調節する。キクとハシは治療を知らされていない。シスターと医者からは病院で単に映画を見るのだと言われている。

一週間で既に効果は現れた。二人は進んで通院し治療室に入るようになり、シスターのつき添いも必要がなくなった。一ヵ月が経つと精神医は睡眠誘導剤の替わりに催眠術を使い二人の無意識下にある凶暴なエネルギーの変化を調べた。音を聞きながら、今、何が見えるか？と聞くと決まって二人共、海、と答える。キクは、海を見下す断崖の縁で、乳児院礼拝堂の壁にかかる絵の中の髭を生やしたキリストが自分を天に向かって掲げているのだ、と目の裏側の状況を話した。とても柔い物に包まれて涼しい風が吹いている、海は穏やかでキラキラと眩しい。治療は約百日間続けられた。精神医はシスターに告げた。「治療はほぼ終わりました、あと大切なのはあの二人に、変化したのは自分達なのだと気付かせないことです、心臓の音を聞いたなどと教えてはいけません」

キクとハシは病院の廊下でシスターが出て来るのを待っている。窓の半分が黄色に輝き、残りは緑が風に揺れる銀杏の並木だ。エレベーターが開いて人の声がし二人は振り向いた。痩せた老人が胸に包帯を巻き片方の鼻にチューブを入れて二人の前を通り過ぎる。寝台を押す看護婦に大きな百合の花束を持った少女が話しかけた。キクとハシは痩せた老人に近づいた。血管の浮いた肌は青白く、唇だけが赤く濡れている。足首は革ベルトで寝台に固定され両腕に点滴の針が埋まって少し血が滲み出ていた。老人は目を開けた。顔を覗いているキクとハシに気付くと唇の端を歪めて笑いかけた。しばらくして二人も微笑んだ。シスターが突き当りの部屋から精神医の言葉を繰り返しながら出てきた。

「あの二人の子供は、自分達が変わったという自覚を持ってはいません、世界が変わったのだと思っています」

2

キクとハシは来年小学校入学という年の夏、養子縁組が決まった。双子の兄弟が欲しいという申し入れにシスターはキクとハシを推薦したのである。

聖母互助会を通じての申し入れは西九州の離島からだった。二人の子供は乳児院を離れるのを最初拒んだが、里親となる夫婦の写真を見て承諾した。その夫婦の背後には海が映っていたからだ。

出発前夜、シスターと仲間達が集まって送別会を開いた。仲間の代表が二人に記念品を贈る。桜の花と仲間全部の名前が縫い込んであるハンカチ。ハシが泣き出した。キクは気付かれないように会場を脱け出し礼拝堂に入った。黴と埃の匂いがする。灯りを点け壁の絵を見る。羊を空に掲げたキリスト。もうすぐ自分はこの絵の中に、海を見下す断崖の上に登場するだろう、シスターが捜しに来て一緒に祈ってくれるまで、キクはその絵を見続けた。

新幹線で博多まで行き、つき添いのシスターはそこで黒い服の男にキクとハシを引き渡した。男は長崎県の民生委員だった。二人は男に連れられて汽車を乗り換え、小さな駅で降り、またバスに乗った。バスの中で、裸でいても汗が滴る暑さなのに黒い背広を着ている民生委員をキクは変だと思った。そのことをハシに言うと、ハシは黙って民生委員の手の甲を指差した。火傷の跡があった。あの人昔すごく熱い思いをしたからきっと慣れてるんだよ。

長い直線の道路を上がりきると海が見えた。船体が赤く錆びたフェリーボート、岬の左側と島、太陽に焼かれて水平線の端に群れている雲、港に着いてキクとハシは海の方へ走り出しコンクリートの堤防に上がった。驚いたよキク、うんと遠くまで見えるんだね。海を囲む景色は暑さのせいで膨張し霞んでいる。じっと魚籠《びく》を覗いていたハシに釣人が魚をくれた。目が丸く飛び出て腹の腫らんだ魚は埃に塗《まみ》れてしばらく跳ね、すぐに乾いた。キクは尖った尾に触れ臭かったので離した。

黒い服の民生委員が二人を呼ぶ。フェリーボートの切符とアイスクリームを持っている。二人が立ち上がり振り向いた時、港を囲んで切り立つ崖の背後から金属の筒が現れた。銀色の円筒型はスルスルと伸び突き出していた車輪を二人の真上で翼の中に折り畳んだ。二人は目をいっぱいに開いてジェット機を見た。あまりに低く飛んだので自分達もどこかに行けそうな気がした。羽の生えた巨大な影は港全体を一瞬被って熱の溜まっていた二個の小さな体を冷やしてくれた。

フェリーボートの中は重油の匂いがして暑さに参っていた二人は息が詰まった。売店は閉まっていて、故障中と書かれた紙が、ジュースの自動販売機とテレビと壁際の扇風機に貼ってある。民生委員が溶けかかったアイスクリームをくれた。客室の座席に張ったビニールは破れて黄色いスポンジがとび出し、その屑が砂でザラザラする床に散っていた。民生委員の黒いズボンがアイスクリームで汚れた。男はいやな顔をしてハンカチで拭い床に唾を吐いた。おい疲れたろ？　そうキクとハシに聞いた。二人は気分が悪かった。重油の匂いと船の揺れで吐気がする。鼻から喉にかけて詰まっている不快な匂いを消そうとしきりにアイスクリームを舐めた。疲れたろ？　返事ができないのか。民生委員は大声をあげた。ハシは驚いてアイスクリームを口から離す。

ハシは小声で本を読むような調子で答えた。僕達は、横浜の、桜野聖母乳児院から、新しい、おとうさん、おかあさんのところへ行きます。溶けかかったアイスクリームがハシの右手を伝って床へ垂れている。そんなこと聞いてないよ、疲れたかって聞いてるんだ、疲れたかって。ハシは微かに震えだした。前から大人の男を恐がった。ハシはべそをかいてもう一度言った。僕達は、横浜の、桜野聖母乳児院から、新しい、おとうさん、おかあさんの、ところへ。民生委員は右手の甲、ケロイドの上に乗ったアイスクリームの汁を舐めて笑いだした。それしか言えんのか？　お前らインコみたいだな。キクは手に握っていたアイスクリームを民生委員の上着に押しつけて逃げた。甲板を駆け抜け海に飛び込もうとした。黒い服に染みを付けた男が追いついて引き倒す。おい、ごめんなさいと言え。男はキクの耳許で怒鳴った。息が臭かった。さつきコンクリートで固くなった魚の匂いだ。キクは男を見て笑った。男はキクの頰を軽く張った。何を笑ってるんだ、謝れ。ハシが代わりに謝った。ハシは民生委員の上着を摑み、何回もごめんなさいと言った。キクはあまり喋るのが好きじゃないの、僕がかわりに喋ってあげなさいってシスターから言われてるの。民生委員はキクを離し黒い上着を脱いで便所の蛇口で洗った。キクとハシは固い座席に横になった。重油の匂いを消そうと、二人は寝つく前に何度も手の平に残っているヴァニラの甘い香りを嗅いだ。

島は動物の形をしている。入港する時、陽が落ちて黒い輪郭だけになった島は、光線の束を呑み込んでいる虎の上半身に見えた。

里親が桟橋まで迎えに来ていた。暗くなったせいもあったが、ハシは、何だこのおかあさんには子供がちゃんといるじゃないか、と思った。新しい父親桑山修一はそれほど背が低かった。民生委員が双方を紹介する間、キクは父親を観察して失望した。桑山が背が低いだけではなく、色の白い手足は細くて肩や胸や股や尻の肉が落ち、髭も生やしていないし髪の毛も薄くて、絵の中のキリストとは全く似ていなかった。地面に突き倒して血を抜き、代わりに大鋸屑《おがくず》を詰めて顔の皺を伸ばせば縫い包みの枕に使えそうだった。こんなところで立ち話もなんだから、食堂へでも。父親のかん高い声にハシはキクの腹を突ついて笑った。宇宙船で難しい計算をするロボットみたいだね、キク。港内の食堂で子供達はオムライスを、親達と民生委員はうどんと酒を頼んだ。

桑山に酒を注いで貰いながら民生委員はキクが背広を汚した話を始めた。厳しく育てんといかんぞ、尼さんに甘やかされてこいつら腐っとるんだ。新しい母親は首から上だけにべっとりと白粉を塗っている。首と胸の境にある突き出た骨の上に汗で流れた白粉が溜まっていた。キクとハシの新しい母親桑山和代は修一より六歳年上で四十を少し越えていた。

和代はこの島が海底炭鉱で賑やかだった頃前夫と別れ叔父を頼ってやって来た。和代の叔父も鉱夫だった。当時島には五千人を越す炭鉱労働者が住み半数は独身だった。美容師の見習いを始めた和代は毎日が楽しくて仕方がなかった。大柄で目が細く少し鼻が大き過ぎたが、独身の鉱夫に誘われない日はなかったからである。和代は決して誘いに乗らなかった。一度結婚に失敗して男に懲りたからではない。あまり言い寄る男が多かったので自分に自信を持ち過ぎて、もっといい男がいつか必ず現われると思い続けていたのだ。男達は、和代を美しいと言った。最初は信じなかった。この島に来るまで生まれて一度も、美しいなんて言われたことはなかったのだ。美容院の仕事が終わると、男を選んで食事に行き、パチンコをするか、踊るか映画を見て家に帰り、和代は寝るまでの長い時間、鏡を眺めた。男が囁いた言葉を全部思い出し、鏡を見て自分のどこが美しいのかを捜した。簡単には見つからなかった。やがて、唇ではないかと思うようになった。それと肌の白さと木目細やかなこと。和代に特定の恋人ができなかったのは、島に来る前の感覚で判断すると素敵だな、と思うような男が自分の周囲に常に三人はいたからである。

離婚してから初めて和代が寝た男は鉱夫ではなく、ボーリングの技術者で独身ではなかった。二人の若い鉱夫と行ったダンスホールで知り合った。技術者は車を持っていて、フェリーボートで本土の長崎や佐世保に遊びに行った。技術者の妻に発覚した時、和代は、そんな顔でよくもうちの人を、と言われて驚いた。確かに技術者の妻は和代より美人だったが、そんな顔で、と言われたのは久し振りで信じられなかったのだ。その日からまた長い時間鏡を見る習慣がついた。唇と肌の色、肌の木目の細かさ。

和代は二年間勤めた美容院を辞め、繁華街のバーで働くようになった。白粉で更に肌を白く染め、唇にべっとりとルージュを塗って。和代は技術者と何回寝たか憶えていた。十八回だった。何回目からすごく男を好きになったのかも憶えていた。四回目からだった。天井に鏡の付いた丸いベッドのある長崎のホテルだった。コーヒーの味がするカクテルを技術者は教えてくれた。カカオフィズ。バーに勤めだして四日目、ある鉱夫がカカオフィズを奢った。和代は懐しさのあまり店で泣き出し、その鉱夫と島内の旅館で寝た。一ヵ月経つと和代は毎晩違う男と寝るようになった。カカオフィズはもう必要なかった。

毎晩男から美しいと言われ性交の後で長いこと鏡を眺める幸福な夜は、炭鉱の閉山で終わった。閉山後の労働争議は三ヵ月続いたが、バーへ飲みにくる男は全くいなくなり、やがて島から若い男が消えて人口は十分の一に減った。和代は三十になったばかりだった。四国の造船所へ転属になった叔父と共に和代は新居浜のバーに働いたが、そこは船で二時間もかかる島ではなく、美しいと言ってくれる男はほとんどいなかった。島で寝た男達の顔と性器を思い出して鏡を眺める和代は、ある夜、白く滑らかだった肌に染みを見つけた。目の下、頰、胸、染みを数えるうちに乾ききった唇に気付き、皺や肉のたるみを発見した。叔父の一家は新しい生活に追われて、風呂上がりにも白粉の匂いがする和代の相談に乗る余裕がなかった。

和代は新居浜を出て大阪で二年、福岡で一年働き、疲れ果てて島へ戻って来た。島で一軒だけ残った旅館で仲居をしている間に、桑山と出会った。桑山はカカオフィズを奢った一人だった。鉱夫を辞めて佐世保の鉄工所で僅かな金を作り島で小さな工場を始めた、桑山はそう言ってトタン屋根の、錆付いた機械が一台土間に置いてある小屋に和代を連れて行った。和代は一緒に住むことにした。桑山が唇を震わせてその夜、美しいと言ったからである。桑山はプレス機械で発泡スチロール製の弁当箱を作っていた。需要は伸びて機械を増やし数種類の弁当箱を作るようになり、桑山は借金で和代のために美容院を買った。借金返済が半額終わると、夫婦は養子を捜したのだった。

キクとハシは、機関車の絵の入ったパジャマを着せられた。床に着いてからハシは疲れからか熱を出した。和代は氷枕を作って横になったハシを団扇であおいだ。桑山は民生委員が帰るとすぐに仕事を始めた。窓からはキクが見たことのない肌色の蛾が入って来た。キクは何も見えない外を眺めた。乳児院の窓からは街の灯りや自動車のヘッドライトが流れるのがきれいだった。真暗だがよく見ると大きな葉が生温い風で戦《そよ》いでいる。桑山がプレス機の電源を入れ、虫の音が消えた。うるさいだろうけど、あれやらんとあの人は眠れんのよ、和代が言った。キクは足許に飛んで来た甲虫を踏み潰した。生き物を殺しちゃいけんよ。キクは彼方に小さな灯りを見つけた。星だと思ったがそうではない。あれは灯台よ、夜通る舟が岩に衝突せんように、照らしとるんよ。灯りは回転して光がこちらを向く時に、揺れる海面が一瞬現れた。もう寝なさいよ、あんたも疲れたろうにね、あんたも休みなさい。キクは突然大声で叫びたくなった。巨大なジェット機になって虫や葉っぱやこの窓や桑山の機械や灯台を爆音で吹き飛ばしたくなった。陽に焼かれた木々が冷えていく夏の夜の匂いが耐えられなかった。キクは喉を震わせ勇気を振り絞って、僕の名前はキクユキと言います、と小さな声を出した。ハシやシスターはキクって呼んでました。それだけ言うと涙がこぼれた。自分が泣いているのが不思議でしようがなかった。和代は何も言わずに団扇を動かしている。キクは一人で布団に入った。新しいシーツはすぐに汗で湿った。

翌日二人が目を覚ますと既に桑山はプレス機を唸らせていた。和代は二人に新しい半ズボンとシャツと運動靴を与えて美容院に出かけた。お昼にはあたしもあの人も戻るからね、テレビでも見てたらいいね。キクとハシは御飯に生玉子と味噌汁をかけて食べシャツにプリントされたヨットを数え、テレビをつけて料理番組だったのですぐに消し、畳の上で軽い取っ組合いをやり、机の上にあった千枚通しを襖に投げ突き刺して、外へ飛び出した。狭い庭にはトマトと茄子が植えてある。離れの仕事場に桑山の後姿が見える。背中を丸めて下着一枚の体に汗を掻いて太い鉄の棒を上げたり下げたりしていた。本当にロボットみたいだな、そう思わない？　キク。

家の前から延びる細い坂道は、途中島を縦に走る太い道路と交差してそのまま海まで続いている。坂道の両側にはカンナの花が密生していた。大きな木の下で陽焼けした三人の子供が蟬を捕まえている。キクとハシが近づくと、子供達は二人の新しいシャツと半ズボンを眩しそうに見た。何してるの？　ハシが聞いて、一人が蟬の詰まった籠を掲げる。ハシは壊れたラジオのように騒がしい籠を受け取って数を勘定した。子供達は貝殻に入れた鳥黐を上手く竿の先に付ける。キクとハシは子供達が指差す木の幹を見るが枝の隙間の空が目を刺し樹肌と蟬の区別ができなかった。だから竿の先が静かに幹に近づいて突然鳴き声がひときわ高くなり玩具の鳥みたいに羽をばたつかせる蟬が捕まると、手品師の芸を見るように昂奮した。高い枝に大きな油蟬がいるらしい。一人の子供が一番背の高いキクに竿を渡した。見えないよ、とキクが言うと、横に回り指差した。その泥に汚れた指の向こうに枝の瘤に見える大きな油蟬がいた。キクは息を潜めて近づいた。蟬は腕を精一杯伸ばしてようやく届く高さで鳴いている。キクはブロックのかけらに乗った。竿を蟬の複眼の死角から近づけるように子供が教えた。ブロックのかけらが傾きキクはよろけた。ハシが落胆の声をあげる。キクはそのまま蟬の尻を突く感じで竿を出した。先端が羽に触れ蟬は強引に飛び立とうとしたので、竿は、キクが地面に転倒した後空に抛物線を描いてゆっくりと落ちてきた。歓声があがった。竿を地面から浮かせて跪いている油蟬を、子供はそっと摑み鳥黐を拭ってキクに示した。ハシは、海へ出るにはこの坂道でいいのかと子供達に聞いた。この先は崖になって海岸には降りられない、そこのバス通りをしばらく歩いて二つ目の脇道を下ると海岸に出ることができる、そう教えられた。

広い道路を歩いていくと和代の美容院が停留所の上にあった。二人を見た和代が出てきて、どこに行くの、と怒鳴った。キクは答えずに海を指差した。炭鉱の跡地に行ったらいけんよ。キクもハシも炭鉱という言葉を知らなかった。

子供達が教えてくれた二つ目の脇道は草が被っていてキク達は通り過ぎてしまった。これだ、と思って入った細い道は途中で迷路のように分かれ二人は何度も行き詰まって元のバス通りに出られなくなった。二人は蚊に襲われ草で足を切って心細くなってきた。大声で誰かを呼ぼうと思ったが、来てくれる人はいないような気がした。また道が二つに分かれている。右には暗いトンネルがあったので、左に進むと、蛇が道を横断した。二人は悲鳴をあげてトンネルの方へ走った。トンネルは緩やかに曲がっているため向こう側の出口は細長い光の筒に見える。トンネルは冷たく下はぬかるんでいた。天井から雫が首筋に落ちてハシはトンネルが崩れそうな大声を出して走り出し足をとられて転んだ。ハシが倒れたままべそをかき始めたのでキクは、泣くな、と怒鳴った。ハシ、立って歩くんだよ、もうすぐ出口だ、キクは水溜まりを避けて出口を目指した。水溜まりの水は腐っている。泥塗れでトンネルを出ると道は鉄条網と草で封鎖してあった。しかし五歳の子供なら抜けられる穴が右隅に空いていて、二人はトンネルを戻りたくなかった。錆びた鉄条網でシャツのヨットが裂ける。キクはなかなか前進できないハシに、後に蛇がいるぞ、と威した。二人は腹這いで、肘を使って進んだ。やがて肘がコンクリートに触れて草が途切れた。立ち上がり、現れた景色はハシが一年前に作った模型の町に似ていた。

あの廃物と玩具と瓦礫の王国がそのまま膨張して目の前にあった。廃墟と、無人の街だ。整然と並んだ灰色の炭鉱住宅、ガラスが割れた窓から草が伸びているのを見なければ、たった今サイレンが鳴って全員が避難し終わったのに、自分達だけがとり残され生け贄に殺されるのを待っているような錯覚に陥る。掲示板にはポスターが引っかかったままだ。海上自衛隊九州ブラスバンド公演、クワイ河マーチ、錨を上げて、星条旗よ永遠なれ。二人は立ち竦み人の話し声が聞こえてくることはないと知って駆け出した。家と家の間を走った。自分達の足音だけが響く。三輪車があって二人は止まった。色がなくなったビニールのサドルから草の芽が出ていたが、キクとハシはどこからかさっき蟬を採っていた子供達が顔を出すような気がした。ハシはハンドルに触れた。頭に釘を打ち込まれた豚の鳴き声のような音でフレームが折れた。裂け目から鉄錆と油の混じった水が零れた。前のめりに崩れた三輪車は、二人に恐怖を与えた。住宅を抜ける。コンクリートが切れて再び草が被い木と砂利の階段を上がる。視界が赤く染まった。煉瓦の壁、隙間から陽が射し込んでくる。壁は延々と続き、隙間から覗くと、見たことのない建築物が交錯している。漏斗型の塔、縦横に規則正しく仕切られたコンクリートの池、その池と塔を結ぶ丸く抉られた溝、剝き出しの鉄骨、煉瓦の円筒、それらにびっしりと絡みついた蔦、ハシは何かに似ていると思いキクに言おうかと思ったが止めた。真青な顔をしていたからだ。音治療に通った病院の待ち合い室に貼ってあった人間の消化器の模式図だった。キクは全身に鳥肌を立てていた。この人気のない影と温度だけが支配する遺跡は、いつも自分が怯えた巨大な回転体が飛び立った後の景色なのだ、と思った。

コンクリートの内臓を抜けると半壊した学校がある。水の涸れた噴水はひび割れて厚い肉の植物が葉の先端を突き出している。尖った葉は生物ではなく機械だった。海底トンネルを掘れそうだ。噴水の回りには花壇が残っているが忘れられた種子は風に飛ばされて転がった便器の底の僅かな土から花を咲かせていた。校舎の半分は防水布に隠れている。結んであるワイヤーロープは何本かが千切れ、ボロボロの布と共に風が吹くと音をたててはためく。屋上で待機する何百羽のカラスはその音の度に舞い上がって、建物の一部が破裂したように見える。

ハシはさっきからずっとここはどこなのだろうと考えていた。ハシはトンネルで転んだことまでは憶えている。泥が乾いてシャツと肌の区別がつかないほど汚れているし、その汚れからは油と腐った水の匂いがするから、トンネルを潜ったことだけは憶えているのだ。キクは太陽がどんどん傾くのに気付いた。暗くなると廃墟は遊園地ではなくなるだろう。蟬を採る子供達がいるところへ戻る出口を捜さなくてはいけない。

二人は運動場を横切った。鉄棒は捻じ曲がり地面に突き刺さっている。砂場はサボテンが密生しその棘が緑色の水を湛えたプールにいっぱい浮いていた。電柱が三本、真中から折れて、割れ目に白蟻が巣を拡げ、何万匹という透き通った羽が様々な形の蜃気楼を作った。その半透明のカーテンの向こうに、街があった。商店街と歓楽街が敷石の剝げた道を隔てて向かい合っている。

ねえ見て、きれいだよ。ハシが呼んだ。バーやレストランの名前の形に曲がったネオン管の破片が一つの穴の中に集められて風で揺れ発光する絨毯になっていた。風の強さと方向によって陽を反射する細かい破片の種類と位置が変わり、光の色はお互いに溶け合って、その穴全体が手の込んだ一個のネオン板のようだった。キクは近づいて破片の一つを手に取った。軽くてなだらかな曲面の裏と表は質感が違う。表はピンクで滑らかであり、裏はザラザラした黄色だ。破片を放り投げた。穴ではなく土埃の中に落ちる。落下点の地面を見てキクの顔色が変わった。膝をついて地面を見ながら這っていく。どうしたの？　キク。ハシがほとんど割れていないSの字型のネオン管を握ってついていく。タイヤの跡があるんだ。柔かくて乾いた地面だから、昔のものではない。一本だけだから、多分オートバイだね。誰かがここを通ったんだ。この街に誰かいるの？　タイヤの跡は映画館の前で途切れていた。映画館は、ピカデリー、と描いた看板が傾いて、歓楽街の外れにあった。キクはその周囲を調べる。タイヤの跡はその他にはどこにもない。Uターンして引き返した形跡もない。ハシは、次週公開という字の下で一枚だけ半分になって残ったポスターと、羽目板の隙間に束になって落ちていた写真を見ている。ポスターは女の目の部分で破れて、鼻と舌と顎とその下に何故か独立して乳房があった。写真は拳銃を構えている外国人の男と、血を流して倒れている金髪の女、キスのアップ、夕陽を背景に二頭の馬に乗る貴婦人、ハシはそれらにこびり付いている砂をていねいに落として眺めた。そっとシャツの裾で拭わないと破れてしまうからだ。何枚目かに女の裸が現れてポケットに押し込もうとしたら裂けてしまった。キクは映画館の窓を一つ一つ調べている。全部板を打って封じてあった。

ハシは、ふと上を見上げて気絶しそうになった。大声を出そうと思ったが喉がひきつってだめだ。映画館の二階で生きている人間がこちらを見下していたのである。若い男だった。上半身裸で革のズボンをはいている。キクも気付いた。若い男は二人を交互に見て、どっかに行けと顎を振った。キク達が震えながら動けないでいると、帰れ、と低い声で言った。ハシは走って遠ざかろうとしたが、キクがまだ動かないのでどうしていいかわからずに、キク、と大声で呼んだ。キクは、痩せて髪の長い髭を生やした若い男を、やっと見つけたぞ、と呟きながらずっと見た。こんなところにいたのか、巨大な回転体が破壊した街に、僕を天に掲げてくれる男は住んでいたんだ。男は引っ込んでしまった。戸が閉まる音がした。キクは力を振り絞って叫んだ。

「オートバイ、どうしたの？」

返事はない。ハシが涙を浮かべて近づき、もう帰ろうよ、とシャツの袖を引っ張った。キクも諦めて歩き始めた。映画館の角を曲がると、鉄板と材木が擢れ合う音が聞こえた。キクとハシが振り返る。映画館の二階から波型の薄い鉄板がするすると降りて地面に届いた。同時に爆音がしたかと思うと銀色のメタルフレームが現れ恐しい速さで鉄板を下り砂煙を上げてキク達の脇をあっという間に走り過ぎた。キクは若い男が通り過ぎる瞬間自分に笑いかけたような気がした。オートバイの音はしだいに遠くなった。

泥塗れのシャツを問い詰められてハシは炭鉱の廃墟へ足を踏み入れたことを白状してしまった。二人はきつく叱られた。和代は、取り壊しや資材整理が完全に終わっていない廃墟がいかに危険か、これまで元鉱夫の二人の浮浪者が空屋の水道管を盗もうとして蝮に嚙まれた、遊んでいた子供が坑道に落ちたこともある、坑道を塞いでいる材木はほとんど腐っていて穴の中はガスが充満している、落ちたら三千メートルの海底まで一気に転がり気味の悪い虫や蛇の餌になる、地下の資材保管所にはまだ劇薬が残っていて触れるとあっという間に骨まで溶けてしまう、廃屋には今でも浮浪者がいて襲われた女の子がいる、事故が起きても誰も助けに来てくれない、大声を出しても人が住んでいる所までは聞こえないのだ、そう言って、二度と近寄らないと二人に約束させた。

桑山と和代は相談し、キクとハシが島の生活に慣れるまで美容院は閉めることにした。近所一軒ずつ、和代は二人を連れて紹介の挨拶に回った。水着を買ってやり、海に連れていった。

草の間から潮の匂いがすると、二人は歓声をあげ、波打ち際を目指して走り出した。焼けた砂浜に裸足で踏み込んだ瞬間、波が弾けて細かい飛沫が二人を迎えた。濡れている砂浜の小さな穴には蟹が潜んでいた。潮が引いた岩場にはいくつも池ができて、帰りそこねた魚が隠れている。自分達の指よりも小さな魚は決して摑まらなかった。二人は、磯巾着の触手の中心に指を突っ込めば、襞を窄めて心地良く吸い着くことを知った。触手の一本一本に色と模様がある。昼食の残りに群れていたヤドカリを捕えて海へ向かって競走させた。蟶を採らせてくれた子供達がやって来て、ハシが手を振った。子供達は水中メガネをつけ銛を持って潜る。しばらくして銛が海面から跳ね上がりその先にビニールの塊みたいなものが乗っている。子供は、蛸やあ、と叫んで岸に上がる。キクとハシは急いで見に行った。乳児院の遠足で行った水族館の蛸とは少し違っていた。岩と見分けのつかない茶色で、銛に絡まって黒いものをボタボタ垂らしている。水族館の蛸はもっと赤くて頭や足や目がはっきりしていた。これはまるで濡らしたボロ布だ。銛から抜く時に子供が失敗して、ボロ布が海へ向かって逃げ出した。キクとハシの方へ逃げて来る。岩に貼り付いて滑るように移動する。摑まえて、と子供が二人に叫んだ。ハシが手を差し出すとボロ布は腕に絡み付いた。ハシはヌルヌル光る形のないボロ布が腕を伝って顔の方へ這って来るので、恐怖のあまり声も出なかった。一方の手で引き離そうとすると蛸はその腕に移動した。腕を締めつけながら一本の触手を肩に伸ばす。慌てて跪くハシは、遠くからだと踊っているように見えた。悲鳴を聞いて和代が駆けつけた時、蛸は倒れたハシの顔を被おうとしていた。キクと子供達が剝がそうと必死になっていたが、蛸は皮膚の一部になったように貼り付いて離れなかった。和代は釦を飛ばしながらブラウスを脱いだ。汗で湿った部分を破り捨て、乾いた布を手に巻きつけて貼り付いた蛸の足を一本ずつ剝がした。蛸を摑むと布ごと岩に何回も叩きつけた。ハシの肩と首は赤く腫れて、吸盤の跡が付いている。ハシは起き上がって動かなくなった蛸と和代を交互に見てやっと泣き出した。和代が抱き上げてくれた。和代の乳房が脇腹に触れて擽ったかった。肩に顔を埋めると唇が和代の塩辛い肌を舐めた。

坂道の脇のカンナが散る。花弁は土色にひび割れて、踏むと粉々に砕けた。台風が、茎の先に垂れて引っかかった夏の花や熟れ過ぎた夏の果実をすべて吹き飛ばすと、和代は枯れ始めた山で栗の実の取り出し方をキクとハシに教えた。踏みつけて棘の殻を割ると、大きさの違う実が三個入っている。中央に挟まっているのが一番大きく、中には養分を一人占めして巨大に成長し残りの二個が死んでしまったものもあった。和代はそんな一個をキクとハシに見せて、仲間を押しのけて自分だけ大きくなると一人ぼっちで寂しいね、と言った。キクが二個入りの栗を見つけた。殻の中で背中をくっつけ合って、同じ大きさで並んでいる。珍しいねえ、この栗はきっとあんたら二人やね。普通なら殻の中に空洞ができて腐ってしまう。二人は二個の実をそれぞれポケットに入れた。

桑山は一ヵ月に二度小舟を借りて釣りをした。必ず夜明け前に出かけた。寒くなって嫌がってもキクとハシを連れて行った。舟宿で塩の入った熱いお茶を飲み、太陽の最初の一筋が照らす海面の色、ゆっくりと暖まっていく空気の感触、跳ねる魚の青い背鰭の鋭さ、濃くなった透明な紺色を流れる魚の血、乾いた鱗の匂い、黄金に染まって寄せる波、海面に触れ溶ける時に雪が出す微かな音。

キャベツ畑で何千匹の紋白蝶が孵化した頃、和代は、リボンの結んである箱をキクとハシの前に置いた。ランドセルだった。

3

運動場を、乞食の老婆が横切っている。廃屋の炭鉱住宅に寝泊まりして、漁師が干している魚を取ったり家々を回って米を貰い、たまに畑から芋を盗んだりして暮している浮浪者だ。昔からの島の住人で、子供がなく鉱夫だった夫は閉山前に事故で死んだ。収容された施設から脱け出して炭鉱住宅に戻り離れようとしない。害のある人物ではないのでみんな黙認して死ぬのを待っている。

ハシはこの老婆を見ると胸が痛んだ。キクによく話した。女の乞食や浮浪者を見ると、ドキッとするよ、僕を産んだ女じゃないかと思っちゃう、薄汚れて一人ぼっちで、いやしい怯えた目でペコペコ頭を下げて残飯を貰ってる女を見ると、そう思ってぞっとするんだ、だって、僕を産んだ女はきっと不幸になってるよ、僕を捨てたんだからさ、幸せになってるわけないよね、罪がある人なんだもの、かわいそうな女を見ると、おかあさんって抱きつきたくなるけど、本当に産んだ母だったら抱きつかずに殺しちゃうかも知れないね。だから、小学校に入学してすぐ、同級生にからかわれた時は猛然と怒った。今と同じように乞食の老婆は校庭を横切っていた。おい桑山、あの乞食のバアちゃんが本当のかあちゃんやろが。ハシは顔を真赤にして、謝れ、とその同級生に迫った。その同級生は図に乗ってもう一度からかった。おおい、ばあちゃん桑山のかあちゃんと間違えてごめんしてねえ。キクがその同級生を半殺しにした。キクはこの時に暴力に目覚めた。桑山も和代もシスターも二人を殴ることがなかったので、ハシはもちろんキクも暴力には慣れていなかったのだ。キクは生まれて初めて拳を固く握りしめて他人の顎を打った。一発で相手は吹っ飛び歯を二本折った。あまりにあっけなかったのでキクの気持ちは納まらず、気を失うまで腹を蹴って、二人がからかわれた時、回りで笑った連中にも殴りかかってクラスの全員を怯えさせた。普段は静かな性格なのでよけいにキクは恐れられた。二人に敵対するものはいなくなったが、乞食女に対するハシの悲しみは変らない。老婆は屑箱から紫色の布を取り出している。肩や腰にあてがって身に纏えないとわかると、吹いてきた風の中に飛ばした。

キクとハシは和代との約束を破り何度も廃墟を探険した。小学校の四年になった年だ。いつものようにランドセルを窓から放り込んで真直ぐ廃墟に向かった。二人は大まかな廃墟の地図を作り、炭鉱住宅、坑道及び洗炭所跡、学校周辺、無人の街の四区域に分けてそれぞれに名前を付けていた。ズール、メガド、プトン、ガゼル。いずれも二人が愛読した漫画に登場する固有名詞で、ズールは悪い宇宙賊の首領、メガドは金星にある宇宙船基地、プトンは白鳥座第三星防衛軍に仕えるロボット、ガゼルはスーパーマンと中国人女性の間に生まれた正義の使者だった。炭鉱住宅、ズール地区は、三方を丘に囲まれている。丘は蔓草が密生して蝮も多いと思われたので、二人はこれまで探険を断念していたのである。丘の向こうからは大きな建築物のせいで風が巻く時の音が聞こえる。

丘の蔓草を刈っていて、一週間前にキクがコンクリートの階段を見つけた。階段を上がりきると、未発見の建物と海が見えるはずだ。そして地図も完成する。階段は丘を斜めに横断しているので、コンクリートにも上側の蔓草が垂れている。キクとハシは鎌の刃でそっと蔓を持ち上げ蝮がいないのを確かめてから切り捨てた。草がなく露出したコンクリートの上も注意深く進まなくてはならない。蝮は音や気配で飛びかかって来ることがある。海を見おろす遺跡が全容を現した。それは鉄筋の高層アパートだった。八階建てのビルが海の方へ十二棟並んでいる。

アルファベットのAからSまでのプレートが側面の壁に貼ってある。二人が上がってきた丘の稜線に沿ってかなり広い道路があり、カーブしながらアパートの方へと降りている。二階のベランダにまで蔓草が押し寄せている棟がある。ガラスがすべて残っている窓枠も幾つかある。炭鉱住宅や無人の街の建物と違って、出入口は塞がれていない。アパート群の前庭、ブランコや滑り台、ジャングルジムが叢から突き出ている。B棟の七階のベランダから、厚肉の観葉植物が育ち過ぎて溢れ、垂れ下がってい る。遠くからだと薄緑色の布団が干してあるように見えるが、ベランダの手摺りを被い隠す灰色の茎と緑色の産毛が生えた葉は、まるでこのアパートの住人を溶かして殺した怪物のように不気味だった。割れた食器、壁の子供の落描き、裏返された畳、何かまだ使える物が室内に残っているかも知れない。こんな大きな建物を気付かずにいたなんて。

キクとハシは、これまでに他の遺跡から様々な物を押収した。鋼を研摩した手製の匕首、古いレコード盤、写真、釣竿、潜水用空気ボンベ、防毒マスク、ヘッドランプ、革紐とヘルメット、ゴーグル、瓶詰めで十八本ジュラルミンケースに入っていた硫酸アンモニア、地球儀、人体模型、国旗。二人は押収品を洗炭所地下の煉瓦倉庫に隠している。キクは、自転車が捨ててあればいい、と思った。

ハシがふいに足を止めた。キク何かいるよ。ハシは敏感に気配を感じ取る。蛇が潜む草の茂みや、蝙蝠が目を光らす坑道、蛸の住む岩穴、水母が隠れている水藻を察知してはキクに危険を知らせていた。誰かが呼吸しているぞ。キクは、鎌を構えて茂みからそっと覗き、微笑んでみせた。来てみろよ、ハシ、ちょっと来てみろよ。ハシは近づかない。この前もキクが来てみろと呼んだ時、坑道の天井一面に蝙蝠がぶら下がっていたのだ。

「子犬だよ、ハシ、子犬がいるんだ」

嘘だったら水中眼鏡をやると言われて、ようやくハシが近づいて来た。白い子犬はB棟の入口付近で穴を掘ったり虫を追っ駆けて遊んでいた。ねえ捕まえて飼おうよ。ハシがそう言うより先にキクは駆け出した。子犬は二人に気付くと逃げ出した。まだ足許がヨロヨロしているので簡単に捕まえられそうだ。二人がC棟の出入口に来た時、唸り声が響いた。ギクリとして二人は止まる。アパート全体から聞こえる。コンクリートの空洞が吠えているようだ。建物の影の中、正方形に区切られた洞窟の暗がりに光る目が見えた。牙を剝き出して身を屈め、唸っている。一匹がゆっくりと陽の中へ姿を現して一声吠えると、何十という野犬が呼応して続いた。キクが走り出そうとするとハシが抱きついて止める。後を見せて逃げると襲いかかってくるよ、猛獣狩りの本に書いてあった、目を逸らさずに後ずさりに遠ざかるんだ。野犬は、奥の建物からも続々と現れた。腹と尻と内臓だけを食い破られた浮浪者の死体が海岸に上がったことがあった。警察は魚ではないと発表した。魚は必ず最初に眼球を突つくからである。鶏や豚が襲われたこともあるが、野犬狩りはできなかった。野犬は蝮と共存していたからだ。

目を逸らすなって言ったって、いっぱいいるんだぞ、睨めったって一匹しか睨めやしないよ、後に回られたらもうおしまいだぞ、ハシ何かいい考えはないのかよ。ハシは、二人同時に大声を上げてみようと提案した。失敗だった。その案は逆効果だった。二人の声は上擦ってしまい悲鳴のように聞こえ、さらに大きな吠声で包まれた。二人は完全に囲まれてしまった。吠えてるだけで襲って来ないぞ、こいつら死人の肉しか食わないいんじゃないか、キクがそう言った瞬間、小さめの赤犬がハシの足目がけて飛びついて来た。キクは思い切り鎌を振り降ろす。刃は耳の付け根に刺さり、赤犬は血を噴き上げて転げ回った。背後から襲ってきたやつが、ハシの襟に噛みつきシャツを裂きながらハシは引き倒された。犬の頭を狙うと誤ってハシに当たる恐れがあるので、キクは鎌を尻に振り降ろした。その犬は太っていたから尻の肉に刃先を埋め込んだままで跳び上がった。力が強くキクは鎌を取られた。包囲の輪が少しずつ狭くなる。一匹はキクの喉元を狙って飛びかかった。ハシの鎌を拾って刃の峰で顔を殴る。犬はひるまずに態勢を立て直し、倒れたままのハシの手首に噛み付いた。ハシ、起きろ！　キクはもう一度鎌の峰で尻を打ったが犬はさらに昂奮して銜えたまま顎を振り、牙はさらに深く食い込んだ。その顎を打ち砕こうと狙いを定めて鎌を振り上げた時、黒光りする毛の大型犬がキクの太股を捉えた。衝撃と痛みでキクは転倒した。真青な顔のハシとぶつかった。キクは両腕で喉を防ぐのが精一杯だった。犬の動きに合わせてグルグル転げ回る、キクは地鳴りを伴なった重い爆音を聞いた。砂埃が舞い風でこちらに流れてくる。目に入る。メタルフレームが見えた。オートバイだ。犬の輪の外にいた。髭を生やしたキク達のガゼル。こちらを見ている。ヘルメットを脱ぎ手の甲で汗を拭いて、何か投げた。犬の輪の一画が崩れる。男は、牛の群れを鞭で散らす時の牧童の声を出して、白いものを続けて投げた。犬の塊りは投げられるパンの方へ動く。キクに嚙み付いていたやつもすぐ横へ落ちた一切れのために歯を離した。ハシは気を失いかけている。オートバイがゆっくり近づいてきた。乗れ、と手で合図する。ハシを跨がせキクが支えてその後に乗りガゼルの革ベルトを摑んだ。ヘルメットを被り直したガゼルは、二人が座席に固定しているのを確かめると、砂煙を上げて発進した。

蔓草を車輪が巻き込んで跳ね上げ、追って来る何匹かの犬をブーツで蹴り上げてオートバイは海へ向かって走った。アパートの間を抜け、小枝を折りながら藪を突っ切り、バス道路に出るとガゼルは思い切り速度を上げた。キクとハシは目を開けていられなかった。風が二人の傷口を開き、冷やして乾かした。キクの太股からの血が座席を汚した。目を開く。景色が白っぽくやがて何も見えなくなる。そこで瞬くと、輝いている海が一瞬静止して映る。そして景色は流れ始める。オートバイは景色を掻き回して溶かし目の裏側で混ぜ合わせる。キクはヌルヌルする股を摺り合わせた。ずっと見続けてきた夢の中に放り込まれたのを感じた。髭の男が、海を見下ろす断崖で生まれたばかりの自分を天に掲げる。あの、乳児院の礼拝堂に掛けてあった絵の中にやっと登場したのだ。キクはやっと誕生を祝福されたのである。

「あの、あんたは、あの映画館に、住んでるの？」

ガゼルは頷いた。

「今度、映画館に、遊びに行っても、いいですか？」

「俺は、狂犬病になったやつを一度だけ見たことがある、自分で手を喉から突っ込んで肺を掻きむしろうとした。お前ら狂犬病だと言われたら映画館へ来い、俺が肺を掻いてやるよ」

ガゼルは一度だけ二人を映画館の中に入れた。無人の街の家屋は水道が止まっていたので、ガゼルは水道局の目を盗んで井戸を掘っていた。井戸は学校の中庭にあり材木と草で隠されている。中二階がオートバイの重量に耐えるよう新たに鉄骨で補修されていた。

館内は、座席が大部分壊れ映写幕にシーツを下げてある他は変わっていない。ガゼルは変圧機から電気を不法に盗んでいたが、映写機を回す時以外は使わなかった。映写機はレンズ以外全部壊れていたが、二年がかりでガゼルが修理したのだそうだ。ベッドが置いてある中二階の映写室でキクはガゼルが女と一緒に写っている写真を見つけた。二人は腕を組んで坂道に立っている。二人の後には、切り立った崖と白く棚引く煙か霧がある。女は笑っているが余り美しくない。ガゼルは髭を生やしていなくて左手に機関銃に見える八ミリか十六ミリのカメラを下げていた。映写室にあるフィルムは二本だけだった。ガゼルはキク達に何も聞かず、二本の短編映画を回した。一本目は、タイトルが「占領下小笠原諸島の自然」とあって主に亜熱帯の海底を水中カメラで紹介するものだった。熱帯魚が画面全体を被うと、下隅に海底洞窟と文字が出た。ガゼルは映写機の回転を止めた。じっと画面を見ている。音は出ていないので映写機のファンモーターだけが唸っている。ガゼルがほとんど聞きとれない声で呟いた。

「ダチュラ」

キクとハシが自分を見ているのに気付くとまた映写機を回した。画面から目を離して苦しそうな顔をし、もう一度、ダチュラ、と呟いた。

もう一本の短編映画は、東京オリンピックで国立競技場の警備を担当したガードマンの日常生活と仕事振りを描いたドキュメンタリーだった。フィルムの中に男子百メートルと棒高跳びの決勝シーンがかなり長時間挟み込まれていた。キクは初めて棒高跳びを見た。グラスファイバーのしなりでハンセンが空に向かって弾き飛ばされるスローモーションを見たキクは、自分が空を跳んでいるような不思議な感動を覚えた。キクは十二歳だったが、足の速い方ではなかった。まだキクは気付いていなかったのだ。キクの恐るべき筋肉はまだ眠っていたのである。ガゼルの映画館を出て帰りながら、キクは棒を拾って棒高跳びの真似をした。

その日は夏休み中で最も暑かった。キクとハシは学校の宿題に貝殻の標本作りを選び、ほとんど毎日午後は海岸で過ごしていた。

素潜りが出来るようになったハシは鮑を捜している。キクは気分が悪く砂の上に腰を降ろしたままだった。海岸に来る前に短い昼寝をしたのだが、両足をガスバーナーで焼かれる夢を見たのだ。キクは変な具合に足を折り曲げて寝てたんだよ、おまけに膝から下に太陽が当たってたんだ、ハシがそう教えてくれた。まだ膝から下に感覚がない。キクは足に熱く焼けた砂と海水を交互にかけ、よく揉んだ。

潜っているハシのすぐ上の岩場に若い男と女が青いタオルを敷いて坐っている。家族連れや若い男女が一日に何組か、同じ青いタオルを持ってこの海岸にやって来る。青いタオルには島の裏側にある国民宿舎の名前が染め抜かれている。体に陽焼け止めのオイルを塗っている女は肌の色が白く、手足や腹に、虫刺されの跡らしい赤い斑点が目立った。栄螺《さざえ》と雲丹《うに》を桶一杯に採って来たハシは、鮑は見つからないやと嘆いた後で、女の方を見て、あいつはきっと猫を飼ってるんだよ、と言った。

キクは竹で棒高跳びの真似を始めた。波打ち際に竹の棒を突き立てて海に飛び込む。毎日やっているのだが、一つだけわかったのは助走にスピードが必要なことだ。速く走ればそれだけ高く遠くに跳べる。キクはどうしたら速く走れるのか考えた。姿勢の問題ではないかと思った。キクは東京オリンピックの百米決勝でスタート前にボブ・ヘイズがやっていたことを思い出した。足を揃えて立ち、背筋を伸ばす。全身を引き絞る。身体を一本の棒にする感じだ。そのまま前方へ傾く。支え切れなくなって片足が前に出る。ボブ・ヘイズはその姿勢を何度も確認していた。その姿勢は人間の全力疾走時における理想の体型である。倒れまいと思って次々に足を出す、それが走るということだ。四つん這いから立ち上がった最初の猿はきっと全力で走ったのではないだろうか。キクはその前傾姿勢を忘れずに砂浜を走った。汗が噴き出て手足が重く全身が怠くなり、やがて走るのに飽きた。

魔法瓶のオレンジジュースを飲んでいるハシに、若い男が近づいて来た。毒クラゲはいないだろうな？　そう聞いた。まだ水が暖いからいない、毒クラゲが出るのはお盆過ぎなんです、そうハシは答えた。男はハシが採った栄螺と雲丹を五百円で買った。ハシは新しい水中メガネを買えると喜んでいる。

若い男は女の待つ岩場へ戻ると雲丹の殻を割った。缶ビールを飲みながら幅の広いナイフで殻を突き刺す。女は、海水で流れた化粧を直す手を休めて、雲丹の棘がポキポキ音をたてて折れるのを興味深そうに眺めている。男はナイフの腹に黄色い雲丹の卵を乗せて、女の舌に運んだ。女は顔を上に向けて舌の先でうまく受けた。キクとハシはその様子をずっと見ていた。あいつ女を殺そうとしてるみたいだな、とハシは言った。柔い卵が女の熱い舌で溶け喉を下っていくのがわかる。キクはいやな気分になった。

女は足の裏に雲丹の棘を刺したようだ。身を屈めて男に助けを求めている。男は女の足を抱えて、足の裏から僅かに出ている棘の先を歯で挟もうとした。擽ったいのか、女はかん高い声で笑っている。キクはその笑い声が癇に触った。あの女は邪魔だ、と思った。ふいに、女に対して憎しみを覚えた。男が抱える女の足は景色の中で白く際立ち、クネクネと動いている。キクは砂浜に唾を吐き、ぶっ殺してやる、と呟いた。そう呟くと頭に詰まっていたいやな感じの熱が少しだけ全身に散った。キクは目を閉じて何度も呟いた。お前は邪魔だ、色が白い奴は海に来る資格がない、気持ちが悪い、お前は邪魔だ、ぶっ殺してやる。そのうちに女のことを忘れた。頭に詰まっていた熱はすっかり全身に回っていた。体が熱かった。キクは波打ち際まで歩き、濡れて硬い砂を踵で踏みつけた。最初は軽く踏み降ろしていたが、しだいに強く、踵の先がめり込むように砂に打ちつけた。キクはしゃがみ込んだ。両手を拡げクラウチングスタートの姿勢をとる。腰を上げ、息を止めた。目の前の砂浜を見る。細かな砂の隙間に波が吸い込まれる。不思議な予感がする。目が眩むような予感だ。走っている自分を予感できた。熱を孕んで、空気を引き裂きながら疾走する自分が数歩先にいるような気がした。ダーン！　とハシが大声で叫んだ。キクは飛び出す。数歩先を走る予感の中の自分を追い抜こうと思った。硬い砂を右足が三回目に蹴った時だ。体が急に軽くなった。熱を孕む予感と溶け合った。走っているのではなく、運ばれているようだった。筋肉が皮膚のすぐ下で弾けるのがわかった。包んでいた棘の殻が砕け散って、キクの筋肉は突然目覚めた。全身を巡っている熱はどこにも逃げて行かずに、逆に足先から次々に新しく込み上げてきた。走りながらキクは大声をあげた。そのまま空に舞い上がれそうだった。手に入れたぞ、とキクは思った。ずっと外側にあって俺を怯えさせた巨大な金属の回転体、それを俺は自分の中についに手に入れたぞ、そう思った。

4

和代は中学生になって洋服がみんな小さくなった二人を連れて佐世保へ出かけた。

佐世保という町にはこれまで何度も来たが何故かいつも必ず曇っている。キクとハシはデパートの屋上にいるオットセイを見るのが楽しみだった。

その日デパートはひどく混雑していた。洋服を買い、食堂でオムライスを食べて屋上に上がると、いつもクルクル回るコーヒーカップがある場所に仮設のステージが建っていた。舞台には、蝶の形の大きなサングラスをかけ、銀色の背広を着て化粧をした司会者の男と、髪を赤く染めてバラの造花で作ったドレスを着た女がいた。舞台には様々な色の風船が飾られ、楽器を持った年寄りが五人並んでいる。その向こうに檻が見えてキクとハシの大好きなオットセイが時々鰯が欲しいと鳴いているが、舞台を取り巻く観客のために近づけない。赤い髪の女が踊りながら歌い始めた。スピーカーがすぐ傍にあるので相手の耳許で怒鳴らなければ話が聞こえない。耳障りなのでキクは一階下の動物売場へ行こうと思った。ハシと、小遣いを貯めて買おうと約束したシェパードの子犬はまだ残っているだろうか。出口へ向かおうとしたが身動きがとれなかった。三人の背後にも観客が詰めかけて出口まで溢れている。三人は後から押されて前の方へ無理矢理進んでいった。近くで見ると赤い髪の女は全身に白粉を塗っていた。赤いストッキングから白い汗が滲んでいる。一曲終わって銀色の背広が拍手をしながら出てきた。壊れたラジオのような声のくせに不快なほど滑らかに喋った。歌手は、カナエちゃんという名前らしかった。顔に付いた白粉は少し剝げてザラザラした肌が覗いている。バラの造花を観客に投げながらまた歌い出した。造花の下には光沢のある黒い布地がある。キクは息が詰まった。両手に下げた荷物は人の波が動く度に引っ張られて指が痛かった。和代もどこかで休みたかったが、ハシだけは喜んでいる。ハシは歌が大好きだった。自分の荷物をキクに預けて最前列で見ている。赤い髪の女は蛇革のハイヒールで跳び回り、歌い終わる時には足を振り上げたまま体をバレリーナのように回した。年寄りの楽団員は無表情で譜面を捲る。銀色の背広が出てきて、歌手にシャボン玉を吹きかけ、ここでみなさん、カナエちゃんに、昔とったキネヅカをやってもらいましょう、と言った。舞台に赤と緑で色分けした玉が運ばれて、歌手はハイヒールをゴム底の靴に履き換え飛び乗った。そうですすカナエちゃんは昔サーカスにいたんです、でも玉乗りが本職じゃなかったんですってね、象とかライオンの上に乗って火でも潜っていたの？　歌手は玉から降りてマイクを摑んだ。

「いいえ、あたしの得意は催眠術でえす」

「ええ？　今でもやれますか？」

「忘れてるかも知れないけど」

「どうです、お客様の中で、カナエちゃんに催眠術をかけてもらいたい人、います？」

多勢の人が一斉に手を上げた。

「うわあ、いっぱい、でもカナエちゃん、催眠術って恐くないの？　私なんかようやらんね、みなさん勇気があるんですねえ、さあて、どなたにやってもらいましょうか」

「あの、あたし、四年前に一枚レコード出したんです、売れなくて、歌も下手だったんだけど、あの、今も下手だけど、その、四年前に出したレコードの題名を知ってる方、いらっしゃるかしら、手を上げて下さい」

観客は静まり返った。誰も手を上げる者がいない。銀色の背広が困った顔をしてヒントを出そうか、と歌手と相談していた時、手を上げずに小さく声だけが聞こえた。

ええ？　今何ておっしゃいました？　もっと大きな声で。

「哀愁の花びら」

「正解だわ、ありがとう」

赤い髪の女がその声の方に手を差し出した。ハシだった。

歌手は、精神の集中のために、物音一つ立てないようにと観客に頼んだ。ハシは舞台で緊張していた。キクや和代に気付くと手を振った。司会者が小声で、精神医にかかったことがあるか、と質問した。ハシは、ない、と答えた。音による治療が精神科医によるものだとハシ達は知らされていない。黒い大きな箱が運ばれてきた。ハシと赤い髪の女はその中へ入った。十分後に二人が出て来た時、ハシは目を瞑っていた。

観客が騒めき、女は唇に人差し指を立てて、静かに、と示した。

「お名前と、お年を聞かせて頂だいな」

「桑山橋男、十三歳」

「ねえ、さっき話したわよねえ、橋男君は今どこにいるの？」

「ハワイ」

「ハワイのどこ？」

「海の、近く、海の上」

「ハワイはどうお？」

「暑いよ」

観客が一斉に笑った。その日はみんなコートを着ていたのだ。ハシは本当に汗を掻いて上着を脱ぎ始めた。和代が風邪を引かないかと心配した。

「橋男君はハワイで何をしてるの？」

「昼寝」

「もうお昼寝からは醒めてるでしょ？」

「うん、醒めてる、魚釣り」

「一人で？」

「キクもいる」

「キクって誰？」

「兄弟だけど、本当は友達」

「その他には？」

「桑山さん」

「桑山さん？」

「いや、おとうさん」

和代が不安な顔になった。キクはどうしたら止めさせられるだろうと、とにかく前に進もうとした。ハシが苦しそうな顔をしている。顔色が青くなって喉のあたりを掻いている。

「橋男君、もういいわ、ハワイは暑くていやだから、帰りましょ？　ね？　帰りましょう」

「どこへ？　どこへ帰るの？」

「そうねえ、今度は橋男君は、小さい頃に戻っちゃうのよお、うんと小さい赤ちゃんの頃に戻っちゃって、赤ちゃんになっちゃうの、ほらほらどんどん時計が逆回りして、橋男君は、今ね、一つにもならない赤ん坊よ、ねえ、どんな気持ち？」

「暑い」

「え？　もうハワイからは帰ったのよ、今、どこにいるの？」

「暑くて死にそうだ」

「橋男君、もうハワイからは戻ってきたのよ、あなたは、とっても小さい赤ん坊なのよ、おかあさんのお腹から出たばかりの――」

キクは、止めろ！　と大声で叫んだ。赤い髪の女が、キクの方を見て、声を出さないで！　と言った時だ。体中を震わせていたハシは曇った空に向かって、聞いている人々が寒けを感じるような叫び声を上げた。女は、驚いて、ハシの耳許で手を三度叩いた。ハシは目を開けたが、まだ震えていて、舞台をヨロヨロと動き回った。キクは人々を押し分けて舞台に上がりハシを抱え込んだ。赤い髪の女と銀色の背広、それに観客は、呆然として二人を見ている。キクは無性に腹が立って、銀色の背広を殴りつけ、赤い髪の女の腹を蹴った。舞台と観客が悲鳴を上げ、キクは楽団員に押さえつけられた。それを悲しそうな目で見ていたハシは、舞台から跳び降り、道を開ける観客にぶつかりながら出口へ向かって走った。ハシを止めようとしたのは和代だけだったが、人の波で近寄れず、声も聞こえなかった。ハシは、出口から消えた。キクは押さえつけられたままで、警察を呼ぶ呼ばないで混乱する係員の声と、オットセイの餌を求めて出す甘い鳴き声とを聞いた。

ハシは学校に行かなくなった。口もきかなくなった。キクはそういうハシの顔をかって乳児院で見たことがあった。自分の模型の王国に閉じ籠もったあの期間だ。ハシは、デパートから走り去った後、一晩行方がわからなかった。翌日、佐世保川沿いの公衆便所に倒れているのを保護された。下半身の衣服を剝ぎ取られていた。学校の先生が訪ねて来たが、ハシは顔を見せようともしない。

模型の王国の代わりにハシが選んだのは、テレビだった。朝起きてから深夜放送が終わるまでつけ放しにして、決してテレビの前から離れなかった。外にも一切出なかった。桑山や和代がスイッチを消すと暴れた。キクだけに、二人きりになると話しかけた。僕はいやらしい子供だ、と言った。桑山は、ハシを病院に送る準備をした。和代は、自分を責めて、水を被ったり神社の周りを歩いたりしたが、ハシは全く口をきいてくれなかった。ハシはキクにだけ秘密を打ち明けた。キク、僕はね、別に狂ったわけじゃないんだよ、ある物を捜してるんだ、憶えてるかい？　病院に行って、映画を見ただろう？　波や、グライダーや、熱帯魚の映画だよ、あの時のことを、催眠術をかけられた時に思い出したんだ、あれね、音なんだ、僕達ね、あそこで音を聞いたんだよ、その音を僕は催眠術の中でもう一度はっきり聞いたんだ、驚いたね、キク、きれいな音だよ、死にたくなるようなね、きれいな、それでね、僕、テレビの中からその音を捜してるの、全部の音を聞こうとしてるんだよ、料理番組でね、ガラスのお皿とグラスが触れ合ったり、熱いフライパンの上で卵が固まったり、そんな音、拳銃や爆弾、飛行機や風の音、アコーディオンやチェロ、楽器の音は全部頭に入れたよ、ドラマの中で女のスカートがはためく音、キス、ハイヒールが鉄の階段を叩く音、そう、僕ね、テレビを見ながら目を閉じたり開けたりしてるんだ、この世の中のね、ね、音を全部憶えたいんだ、あの、僕達が、病院で聞かされた音の正体がわかれば、僕、学校に行くよ。

キクにはハシが狂ったとしか思えなかった。ハシは乳児院で最初に会った頃の表情に戻っていた。話していると自分が透明人間になった気がする、視線の定まらない濡れた目に戻っていた。ハシはやがて病院に入ってしまうだろう。キクは、ハシが模型の王国に入ってしまい、一人残って、巨大な回転体に怯え始めた頃を思い出した。まず、目が痛み始める。眼球の表面が乾いてしまったような感じだ。右と左の目のそれぞれの視界のずれた部分に色が現れる。彩度の低い緑色だ。その色が次第に拡がりやがてすべてを被う。景色が静止する。左右の視界のずれが徐々に硬く重く凝固する。にぶく光る金属の輪になって、回転が始まる。爆音が聞こえてくる。金属の輪は回転が速くなるにつれて大きくなる。形のはっきりしない巨大な金属の回転体、あれは何だったのだろう。キクは今、怯えることはない。目が少しでも痛みだしたら砂浜を走ることにしている。体がスピードに乗ると左右の視界のずれは消える。体に力が漲っている時、巨大な金属の回転体は決して現れない。

その日、キクは砂浜を走り、竹の棒高跳びを楽しんだ後、廃墟へ向かった。洗炭所で崩れ落ちた煉瓦の鋭い割れ口、コンクリートを滑る緑色の蛇、キクの影だけが風に揺れない。一人きりで歩くのは久し振りだ。このギラギラした太陽を浴びる度に、いつも夏の中にいたような気がする。いつからか？　生まれてからずっとだ。汗が毛の生え際から流れ落ちて目に入る、俺は暗い箱の中で脱水状態で泣き続けていたそうだ、憶えていないが、暑かったのだろう、仮死状態で発見された赤ん坊は俺とハシの他に九人いるそうだ、全部死んだ、俺とハシだけが真夏に汗と共に息を吹き返した、夏だったのだ、夏以外の季節は俺の中でボンヤリしている、夏は、影の輪郭が鋭い、乳児院に置いてきたあの紙袋はまだあるだろうか、俺を産んだ女が残した唯一のもの、レース編みの本が十冊、警察は指紋を調べたらしいが見つからなかった、前科者ではなかったんだ、レース編みが好きだったのだろうか？　今でも白い編目のテーブルクロスなんか見るとドキッとする、ハシの記念品は花だ、ブーゲンビリヤの生花がロッカーの中にばら蒔かれていたそうだ、ハシはブーゲンビリヤの花弁を押し花にして大切に持っている。

無人の街を風が鳴らしている。塗料の剝げた看板の文字は白山精肉店、ダンスホールハーバーライト、神島自転車、バーナイアガラ、レストラン花房。

「よお、一人か」

角を曲がるとガゼルが顔を上げた。オートバイを修理している。ガゼルは髪を染めている。硬そうな金髪、埃が混じって額は汗と油だ。いかれちまったよ、キク、キャブレターがいかれちまった。

「パンを少しくれない?」

「腹減ってんのか?」

「少しでいいんだよ」

「冷や麦ならあるぜ、食っていいよ」

「パンの方がいいんだ」

「お前が食うのか?」

「いや、そうじゃなくて」

「犬か?」

キクは頷く。ガゼルは粉を吹いたフランスパンを十五センチほど持って来た。犬はフランスパンが一番好きなんだぜ。

「犬を殺して遊ぶなよ、今知ってるか、お盆だぞ」

キクはフランスパンを二つに折って左右のポケットに入れた。ありがとうガゼル。

「待てよキク、お前捨て子だってな」

「ああ」

「おふくろを憎んでるか？」

「おふくろって捨てた女のこと？」

「そうさ、憎んでるか？」

「うん、そうだな、憎んでるな」

「親を殺したいと思うだろ？　産んだやつをよ」

「誰だかわかんないんだよ」

「片っぱしから殺していけばいつかそいつにあたるよ」

「関係のない人はかわいそうじゃないか」

「お前には権利があるよ、人を片っぱしからぶっ殺す権利がある、おまじないを教えてやるよ」

「おまじない？　何の？」

「人を片っぱしから殺したくなったらこのおまじないを唱えるんだ、効くよ、いいか覚えろよ、ダチュラ、ダチュラだ」

「ラチュラ？」

「ダチュラだ」

「ダチュラ」

「忘れるなよ、きっと役に立つぞ」

八階建てのアパートが太陽を遮っていた。犬達はほとんど昼寝をしている。キクは子犬を捜した。白い毛の長い子犬をハシにプレゼントしようと思ったのだ。ハシは昔から犬を飼いたがっていた。できるだけ生まれたてのやつがいい。犬達はキクに気付くと唸り始めた。アパートの出入口に七匹、その前の草の上に四匹、二階のベランダに三匹、唸り声を聞いてD棟から二匹出て来た。みんなそう大きくはないが、肉が引き締って牙を剥いている。犬は増えていく。黒く艶のある毛をした足の太い一頭がC棟の階段を降りて来た。付近にいた数匹が慌てて道を開ける。その大きな犬は何か銜えている。最初黒いボロ布かと思ったが、カラスだった。首のないカラスだ。キクはそいつから目を離さないことにした。そいつはしばらく侵入者を眺めてC棟の裏へと通り過ぎた。子犬がいた。白い子犬だ。耳の垂れた毛の長い美しい犬の後で自転車のタイヤチューブを嚙んでいる。あの白い犬が母親だろう。あの子犬もきっと美しくなる。キクはしばらく様子を見ることにした。フランスパンと、短く切った鉄に革紐を巻いた武器を取り出す。白い子犬はチューブに飽きると、母親の腹の下に潜ろうとした。母親が拒否すると鼻の先だけ腹に突っ込んで眠り始めた。気持ち良さそうに尻尾だけ振っている。キクはパンを母犬のすぐ傍へ投げた。うまく転がった。キクにずっと注意を向けていた猫みたいに小さな斑犬がパンに飛びついた。銜えて逃げだした。目の前でパンが消えた母犬は一声吠えて追い駆けた。キクはその瞬間子犬に駆け寄り母犬の後を追おうとするところを抱き上げて、シャツの中に入れた。アパートの出入口に子犬の兄弟が三匹いたので、そいつらに残りのパンを投げてやった。走った。犬達はパンを奪い合っている。子犬はキクの胸を引っ掻いて踠いたが痛くなかった。犬達は追って来る様子がない。蔓草を跳び越えて、走り続ける。このスピードなら蝮だって飛びつけないだろう。アパートは既に箱くらいの大きさに見えて、回りに犬はいなかった。それでも全力疾走は止めない。子犬は鳴き続けている。

突然首に衝撃を受けた。何も見えなくなって倒れ子犬を潰さないように肘で支えた。何かが背中を押さえつけて唸っている。まだ、何が起こったのかわからなかった。肩と首に食い込んだ牙が振り回された時、激痛で噛まれたことがわかった。目の前のコンクリートに粘り気のある血が垂れ続けている。首を動かせないのでコンクリートしか見えない。太陽が犬の牙が開けた穴の中に入ってくる。傷は熱かった。立ち上がろうとすると牙はさらに食い込む。寒気がしてきた。焼けるように傷が熱いのに鳥肌が立って悪寒がする、吐気が込み上げてくる。息ができない。吐きそうになった時、キクと犬は水をかけられた。牙が離れるのがわかる。鉄の棒で柔い肉を打つ音がして顔を上げるとガゼルがいた。毛の長い母犬がキクの横で前足を折り口から色のついた汁を吐いていた。ガゼルはニヤニヤ笑ってさらに鉄棒を振り上げようとした。キクは目を閉じて叫んだ。

「親を殺すな！」

ハシは白い子犬に名前を付けた。ミルク。キクの首の傷は、牙で抉られていたので治るのに時間がかかった。傷が乾きにくいので化膿しやすくいつも脱脂綿を詰めていた。その抉られた穴を新しい肉が埋めていくにつれて、ハシも回復していった。ハシはテレビの音をほとんど暗記したそうだ。でも、目的の音は捜せなかったらしい。思ったけどねキク、僕が聞いた音はテレビからは出てない、テレビの音はだめだ、テレビだと、例えばね、北アイルランドの風とポリネシアのボラボラ島の風が、同じなんだよ、直接空気を震わさない音はだめだ、空気の波がマイクロフォンからテープ、テープから電波になって、その間に死んじゃうんだ、見つかりっこないよ、僕達が聞かされた音はね、再生されたものだったんだろうけど、もっともっと計算されつくしたすごい音だったんだと思うんだ、僕の感じだと、自然音と、自然音に電気操作を加えたものと、電気楽器の音をそれぞれ数種類、混ぜ合わせて、複雑にトラックダウンしたものだね、そんなものはテレビにはないよ、テレビの音は全部豚の鳴き声だ。

ハシは、三ヵ月間音ばかりを聞いたから、聴覚が鋭くなっていた。ハシは、テレビを見ながら音を聞いた。風の吹く公園や揺れる樹々、金属やガラスや動物や楽器や様々な人々の顔。ハシは、その物の形状と音、そして音から受けるイメージの関係を僅かながら把握したのである。ハシは二重録音のできるテープレコーダーを、学校に行くという条件で買って貰い、様々な音の組み合わせを、キクを相手に実験した。ハシは重要なことを二つ知った。安堵感を与える音は、屈折、透過を経ていること、そして永遠に続くだろうという予感と期待を含んでいることの二つだ。例えば、キクが最も安らぎを覚えたと言った音は、どこか方向のわからない教室から微かに響くピアノの練習音と、降り続く雨音に重なる窓の外の雨垂れの音だった。

学校へ戻ってからもハシは常に耳を研ぎ澄まして、ありとあらゆる種類の音と音楽を聞くようになり、音階やリズムや和音の初歩的な勉強も始めた。ハシは、ある日、病院で聞かされた音に作用の似ている曲を発見した。レコードで聞いた時は何も感じなかったが、その曲のオルゴールを廃墟で拾って、捻子が切れているため突起のある回転盤を速度を変えて指で回しているうちに気が付いたのである。犬のミルクまでが、そのオルゴールを聞くと吠えるのを止め坐って気持ち良さそうに尻尾を振った。ハシは、一生かかっても捜そうと決めた音の暗号を、そのオルゴール曲に因んでこう名付けた。トロイメライ。

キクとハシ、十五歳の夏。ミルクを連れて二人は毎日海へ行った。ミルクは水が好きだった。子犬の頃から水を入れた皿に前足をつけて喜んでいたし、追い駆けていたゴムボールが溝に落ちると飛び込んで水溜まりの中ではしゃぎ、呼んでも出ようとしなかった。ミルクは砂浜より岩場を好んだ。牡蠣《かき》殻で柔い足を切らないように、革の切れ端で二人は靴を作ってやった。ミルクはその靴を履かせると、海へ連れて行って貰えると憶えて嬉しそうに吠えた。ミルクはハシよりも泳ぎが上手くなった。母親譲りで長く伸びてきた白い毛をいつも濡らしていた。陽が落ちる海岸で、二人がその毛を梳いてやると、櫛の歯の間に塩の結晶が付いた。

キクとハシがミルクのことを羨ましく思ったことがある。ミルクは母親と出会ったのだ。海からの帰り道、母犬はガゼルに打たれた肩が回復してなくて、片足を引き摺り美しかった毛も抜けていた。目は濁って涎を垂らし続けた。右前足は折れ曲がったまま地面を引き摺り、他の痩せた老犬と共にゴミ箱を漁っていた。ミルクは母親とは知らずに最初低く唸り、やがて無視して通り過ぎた。母犬はミルクの方を見ようともしなかった。ミルクは母犬からはるかに遠ざかって、陽が沈もうとする丘に立ち、白い毛を震わせて高く長く吠えた。

5

アネモネは昼過ぎに目覚めて二時間ほどそのままベッドの中にいた。習慣で煙草を銜えたが火を付けずに、昨夜は恐い夢を見ずに済んだ、どうしてだろう、と考えた。気温が高くなってきたせいか、あるいは窓際で新しい葉が大きくなっている観葉植物の呼吸のためか、でもひょっとしたら買い換えたばかりの羽布団の柔かさのせいかも知れない、そのうちのどれかだろう。

ベッドの脇に置いてある冷蔵庫から、野菜ジュースとマンゴージュース、乳酸飲料と炭酸水を取り出して並べた。鏡台に手を伸ばして電子血圧計と体温計を取り、慎重に測定した。体温は正常、血圧はやや低目だったので、床の上で十分間ヨガをやった後マンゴーと野菜のジュースを飲み干した。残りの飲料は冷蔵庫に仕舞った。煙草に火を付けると、野菜の酸味とマンゴーの甘さに痺れていた口の中を煙が回り、ジュースと薄荷入りの煙草が混じり合った味は世界最低だ、と思った。便通にはこれが一番、と週刊誌で推めていた太った女を思い出して、何日か前のトルコ料理店での友人の主張は正しかったのだと納得した。腰じゃなくて下腹に重心があるもんだから常に前頭葉が傾いて圧迫されてるのよ、それにヒレ肉がダブダブして肩が凝るせいもあって、正しい判断なんてできないんだから、太ってる女はみな嘘つき。アネモネは天井から下がっているモビールカレンダーを見てこの一週間仕事がないことに気付いた。羊テニスをやろうと思ったが、ラケットは二本共三ヵ月前からガットが切れていた。羊の腸を使ったガットなので店員はニュージーランドから取り寄せると言っていたが連絡はまだない。あの頭の悪そうな店員はガットではなく、毛を丸々と生やした羊を取り寄せようとしてるのではないだろうか。アネモネはテニスの他に何をしてこの一週間時間を潰そうかと考えたが疲れそうな気がしてすぐに止めた。

プラスチック容器の先端に手押しの噴霧装置が付いた風邪の鼻詰まりを治す薬を製造販売する会社の経営者である父親と、子供の頃童謡歌手で四十歳になっても声変わりのしない声帯手術をした母親との間にアネモネは十七年前生まれた。一人娘だった。赤ん坊の頃、最初に理解できた言葉は、かわいいね、だった。ほとんどの赤ん坊は、食物と母親の二つの意味を合わせ持つ、ママ、或いはマンマ、という言葉を一番に憶えて使うのだが、アネモネの場合、それは、カワイー、カワイーだった。あまりに多くの人に一日中、かわいいかわいいと言われ続けたためだ。

アネモネの母親は九歳で声帯手術を受けた童謡歌手だったが、十八歳の頃歌が全く売れなくなったために整形手術をして顔を美しくした。子供時代切れ長で魅力的だった目が周囲の皮膚に押し潰されて細く腫れぼったくなってしまったのを、大きくつぶらに、三十を過ぎても童謡が歌えるような顔にしたのだ。アネモネの父親はその顔に騙されて結婚した。アネモネが生まれる時、母親は心配でならなかった。醜い子が生まれたら、整形手術も、さらに処女膜再生手術や声帯手術までも発覚して、離婚され、キャバレーで酒臭い男達を相手に〝メダカの学校〟や〝雨降りお月さん〟を歌う生活に戻らなければいけないと恐れたのだった。だから、かわいいアネモネが生まれた時、母親は狂喜して、女中や運転手にも強制して「まあ、なんてかわいい娘なんでしょう」と必要以上に言わせた。しかしアネモネは成長していくにつれて、母親の強制なしでもみんなを感嘆させる美しい少女になっていった。昔あたしを手術した医者がピンセットとメスを体の中に入れて取り出すのを忘れてしまって、それが子宮の壁に貼り付いて溶けてあたしの器官に変化してこの娘が腹にいる時、自然で静かで完璧な整形手術をしたんじゃないかしら。

アネモネは中学二年生の時、父親の会社の新製品のテレビコマーシャルモデルをやって注目された。それ以来モデルをやっている。高校は去年やめた。身長が少し足りないためにファッションショーの仕事はやらない。主に、テレビコマーシャルとポスターである。モデルクラブを通して数社と契約を結んでいる。一度映画に出たことがあるが、相手役の男優が歯槽膿漏でその口臭に耐えられず、初日の撮影が終わらないうちに役を降りた。モデルという仕事に情熱は全く感じない。

去年高校を中途退学したのを機会に両親の家を出てこのマンションに移った。二つ理由があった。一つは、父親と母親がお互いに認めた若い愛人をそれぞれ持ちながら、家庭内ではいつも優しく仲が良かったことである。アネモネの手前だけではなく、見ていて吐気を催すほど本当に仲が良かったのだ。両親とその愛人達と五人で食事をしたことがある。食事の後、トランプをしていてアネモネは突然泣き出した。そんなに泣いたりすることないんだよ、と父親が言った。そんなに泣いたり心配したり一人ぼっちだと思って悲しんだりすることはないんだよ、アネモネ、パパもママも二人共、とても辛抱強くて、欲望に忠実でありながら、愛し合っているんだよ、まだ若いからわからないんだろうが、パパもママもちっとも不幸じゃないんだ、人間はみんな一人ぼっちで、そんな楽しいことばかりでもないからね、パパもママも何年間も苦しんでよく話し合って、本当に愛し合ってると気付いたから恋人を紹介し合って、開放的な人生にしようと決めたんだ、アネモネ、パパもママも大人なんだ、お前は子供だ、いつかきっとわかる時が来るさ、辛くても隠れて恋人を作るより明らかにした方が正直な人生なんだよ、もし泣くのを止められないようだったらこう考えなさい、生きていくのはそう楽なことじゃないんだわって思いなさい、甘えちゃいけないんだわってね。

二つ目の理由はアネモネが六年間飼っているペットだった。アネモネは鰐を飼っていたのである。六年前都内のデパートで買って貰った。店員は一メートルまでは必ず成長すると約束した。生肉、生魚を食べます、水を一週間に一度換えてその横にゴムの木でも置けばアマゾンにいる気分になれますよ。アネモネはピラニアにしようか、とだいぶ迷ったが、寿命の長さを考えて鰐にした。一メートル四方の水槽に砂を敷いてアマゾンの気分を味わっていたが半年後のある夜、アネモネはガラスの割れる音で目を覚ました。僅かずつ大きくなったので気が付かなかったが、鰐の体長は水槽の対角線を遥かに越えていた。アネモネの親達はデパートのペットショップに問い合わせた。私共が売っております種類は西アフリカ北東部に棲息するコンゴコビトワニをさらに小型改良したスリランカ産のもので、体長は五十センチを越えることは絶対にありません、考えられますことは、シンガポールを経由して輸入されますので、その際別種が混じり合ったのではないか、御承知の通りシンガポールには広大な鰐園を持つ有名な国立動物園がありますので。

アネモネの鰐はさらに日毎大きくなり、一年が経つと二メートルに達した。新聞で報道され爬虫類研究所から調査に来て、インドガビアルに間違いないと判明した。爬虫類ワニ目には、アリゲーター科とクロコダイル科とガビアル科がある。口の部分が細長く長さは牙の幅の三倍以上あって先端が八角形に平たくなっているのがガビアルの特徴である。細長い口と丸く突き出した眼球はユーモラスで、昔、アメリカの一地方都市でこのガビアルの赤ん坊を飼うのが大流行したことがある。子供達には人気のあったガビアルだが親達は気味悪がって水洗便所へ流してしまった。小指ほどのガビアルは下水道へ流され生き残り成長して、排水孔を点検に来た職員を襲って殺してしまった。何十匹という巨大なガビアルの処理に困った当局は、軍隊の出動を頼み下水道を封鎖した上でガソリンを流し焼き殺してしまったという。アネモネは鰐にガリバーと名前を付けた。それまでは、ワニ、ワニ、と呼んでいたのだ。アネモネはガリバーが辿って来た熱帯の河からの道程を思い、自分が飼主になれたことに興奮した。このガリバーが東京都目黒区の琺瑯浴槽の中で生活する可能性の確率は一体何億分の一くらいだろうか。ガリバーは一日に生肉を十キロ消費し、シャワーも浴びられなくなった母親の神経を参らせた。父親はアネモネを説得して動物園との交渉をまとめた。アネモネは泣いたが聞き入れられなかった。

ガリバーはアネモネにだけ体を触れることを許した。アネモネは必ず低く這ってガリバーの部屋に入っていった。鰐は地面に這いつくばっているので、いつも他の動物や人間から見下されている。見下されるのは人間でも不快なので、鰐と同じ高さに這えば仲間だと思うかも知れない、とアネモネは考えたのだ。ガリバーは音楽が好きだった。アネモネはドライバーの先で歯に詰まった肉片を掃除してやりながら様々な音楽を聞かせた。ガリバーが最も好んだのは、デヴィッド・ボウイのバラード〝天王星〟だった。

ある日、動物園からの迎えが来た。アネモネは、自殺してやるとわめきながら暴れたが、ガリバーはもっと暴れ回った。強力な催眠剤を注射しようとした係員の足の骨を鉄の尾で砕いた。ジャングルの河ではなく狭い風呂場だったので作業は難航した。

口をワイヤーで縛ろうとしていた係員は指を二本噛み切られた。作業のために壊して拡げた風呂場の入口からガリバーは居間へと這い出てきた。悲鳴をあげて逃げ回る母親達にアネモネは床に這うように指示した。ガリバーは絨毯を引き裂き家具を倒し破壊しながら母親の方に近づいた。母親は整形手術の跡を引きつらせて叫び声を上げる。

「ママ、歌うのよ、ガリバーは歌が大好きだから、大声で歌えば噛みやしないわ」娘からそう教えられて母親はガリバーの片足が背中に乗って気絶するまで這いつくばって手術を受けた声帯を力の限り震わせ、〝青い目の人形〟を歌った。

引っ越した時、アネモネは十七歳、ガリバーは三メートルになっていた。五ＬＤＫの贅沢な部屋の壁を壊し、アネモネはガリバーの住居を作った。暖房と加湿器で部屋の状態をガリバーの故郷ビルマのイラワジ川河口とほぼ同じにした。アネモネは将来天井に紫外線灯を少くとも二ダースは取り付けたいと考えていた。ガリバーの部屋をウラナス、つまり天王星と名付けた。八四年で太陽を一周するこの惑星では非常に大気が重いためもし生物がいるとすれば、植物は羊歯状に地面に貼り付き、動物は全て鰐に近い格好をしているのだそうだ。風は低い音で流れバラードのように響いているらしい。アネモネは夢見ている、鰐の部屋を熱帯の庭園のように飾り立ててみたい、ガリバーが王として君臨するコンクリートとガラスとプラスティック囲みの世界、その原色の王国がもし出来たらあたしは女神だわ、密林の女神、花々と果物のむせかえる匂い、珊瑚礁と水藻と海亀と椰子の葉とアルコール度の少ないビール。

「降って来ましたね」

運転手はお喋りだ。バックミラー越しにアネモネに話しかける。アネモネは窓から道路を眺める。渋滞が始まっていた。

「雨ですよ、雨、きのうの天気予報じゃもう梅雨も終わりだって言ってたのにね、湿気があるからガラスが曇ってしょうがないんですよね、小さい頃からNHKの天気予報と三省堂の英和辞典だけは信用しろっておばあちゃんに言われてたんですよね、あ、それと上野動物園の檻の前に描いてある動物の解説ね、それと夏の高校野球の審ね、おばあちゃんは大正の終わりに大学出てんですよ、その頃、大学なんか行くのは村で十年に一人いるかいないかってくらいだったらしいな、くそ、お、この野郎割り込むんじゃねえ！　おばあちゃんは偉かったんだなあ、ガラスは曇りやがるし、お客さんは失礼ですけど、大学どこですか？　音楽大学みたいな気がするなあ」

アネモネは返事をしない。運転手は一人で笑ったり舌打ちしたり割込んでくる他の車を罵ったりする。アネモネは肉の卸問屋で鰐の餌を買った。このタクシーが通りかかって冷凍肉の重い塊を運び入れてくれた。やたらに親切な運転手だった。

「どうして僕が音楽大学だろうって推理したかわかりますか？　肩の筋肉モリモリでピアノ科、首が太くて声楽科、顎に傷持つバイオリン科、ガニ股の脚チェロ科ってね、よく知ってるでしょう？　タクシーの運転手じゃないみたいでしょう？　観察眼が生まれつきすごくて困ってるんですよ、よく言われましたよ昔から、運転手にしとくのはもったいない、作家とか船長になればよかったのにねってね、船長ってのは乗組員の性格を摑まなきゃいけないんで、観察眼がなけりゃだめらしいですね、だめらしいですよ、だめらしいんだよなあ、お嬢さん、疲れてるの？」

お喋りな人間が増えてる、とアネモネは思った。道路上や電車やタクシー乗り場や公園や映画館や喫茶店や病院やスーパーマーケットで、突然話しかけちょっとでも返事をすると長々と話し込む人間が大勢いる。やたらニコニコと愛想がよくて、荷物を持ってやるとかコーヒー代をおごるとか友達になりましょうなどと言う。一度返事をした後で気持ちが悪くなり逃げようとしたためにナイフで刺された人がいる。

「そうかあ、疲れてるのかあ、そいつは良くないなあ、頭に来るよな、この細い雨は、ワイパーと人類の敵だ！　ほら対向車来ると眩しいでしょ？　眩しいですよね、うん眩しいんだよなあ、無口ですねお客さん、行き先はどこでしたっけ？　あんまり無口だと忘れちゃうかも知れないなあ、なんて冗談ですよ、冗談、だけど本当にどこでしたっけ」バックミラー越しにアネモネを見る。運転手は汗を掻いている。ハンドルがヌルヌルして滑るのか手の平をズボンで拭く。アネモネは少し窓を開けて外の空気を吸った。焼けたコンクリートが雨で冷やされる匂いがする。夕暮れの匂いだ。

「どこ行くんだよ、俺本当に忘れたんだぜ、どこ行ったらいいのかわかんねえよ」

運転手は道路の真中でタクシーを停めた。駐車灯を点滅させる。渋滞が続く後方から激しいクラクションが鳴った。あ、代官山です、アネモネは小さな声で言った。運転手の顔が急に和やかになった。「ああそうだったそうだった代官山だった、山手通りだった、僕はうっかりしてた、お客さんあなた普通の女の子とは違ってますね、わかるんです、そうでしょ？経験が豊かだからねこっちは、一日に五十人から人と付き合ってんだから、変わってるよあなたは、いやいい意味で言ってるんですよ僕は、普通の女の子ならねほら日常の挨拶って言うんですか、知ってるわけでしょう？大袈裟に言うと礼儀ってことになるのかなあ、さっき僕、雨が降ってきましたねって言ったでしょう？ガードの下で、走行メーターが七〇〇九二・三キロの時にさあ、料金が一七八〇円の時だよ、そしたらさあんた普通は、何か返ってくるんだよね、あいづちが、そうですねとか本当に蒸しますねとか七月も半ばだっていうのにねとか、お天気っていうのは自然な会話の糸口になるわけですよね、お天気の話が日常生活を潤いのあるものにするわけよ、広いの、心が、僕は、自分でイヤになる時あるけど、とにかく広いの、心が、返事しねえんだもんなあ、くそ、何だってこんなに渋滞してんだ、油垂れ流してんのと同じじゃねえか、それに何だよ雨かよ、無口で無愛想の客かよ、全く、広い心の持ち主に生まれて来るんじゃなかったなあ」

車はさっきからほとんど進んでいない。濡れた路面に映るブレーキ灯の赤は止まったままだ。運転手はバックミラーでアネモネの横顔を眺めている。対向車のヘッドライトがアネモネの薄い皮膚を透かして点滅する。目蓋や頬に色の付いた影が生まれ消える。道路は緩やかな下り坂だ。

坂の下に薬島と俗称される一画が見えてきた。薬島は毒物汚染地域である。五年前に突然この区域で小動物や鳥が死に始めた。調査の結果、土壌に塩素系の強い毒物が発見された。皮膚に付着すると痤瘡を引き起こし、体内に入ると肝臓や神経をやられ妊婦にとっては流産や奇形児出産の恐れがある有毒な化学物質である、とだけ発表された。なぜ土に混じっていたのか原因は明らかにされなかった。近辺に化学工場がないので、運搬中の車から洩れたか、不法投棄されたか、建築工事の衝撃や地熱で特殊な化学変化を起こしたか、いずれかだろうと言われている。特殊な毒物は水に溶けず、熱処理も不能で微生物も分解できない。衛生局は住民に多額の保障を与えて退去移転させ、汚染地区を閉鎖した。コンクリートで固め周囲に鉄条網を張り陸上自衛隊が警備をした。薬島と呼ばれる由来は二つ考えられる。一つは化学物質によって汚染したという事実から、もう一つは閉鎖地区が犯罪、特に麻薬犯罪の温床となってしまったことだ。警備員は化学防護服を着け火炎放射器を抱えて巡回している。入るのはもちろんだが、汚染地区内の物品を持ち出すことは厳しく禁止されている。毒物が付着したと見られる住宅や家具はそのままになっており、盗み出そうとする者は汚染物と共に火炎放射器で高温焼却すると通告がなされた。しかし、警察力が及ばないことを、まず犯罪者が利用した。次に各地から浮浪者が集まって来た。精神障害者が捨てられるようになった。さらに下級売春婦、男娼、指名手配犯、変質者、不具者、家出人などが群がり奇妙な社会を作り始めた。それらの人々を隔離したことによって他の地区の犯罪率が減少するという皮肉な結果が生じた。鉄条網に囲まれたスラムが誕生してから、特に、変質者による性犯罪は激減したのである。薬島のすぐ脇に超高層ビルが十三本建っている。十三本の巨大な塔は、鉄条網に閉ざされた暗く静かな一画から突き出ているように見える。

「要するに常識なんだよ常識、常識を守れって僕はいつも言うわけなんだよ、常識も守れないような奴は射殺してやればいいんだ、こんな夕方のラッシュにみんながみんな同じ方向の道を通れば、混雑するの当り前じゃないか、もう少し考えろ、空を飛ぶとか地面に潜るとかいろいろあるだろ、雨は細々降ってやがるし、あれえ？ あれえ？ お客さんあれじゃない？ テレビのコマーシャルに出てるでしょう？ シャンプーが目に入って目を赤くしてうさぎさんになっちゃう宣伝してるでしょう？ くそ！　負けるなあ、モデルさんかよ」

　雨が少し強くなった。左側に薬島が見える。警備員の詰所、装甲トラックと投光車、毒物汚染区域立入禁止と書かれた看板、薬島は弱々しい灯りに満ちている。彼方の超高層ビルの輝く壁面が光量を落として横たわったような錯覚を起こす。鉄条網に切り取られた菱形の街。アネモネがテレビコマーシャルに出演しているモデルだと気付いた運転手は興奮して喋りだした。あなたはうんと昔のハリウッド映画で水の中を潜りながらウインクしたりできるすごい女優に似てますよ、目が大きいし、目がきれいだし、うわあ、うわあきょうは金曜日か！　金曜日か、と急に声を大きくした。

「先週ね、姓名判断して貰ったらね、占い師に言われちゃったんだよね、来週の金曜に僕の一生を大きく変える人が現れてさ、運命が開けるって、きょうのことなんだよ、あんたのことなんだ、そう言やあ、あんたはこう何て言うか人の運命を変えるような顔してるよ、してる、目だなあ、目だ、まるで妹が尻にブスブス針刺して遊んでいたミルク飲みセルロイド人形みたいだ、瞼に、虹が出てるじゃないか、きれいだなあ、瞼に色が付いてるよ、あ、あ、変なこと言ってごめん、でも、言われたことあんだろ？　人を狂わせる顔してるって、言われたこと、あんだろ？」

　背後で長いクラクションが鳴った。機械が壊れたのではないかと思うほど長く響いた。他の車の運転手もみな窓を開けて顔を出した。鳴り止まないクラクションに苛立って何人かが叫んだ。黙れうるせえぞ馬鹿。さらに別の二箇所でクラクションが鳴り始めた。エンジンを吹かす音が大きくなる。閉め切っているために、車内のすべての窓が白く曇った。騒音に怒ったのか面白がっているのか、歩行者が道端から石を投げて車のバンパーに跳ねかえる音がした。アネモネは胸騒ぎがしてきた。道路の表面は何百本という光の束を浮かせ呻りを上げて小刻みに震えている。アネモネが乗ってい る運転手が窓を開け、うるせえぞ、と十一回力の限り叫んだ。騒音に消されてほとんど聞こえなかったが、運転手は雨に濡れて顎から雫を垂らし肩で息をした。首を振って、だめだあ、と呟いた。だめだあお客さんよう、うるせえし、こんなくそみたいな渋滞で僕の人生がどんどん終わってっちゃうよう。声が変わっている。早口でかん高い声ではなく、途切れがちに低い声で喋った。

「そうだ、そうしよう、あの、僕と一緒に逃げませんか、僕の会社の小さな別荘が千葉の勝浦にあるんですよ、こんな渋滞もういやだ、喋るのも疲れた、あなたと一緒に逃げたいなあ、でも金が要るなあ、あなたはきっと金のない男は嫌いだろうからなあ、あの別荘には焼酎しか置いてないし、きっとあなたはワインしか飲まないんだろうし、あの別荘の布団、湿っていたからシーツも換えなきゃいけないし、とにかく逃げるには金が要るなあ、あれ？　待てよ、ここは山手通りか、ちょっと待って下さい、僕の知り合いのノミ屋がその先のビルに事務所を持ってるんです、そいつ いやな奴で、いつも僕のことバカにしてるんで、ちょっと今から行ってお金を借りるついでに刺し殺してきてやります、すぐ戻りますから」

運転手はタクシーを道の左脇に寄せ出て行った。アネモネは、煙草でも買って来るのだろうと思った。早く馬肉と鶏頭を冷凍庫に入れなければこの蒸し暑さではすぐに腐ってしまう。左端に寄せたといっても一車線を占領しているので追い抜いていく車から罵声が浴びせられた。五分が過ぎた。アネモネは苛立ってきた。曇った窓ガラスを手の平で拭いて外を見る。真横に銃を下げた自衛隊員が立っている。透明な合羽を着て、ヘッドフォンから音楽を聞いているのか右足の爪先を軽く上げ下げしてリズムを取っている。

「いやあ、ごめんごめん遅くなっちゃった」

戻って来た運転手を見てアネモネは叫び声を上げそうになった。顔とシャツが血塗れだったのである。

「意外とあっけないもんですね、人間の肉って柔かいんだなあ、驚きました、金はあるよ、早く逃げよう」

運転手は震え声で言うと、車を舗道に乗り上げ強引に反転して渋滞を縦に抜けようとした。アネモネは声を出そうと思ったがだめだった。どうしていいのかわからなかった。体中に鳥肌が立って寒気が走り頭だけが熱かった。こんなことやってたら馬肉が腐ってしまう、そう思うと怒りが込み上げて来た。車は渋滞の中で縦になったまま身動きがとれないでいる。後方の車と接触し、男が降りて来た。閉めきった窓ガラスに顔をくっつけて開けろと怒鳴っている。血塗れの運転手はブルブルと震えているだけだ。男はタクシーの胴を蹴り始めた。接触した車からもう一人男が近づいて来て、持っていた金属バットでフロントガラスを叩き割った。アネモネはシートに伏せた。運転手は車を再びバックさせ、舗道を走り出した。一ヵ所薬島を囲む鉄条網の支柱が倒れている。運転手はそこに車を突っ込んだ。鉄条網がタイヤに絡まり車はエンストを起こして止まった。投光機のジェネレーターが呻り巨大な光の筒が車を照らした。笛が吹かれ、自衛隊員がヘッドフォンを詰所に放り投げてこちらへ走ってくる。銃を構えている。運転手はエンジンをかけ再び後進した。白い化学防護服で身を固めた二人が装甲トラックから降りた。二人は、もし薬島から何かを持ち出そうとする企てであれば品物ごと高温焼却するように、火炎放射器を抱えてこちらへ狙いを定めた。運転手はアクセルをいっぱいに踏み込んで突っ込み、鉄条網が切れる音がして車は薬島の中に入った。しばらく進むと浮浪者の群れがヘッドライトに照らし出された。運転手からは脂の匂いがする。よく見ると血に混じってラーメンの切れ端がシャツにべっとりと貼り付いている。額に青い血管が浮いてヌルヌルした震える手でハンドルが今にも外れそうだ。

「朝、あなたと一緒に目覚める、海は輝き始めている、僕はパンと半熟の卵を用意する、あなたは要らないって言うだろう、きのうの夜やり過ぎたから食べるより眠りたいって言うだろう、僕は体に良くないよって卵をベッドまで運んで、あれ、あの別荘にベッドあったかな、そんなこといいや、あんたは裸のまま寝てる、その虹のような瞼を閉じて」

運転手は頬に付いていた三センチほどのラーメンの切れ端を手で払った。それと同時にアネモネは身を乗り出してハンドブレーキを摑み思い切り引いた。車はスピンしタイヤを焦がして止まった。車が完全に静止してから運転手は顔を上げ逃げようとしたアネモネの腕を摑んだ。血と潰れたラーメンで手の平はベトベトしていた。

「どこへ行こうってんだよ、あんたは僕と一緒に逃げるんだよ」

アネモネは、怯えきって充血した運転手の目から視線を外さずに叫んだ。

「そんな汚ない手で触わるのは止めてよ」

「あんたは、だって僕と海へ行くんだよ、海へ入ればそんなもんすぐにきれいになるよ」

「こんなことしてたら馬肉が腐っちゃうじゃないのよ」

運転手は興奮してアネモネの腕を更に強く握りキスしようとした。

「あんたは天使のような顔をしている、お願いだから、お願いだから」

「あんたなんか大嫌いよ、離してよ」

アネモネはこんな大声を出したのは生まれて初めてだった。声は母親譲りのかん高さで喉からではなく、腹の底から内臓を突き上げるように出て来た。運転手は右手でアネモネの腕を摑んだまま、左手でベルトに差していた包丁を取り出した。血はまだ固まっていなくて刃の表面をドロリと流れた。

「そうか、嫌われたのならしょうがない、もうあきらめる、海はあきらめる、あんたみたいな、きれいな人と海に行けたらどんなにいいかって思ってたけど、止めるよ」

アネモネはあまり恐くなかった。さっきからずっと夢を見ているような気がしていた。殺されると思ったが、この種類の夢は毎晩見ている。ただ夢の中ではいつも黙って殺されそうになるので、この胸のむかつきを吐き出してしまおうと思った。これでもう馬肉は完全に腐ってしまう、アネモネはさっきから怒りに震えていたのだ。髪の毛の一本一本まで苛立ち吐きそうになっていた。馬肉のために下らない話を長々と聞いてやったのに。アネモネは、静まり返る薬島すべてに響く大声で、胸を掻きむしりながら叫んだ。

「冗談じゃないわよ！　あんた自分が誰だと思ってんの！」

怒り過ぎて舌がもつれたが力を振り絞って続けた。

「鏡を見てごらんよ、みっともない、自分の顔を見てごらんよ、汚ない、ラーメンなんかくっつけて、あんたね、汚ないのよ、醜いのよ、臭いのよ、世界一の変質者よ」

叫び続けているうちに頭の中に溜まった熱がゆっくりと下がるのに気付いた。運転手は涙を浮かべて項垂れ、僕は臭いのか？　と小さな震え声で呟いた。アネモネの体には足の先からもう一度残忍な力が湧いて来た。アネモネは興奮に酔っていた。運転手が早く腹を刺してくれればいいのに、と思った。腹の中を包丁で掻き回されても叫び続けてやるわ。

「あんたみたいな汚なくて臭い男には初めて会ったわよ」

「僕が部屋に入って行った時、あいつはラーメンを食べてて、僕が包丁を構えると、どんぶりごとラーメンを投げつけたんだ、死にたくなかったんだろうね、仕方なかったんだ」

運転手はアネモネの手を離し包丁を落としながら車の外へ出て泣き出した。ヘッドライトの外へ消えようとして、突然悲鳴を上げ膝を折って崩れ落ちた。アネモネは周囲の暗がりに潜む人影に初めて気付いた。その中の一つがゆらりと動き光の中に姿を現わした時は恐怖のため両手で目を塞いだ。

体つきから十歳前後と思われる少年の顔に穴が開いている。穴の周りも人間の皮膚には見えない。象の皮を顔面に貼ってそれを腐らせたようだ。正面からヘッドライトを受けた赤黒い穴は吹き出る膿のために沸騰するシチュー鍋の中の熔けかかった肉片に見える。一つの穴からは頬骨が露出していた。塩素毒による痤瘡だ。少年はヘッドライトの中を進み車の中を覗き込んだ。アネモネは震えが止まらなかったが勇気を出して少年の顔を眺めた。何か話しかけようと思ったが歯の根が合わなかった。少年が窓から手を差し入れて来た。アネモネは一瞬考えた後に、五千円札をその上に乗せた。少年はしばらく五千円札を見ていたが握りしめてポケットに突っ込みもう一度腕を伸ばして今度はアネモネの胸を指差した。飛行機の形をした極細のネオン管が埋め込んであるブローチ。アネモネはブローチを渡して、少年が車から離れると、急いで前の座席に移り、エンジンをかけた。車を動かそうとすると、さっきの少年が手を横に振っている。アネモネが窓から顔を出して、なあに？　と聞くと近づいて口を歪め舌で唇を舐めながら絞るような声で言った。

「焼かれる、車でここを出ると、焼かれるよ」

火炎放射器を持った自衛隊員を思い出して、アネモネは車から降りた。トランクを開けて馬肉の入った段ボール箱を取り出す。二十キロ入りが五個、重くてアネモネは地面に落としてしまった。段ボールが壊れ地面に血の跡をつけて肉塊が転がった。浮浪者が群がってあっという間に馬肉と鶏頭は消えた。顔に穴のある少年が手招きをしている。歩き始め、振り返ってまた手招きをする。アネモネはその後についていった。路地に並ぶ家の壁のあちこちに赤い×印がついている。その下に、「小動物死亡確認箇所」の文字、軒下にはクリスマスツリーに使う豆電球が下がっている。アスファルトはほとんど剝がされて道の両側に積まれアルミ箔で被いがしてある。露出した粘土質の土は雨に濡れて歩きにくかった。家並が途切れて、広い道路を横切り公園に出た。枯木の向こうに十三本の超高層ビルが現れた。前を歩いていた少年が立ち止まり、階段を指差した。階段の先の鉄条網が人間一人抜けられる分だけ切られている。アネモネは、ありがとう、と少年に言って階段に向かうと、また引き止められた。

「もっと暗くなってから出なきゃ、見つかるよ」

アネモネは一つだけ壊れずに残っていたブランコに座って目の前で今にもこちらに倒れてきそうな十三本の塔を眺めた。もし東京にキングコングが現れたら、と考えた。キングコングが現れてあのビルの上をピョンピョン跳ね回ったら、ヘリコプターや機関銃やジェット戦闘機なんて要らないわ、ここへおびき出せばいいのよ、すべての毒物が体中に付着するまで暴れさせて、町ごとナパーム弾で吹っ飛ばせばいいんだわ。

公園はどこからの光が届くのか薄暗い。あの少年は暗くなるまで待つようにと言ったが、この町も含めてこの都市には暗闇が訪れることがない。十三本の塔の谷間にはいつも薄明りが洩れている。上空から眺めるこの都市全体からコンクリートや板で仕切られた小さな部屋、小鳥や昆虫の巣に至るまで、完全に光を遮断することはできない。光は厚いガラスや大気中の半透明の膜を潜って隅々を照らし、逃れようとする人間や動物はその薄明りの中で常に影として見張られている。公園の中央に池がある。池の水は白く濁って風と共に強い腐臭が漂っている。

太った裸足の男が池の方に近づいて来る。奇妙な動作を繰り返しながら。動作と言うより筋肉の痙攣に近い。足許を機関銃で掃射されているように見える。舞踏病だろう。汗だくの顔でアネモネを見る。何か言いたそうな顔付きだが、言葉は出ない。変な発音の悲鳴に近い声を、一定の間隔で踊りの合間に出す。大きな鳥が仲間を呼び合う時のような鳴き声、グとギの中間音を息の続く限り引き伸ばし、消え際にオクターブ上げて引っ掻くような声。太った男はどんどん池に近づく。まるで腐った水を浴びたいと思っているように。小柄で、痩せた若い女が、西側の枯れていない木立ちの陰から現れて、太った踊る男に走り寄った。跳ねあがる踊りの足をうまくかわし男の耳許で何か囁いている。その声は、踊る男の奇妙な叫びの合間にアネモネの耳まで届いて来た。弱々しく震えるようなその声は旋律を持っている。太った男の叫び声はしだいに弱くなり、かわりに不思議なその旋律が強く聞こえるようになった。アネモネは、どこかでこのメロディーを聞いたことがあると思った。目を閉じて思い出そうとした。すぐに思い出せそうな気がした。このメロディーにまつわる記憶は頭の皮膚のすぐ裏側に埋もれていて、その場所もこのメロディーを演奏した人も全部簡単に思い出せそうだった。夕方、陽が今にも沈もうとしてる時、そうそれは間違いない、光が僅かしか残っていない、海岸？　違う、輪郭、その建物や山々の輪郭に線になった光が僅かに残っている、そんな時だわ。アネモネはいつの間にか、自分がこのメロディーを思い出そうとしていることを忘れた。

目を閉じて聞こえてくる旋律が掘り起こす記憶の画像に浸っていると、自分でその画像の操作ができなくなってしまった。眠っているのではない。アネモネは、目の裏側で夕暮れの港を見ていた。背後に山を持つ大きな港のほぼ真中で巨大な沈没船を引き上げる作業が始まっている。潜水夫が人間の腕ほどのワイヤーロープを持って潜る。町中のクレーンと巻き上げ機、投錨機が一ヵ所に集められている。引き船がワイヤーロープの端を引いて陸に向かい、その町で一番大きく頑丈なビルに巻きつける。人々は山に上り、船が引き上げられるかビルが折れるか、賭をしている。山頂のレストランで小エビの塩蒸しを食べながら、賭に夢中だ。そのレストランの壁にかかったスピーカーから、旋律が流れている。残り少ない朱色の光が染め上げた海面に巨大な舳先が突き出た。ワイヤーロープはビルを二重に巻き、恐ろしいほど張り詰めて海の中に伸びている。突き出た舳先だけでも港内のどの船より大きい。ビルディングはワイヤーロープに少しずつ削られ砂煙が上がっている。貝殻がびっしりと貼り付いた船体は銀色で夕日を反射して眩しい。船体が数センチずつ引き上がる度に、高い波が出来て桟橋まで押し寄せる。山頂のレストランではみんな食事を中断した。みんな息を詰めて最後の瞬間を待っている。スピーカーからは例の旋律、ビルが僅かに傾く、その旋律が港全体、すなわちアネモネの視覚領を支配している。アネモネはブランコの上で笑ったり怯えたり緊張に震えたり安堵のために泣き出しそうになったりしていた。歌が止んだ。旋律が消えた。アネモネは突然目を開けてすぐ前の汚ないゴム靴が転がっている暗い地面を見て、一瞬、わけがわからなくなった。うたた寝をして夢を見ていたのだと自分に言い聞かせた。

「気の毒な人だと思わない？ああやって疲れ果てて倒れるまで、眠りにつくまで踊り続けるんだよ、かわいそうだね」女だと思っていたのは、小柄で、痩せた、若い男だった。アネモネのすぐ横に来て、そう話しかけた。女物のブラウスとパンツで、薄い化粧をしている。額の広い顔はアネモネの方に向いていたが、目はどこを見ているのかわからなかった。最初アネモネは、目が悪いのだろうか、と思った。そして話しかける若い男の目に遠くからのヘッドライトが映った時、自分が透明人間になったような気がした。

6

ガゼルが死んだ。オートバイで崖から墜落した。おととしの夏だ。一九八七年の夏。死んでからは、全力疾走のたびにガゼルの顔を思い出すことがなくなった。筋肉が強くなるにつれて、キクは乳児院の礼拝堂にあった絵の中のお父様とガゼルを混ぜ合わすのを止めた。

中学三年の時に出場した全国放送陸上の短距離走でキクは注目される記録を出した。百メートルで十秒九、二百メートルで二十二秒二。全国の私立高校から誘いが来た。キクは全部断わった。理由はキク自身にもよくわからない。施設の整った大きな高校で思いきり棒高跳びをやりたいという思いもあった。ハシは賛成も反対もしなかった。こう言った。調べてみたけどね、キクを欲しがってる学校の傍には海がないよ。ハシと離れたくなかったのかも知れない、とキクは思うことがある。無口なキクと違ってハシは中学高校と人気者だった。友達を作るのがうまかったし、ハシは誰にでも優しかった。キクは陸上競技を選んだのを時々後悔する。いつも一人だからだ。一人が性に合ってるのはわかっていたが、やはり仲間が欲しくなることがあった。しかしキクは球技をやれる人間ではなかった。他人と協力してゲームを進めることが全くできなかったのだ。体育の授業でバスケットをやっても、一旦ボールを摑むと絶対に他人に渡そうとしなかった。当然周囲から浮き上がってしまう。それを気にしてゲームをやってるとひどく疲れた。キクの筋肉は他人と協調できなかったのである。力を集中すると誰も目に入らなくなる。陸上競技が最も適していた。

高校に入るとすぐ棒高跳びを始めた。ずっと以前から棒高跳びをやろうと決めていた。単純な理由からだ。最も高く跳べるという単純な理由。グラスファイバーの弾力に乗せて空中に弾き出されるという魅力、それはガゼルが見せてくれた古い記録映画の中にあった。東京オリンピックのハンセンとラインハルトの死闘、ハシが至福感を音に求めたように、キクはある高みを越える自分を想像して何かと溶け合おうとした。目をとじると浮かんでくるのは一本の棒だ。彼方まで続く地面の一点に、胸が騒ぐ障害物がある。全力疾走でその壁に迫り跳躍して飛越する。その瞬間をイメージした。それはキクの中の抜け落ちた部分とぴったり符合するように思われた。ある場所で、ある瞬間、俺は全筋肉を総動員して跳び越えるべき何かと対峙する、そして越える、そういう時が必ず来る、キクはそのイメージに酔った。キクは専門のコーチなしでトレーニングを続けた。解説書を読み、最初は竹の棒を使った。基礎体力を養い、砂場の整地から始めた。満足な施設がなくても不平を洩らさなかった。和代から屑スポンジを貰い自分で着地用のマットを作った。欲しかったがグラスファイバーのポールはずっと買わないでいた。グラスファイバーの弾力に飢える気持ちを筋力の強化に向けた。キクはますます周囲から離れ一人でいることが多くなった。それでもハシだけは、練習で遅くなるキクの帰りを待っていることがあった。教室の窓から長い間単調な練習を眺めていた。クラスの連中に、あれは僕の兄貴なんだと自慢気に指差し、キクが竹の棒でバーを越えると窓から拍手した。

夏、その日ハシは校門でキクを待っていた。二人は並んで歩くがあまり喋ることはない。バスに乗りカンナが群生した坂道の昇り口で降りる。僕のクラスの女の子がキクのことをかっこいいって言ってたよ、ハシは笑いながらそう言った。キクは照れた。人気があるのは、お前の方じゃないか。ハシはカンナの花を一本千切り花粉を吹き飛ばしながら、そういうことないよ、と言った。僕は話がうまいだけさ、こいつはこういう話をすれば喜ぶだろう、そう考えて話す、疲れるよ、昔からそうだったじゃない？　ほら乳児院でさ、僕は牛乳配達の若い奴と割かし親しくしてたでしょ？　キクは突っかかっていって殴られたこともあったじゃない？　憶えてる？　キクは頷いた。ハシは指に付いたカンナの花粉をズボンで拭きながら続ける。よくわからないけど、僕よりキクの方があいつとちゃんと付き合ったんだと思うな、だって僕あいつを殴りたかったんだよ。キクは笑った。ハシはどうして笑うのか聞いた。お前みたいにうまく話をして友達を作りたかった、とキクは言った。ただどうもうまくいかなくてつい殴ってしまうんだ。坂道の途中の木に蟬が止まっていた。つくつくほうし。坂道は夕暮れの斜光でオレンジ色に染まり、つくつくほうしは流線型の影になって鳴く。難しいもんだね、ハシはそう言って落ちていた空缶を蹴った。空缶は坂道の下にある鶏小屋のトタン屋根で弾んだ。かん高い音がした。

キクは前方を睨んでいる。柔らかくしなるグラスファイバーポールを握りしめている。その年の秋長崎市で開かれた高校総体、キクは決勝に進んだ。敵は八人いる。キクを除いて全員が三年生だ。キクは八人を意識しなかった。誰よりも高く跳ぼうなどとは思わなかった。空中に引かれた黒と白の線を跳び越える自分のイメージ、そのイメージに体を重ね合わせるために跳ぶのだ、そう思った。重力に逆らって舞い上がる自分を思い描く、頭の中にその映像がある、実際に跳ぶ、一瞬にして映像は解き放され宙に浮いた肉体を包んで表面に貼り付く、一致するのである。そうやって跳んだ。気が付くと八人いた対抗選手は三人になっていた。バーの高さは四メートル七十、キクは跳んだことがない。残った三人のうち、一人は眼鏡をかけている。優勝候補だ。もう一人は四百メートルにもいい記録を持っている背の高いスプリンター、三人目は英才教育で育てられた大学付属高校の陸上エリートである。

最初にキクが跳ぶ。棒高跳びの助走路は競技場の端にある。他の種目はほとんど終わって観客がこちらに移動を始めた。来なくてもいいと言ったのに、和代は握り飯を作り美容院を休みにして応援に来た。キクのことが和代は得意でならないらしい。周囲の人々にあれが息子なのだと指差して教え時々大声で名前を呼ぶ。ハシはそれが恥ずかしいのか少し離れて坐っている。キクはバーの位置を確めている。ボックスにグラスファイバーポールの先端を突っ込み、真直ぐに立てて、適当な距離までバーの位置を変える。ポールの頂点を見上げ、自分の跳越姿勢を想像して、バーとの間隙を決めねばならない。助走距離を測る。跳んだことのない高さなので、助走は少し長くした。踏み切り地点で回れ右をし、助走出発点へ歩く。踏み切り足の反対足から出発して偶数足で止まる。そして踏み切り足でスタートする。キクは前方を睨んでいる。跳び越える自分、宙に舞ってピットに落ち、残っているバーを見上げる自分をイメージする。キクは走りだした。すぐに全力疾走に移ろうと構える筋肉をなだめる。慌てるな、踏み切り地点で最高速になるんだ。短距離走者よりさらに前傾してキクは走る。スパイクが土を蹴り上げる。場内が静まる。ポールの先端をボックスに鋭く突っ込む。ポールを曲げる。腰を折る。両足を垂直に持ち上げる。グラスファイバーがしなる。弾力の気配が伝わる。腕を引く。キクの体は空中に放り投げられた。この一瞬だ、とキクは思う。グラスファイバーポールの反発にうまく乗る一瞬、空が大きく揺れる、張りつめた空の表面が柔らかく歪むのだ。拍手が起こった。キクはピットに落ちてきて動かずに残っているバーを見上げた。見事な跳躍だった。

敵達は焦り始めた。眼鏡の優勝候補だけは落ち着いていたが、後の二人は、一年生に負けてはならないと気負ってしまった。スプリンターは何度も助走距離を測り直し、また陸上エリートは入念な柔軟体操を繰り返したが、二人共失敗した。肩に力が入っていた。一回目に失敗すると追い詰められた気になったのだろうか、さらに跳躍姿勢を崩した。キクは冷静だった。他人の跳躍を眺めて欠点を見抜いた。ブツブツと口に出して呟いた。ポールの先端を下げるのが早すぎる、助走がリズムに乗ってない、上腕を曲げている、腰のひねりが遅い。眼鏡の優勝候補が近づいて来て話しかけた。君、一年生だろ？　キクは相手の目をじっと見て頷く。うまいね、コーチの先生は誰なの？　キクは首を振った。話しかけられるのがいやでしようがなかった。君はでもカンに頼りすぎてるよ、ポールの弾性を摑むタイミングはうまいが、どうかな、向かい風の時、どうかな、君は向かい風の時どうかな。

眼鏡とキクの一騎打ちになった。眼鏡は四メートル七十五をパスした。キクはほとんどパスをしない。相手のことを考えないからだ。七十五をキクは二回失敗した。三回目、キクは芝生を千切って風に飛ばした。陽が傾くに従って風向が変化している。弱い向かい風だ。観客席に目をやる。いやな予感がした。ハシが見えなかったのだ。このいやな感じは何だろうと考えた。風の向きなんか関係ない、ハシがいないからだろうか、ハシと俺の棒高跳びとどんな関係があるんだ、俺はハシに見て欲しいと思って跳んでいるのか、そんな馬鹿な話があるか、キクは前方のバーに気持ちを集中しようとした。跳び越える自分をイメージする。うまくいかない。映像の焦点が合っていないのではなく、映写機の電源が切れてしまったような気がする。これまでずっと一人で練習してきたじゃないか、そう自分に言い聞かせた。ハシが見ていないというだけでどうして集中力が鈍るのだ。キクは助走距離を測る。バーの位置を決める。体が重かった。きっとハシはアイスクリームでも買いに行ったのだろう、そんなことを跳躍の前に考えている自分に腹が立った。既にすべての競技が終わったトラックの方に歩き、グラスファイバーポールを脇に置いて、キクは走りだした。後片付けをしていた競技役員をすり抜けて全力疾走した。観客席から声が上がった。恐ろしく速かったからだ。キクは風に乗った。風の芯を捉えた。強引にハシを忘れようとした。頭を巡る血を抜き取り筋肉に与えようと思った。汗が噴き出て、空中に引かれた線を跳び越えるイメージが甦ってきた。映像が点り始めた。トラックを一周した。もう観客席など見ない。あいつは関係ない。俺一人だ。他に誰もいない、越えるべき線が前方に浮いているだけだ、周囲には誰もいない、駆け抜けて跳ぶ俺がいるだけだ。手を上げ、行きます、と叫ぶ。ポールを構える。地面を蹴る。スパイクの鋲が拾う衝撃は血管を伝わって頭まで一気に駆け昇る。地面を蹴る力、倒れまいと蹴る意志がスピードに重なり結晶して映像を生む。自分が空の線を越える映像。ポールを突っ込む。踏み切る。体が僅かに沈み、そして爆発的に弾け飛ぶ。この一瞬にイメージは破裂し汗腺から染み出て気中に溶ける。失敗だった。キクはバーを膝に引っ掛けてしまった。周囲から溜息が洩れた。ピットに墜落して、キクはさかんに首をひねった。失敗した原因を考えているのではなかった。今までに経験のないイメージが現れてまだ消えていないのだった。宙に飛ばされる瞬間、バーの遥か彼方に全く違う障害を跳ぶ自分が見えた。赤いヒラヒラする柔らかいものを跳び越えていた。赤く濡れて微かに揺れているもの、あれは何だったのだろう。しばらくキクは考えていたが、笑いながら拍手しているハシを見つけるとそのことを忘れた。ハシはアイスクリームを舐めていた。

和代が紙切れを持って運動場を駆けてきた。震えながら、紙切れをキクに見せた。

「キク、ミルクをお願いします。餌には決して塩気のあるものを入れないように、東京へ行きます、国体での優勝を信じています、捜さないようにみんなを説得して下さい、きっと近い内に会えるよ」

どういうことやろかどういうことやろか、何があったとかわからん、キクあんた何か知っとるね。和代は泣き出しそうな顔をしている。家出の理由はわかっていた。ハシは母親を捜しに行ったのだ。

　三日前、テレビのインタビュー番組に小説家が出演した。七十二歳の女性で幼い頃から盗癖があり窃盗で四回服役したという経歴の持ち主だった。体験を素材にして「林檎と熱湯」という題名の中編小説を発表した。賞を受けて小説はよく売れているらしかった。インタビュアーは、書こうと思われた動機をお聞かせ下さい、そう尋ねた。老小説家は、別にこれといって動機などありません、と話し始めた。小さい頃は作文が大好きでございましたが、いつの間にか人様の物を盗む方に興味が移ってしまいまして、このように年をとりますともう盗みをやる気力も萎えました。他にすることも思い浮かびませんし、それで筆を取ったのかも知れませんねえ、ただ私は不幸な女を何百人と知っております、犯罪でしか自分を表現できない不幸な女達ですが、ある女は夫を刺し殺した後に恐怖のあまり嘔吐してしまいまして、その匂いを消すためにありたけの香水を部屋に撒いたのだそうです、夜間飛行という香水がありますか？そうですかあるんですか、その香水だったようです、ある女は勤めていた銀行から男のために億の金を横領していましたが、自分のために使ったのは三百五十円だったと言いました、持ち合わせがない時急に生理が始まって仕方なく生理用品を買ったのだそうです、また、ある女は、自分の赤ん坊を捨てた場所にブーゲンビリヤの花弁を散らしたそうですよ、花屋にあった花の中でブーゲンビリヤが最も高価であったと申していました、このように女の犯罪というものは、細部に日常の悲しみ喜びが溢れているものなのです、それが私に――。

ブーゲンビリヤの花弁、ハシが押し花にして今でも大事に持っている花だった。その時ハシは真青になった。口の中で嚙むのを止めていた卵焼きを吐き出した。大変だ、キク大変なことになったよ、そう言って机の引き出しから押し花を取り出し、国語辞典でブーゲンビリヤという語を調べ、色や形状を改めて確かめた。どうしようどうしよう、ハシは震えていた。キクあの人は僕を捨てた女を知ってるんだ、どうしようか。翌日、老小説家の本を買って読んでいた。作品にはブーゲンビリヤは出てこなかったらしい。ハシはキクだけに相談した。テレビを見ていたのは二人だけだったし、桑山と和代は押し花の由来を知らない。キクは何も言えなかった。落ち着きを失って気の毒なほどうろたえるハシを見ていると、怒りが込み上げてきた。何で今頃そんな話がハシの耳に届かなければならないのか。

ハシはキクに金を借りた。捨てた女に会ってどうするんだ？　キクは聞いた。ハシは、わからない、と首を振った。見るだけでも見たい、と言った。会わなくてもいいんだよ、よく考えたけど会うのは恐い、その女がさ、喋ったり歩いたりするのを気付かれないようにどっかからそっと見るだけでも見たいんだ。

一度だけ葉書きが来た。元気でやってる、と書いてあった。消印は東京。住所は書いていない。和代は匂いを嗅いだり電球に透かしてみたりした。既に捜索願いは出していた。新聞の尋ね人欄にもハシは数回登場した。行方は全く掴めなかった。キクは、ハシの葉書きを手に取って奇妙なことを考えた。どこか遠くに行ってこんな葉書きを誰かに出したい、と思ったのだ、なるべくハシのことを考えないようにした。しかし練習にうち込めなかった。ハシが気になったわけではない。理由はわからないが突然何もかもいやになったのである。島の景色、海の輝き、乾いた魚の匂い、坂道に咲くカンナ、犬の鳴き声と仕草、棒で跳ぶこと、全てがいやになった。飽きたのだ、と自分では思った。特に、運動場に吹く海からの生暖い風が我慢できなかった。

7

キクは新幹線で小説を読んでいる。ハシの家出から半年が経った夏、和代が東京へ捜しに行くというので同行した。和代は泣きそうな顔で駅弁を食べ続けているが、キクは歌でもうたいたい気分だった。窓から眺める景色が新鮮だった。このまま東京に着くと、ハシがニコニコ笑ってホームで待ってるような気がした。老小説家が書いた「林檎と熱湯」のせいかも知れないと思った。

乱暴な香具師と一緒に住んでいる女の回想として書かれている。盗癖のある女だ。生家が貧しかったのでこんにゃく屋に養女として出される。苛められる、食事は朝昼晩こんにゃくだけだ、空腹に耐えられず生家へ逃げ戻る、実の父親は辛抱が足りないと言ってひどい乱暴をする、理由なく顔を合わせるたびに殴る、叔母の家へと再び養女に出る、実子とお前は別だと最初の夜に叔母に言われる、実子はまだ三歳だったので屈辱感も少なく、自分は女中だと辛抱して学校に行かせて貰う、ある日三歳の幼児を風呂に入れている時熱湯をかけられる、実子は下腹に紫色のあざがあってそれを笑われたと思ったのだ、叔母の家を出た、行くあてがない、線路を歩く、疲れて休んでいると不具の酔払いが林檎をくれて事情を聞き、養女にしてくれるという、不具者は優しかった。戦争に応召されないのを強く恥じていた、盗みを始める、女は不具者との平穏な生活の中で盗みを繰り返す、どうして盗みをするのか自分にもわからない、感化院へ送られる、半年後の出所の日、不具者が出迎えて、養女ではなく妻になって欲しいと言う、笑いながら拒否する、五十を過ぎた粗暴な香具師と一緒に住む、商売物の帯止めを盗む、発覚して小指を切られた、このあたりから文章が現在形に変わる、香具師と別れ盗みを繰り返し刑務所へ、中で、遠くの造船所に爆撃が加えられる音を聞き、日本が燃えつきるのを願う、熱湯の痛みは終生の友、林檎の酸は唾棄すべき平穏。

キクは読み終わって、爽やかな気分になった。意外だった。何て暗い話だろうと何度も読むのを中断したのだ。本なんか満足に読み通したことがないので、きっと最後まで読んでしまったぞという解放感だろう、キクはそう考えた。ハシはこの本を読んでどう思っただろうか、だけどあいつは、ブ、ブ、ブと呟きながら字を追っていただけだからかな、ハシに会ったら「林檎と熱湯」の話をしてやろう、キクは思った。

次は新横浜です、アナウンスが繰り返した。何度も繰り返すのでキクはいやな気分になった。横浜を思い出せ、と機械が喋っているようだった。ヨコハマという語感はコインロッカーの記憶と繋がっている。ヨコハマに関する他の思い出が何もないのでよけいにだ。

東京駅には高校陸連の事務員が迎えに来ていた。高校の陸上部の教師が、知り合いのいない和代達のために連絡しておいてくれたのである。緑色の背広を着た小男はホームの階段脇に立ちキクの名前を大声で呼んでいる。車内アナウンスそっくりの声だった。無表情のまま口をパクパクやってるので人形じゃないかとキクは思った。腕組みをして機械のように怒鳴っている。くわあやま、きくゆきくうん、くわあやま、きくゆきくうん。和代は緑の小男を見つけるとハンドバッグから鏡を取り出して化粧を直した。男のところへ走りより、お辞儀をする。一言何か話しては頭を下げる。お辞儀を止めない和代にキクは腹が立った。あれは音楽が好きだったようでございます、和代はそう言った。若い家出人が集まるという場所を緑の小男は教えてくれた。新宿。

ホテルは和代が旅行雑誌で調べて予約した。東中野のパチンコ屋の裏にあった。春陽館ホテル、と書かれたネオンは、「テ」の字が欠けていた。外観は旅行雑誌に載っていた写真と大分違った。写真には、金色の鯉が泳ぐ池と紅葉が流れ落ちる滝と数台の外国製乗用車と腕を組んで玄関から出てくる盛装した外国人の男女、屋上から垂れた様々な国旗が写っていた。罅《ひび》割れたセメントの滝には映画のポスターが貼ってある。池は涸れて段ボール箱が積まれている。玄関には髪を染めた掃除婦がいた。煙草を吸いながらモップで床を濡らしている。ロビーに備え付けのテレビを見ていた。テレビの音量がやけに高い。画面にはジェット戦闘機が映っている。掃除婦は銀の歯で煙草をくわえバケツに灰を落とす。フロントに蝶ネクタイの男が二人いた。声をかけると指していた将棋を中断して、いらっしゃいませ、と言った。和代は出されたカードにゆっくりと記帳した。職業の欄に大きく、美容師、と書いた。鍵を受け取る。蝶ネクタイの男がキクの荷物を持つ。エレベーターが開き、色の黒い体臭の強い女が二人降りてきた。キクと和代を振り返り外国語で何か言った。エレベーターの扉が閉まる直前和代を指差してお互いの肩を叩き笑い合っていた。和代はエレベーターの中で化粧やワンピースや靴下を点検した。顔を赤らめて笑われた原因を捜した。蝶ネクタイの男がキクを見ている。キクは睨み返した。蝶ネクタイは唇を歪めて笑い横を向いた。部屋の窓からは解体されるビルと飯場と洗濯物が見えた。ごゆっくりどうぞ、蝶ネクタイが消えてから、キクは和代の胸元を指差した。白粉塗りすぎだよ。白い粉が汗で溶け一本の線になって首筋から胸許へ垂れている。二人は長いことベッドの端に腰掛けたまま喋らなかった。ガソリン臭い冷房の風、和代の汗が乾いている。こがんとこでハシは何しよるとやろか。巨大な鉄の球がコンクリートを打ち崩す音が窓を震わせる。

新宿、噴水を囲む映画街、酔っ払いと浮浪者が同じくらいいた。新聞紙や段ボールを敷いてうずくまり酒を飲み黙りこくって道路の砂を見つめセルロイドの仮面を被って犬に干魚を与え盲人の真似をして弓を歯でくわえバイオリンを弾いている。被れた鬘《かつら》と剣道着で土下座する親子連れの乞食を見て、キクは胸がムカムカした。通行人が金を投げると、携帯用の蓄音機で講談の一節を流し立ち回りをする。必ず親の方が倒れる。母上のかたき、覚悟！　と子供が叫ぶ。切られる親は背中に巻いたチューブから赤い絵具を地面にボトボト垂らした。

キクと和代は、入口から音楽が聞こえてくる店を一軒ずつ覗いて回った。二人は最初いらっしゃいませと迎えられ、ハシの写真を示して事情を説明すると、警察に行けと追い返された。一つのビルに何十もの飲屋があって、こんなことやってたら百年かかってしまうとキクは思った。煙草と点滅するネオンと半裸の女と酔っ払いの視線と一つにまとまって轟音になった話し声が神経を参らせた。エレベーターのないビルの階段を昇っていた和代は嘔吐物に被せてあった新聞紙に滑り尻もちをついた。ワンピースの裾が黄色く汚れた。

二人は小さなバーへ入り休んだ。暗い中に三人の女がいた。三人共和代より化粧が濃かった。キクはコーラを一息に飲み、和代はカカオフィズを注文しただけで口をつけなかった。ハシのために酒も煙草も茶も断っていたのである。和代はグラスを鼻まで持ち上げカカオの香りを嗅いだ。飲めばいいじゃないか、キクは言った。和代は首を振る。いい匂いやろうが、和代はグラスをキクの目の前にかざした。茶色に濁った液体、甘そうな匂いがした。泥水だ、とキクは思った。三人の女は幼稚園に通う息子のことを話している。皮膚が弱くて蚊に刺されただけで赤いブツブツが全身にできちゃうのよ。店を出た二人は若い男に呼び止められた。何軒目かの、特別に音量が大きく丸い光の輪の中で半裸の女が踊っていた店のウエイターだった。

「あの、失礼ですが、九州の方ですか?」

和代が頷くと、自分も福岡の出身だと言った。さっきは仕事中で何も話せなかったがぜひ協力したいと言う。キクが渡したハシの写真をもう一度見てどっかで会ったような気がすると首をひねった。若い男は二人を店の事務所に案内し、ワンピースの汚れを拭くようにと濡れたタオルを持って来た。写真を預かってもいいか、とキクに聞いた。心あたりがあるから今晩仕事が終わってからちょっと捜してみる、自分はこの辺りには詳しいので二人が一年かかるところを三十分で見回ることができる、家出人が集まる店は限られているものだ、翌日もう一度来てくれ、必ずお役に立てると思う、そう言った。和代は財布から一万円札を出したが受け取らなかった。実は僕も四年前に家出して来たんです、僕の親もこうやって捜しに来たのかも知れない、去年オフクロが死にましてね、金なんか要りませんよ、必ず息子さんを捜してみせますからね。

二人は疲れ果ててホテルへ戻った。エレベーターの中で、壁を磨いていた掃除婦が、暑いねえ、と和代に言った。掃除婦は年寄りだ。髪を染めて目の周囲を縁取りし唇の皺に真赤な口紅を塗り込んでいる。和代が、本当に蒸しますねえ、と返事をすると、雑巾を詰めたバケツに唾を吐いた。ところであんたら部屋のトイレ何か入ってなかったかい？　最近ピン公のパンパンがピン公てフィリピン人のことだけどね、変なもの捨ててくんで困ってんだ、コンドームぐらいならいいんだけどね。和代とキクが五階で降りると、雑巾とバケツをエレベーターに置いたまま二人に付いてきた。疲れてますんで、すみません、おやすみなさい、そう言って部屋に戻ろうとする和代の腕を摑んで喋り続ける。あいつら腋の下やまんこの毛剃って便器に捨ててくんだよ、ねえ聞いとくれよ、水が流れないんだから、詰まっちゃって、あたしは手で掃除するんだからね、この前なんか卵が捨ててあんだよ、卵たってうずらとか鶏じゃなくて、蛙だよ、でっかい殿様蛙の卵、どうすんのかねえ、聞いてみたのよパンパンに、どうすんのかって、入れるんだって、まんこに、ヌルヌルしてっから、気持ちいいんだって、どうしてあたしがそんなもん後片付けしなきゃいけないの、ピン公のパンパンが捨てた蛙の卵なんか掃除しなきゃいけないの、ピン公のパンパンなんだよ、相手は。掃除婦は和代の腕を摑んだまま泣き出した。マスカラの溶けた黒い涙が顔の皺に引っかかりながら流れる。和代は老掃除婦の手を振り解くと走るように部屋へ戻った。キクはあるいやな考えが浮かびしばらく膝を折って泣き続ける老婆を見ていた。この醜い年寄りが自分を捨てた母親ではないかと思ったのである。半裸の女達の汗、泥水のようだったカカオフィズの甘い匂い、乞食と嘔吐物と騒音、それらが貼り付いた自分の体は泣き崩れる老掃除婦の下腹の亀裂から生まれ出たに違いない、そう思った。夜中、隣の部屋から女の忍び笑いと呻き声が止まず、キクは宿を変わろうと言った。ここはいやな奴らばっかりだ。和代は何度も寝返りを打ち、そうねえそうしようかねえ、そう言った後両手で耳を塞いだ。

翌日の昼間、二人は警察へ出向いた。新しい情報は何もなかった。捜索願いの確認をしただけだった。若いウエイターと会う約束の夜まではかなり時間があった。和代は埃を被った並木道を歩きながら、映画でも見てその後で今まで聞いたこともないような御馳走を食べようと言った。ねえキク、考えてみればうち達が泣こうが呻こうが見つかる時は見つかるやろし、見つからん時は見つからんとよ、あんたと東京歩くのも初めてで最後かも知れんけんね。

立派な映画館で、アメリカに亡命したロシア人バレリーナの悲恋物語を見た。恋を選ぶか、バレエと祖国を選ぶか、白鳥の湖を踊りながら主人公が悩む、バカな奴だとキクは思った。自分が最も欲しいものは何かわかってない奴は、欲しいものを手に入れることが絶対にできない、キクはいつもそう考えている。最後の場面で主人公は恋人の胸に抱かれたまま息を引きとる。和代は声をあげて泣いていた。映画が終わると二人は遊園地に行った。回るコーヒーカップとジェットコースターに乗った。死ぬまでに一度乗りたかったんよ、和代ははしゃいだ。

夕方、皇居の傍の公園に入り、アイスクリームを買って、二人は手を繋いで歩いた。鳩にポップコーンを投げ与える。芝生に寝転ぶ。短い草からは廃鉱の島の裏山と同じ匂いがした。和代は遠くを眺めながら小さい頃の話を始めた。朝鮮にいた時の話だ、学校から帰るとランドセルを放り投げて畑に行った。今の季節だと野イチゴがおいしかった、お菓子なんかなにもなかったから野イチゴを食べるのが楽しみだった、自分は長女だったから学校から帰る時間が一番遅く、赤く熟れた実は妹や弟達に採りつくされて、まだ青い野イチゴを食べよく腹を壊した、一度朝鮮を訪れてみたい、ハシとキクが立派な大人になったら一緒に行ってみたい。そんな話をしたのは初めてだった。俺はでも、乳児院に行ってみたいなんて思わないよ、キクは和代に言った。若いせいだ、と和代は遠くを見たまま言う。年をとれば、小さか時住んだ場所に行きとうなるよ。キクは、和代のことを何にも知らないのだ、と思った。朝鮮に連れて行ってやるよ、そう言おうとしたがその前に和代が立ち上がりワンピースに付いた草を払って堀の方を指差した。子供達が釣りをしている。堀の鯉を針とテグスだけの簡単な仕掛けで釣り上げようとしていた。しばらくすると子供達の首より太い錦鯉が釣れた。腕の中で跳ねる。釣りは禁止されているらしい。本当に釣れるとは考えていなかった子供は暴れる大きな鯉を抱いたままどうしていいかわからず泣き出しそうな顔で見物人に助けを求めた。その様子が可愛く、和代は手を叩いて笑い転げた。

夜、真白な壁と赤く厚い絨毯のレストランで、二人は見たことのない料理を食べた。中央で盲目の老人がピアノを弾いている。順番に客のリクエスト曲を聞いて回る。和代は恥ずかしそうに小さな声で言った。「牧場の朝」、をお願いします。貝殻に乗った帆立貝のバタ焼き、種子を取り出したマスクメロンの中に入っているゼリー状の冷たいスープ、干し葡萄で包み蒸した小綬鶏、和代は何度もキクに、おいしか？と聞いた。家で食べるオムライスの方がうまい、キクは答える。和代は笑った。あんたらはほんとにオムライス好きやけんねえ。ピアノが牧場の朝を演奏し始めた時、和代は床にフォークを落とした。身をかがめて取ろうとする。銀の食器に糸屑が付いている。ウエイターが来て新しいフォークとおしぼりをテーブルに置いた。突然、和代の肩が震えだした。おしぼりで目を押さえ、キクに、恨んでいないか、と絞り出すような声で言った。うちらに貰われて、これまで何かいやなことあったらみな言いなさい、ハシの分まであんたが言いなさい、謝まるけん。キクは言葉を捜した。「林檎と熱湯」という小説の中に何かなかったか思い出そうとした。噛んでいた帆立貝からヌルヌルするバターの塊が零れ、口中に広がった。

通りには占い師が並んでいる。ハシの行方を占って貰おうと、和代は多勢が順番を待っている列の最後に立った。列が半分ほど進んだ頃、ローラースケートを履いた一群が通りを滑って来た。車のバンパーに結んだワイヤーを握り引っ張って貰っている女もいる。音楽を鳴らしクラクションを響かせて通り過ぎる。一人が、タクシーから降りたばかりの襟の高い学生服を着た男にぶつかった。学生服は尻餅をついた。ローラースケートも倒れた。何をするか、この国賊めが。学生服は起きようとするローラースケートの顔を蹴り上げた。喧嘩が始まった。占いの順番を待つ列が崩れる。和代は通りに向かい、学生服ガンバレと応援した。学生服の方が数が少なかったからだ。一人のローラースケートが袋叩きにあい、こちらに逃げてきた。慌てていてものすごい速さで突っ込んできた。腕が、和代の肩にあたった。和代はクルリと回転した後、スカートが足に絡まって暗がりに倒れた。鈍い音がした。キクは突きとばしたローラースケートを摑まえ一発殴ってから和代を抱き起こした。街路樹の根に頭をぶつけたようだ。頭を振って立ち上がった。血は出ていない。えらい目におうた。和代が笑いながらワンピースの汚れを落としたのでキクは安心した。

パトカーが現れて喧嘩は収まったが、三十分ほどで和代が寒いと言い始めた。額に脂汗を浮かべ顔色が真青だ。立っていることが出来なかった。ホテルへ戻ろうとキクは言った。和代は首を振る。占いは止すが昨夜のウエイターに会わなければ。キクは和代を背負い、約束の場所へ歩いた。

ウエイターは髭を剃っていた。扉を何枚か隔てた騒音に電気剃刀の音が重なる。剃り終わるとロッカーから黄色い瓶を出して、吸っていた火の付いたままの煙草を飲みかけの麦茶で消した。和代は濡らしたタオルを額にあててソファで横になっている。くそ安物のローション使いやがって、ヒリヒリするなあ、ところで弟さんだけど、見つかりましたよ。声を上げて和代は起き上がろうとする。いやいやおかあさんは寝て下さい、息子さんだけに行って貰う方がいいんですよ。和代は、でもお礼やら挨拶やらやらんといかんし、そう言ってまた起きようとした、ウエイターが制する。いや本当に息子さんだけの方がいいんです、その、少々騒がしいとこなんでね。ウエイターのワイシャツには金色の糸で竹と虎が刺繡してある。今、地図を描いてあげるよ、ウエイタ西武新宿駅の裏手なんだ、大きな日本料理屋があるよ、ふたつ屋って、店の外から見える水槽に魚が泳いでいるからすぐわかる、その、ふたつ屋の真向かいのビルは一階がスマートボールだけど今の時間だとたぶん閉まってるから、非常階段みたいな鉄の階段がある、それを上がると、緑色の扉があって、めくらねずみって看板があるはずだ、めくらねずみには、首のここんとこへ瘤がある中年の男がいるから、その人にこう言ってくれればいい、リー・コニッツのレコードが聞きたい、この暗号も書いといてあげるよ、リー・コニッツのレコードが聞きたい、そうすれば、その男が弟さんの居場所を教えてくれるはずだ、音楽の店だからね、注意しなよ、気難しい人だから、無口な人だからね。

串刺しの海老が炭火で焼かれている。水槽の魚は全部アジで照明のせいか、泳ぎ回ってはいるが釣り上げて半日も太陽に当てたような鱗をしていた。鉄製の階段を見つけた後で、キクはしばらく濁った水槽を眺めた。死にかけたアジが二匹いる。一匹は背骨が歪曲していて恐らく生まれつきの奇形だと思われる。成長するにつれてえらが圧迫されるために力なく泳ぐ。もう一匹は仲間にやられたのだろう、腹と胸びれを食い千切られ臓物を引き摺りながら水槽の隅を小さく回る。腹からは微かに血が出ている。魚の血は海中で灰色に見える。水が濁っているために塵と区別がつかない。めくらねずみ、と看板ではなく木の扉に彫りつけてあった。誰も客がいない。壁はレコードで埋まっている。棚に並んだ大きなテープレコーダーを見て、キクは何となくハシがここに来そうな気がした。

カウンターの奥に男がいる。眼鏡をかけて喉に拳大の瘤がある。目が細く毛穴が開いた顔だ。劇団の切符なら断わるよ、キクを見てそう言った。キクはウエイターが渡した紙切れを広げ、暗号を言った。ええと、リー・コニッツを聞きたいんですが、レコードを。瘤の男は意外だという表情をして相好を崩した。

ええ？　リー・コーニッツ、若いのに感心だね、よくジャズを勉強してるよ、最近じゃあ旧西海岸派は人気なくてね、誰もリクエストなんかしないよ、それじゃあとっておきの貴重盤を聞かせよう、これだ、マイルス・デイビスと共演している、アメリカでもとっくに廃盤だ、日本じゃ発売もされていない、あたしがニューヨークに行った時に買ってきたやつだ、暑いかね？　冷房が故障してるんだ、それにしても、冷房は故障なんてニューヨークの夏みたいだな、いいよ、なかなかいかしてる、ところで君はひょっとして誰かを捜してここに来たのかな？　男は曇った眼鏡のレンズを拭く。汗びっしょりのキクが何か言おうとすると手で制した。いやいや言わなくてもいい、そんなことで君が恥じ入る必要はないんだよ、話は全部聞いてるんだ、棒高跳びの選手だって本当かい？　キクは椅子に坐り手の甲で汗を拭いた。頷いて、どこにいるんでしょう？　と聞いた。瘤の男は、誰が？　とかん高い声をあげた。その、俺が捜してる奴ですよ。喉に瘤のある男は口笛を吹きながら氷を砕いている。やつ、なんて言っちゃだめだよ、心配は無用さ、今からあたしが電話するからね、三十分もあればここへ来る、君がきょうここへ来るって言っといたらそりゃもう喜んでたよ、久し振りなんだって喜んでた、ただ先方の都合もあるからね、あまり詳しくは言えないんだよ、わかるだろ? 瘤の男は小さな声で電話した後でキクにウインクした。それにしても君はセンスがいいね、いい感覚をしてるよ、待ち人が来る間、ちょっとここを出て君の横へ坐ってもいいかな。喉の瘤は皮膚が引っ張られて伸びきってるために青い血管が何本も透けて見えた。魚の腹に詰まる卵みたいだと思った。寒い日に釣りに行った時はあげた魚の腹を裂いて卵を取り出し塩湯につけて食べたものだ。体が暖まった。

男は手の平をキクの肩に乗せた。扉を閉めきっているので絶え間なく汗が噴き出る。男の指先は熱くて少し震えている。都会的なんだよ、そう君の感覚は都会的なんだ、でも若いのにどうやってそんなセンスを身につけたんだろうね、あたしが思うに、苦労したんだ、ねえ、苦労したんだ、それも例えば牛のくその匂い漂う田舎で田んぼの草むしりして胸を草の先端でツンツン突かれるって類いの苦労じゃないね、干魚のむっとくるおまんこ、いや女の匂いが充ちた寂しい漁港で船をこいで病気のおかあさんを助けるってそんな苦労でもない、あたしと同じだ、生まれながらの都会的なソフィスティケイトな悩みで苦労したんだよ、ねえ。男は指でキクの髪に触わり始めた。キクの顔や首筋には汗が浮いていたから、耳許で、男の指が動くたびにピチャピチャ音がした。

そうでなくっちゃリー・コーニッツはわからないよ、あたしも全く同じだ、優しい人々と騒音に囲まれて目の前の血の滴るレアビーフステーキのカロリー計算をする、予定超過のカロリー分は激しいセックスを我慢してなわとび千回だ、ねえ、理解不能だよ、日々知力と筋力の衰えを感じながらこの大都会のエネルギー、これはすごいものだ、エネルギーに犯されて、うん犯されてという表現がぴったりだ、気怠い快楽をつい味わってしまう、君にならわかるだろう、解決策不在の、たおやかな、たおやかという由緒正しい言葉を使わせて貰いたいねえ、たおやかな暮らし、それはあたしだ、東京全体であり君だ、西海岸だ、リー・コーニッツだ、若々しいが故に狂おしく雄々しいが故にうな垂れて救いを乞う、この矛盾した悲しい器官だ。そう言って男は左手を強くキクの股間にあて息を荒くした。喉の瘤は赤く充血し男が唾を飲み込む度に揺れた。この店に足を踏み入れた瞬間キクが感じた不快な予感があたりそうだった。いやな予感が実際になる時、キクはいつも磁石を思い出す。強い磁石のようにいやな予感は周囲のものを引き寄せて実体を作り始める。噴き出す汗、苛立つだけのアルトサックス、緊張した男の喉と股間に触れた手、キクはあと十秒だけ我慢しようと思った。

ああ君は美しい、何よりも君は美しい、心配することはないよ、初めてだそうだね、きっと棒高跳びより簡単だよ、文房具屋のオヤジだ、今夜の客はね文房具屋のオヤジだ、笑っちゃだめだよ、小さいんだ、万年筆より小さい、たぶん掘らないと思うよ、舐めるのが好きなんだ、きっと長いこと舐めるはずだよ。キクはゆっくり十数えて男を突きとばした。目の前にあったアイスピックを摑んだ。男は床に落ちた眼鏡を拾って立ち上がろうとしている。汗と脂でベトベトした襟首を摑んで振り回しアイスピックの先端を喉に近づけた。キクは興奮していたので手が震えアイスピックを瘤に突き刺してしまった。小さな穴が開いた。最初暗い血が僅かに滴りしばらくすると粘り気のある透明な汁が垂れ始めた。止めてくれ、あやまる、失礼なことをした、あやまる、許してくれ、ああ天罰だ、当然だ、天罰かも知れないが、怒らないでくれ。カウンターの奥でパジャマを着た目の大きな女の子供がこちらを見ていた。亀の縫い包みを抱いてキクを見ている。瘤から出る粘り気のある汁の量が増えた。キクの右手はその汁に塗れてヌルヌルだ。女の子は表情を変えない。口から小さな歯が覗いている。

映画街に戻り噴水で手を洗った。粘り気のある汁は水に溶けず白濁して固まり底へ沈んだ。酒瓶を抱えて横になっていた浮浪者がズボンの裾を摑んだ。煙草をねだる。俺に触わるな、キクは怒鳴った。通行人が振り返るほどの大声だったが浮浪者はニヤニヤするだけで離そうとしない。俺に触わるな、もう一度低く言った。浮浪者は敷石の上をグニャグニャと這いズボンを引っ張る。ぶっ殺してやる、キクは思った。目を狙って蹴り上げ、寸前で止めた。めくらねずみの瘤男を思い出したからだ。こいつらは、殴っても蹴っても反応を返すことがない、やられた痛みから発する本能的な反撃も恐怖もない、痛みを感じないのかも知れない、粘り気のある汁とアルコールとガソリン臭い空気が傷を包み込んでしまうのだろう、こいつを蹴り上げても、いやな気分になるだけだ、腫れ上がった目でニヤニヤし続けるだろう、キクは浮浪者の足許に百円玉を三個投げた。

ウエイターはどこにもいなかった。真青な顔の和代がソファでブルブル震えている。キクが出て行った後すぐにウエイターは和代から金を受け取り姿を消したらしい。キクはウエイターを捜そうと思ったが、和代の様子を見て諦めた。ひどく気分が悪そうだった。宿に戻って横になりたいと言う。キクは抱きかかえて通りに出た。タクシーはなかなか摑まらなかった。和代は目を閉じてキクに寄りかかっている。さっき小さな声で、ハシは？　会えたね？　と聞いた。キクは、いなかった、と答えた。和代は頷きながらキクの背で、きょうは楽しかったねえ、映画も良かったし、と呟いた。その後口をきかない。大丈夫か？　と声をかけても、苦しそうに鼻で息をしているだけだ。「空車」ランプを点けて次々と通り過ぎるタクシーの群れ、キクにはわからない。どうして止まってくれないのだろうか、手を上げても素通りしてしまう、このキラキラする街のルールは一体何なのだろうか。どうすれば他人とうまく付き合えるのだろうか、金でも暴力でもなさそうだ。キクが手を拡げて一台のタクシーを止めガラスを割るぞ、と脅しても運転手はニヤニヤ笑って首を振るだけだ。窓から金を見せて三倍払うと怒鳴ってもドアを開けてはくれない。キクは体中から力が失くなっていくのがわかった。ゆっくりと血を抜かれる気がした。こんな無力感は初めてだった。三十分経った頃やっと一台が止まった。キクはこのキラキラする街のルールを一つ知った。それは待つことだ。騒がず叫ばず暴力を振るわず走らず動き回らず、表情を変えずに、ただ待つのだ。自分のエネルギーが空になるまで待つことだ。

和代は着換えもせずにベッドに倒れ込んだ。風邪でも引いたのだろう、キクは思った。靴下だけ脱がせてやり毛布を腹にかけた。湿したタオルで額を冷すと和代はいびきをかき始めた。口を開けたまま眠っている。いびきを聞いていると和代が元気を取り戻すような気がした。キクはシャワーを浴びた。金属に開いた小さな穴から湯が噴き出す、この五階までどうやって湯は運ばれるのだろう、不思議なことばかりだ、都会の人はみな我慢強い、俺はとても待てない、キクはそう思った。昔ガゼルに言われたことがある。何のために人間は道具を作り出してきたかわかるか？　石を積み上げてきたかわかるか？　壊すためだ、破壊の衝動がものを作らせる、壊すのは選ばれた奴だ、お前なんかそうだぞキク、権利がある、壊したくなったら呪文だ、ダチュラ、片っぱしから人を殺したくなったら、ダチュラだ。でも、この街に住んでいたら呪文を唱え続けだろう、そう考えてキクは苦笑した。めくらねずみの瘤男にダチュラ、親子連れの乞食にダチュラ、泥酔の浮浪者にタクシーの運転手に厚化粧の掃除婦に、ダチュラだ、言葉は要らない、用事はダチュラで全部済んでしまう。

シャワーを止めた。誰か部屋をノックしている。確かにノックだ。和代が起きて応対してくれるだろうか。急いで体を拭きバスタオルを腰に巻いて、シャワー室を出た。和代は眠ったままだ。いびきは聞こえない。ノックは二打ずつ続いている。ドアを少し開けた。女だ。この暑い中コートを肩から羽織っている。日本人ではない。コートの前をはだけて黒い乳房を見せた。おまんこにまんえん。キクはダチュラと呟いて寝ている和代を指差した。母親と一緒なのだと示した。その時キクは初めて和代の様子が変だと気付いた。毛布が動いていない。いびきだけではなく、呼吸音も聞こえなかった。キクはベッドに近づき揺すってみようと太股に触れた。驚いてすぐに離した。裸の足がドアの隙間から突き出てクネクネと動いている。黒い女がコートの前をはだけて見せるたびに腋の下と服の間から酸っぱい匂いが届く。キクはその強い匂いで振り向き灰皿を投げつけた。陶器の灰皿が粉々に割れ、黒い女はわけのわからない言葉で罵り足を引っ込めた。キクは勇気を振り絞ってもう一度和代の太股に触れた。

材木のようだった。体のあちこちに触れ押してみた。どこも同じだった。和代は死んでいたのだ。

キクは和代の目を開かせようとした。体が急に硬くなったのは目をしっかりと閉じているせいだと思った。目蓋を摘んで思いきり引っ張った。爪で目蓋の皮膚を剝いだ。ピチャッと音がして眼球が現れた。眼の玉は乾ききっている。和代の顔が枕からずれた。ベッドの端から垂れる。目が開いたままでキクは気持ち悪くなった。死んだのがはっきりしたので今度は目を閉じさせようとした。左手で和代の頰と顎を支え、めくれた目蓋を降ろす。化粧が皮膚から剝がれ始めて汗で溶け左手がヌルヌルする。和代の眼球がしだいに乾いてきた。俺は死体をいじくっているんだ、キクは初めてそう感じた。どうして平気でいられるのか不思議だった。目蓋はどうやっても閉じることができない。逆にどんどん開いていくようだ。顔全体が乾いた目になるんじゃないかと思い、そんなものは見たくなかったのでベッドのシーツを剝ぎ取り和代の死体を包んだ。浴衣の細帯で足首と腹を巻いた。シーツを取った後のベッドに横になった。和代がいつも言っていたことを思い出した。季節の変わり目に必ず不眠症になった和代は、キクが夜中目を覚ますと手を膝に置いたまま布団の上にじっと坐っていることがあった。何してるんだ？　キクが尋ねると、考えているうちに眠れなくなったと答えた。自分はどんなところでどうやって死ぬのだろうと考えているうちに眠れなくなった、和代はそう言って照れた。そのことを思い出した。和代を包んだシーツの白が眩しいので部屋の灯りを消した。疲れていた。眠くなった。医者を呼ばなければいけなかったかなあ、と思った。でもどうせ死んでいたんだし、警察に連絡すればいいだろう、桑山と警察に連絡しよう、今すぐやった方がいいのかな、キクは浅い眠りに落ちた。そして、巨人に踏み潰される夢を見た。

陽がカーテンの隙間から差し込み部屋の温度はどんどん上がった。部屋はコンクリートとガラスで密封されている。キクは全身に汗を掻いている。窓の外のビル解体現場から電源車の唸りが聞こえ始めた。窓ガラスを震わせる。クレーンが鉄の球を振り回す、その最初の一撃がビルの壁に減り込んだ時キクは叫び声をあげて不安な夢から覚めた。

どこにいるのかしばらくわからなかった。部屋を見回した。白い物が隣に転がっている。シーツは死体が吐いた血で赤黒く染んでいた。キクは和代の顔と首と胸にぴったり貼り付いたシーツを見た。人間の上半身に赤いペンキを塗ったようだった。キクは恐怖で震えだした。次から次に汗が噴き出て左手からは和代の化粧の匂いがした。和代の匂いはまだ生きていた。赤く濡れたシーツで型取られた和代は硬いただの人形だ。キクの中で隠れていたものが少しだけ姿を現わした。鉄の球がビルを打ち崩す音が休みなく聞こえる。新しい汗が噴き出る度に恐怖が怒りに変わった。この不快な暑さは我慢できないと思った。閉じ込められている、そう気付いた。ガラスとコンクリートに遮断されたこの部屋、閉じ込められたままだ、いつからか？　生まれてからずっとだ、柔らかなものに俺は密封されている、いつまでか？　赤いシーツを被った硬い人形になるまでだ、コンクリートが砕ける音がする、窓の外の街は熱暑で歪んでいる、ビルの群れが喘いでいる、白く濁り溶けようとしている街が呼びかける気がする、廃鉱の島に拡がる無人の街並が頭に浮かんでくる、窓の向こうで暑さに喘ぐ午前中の東京に重なる、東京がキクに呼びかけている、キクはその声を聞いた、壊してくれ、全てを破壊してくれ、キクは窓から下を眺める、点になった人間と車が動き回る、棒高跳びで助走に入る直前のような気分になった、ある瞬間の自分をイメージした、東京を焼きつくし破壊しつくす自分、叫び声と共に全ての人々を殺し続け建物を壊し続ける自分だ。街は美しい灰に被われる、虫や鳥や野犬の中を歩く血塗れの子供達、そのイメージはキクを自由にした。不快極まる暗く狭い夏の箱の中に閉じ込められているのだという思いからキクを解放した。キクの中で古い皮膚が剝がれ殻が割れて埋もれていた記憶が少しずつ姿を現わした。夏の記憶だ。十七年前、コインロッカーの暑さと息苦しさに抗して爆発的に泣き出した赤ん坊の自分、その自分を支えていたもの、その時の自分に呼びかけていたものが徐々に姿を現わし始めた。どんな声に支えられて蘇生したのか、思い出した。殺せ、破壊せよ、その声はそう言っていた。

その声は眼下に広がるコンクリートの街と点になった人間と車の喘ぎに重なって響く。壊せ、殺せ、全てを破壊せよ、赤い汁を吐く硬い人形になるつもりか、破壊を続けろ、街を廃墟に戻せ。

8

一九八九年、七月十八日、キクは十七歳の誕生日を東京で迎えた。桑山がどう説得しても廃鉱の島へ戻るのを拒んだ。火葬場で、桑山は泣きながら和代の骨の破片を拾った。どうしても帰らんのなら一本持っとけ、桑山はそう言って親指ほどの骨を白い布に包んでキクに渡した。もしハシに会うことがあったら見せてやろうと、キクは骨をポケットに縫い込んでいる。

キクはやりたいことがあった。毎日、大きな本屋に入って様々な辞書を調べた。「ダチュラ」の意味を捜していたのである。まず十数種の百科辞典を見た。調べたい言葉が百科辞典にない時はどうすればよいのだろう、と店員に質問した。専門的な学術用語ではないだろうか、と店員は答えた。そして整然と分類された各分野の用語辞典を教えてくれた。その関係書の中でも一番大きく厚く重い本の索引を調べるようにとつけ加えた。

キクは、哲学、心理学から始めて、法学、医学、工学と調べていった。一日のすべての時間を費した。似たような言葉があるとノートに写した。「ダチュラス・マシューズ」、英国の従軍画家、ロンドン郊外の花火職人の次男として生まれる、少年時代から写実画を描き独学でテンペラ画を学ぶ、陸軍入隊と同時に戦争画を認められ、セイロン島の内乱で戦死するまでに二千点に及ぶ作品を残す、「ダチュルア」作者不詳の歌曲、詞はラテン語とドイツ語の二つがあり、古典的多声歌曲の一つと言われている、「ダチュワ」黒海南岸にあるキャビア積み出しで有名な小漁港、住民の九十パーセントがキャビアに関わっており、黒い爪の赤ん坊が生まれる町として有名になった、「ダチュラネポリプ」鼻孔粘膜の面から突出し、茎を持つ卵球形の腫瘤、主に慢性炎症から生ずる、別名鼻孔芽腫、「ダチュラーズ&ブラザーズ」米アポロ計画における土質検査を一手に引き受けた実績を持つ遠心分離機の製造販売会社、本社はバージニア州アーリントンにある。

キクがあまりに熱心なので店員が声をかけた。一体どんな言葉を捜してるんですか？「ダチュラ」キクは答えた。どこの国の言葉なのかはわからないんだよ。店員は自分の体の半分ほどもある英和辞典を棚から降ろし、重そうにDの項目を開いた。しばらく頁をめくって指で字を追い、あれ、これなのかなあ、と声を上げた。でも発音はダツラとなってますね、ＤＡＴＵＲＡ、ダチュラとも言うのかな、朝鮮アサガオのことらしいですね、ナスの一種だと書いてあります。キクはがっかりした。片っ端から人を殺し物を壊し続けたくなる時のおまじないが、ナスの一種か。店員がポケットから眼鏡を取り出した。ちょっと待って下さい、小さな字で何か書いてあります、目が悪いものでね、あ、毒物って説明がありますね。「毒物だって?」キクは顔を上げた。

「朝鮮アサガオの総称、別名キチガイナスビとも言われる、アルカロイドを全体に含み、幻聴、幻覚、気分変化、妄想、見当識喪失を引き起こす猛毒の植物である、特に中南米でボラチエロと呼称されて栽培されるものはトロパン系アルカロイドのアトロピン、スコポラミンの重要な医療資源とされている」

「何だかよくわからないな」

毒物かあ、と呟いた店員は、緑色の表紙の薄い本を箱から出した。背表紙には、精神発現薬総覧、と書かれている。索引で、「ダチュラ」を捜す。あったぞ! と店員は叫んだ。

ガバニアジド、米国で開発された新種の抗うつ剤、一九八四年、急増したウツ病患者の多くはイプロニアジドに代表される気分高揚剤に飽き足らず、もっと強力な興奮剤を求めた。そこで、三環系抗うつ剤、MAO阻害剤に次ぐ第三の精神高揚剤が秘かに研究された、そして誕生したのがガバニアジドである、開発に成功したのは多国籍薬品企業のグリアだが、グリアは成分を一切明らかにしなかった、ガバニアジドは内臓障害も依存性もない強力な精神高揚剤として市場に出回るや爆発的な売れ行きを示した、皮肉な副作用が発見されたのは半年後である、多量を服用すると自制力が薄れ凶暴性を帯びることを英国の精神医学界が指摘し企業グリアに対して、ガバニアジドの成分を発表しろと迫った、グリアは企業秘密をたてにこの申し入れに応じなかったが、本国アメリカで三件の殺人事件が発生するに及んで上院で公聴会が開かれた、三件の殺人は何れもガバニアジドの多量服用が原因による見当識喪失状態でなされたものであった、公聴会で、英国の精神医ゴールドマン博士がある疑いについてグリアを追及した、博士の主張は、ガバニアジドの主成分が、神経兵器「ダチュラ」であるというものだ、「ダチュラ」を希釈して使用しているという疑いはガバニアジド発売当時からあったが、ゴールドマン博士は神経兵器「ダチュラ」を希釈服用させたラットとガバニアジドを多量に注射したラットの行動類似例を七十八件紹介し、グリアを追及した。ラットは何れもまれに見る凶暴性を帯び仲間に襲いかかった、グリアは「ダチュラ」使用を認めガバニアジドは直ちに市場から回収された、なお、この事件で「ダチュラ」を不法に民間に流したとして米海軍の生物兵器関連部隊長が逮捕されたと言われている。「ダチュラ」って兵器らしいですね、店員は本を閉じた。キクは「精神発現薬総覧」という本を買った。店員は「ガバニアジド」の記述がある箇所に赤鉛筆で印をつけてくれた。

キクは本を抱えて雑踏の中を歩く。和代が死んでから九日目、桑山が和代の骨を持って島へ帰ってから七日目に、金が無くなった。ホテルを出た。何とかなるだろうと思った。ガラスの向こうや霧が昇る冷凍庫の中に並び積まれている食物を眺めると、この街では、飢えることなどないのだという錯覚が起きる。道路が交錯し大きなトラックが通り過ぎるたびに人々の塊りが揺れる。街は、小学校の理科室にあった人体の模式図を思い出させた。人体を、街に模して絵が描いてあった。食物は原材料、肺は発電所、消化器は官庁と商店、気管は送電線、血管は道路、住民は細胞、口腔は港で、舌は真赤な滑走路だった。キクはクリーム色の横断歩道橋に上がった。東京は煙って視界の端まで四角いコンクリートが続いている。十三本の超高層ビルがすぐ目の前にある。ビルではなく、まるで塔だ。壁一面に嵌め込まれた窓ガラスが太陽を反射して、全体が一本の探照灯となった塔に見える。キクは塔に向かって歩き始めた。もうすぐあの塔は野犬の巣になるだろう、キクはそう呟く。かなり歩いたつもりだったが、塔との距離は縮まらない。さっきと同じ巨大さで相変わらず目の前にある。道幅が細くなった。夕食の匂いがする商店街だ。人々が車道にも溢れ車が渋滞している。子供がはねられそうになりその母親らしい女が運転手を怒鳴りつけている。その車の後続車が前へ進めなくなりクラクションが響く。母親らしい女の抗議を無視して車は流れ始めた。二、三歩後を追う母親の買物籠からレモンが転がる。車が次々にレモンを踏み潰して通り過ぎる。通り全体に酸っぱい匂いが拡がった。キクは大事そうに抱えている本が、「ダチュラ」だったらどんなにいいだろう、と思った。本を人混みへ投げる真似をした。ドッカーン、と口で言った。母親らしい女は潰れたレモンを拾い苛立って子供の頬を張った。子供が泣き出す。

超高層の塔の群れが見えなくなった。方向は間違っていない。細い通りは両脇に建物が密集して見通しが悪いだけだ。あの廃鉱の島の無人の街にも、かつてはこの通りのような夕暮れ時の喧噪があったに違いない、とキクは思った。炭鉱が閉山になって鉱夫達が次々と島を離れた時、肉屋は在庫の冷凍肉を安く売ったのだそうだ、毎日すき焼きだったと桑山がよく言っていた、それでも余った肉は犬が食ったらしい、肉屋が島を去りどうしても処分し切れなかった羊肉の塊りが腐り始め、ひどい匂いが島全体を被った、この街も、いずれそうなる。再び超高層の塔が現れた。頂上を見上げると首が痛くなる近さでふいに現れた。廃鉱の島の高層アパートより何百倍も大きかった。窓ガラスに夕暮れが映っている。キクはさらに近づいた。塔の全景は視界を被いつくした。暗くなるにつれて窓に灯りが入る。窓が一つ一つ点灯する度に、正方形に切り取られた景色が消えていく。塔は今にも膨張してキクを呑み込みそうだ。眩暈を起こさせる。お前を踏み殺すのは簡単だ、塔はそう言っている。キクは一本の塔の壁た。さっきまで陽が当っていたためか、熱かった。壁の厚さが不快だった。既にキクは塔の周囲に沿って歩き、「鉄条網」を捜した。朝、ホテルを出る時に、既に顔見知りになっていた黒い肌の娼婦から教えられたのだ。鉄条網に囲まれた区域がある、薬島という、薬島の中央に「マーケット」と呼ばれる一画がある、子猫からオカマの老人まですべてのものを売る市場だ、あらゆる種類の精神安定剤がある、薬を捜してるんなら「マーケット」に行くといい、恐らく簡単に見つかるだろう、青白い顔をした男達が何でも売ってくれるだろう。

塔の足許は様々な飾り付けがしてある。回転扉が発光する万国旗のホテル、水を吸って焼き込まれた鉄分が模様を作る赤煉瓦のポーチ、ジュラルミンの密閉装置に虫達が衝突する音がする銀行、飛沫の一粒一粒に色を乗せた噴水、キクは塔の間を歩いているうちに、どこからか流れて来る異様な気配を感じた。湿って動かない空気、コンクリートがひび割れていく時の澱んだ空気、この塔の向こう側に、忘れられた廃園に通ずるトンネルがあるかのようだ。キクは走り出した。道路を横切り建築資材が積んである空地を走り過ぎた。街灯が途切れるあたりに、光輝く十数本の平行な線が見えた。草むらと、鉄条網があった。鉄条網の向こうからは懐しい匂いがした。廃園の匂いだ。野犬の世界がある、そうキクは思った。あの中に、「マーケット」がある。まず、ガバニアジドを手に入れよう。それに、とキクは考えた。それに、ひょっとしたらハシがいるかも知れない。もし、ハシが今の俺と同じように、この廃園の匂いを嗅いでここに立ったなら、間違いなく鉄条網を越えてあの中に入っただろう、俺達は十二年間、この匂いの中で育ったのだ、ハシは必ず鉄条網の向こうにいる。キクは鉄条網の高さを目で測った。四メートル。跳べない高さじゃない、そう思った。

キクはすぐに高校陸連の事務局を訪ねた。国体に向けて棒高跳びの練習をしたい、と嘘をついた。いつも使っているものより柔らかな弾性のグラスファイバーポールを借りた。キクは代々木公園内にあるアンツーカーの施設で、短い助走でジャンプし、背中からではなく足先から着地する練習をした。ピットのラバーを外したままバーを低くして練習を続ける。

昼過ぎに、カメラを担いだ男達がぞろぞろと練習場にやって来た。運動靴のコマーシャルフィルムを撮るのだと言う。高校陸連の事務局員が、背景としてちょっと出演してくれ、とキクに頼んだ。出演するといっても普段と全く変わらないようにただ練習していればいいのだ、と言った。白いレースの花嫁衣装の女の子が、ドレスの裾を持ち上げると運動靴を履いていて、微笑み、その背後でキクが宙に舞うのだ。晴天なのに電源車が唸りライトが付く。キクは昼間のライトを見ると気分が悪くなる。花嫁衣装の女の子は何回も何回も同じ動作と台詞を繰り返す。空を飛ぶのは飛行機と飛行船、ヘリコプターとグライダー、鳥とハングライダーと揚羽蝶と黄金虫、それと、ハーマンズハーミッツのスニーカーを履いた処女の花嫁さん。それと、のところでウェディングドレスの裾を膝のあたりまで持ち上げて、微笑む。女の子は態度が不真面目だ。恥ずかしがっているのではなく、バカバカしくてしようがない、といった表情をする。太陽が隠れて撮影は休憩になった。ウェディングドレスの女の子が近づいてきた。

「暑いわね」

何て目が大きな女だろう、とキクは思った。芝生にその女の子が立つと、キクは一枚の絵を思い出した。荒れた灰色の景色の中央に白いウェディングドレスを着た少女が立っている絵だ。寂しい花嫁、という標題だった。「ねえ、誰にも見られないようにして、その牛乳少しくれない？」寂しい花嫁はキクが飲んでいたパック入りの牛乳を指差した。長いドレスを着て汗を掻き喉が乾いていたのだ。「あの人達、お腹が出るからって何も飲ませてくれないのよ」。寂しい花嫁はキクの前にしゃがみ話をしているふりをして牛乳を一気に飲んだ。牛乳が小さな口から零れ化粧の上を滑る。ピクピク動く喉を見て、キクは、きれいだな、と思った。牛乳が流れる喉の曲線がきれいだった。「あんた、棒高跳び好きなの？」口のまわりを拭いながら花嫁が聞く。真直ぐにキクを見ている。どうしてそんなこと聞くんだよ、眩しくてキクは芝生に目を落とした。

「あたしは、棒高跳び、好きだから」

「空を跳ぶのは大体好きだったよ、俺は」

「小さい頃から？」

「うん、子供の時から」

「そういう人は、パイロットになるんじゃないの？　でもパイロットって頭が良くなきゃだめなのよね、あたし、頭が良くなきゃだめっていうの、嫌いよ」

　撮影隊の若い男が、寂しい花嫁を大声で呼び、肌が焼けるので日陰に入るようにと言った。花嫁は返事せず左手に持っていた傘を開いた。

「あいつら、うるさいね」

「あんたもそう思う？」

「昼間っから電気つけたり、苛々するよ」

「ああ、あんたもそう思う？」

「俺、ああいうの見てると、みんな死ねばいいと思うんだ、いなくなればいいと思うよ」

　寂しい花嫁は大きな目でキクを見た。

「ねえ、こういう小説があるのよ、ある日ね、突然、太陽が膨張しだすのね、地球がどんどん暑くなって、東京とかパリがみんなタヒチみたいになっちゃうの、それでね、みんなは寒いとこに引っ越しちゃうんだけど」

「北海道とかか？」

「違う、北極とか南極によ、もっともっと、北海道だって熱帯になるんだから」

「東京は？」

「東京はねえ、沼になってしまうのよ」

「どうして沼になるんだよ」

「南極の氷が溶けて海面が上がるし、ものすごい雨がずっと降り続くし」

「あ、それ、いいなあ」

「それでね、沼になっちゃった東京にね、愛し合う男と女が残るの」

「だって暑いんだろ？　熱帯だろ？　暑いのにそいつら何してるんだろうね」

「ビール飲んでるのよ」

寂しい花嫁の鼻の頭と上唇に汗が溜まっている。時々ガーゼで化粧が剝げないよう軽く汗を拭う。皮膚が薄い。目蓋の血管が青く透けて見える。その青い線はアイシャドウと重なって不思議な模様を作っている。キクはその模様を見ていると胸がドキドキした。この女の子の胸に細い針を突き刺すと、張りつめた薄い皮膚が破れて、目蓋の美しい模様の中に体全部が吸い込まれ一瞬のうちに消えてしまいそうだった。

「ねえ、試合の日を教えてよ、あたし応援するからさ」

「試合なんか出ないんだ」

「じゃあ、練習だけやってるの？」

「そうじゃないけど、とにかく試合なんかには出ないんだ」

「応援しようと思ったのに」

「俺が跳ぶところを見たい？」

「うん、見たい」

「じゃあ、今夜、あそこの住友ビルと外国総銀ビルの間のとこで待ってろよ、俺、今夜、鉄条網を跳ぶんだ」

「夜、跳ぶの？」

「止めるか？」

「見に行くわよ」

撮影隊の若い男がまた寂しい花嫁を呼んだ。ヘアスタイルを直すらしい。キクは、立ち上がった花嫁に、名前を尋ねた。一応名前を聞いとこうかな。花嫁はウェディングドレスの裾をクルクル回しながら振り向いて言った。

「アネモネ」

あらかじめつけておいた支柱の目印を確かめると、キクは時間をかけて、最上段の有刺鉄線と地面に立てたグラスファイバーとの距離を慎重に測った。決まると、その地点に深さ二十センチの穴を掘り、用意した砂を入れた。この穴がポールの先端を突っ込む支点のボックスとなる。砂を入れたのは衝撃を柔げるためだ。その穴から、鉄条網と垂直にロープを延ばす。ロープ上に立つ。ポールと、地面と、両腕を伸ばした自分の体が直角三角形を作る時の両足の位置が踏み切り点、地面を蹴るポイントになる。踏み切り点から、ロープに沿って歩数を計算する。偶数歩、歩いて二歩分を、一歩で駆け抜ける。助走開始位置と踏み切り点に白い小石を並べて、ロープを外す。

準備が終わると、キクは植え込みの陰にいるアネモネに近付いた。アネモネは胸からポラロイドカメラをぶら下げている。あんたが跳ぶところを撮ってあげようと思ったのよ、さっきそう言った。あたし新しい友達ができると必ずその人の写真を撮ることにしてるの、記念になるでしょ? 東京に来てから約束を守ったのはこの女だけだ、とキクは思った。薬島の鉄条網を越えるのだ、とキクが言うと、アネモネは止めさせようとした。早口で慌てて喋ったのでよくわからなかったが、顔に穴が開いてしまうらしい。毒物に汚染されているそうだ。侵入するところを発見されると火炎放射器で焼かれる、そう言う。抜け道を知ってるから、とアネモネはいつか塩素痤瘡の少年に教えられた場所へキクを案内したが、そこは新しい有刺鉄線で補修してあった。アネモネは化粧していない。ジーンズに赤いエナメルベルト、北京ダックがプリントされた銀ラメのブラウス。これまで警備兵が三度巡回してきた。そのたびに二人は体を寄せ合って身を隠した。二度目にキクは何か言おうとしたアネモネの口を押さえた。手を離した時、アネモネの頬に指の跡が赤く付いた。それがまだ消えていない。「ねえ、キク、あたし鰐を飼っているのよ」遠くからヘッドライトが照らす度にアネモネの頬の微かな赤みは皮膚の内側へ吸い込まれてゆっくりと消えていく。植え込みの細長い葉の影が、揺れて、アネモネの目を時々隠す。キクは思った。きれいな女だけど、目を閉じるとあっという間に忘れてしまいそうだ。

「ガリバーって名前なの、どう思う？」

「どうって、何がだよ」

「鰐を飼ってるってことよ」

「動物はみな同じだよ、可愛いいけど、手がかかる」

「すごく、大きいのよ」

アネモネは唇を尖らせて囁く。首筋からの石鹼の匂いと共に、囁き声は、生暖く吹く風の合間に耳に届く。

「鰐か、水族館で一度見たことあるよ、何だか頭が悪そうだったなあ」

「見に来ない？　熱帯のジャングルにいる気分になるわよ」

俺はもう、とキクは言いそうになった。俺は、今もうジャングルにいるみたいに熱くてドキドキしてるんだぜ。

「用事が済んだら、鰐を見にいらっしゃい」

「今夜は無理だよ」

「鰐の王国の夜、っていうお酒があるのよ」

「きょうは、きっと無理だ」

「いつでも、いいからね、あんたが来たいって思った時でいいから」

この息苦しさは何だろう、キクはさっきからそう考えている。この女の頬に指の跡が付いた時からだ、とても残酷なことをしたような気になった、頬ぺたは冷んやりして柔らかだった、頬の内側はどうだろうか？　やはり冷んやりしてるだろうか、ヌルヌルしているかも知れない。アネモネの、ちょっと尖った下唇と顎の先から喉、首筋に至る滑らかなカーブが背後の塔の群れから放たれる光を受けて点滅する。夕暮れ時に離れ島の裏側で回る灯台のように、横顔の輪郭だけを細く浮かび上がらせる。その輪郭は、アネモネが囁き、息を呑み、微笑む度に変化する。キクは手を伸ばしてもう一度頬に触れた。赤い指の跡をなぞった。

「鰐を見に来てね、いつでもいいわよ、電話してちょうだい」

「じゃ、俺はもう跳ばなきゃ」

キクは立ち上がった。隠しておいたグラスファイバーポールを取り出す。うわあきれい、レーザー光線みたい、銀色の半透明の長い棒を見てアネモネが言った。うまく跳んでね、写真とるから。

キクは準備運動をした。腿ら脛を揉み何回か軽く走った後、助走開始位置に立って、最上段の鉄条網を見上げた。アネモネはポラロイドカメラを構えている。キクは短距離の選手よりも体を前傾させて走り出した。イメージする。宙に舞い、一瞬体を浮かして空に引かれた線を越える自分を、頭に思い描く。歩幅を一定にして加速していく。踏み切り足の、一歩手前の足が着地する瞬間にポールをボックスに突っ込む。キクは地面を思いきり蹴った。ポールがしなる。どこかで笛が吹かれた。「止まれ!」という声がした。二人の警備兵がこちらへ走ってくる。一人が空へ向けて拳銃を撃った。鉄条網を越えようとしたキクの体が威嚇射撃のため空中でグラリと揺れた。左手がポールから離れ体はバランスを失い傾いてしまった。キクは目の前に鉄線の刺が大きく迫るのを見た。慌てて体を半転させようとする。だがナイフのような刺が唇の脇を貫いた。肉が引き千切られるのを防ぐために無意識に鉄条網を摑む。キクは有刺鉄線の中程に吊り下がった格好になった。くそ、完全にクリアしたのに、邪魔しやがって、懸垂で体を引き上げ、頰に突き刺さった刺を抜く。ヘルメットを被った警備兵が真下で銃を構えている。口の中に血が溢れる。舌で傷を塞ごうとするが痺れてうまくいかない。「逃げるな、逃げると射殺するぞ、そのまま上がってこちらへ降りろ、」低い声で言った警備兵は、手にした懐中電灯をクルクル回した。投光器が斜めに光を浴びせる。キクは植え込みから顔を出しているアネモネを見た。ポラロイドカメラのシャッターを切っている。変な女だ、と思って笑ってしまった。白い化学防護服の警備兵が何か怒鳴った。キクが薄笑いを浮かべたので腹を立てているらしい。この野郎、なめやがって、発砲は無制限に許されてるんだぞ、撃ってやろうか？　人間を撃ちたくてうずうずしているのだろう、鉄条網をグルグル回るだけで退屈しきっているのだ。興奮して楽しそうに銃を構えている。一人がニヤニヤ笑いヘルメットを震わせながらキクの頭に狙いをつけた時、投光器が照らし出した明るい輪の中に、別の、妙な形をした拳銃と腕の影が現れ、警備兵がそれに気付いた瞬間火を吹いた。太い銃身から発射されたのは散弾だった。警備兵の白い化学防護服に細かな穴が開き二人共吹き飛んだ。キクは驚いて振り返る。黒い肌で歯が欠けている小男が手招きしている。握っている拳銃からはまだ煙が出ていた。「何やってんだ、グズグズしてると焼き殺されるぞ、こっちへ来い、運動選手」キクは鉄条網から跳び降りた。銃声を聞いて装甲ジープがこちらへ向かって来る。キクは、アネモネが手を振りながら逃げるのを確かめてから、歯の欠けた小男に連れられて走った。投光器の丸い輪の外に来ると、歯の欠けた男は止まり、屋根の低い建物の陰を指差した。長い髪の影が近づいて来る。ハシだった。

9

あんたかい、キクっていうのは、人騒がせな真似は止めろよ、俺達が気付いて助けてやらなかったら焼き殺されてたんだぜ、あんた運動選手だってな、ほんとか？　運動選手なのか？　いやだなあ、いやだよ、俺ハシ言ったろ？　俺ずーっと言ってるだろ？　大嫌いなんだよ運動選手が大嫌いなんだ、単純で、頭の中には脳みそじゃなくて汗しか詰まってないんだ、ファイトファイトファイト、ハッハッハッなんて息切らせて走りやがって、大嫌いだ。

歯が抜けた男は名前をタツオといった。日本人ではない。フィリピン人だ。タツオ・デ・ラクルース。ハシはこの小男と一緒に住んでいた。トタン屋根の町工場跡の二階だ。ハシは一言も口を開かずにキクを案内した。工場跡の二階、階段の昇り口に裸電球が揺れて、その下に腹の大きな女が苦しそうに身をかがめていた。足の爪に色を塗っていた。蛾が裸電球の回りを飛んで、女は手の平で叩き落とした。金色の鱗粉がまだ濡れたままの女の爪に舞い落ちた。

部屋は薄暗く小便の臭いがした。窓からビニールのホースが引っ張ってある。ホースの先はポリバケツに突っ込まれ水が溜まっている。茶色に濁っているようだ。ハシはその水を一杯コップですくい、手を洗った。床の畳が剝がされ板の上にキャンバス布地が敷いてある。油絵具に汚れたキャンバス布だ。部屋の真中に小さな卓袱台、ティーバッグが乾燥して貼り付いた琺瑯のカップが二つ、白黒テレビ、カセットテープレコーダー、そして鏡台。驚いたことが一つあった。ハシは化粧していたのだ。眉を剃り白粉を塗っていた。ハシは何も喋らずに鏡台に向かい、キクの顔を見ようとしない。かわりにタツオがかん高い声で喋り放しだ。

なああ運動選手お前見たろ？　あの自衛隊員が吹っ飛ぶところを見たろ？　あの拳銃はな、俺が作ったんだ、散弾を発射できるんだ、すごいだろ？　日本中に俺しか作れる奴はいないんだ、こいつはリバレーターって第二次大戦の時な、パルチザンが使った簡易拳銃を基にして俺が作ったのさ、なあ運動選手、リバレーターって意味なんか知らねえだろ？　運動選手は勉強なんかしてないもんな、解放者って意味なんだぞ、かっこいいだろ、解放する者って意味なんだ。俺は昔から作ってみたかったんだ、散弾拳銃さ、反動は少し大きいが接近戦における殺傷力ったらないんだぜ、もし完成したらリバレーターって名前もなかなかいいけど俺はな、ゲッタウェイって名前にしようと思ってたのさ、昔の映画だよ、俺はその映画を群馬県のタカサキという街で子供の頃、見たんだ、ショットガンバリバリ撃ちながら髪の毛の短いアメリカ人の俳優がな、とにかくショットガンを撃ちまくるんだ、俺はその映画を子供の頃、見たよ。喋りながらタツオは慌ただしく部屋の中を動き回った。果物の汁で汚れた紙袋の中を覗き込み、靴べらやバドミントンの羽根が詰まった段ボール箱を引っ掻き回した。おかしいなあ、赤チンがあったはずなんだ、薬を捜しているらしかった。いいか運動選手、俺は散弾拳銃を持ってるんだからな、何度もそう言いながら、キクに濡らしたハンカチを手渡した。傷口を拭け、と頰を指差した。ハンカチを渡す時タツオの指先が震えているのにキクは気付いた。おい運動選手、薬を買って来てやる、忘れるなよ、俺は散弾拳銃を持ってるんだからな、ゲッタウェイの力を思い知って俺をバカにしないで欲しいんだ、本当なら下の工場跡で試し撃ちするところを見せたいが、じじいがいてだめなんだ、地震じいさんさ、大きな音をたてると、地震だあってもっと大きな声で叫ぶんだ、発作だな、ショックを与えると地震だあって叫んで、かわいそうに倒れちゃうんだよ。また一気に喋ってタツオはキクの表情を覗き込んだ。「そういう人は、昔、地震で恐い目に会ってるんだろうな」キクは下を向いたまま、そう言った。

　タツオが顔を歪めて笑い、ああ、運動選手が喋ったあ、と言ってハシの肩を叩いた。おいハシ、運動選手が初めて喋ったぞ、良かったなあ、おいハシ、こいつ運動選手にしてはなかなかいい奴じゃないか、殴ったりせずに喋ってくれたよ、ハシはお前のことをすごく気にしてたんだぞ、お前が棒を使って跳んでここに入って来ようとしてるのを見つけて、助けてやろうって、すごく気にしてたんだ、え？　地震じいさんの話だったな、違うんだよ、じいさんは守衛をやってたんだ、十三歳から守衛をやって六十年も守衛をやってたんだそうだ、偉いよなあ、ずっと給料のほとんどをさ、非常食や缶詰やミネラルウォーター買うのにあててたんだってよ、それで何年か前病気になって、家族からこの薬島に捨てられたんだ、背骨に瘤ができてて歩けないし一人で小便にも行けないんだ、リヤカー一杯の非常食と一緒に捨てられたんだ、だから地震だけが頼りなんだよ、地震のために六十年も守衛やってきたんだからな、何かあるたびに地震地震って大騒ぎしやがって、本物の地震より、うるさいんだ、面白いだろう？　ここはいいとこだろ？　俺はいい奴だろ？　タツオは舌をベロベロ巻きながら恐ろしい早口で喋り終わると、薬を買いに行くと言ってキクに手を振り部屋を出ていった。ハシは鏡台の前に坐り、化粧品の蓋を開けて白いクリームを指で掬い顔に塗り始めた。「薬って、こんな時間に薬局やってるのか？」午前一時だった。二十四時間営業のマーケットがあるんだ、ここは都会だからね、ハシが初めて口を開いた。鏡を見たまま、声は変わっていない。「僕もそこで働いてるんだ、もうすぐ僕も行かなきゃいけないんだけど、タツオが薬を買って戻って来たら、キクは眠った方がいいよ、明日、話をしよう」ハシは少し痩せたようだ。慣れた手つきで小さな刷毛を使い目蓋に青い粉を塗る。生暖い風が部屋を横切るたびに、ハシの体から女の匂いが漂う。春陽館ホテルの、おまんこにまんえん、の女の匂いだ。

「ハシ、お前が働いているところは、そんな格好しなきゃ叱られるのか？」

「キク、頼むよ、今、僕、頭が破裂しそうなんだ、だって、急に来るんだもん、あしたにしてよ、あしたいろいろと話そうよ」

ハシは丸首の下着を脱ぐと乳白色のブラジャーをして円錐形のスポンジを胸に押し込んだ。その上にピンクのシャツを着て釦を嵌めずに両方の裾を腹の上で結び合わせた。後からだと尻の小さな女の子に見えた。じゃあそこの押し入れに毛布が入ってるからね、キク、お腹が減ったらタツオに言えば何か作ってくれるよ。ハシは踵の高いサンダルを履いた。見憶えのある小さな爪には緑色のペディキュアが塗られて足首に銀色の鎖を巻きつけている。ハシはドアを開けた。出て行かずに、しばらく背中を見せたまま立っていた。

「ミルクは、元気？」

「ミルクは元気だが、和代が死んだよ、お前に骨を持ってきてやったよ」

キクは和代の骨を取り出そうとズボンの裾を縫いつけていた糸を外すうちに、わけのわからない怒りが込み上げてきた。和代の顔に貼り付いた赤いシーツが頭に浮かんだ。あの夜の恐怖と怒りが甦ってくる。グンニャリとした柔らかなものに閉じ込められているという苛立ちを思い出した。なあハシ俺達はグニャグニャとした気味の悪いものに押さえつけられて身動きがとれないんだよ、お前はそれに気付かないのか、俺は恐かったんだぞ、和代が死んだ夜、壁から妙な声が聞こえる気がした、不必要な奴だ、と俺のことを言った、不必要だと言われたよ、誰も俺を必要としてない、お前だって同じなんだ、俺はダチュラでそんな奴らをみんな殺そうと決めたのにお前は女の格好をして一体どうしたって言うんだ、キクはそう自分の中で呟いた。和代の骨を畳に放り投げる。それを見たハシは眉を寄せて肩を小刻みに震わせた。

「あいつはな、俺と一緒に、新宿でお前のことを捜している時に、通行人に突き倒されて、地面で頭を打って死んだんだよ、憶えてるか？　ハシ、あいつ、時々、布団の上に夜坐って考えてたろ、眠れなくて、考えてるんだって、気味が悪かったろ？　俺達がどうしたんだって聞くといつも答えは同じだったな、自分がどうやって死ぬのか考えたら恐くなって眠れなくなったって、大人のくせに目真赤にして泣いて、俺達をアホみたいに抱いたろ？　憶えてるか？　あいつはくそみたいなホテルのギシギシいうベッドの上で顔中から血を吐いて何も言わないまま死んだよ、お前よかったよ、よかったよ、見なくて良かったよ」

キクは喋りながら泣きそうになった。和代が死んで以来溜まっていたものを吐きだして力が抜けた。

「キク、僕、もう行かなくちゃ」ハシは和代の骨から目をそむけた。

「和代の骨だぞ、ちょっと挨拶していけよ」

「急ぐんだよ、本当に急ぐんだ」

「お祈りしてやれよ、十秒で済むじゃないか」

ハシは振り向き涙で真黒になった顔で叫んだ。

「あしたにしようって言ってるじゃない！　僕の都合も考えてよ」

「何の都合だ、バカ野郎」

キクはテーブルにあったスパゲティの皿を壁に投げつけた。ハシは靴を履いたまま玄関に坐り込んで泣きだした。タツオが帰って来た。泣いているハシに驚き、この野郎ハシを苛めやがって、そう叫んでキクに殴りかかった、キクはその腕をかわし素速く立ち上がってタツオの細い顎を平手で叩いた。タツオは台所の隅まで転がった。

「ハシ、お前こんなところで何をやってんだ、お前を捨てた女には会ったのか、どうしたんだよ、何か言え、一体どうしたんだ」、キクはハシの肩を揺すってそう怒鳴った。ハシは泣きながら、ごめんなさいごめんなさい、と言い続けた。僕は勝手だ、恥ずかしい、ごめんなさい、キク、ごめんなさい、僕は歌手になりたかったんだ、ごめんなさい。鼻にかかったハシの声がキクを包んだ。キクは妙な気分になった。体に開いた穴を、ハシの鼻声が埋めていく気がした。今までの怒りや恐怖や苛立ちが全て中和されるようだった。ハシお前がいなくなって俺は寂しかったんだぞ、そう言いそうになって声を押し殺した。「止めろ！　タツオ、止めろ！」ハシが顔を上げて叫んだ。タツオはキクに向けて散弾拳銃を構えている。ハシはキクを突きとばし自分も床に伏せた。ほとんど同時にタツオが引き金を引いた。裸電球と壁の一部が粉々になり、部屋は暗くなった。ハシを苛めたり俺をバカにしたりする奴はみんな殺してやるぞ。ハシはライターをつけてキクが無事かどうか確かめた。キクは首を振り髪や肩の電球の破片を払いながら起き上がった。地震だあああ、地震だあああ、万歳万歳、火の元を消せえ、火を消せえええ、地震だあああ、嗄《しやが》れ声が廊下に響いている。騒々しいところに住んでるんだな、キクが言った。ハシは照れて笑い頷いた。

タツオは日本で生まれた。父親はラグノ・デ・ラクルース、母親はルーリー・デレオン、二人共、セブ市の出身である。二人はバンドマンとダンサーとして一九六九年に来日した。二人には日本の大都市でやっていくほどの技量はなく、次々にプロダクションを変わり、地方に回された。半年後、ルーリーが妊娠したので車や汽車での移動に耐えられなくなり、ラグノは群馬県の山間部にある温泉地の観光ホテルと長期の契約をしたのである。契約はひどいものだった。四人のバンドマンと三人のダンサーは、朝五時から起こされて朝食の準備を手伝い、ナイトクラブでのショーが夜の十二時に終わるまで働かされた。それでもセブの暮しよりは楽だった。彼らはよく働き土地の人々からも好意的に受け入れられるようになった。タツオは一九七一年の冬に生まれた。歩けるようになるとすぐアクロバットの練習をさせられた。ルーリーの同僚が産んだ私生児のミエ子とコンビを組んで五歳の時からホテルのディナーショーに出演した。人気者だった。ミエ子は日本人との混血で三歳年下のタツオをよく可愛がってくれた。タツオは小学校に上がるために、ホテルの番頭の形だけの養子となり、国籍を日本とした。一年に二度、温泉街の外れにある癩病院を慰問し、町役場から表彰されたこともある。

中学生になった年の夏だった。タツオは蚊取り線香を捜している最中に押し入れから妙なものを見つけた。油紙で幾重にも包まれた、一丁の拳銃である。ラグノが分解して持ち込んだブローニングコピーの密造拳銃、百発余の二十二口径実包と共にタツオは拳銃を床の下に隠した。体の震えが止まらなかった。時々服の下に隠し、山に入って一人で試し撃ちをした。硫化ガスが噴き出す無人の荒野で、いやなことがあった日や誕生日に、空に向けて撃った。銃火器の雑誌や本を買うようになった。構造を勉強した。ある日、山で牡の雉子を撃った。至近距離だったので、雉子の頭部が吹っとんだ。発射後の反動と体の震えは、生き物を簡単に殺せる証拠なのだと気付いた。人間を撃ってみたいと思うようになった。しかし信頼する本にはこう書いてあった。「やむを得ない場合を除いて、発砲してはならない、その際も威嚇に止めるべきである」タツオは、威嚇という漢字の意味がわからなかったから、「止むを得ない場合」

が訪れたら人間を撃ってもいいのだと判断した。「止むを得ない場合」が早く自分の身に起こるように、毎日祈った。だが小さな温泉町にはモロ族もアメリカインデアンもナチ突撃隊も攻めて来ることはなかった。人間を撃ちたいという思いは、タツオの中で結晶となりつつあった。俺はフィリピン人だから、とタツオは思った。こんなドヤッと雪が降る日本の山奥で暮すのは、本当は無理なんだ、セブの写真を見るとなんて美しいんだろう、俺の腹の中は、セブ島の太陽でポカポカと暖められるはずなのに、冷やされるものだから、カチンカチンに凍ってしまった、氷が詰まっている、氷は、拳銃の形をしているんだ。

十四歳の冬のことである。スキー客でホテルは満員だった。ディナーショーでタツオとミエ子はいつものようにアクロバットを演じていた。泥酔した若い男がよろけながら舞台に上がり逆立ちをしていたミエ子に抱きついた。ミエ子のレオタードを脱がせようとした。司会者や従業員が舞台から降ろそうとすると、椅子を振り回して暴れ始めた。その酔っ払いの仲間も数人立ち上がり皿を割ったりテーブルを引っくり返したりした。フィリピン人なら裸になって踊れ、そう口々に叫んだ。ミエ子はくやしいのか、服を破られて泣いていた。ホテルの番頭が、タツオのすぐ横で、「やむを得ないな」と呟いた。タツオは、「え？　やむを得ないんですか？」と確かめた。番頭は、当り前じゃないか、と言って電話の前に走った。タツオは狂喜した。ついに、

「やむを得ない場合」が訪れたのである。拳銃を取りに宿舎に戻り大急ぎでホテルの宴会場に引き返した。宴会場のドアを足で蹴り、叫んだ。「みんな、手を上げろ！」乱闘は終わってみんなは後片付けをしていた。泥酔して暴れていた男達は警官の前で頭を掻きながら水を飲んでいた。しかし興奮したタツオは引き金を引いてしまった。三発。一発が、ガラスの破片を掃いていた女中の肩に当たった。

タツオは、精神鑑定を受けた後、児童救護院へ送致された。二ヵ月後、ミエ子の手引きで脱走し、東京へ出た。旋盤工場で働いていたが、周囲の部品がみんな拳銃に見えて、自然に手製銃を作り始めた。単発拳銃が四丁完成した時、タツオは実包を買う金欲しさに三丁を売ろうと思い、銃砲店に売りに行って逮捕された。鑑別所と精神病院と少年院で三年を過ごした。その間に両親はフィリピンに帰国したことをミエ子が教えてくれた。ミエ子だけが面会にも来てくれた。ミエ子の勧めもあり、少年院を出たタツオはまともな生活をしなければ、と痛感した。それでも拳銃とは離れられそうもなかったので、自衛官になろうと思った。区役所に行き応募用紙が欲しいと言ったらみんなが笑った。中学も卒業していない馬鹿な少年院上がりが自衛官試験を受けさせてくれと申し出たのは初めてだ、と笑われた。タツオはミエ子と一緒に東京の隅っこに住んだ。ミエ子はキャバレーに勤めていたが、しばらくすると姿を消した。キャバレーの同僚に聞くと、「薬島のマーケット」でアクロバットをやってると教えられた。タツオはミエ子を捜して薬島に潜入し、工場跡で手製銃を作り暴力団に売って金を得た。そのうちに、その工場の二階に住む、歌のうまいオカマと気が合い、同居を始めた。それが、ハシだった。そうさ、それがハシだったんだよ、タツオはキクの頬に薬を塗ってやりながら、身の上話を語り終った。

有刺鉄線がキクの頬に開けた穴は四日で塞がった。タツオは疲れるほど楽天的な性格でハシがいない間、ほとんどひっきりなしにキクに話しかけた。身の上話に始まって、ハシの今の状況、拳銃の歴史や種類、近所に住む人々の素性などを。ハシは毎晩遅くなると化粧をして「マーケット」へ出かけ朝方帰ってきたり外泊して翌日戻ったりした。タツオによると、「歌手の勉強」に通ってるそうだった。昼間、ハシはほとんど寝ていた。夕方、陽が傾いてから目を覚ます。キクとタツオのために食事を作ってくれる。薬島の人達は電気を外部から盗んでいるらしい。キクが居候を始めてからは、ハシはオムライスばかり作る。薄焼き卵を食べながら、キクとハシは乳児院の思い出話ばかりしている。ハシが「マーケット」の路上に立つオカマをやってることはキクにもわかった。キクはすぐに、喉に瘤のある男を思い出した。股間に手を伸ばしてきた、ジャズ喫茶の男だ。あの時は不快だった。ハシがあんなことをしているなんて考えたくなかった。四日目の夜、化粧を始めたハシにキクは言った。きょうは俺も連れて行ってくれ、マーケットに買い物があるんだ。

ミエ子を捜すというタツオも一緒に、キクとハシは工場跡を出た。トタン屋根が軒を連ねる狭い通り、残っているコンクリートの建物には真赤なペンキが塗られている。赤いペンキが塗ってある壁や地面に触わらないように、とハシが言う。顔に穴が開く毒物で汚染されている場所なのだ。小さな、クリスマスツリーに使うような電球がトタン屋根に下がり、虫が集まって騒いでいる。ところどころに僅かな空地がある。空地には必ず子供達がいた。空缶を蹴り、音楽に合わせて踊り、爪を上げ、ヤモリやトカゲを捕え、人形を抱いて、死んだ犬を焼き、解体した車からタイヤを盗んでいた。路地のアスファルトはほとんど剝いである。あちこちにできた水溜まりには白い泡が浮いて酸っぱい臭気が上がっている。路地の赤土は靴に絡み付く。木造の建物は全部壊れている。その廃材でトタン屋根の小屋が作られているようだ。何軒かの商店がある。食料品、衣料、酒屋。路地は蒸し暑かった。汗は乾くことなく流れ続ける。薄暗い色付きの電球が点っている部屋からは、女の呻き声や悲鳴が聞こえる。この路地に住んでる奴らは、とハシが言った。全部気が狂ってる、話しかけられても返事しちゃだめだ。

曲がり角で人だかりがしていた。向かい側の二階の屋根を指差している。黄色く濁った目をした男が、スーパーマンだスーパーマンだ、と叫び回っている。赤ん坊だった。二階の屋根の上で赤ん坊が泣いているのだ。ひさしから今にも落ちそうだ。黄色い目の男は、飛べ！　飛べ！　と怒鳴っている。お前も日本男児なら飛んでみろ！　赤ん坊は裸でまだ這って歩くこともできない。見物するスリップ姿の女達が口々に叫ぶ。陽は沈んでるんだから日光浴しても意味ないよ、かわいそう！　あんたはかわいそう！　黒い下着だけをつけた太った女がその部屋の窓から顔を出し、ぎゃああたしの赤ちゃん、と大声をあげ、捕虫網で引き摺り寄せて掬い、見世物じゃないよ、と言って窓を閉めた。くそ、おしかった、あの赤ん坊の尻にあった青いアザを見たか！　あれこそはこの世を救う聖なる紋だぞ、あの赤ん坊はきっとピンクの象みたいに耳でパタパタ空を飛んだに違いないのに！　そうは思わんか！　若いの、そうは思わんか！　黄色い目の男がキクの肩を摑んで揺すった。タツオが引き離した。どうしたんだよ運動選手顔色が悪いよ、気にしちゃだめだよ、気が変なんだから。キクは階段を駆け上がって黒い下着の太った女を殴りたかった。ハシを捜している時新宿で見た親子連れの乞食、あいつらも殺してやりたかった。子供を虐待する親への怒りではなく、赤ん坊や子供は弱いものだという当り前のことが我慢できなかったのだ。泣くだけで、何もできない。閉じ込められても言うなりになって何もわからずに体を震わせ泣くだけだ。いつかテレビで見た。キリンの赤ん坊は生まれて一時間もすると立ち上がり走り出す。人間の赤ん坊にもそのくらいの力があればなあ、とキクは思った。そしたら俺はもっと早い時機にみんなをぶん殴ることができたんだ。

　タツオが立ち止まりキクの方に振り向いて片目をつぶった。紫色の灯りがカーテンを透かして見える部屋を指差した。おい運動選手あまり音をたてるな、今の時間この部屋じゃ必ず真最中なんだよ、どうだ？　見たいだろ？　生魚の頭と骨が詰まっているドラム缶を運んで来て、その上に乗るようにと言った。キクはドラム缶の縁に跳び乗りカーテンの隙間から部屋を覗いた。部屋には壁一面をしめる巨大な仏壇があった。紫色の戒名が浮き上がっている。最初白い布団だと思ったのが女の尻だった。弛みきってどこまでが尻でどこからが太腿かわからない。肉の皺が寄り集まっているところに白っぽい男の性器が見え隠れした。キクの腕ほどもある大きなやつだがグニャグニャしている。女が体を離し男から降りて洗面器の中の氷を口に含み、再び風船のような男性器を摑んで舌に乗せた氷で舐め始めた。女は金歯を光らせてグニャグニャの太いやつを揺すった。タツオがズボンを引っ張り、代われ、と合図している。キクは音をたてないように、そっとドラム缶から跳び降りた。どうだった？　タツオが聞く。美人だよ、そうキクが囁くと、タツオは焦ってドラム缶に上がり、覗いて、うえええええ、と声をあげた。嘘つきめ、何が美人だ、豚じゃねえか！　タツオは足を踏み外して生魚の中に突っ込み、そのままドラム缶と共に倒れた。あたり一面に生魚の頭が散らばり、すぐに蠅が集まってきた。

　ちょっとちょっとちょっとちょっとにいちゃん、豚って何ね、うちのことか？　頭にネッカチーフを巻いて体をバスタオルで隠した女が窓から顔を出した。女は顔を出したまま煙草に火をつけて蝿を手で払った。にいちゃん豚ってうちのことか？　なめたら困るよにいちゃん、うちはこれでも昔香港で映画女優やったんだから、四十八本に主演したんだからね、うちの人なんかちんぽに注射しすぎてグニャグニャになってしもたけど、立派やろうが！　立派と思わんかい！　それを、豚やなんて、ぶっ殺してやる！　キク達は逃げようとしたが、包丁を構えた別の女が、金魚鉢ひっくり返したのお前らか？　と道を塞いだ。知らんのか、金魚鉢引っくり返すと金魚は死んでしまうのよ、掃除していきな。タツオは、にいちゃんにいちゃんちんぽにシリコンぶち込んでやろか、と凄んでいる女に、照れて笑いかけてしまった。それがいけなかった。チンピラ、笑ってとぼけたいんやな、ちんぽに注射して貰いたいらしいな、女は耳障りな声で髪を振り乱して叫び、くやしいくやしいくやしいいいいいと泣き出した。回りの木造アパートから何人かが顔を出した。臭えなあ、死んだ魚が臭うぞ、誰か死んだ魚を引っくり返したな。泣き出した女が身振り手振りを混えて訴えた。うちがどんな理由でこのような恥かしい仕打ちを受けなければならないのか、このチンピラが女優のうちに豚って言うのよ。路地に顔を出した一人の男が、だってその通りじゃねえか、と笑いながら呟き、怒った女はその窓目がけて空瓶を投げた。うわ何しやがるんだ、このくそ暑いのに、男は割られた窓ガラスの残りを蹴とばして粉々にすると路地へ駆け降りて来た。ランニングシャツとステテコの男は首が見えないくらい肩の肉が盛り上がりタツオの三倍ほど大きかった。路地に降りてくるとランニングシャツを脱ぎ頭上でクルクルと回して放り投げた。赤コーナー、二百九十九パウンド、オルテガ・サイトウ、と自分で叫びピョンピョンと跳んだ。臭え臭え臭えと呟きながら片手でドラム缶を起こし、一番悪いのは誰なんだ？　そう言ってあたりを見回した。女が泣きながらタツオを指差した。こいつやこいつやこいつが金魚殺して女優を豚呼ばわりしたんや、香港で慕情の丘でおまんこした女優を豚呼ばわりしたんや、あんたが苛々するのもみんなみんなみんなこいつのおかげや。

首のないプロレスラーは片手でタツオの髪を摑み持ち上げた。髪の毛を強く引っ張ると頭のマッサージになってそううつ病が治るんだってお前知ってるか？　と低い声で聞いた。タツオが痛みと恐怖で黙っていると、マッサージは気持ちいいかって聞いてるんだ、答えろ！　と耳のすぐそばで大声を出した。キクは低い位置から腹を蹴り上げようとプロレスラーに飛びかかった。全身の力を込めて足先は腹を捉えたがプロレスラーはびくともしなかった。キクは足が痺れ、次の瞬間、いきなり殴られて吹っ飛んだ。にぶい音がしてキクは路地の端まで転がり動かなくなった。おめえフィリピン人だな、俺とアジアタッグを組んだ奴もピン公でな、弱い奴だったよ、試合前にオーデコロンを金玉にシュッシュッと吹きかけるような奴だった、弱い男だった、金玉も臭かった、俺はおとついあの窓ガラスを嵌《は》めかえたばっかりなんだ。タツオは髪を摑まれ地面から持ち上げられたままだ。おめえはあのねえさんの部屋を覗いたんだな、よし罰に耳を引き千切ってやる、プロレスラーはタツオの耳を摘んで引っ張った。タツオはひどい声を上げた。ハシが、窓ガラスを弁償しますから許して下さい、と謝まった。何だおめえはオカマか、オカマなら芸ができるだろ？　尻の穴でこよりを作ってみろ、芸をしてみろ。タツオがかん高い悲鳴をあげた。宙に浮いた足をバタバタさせて苦しがっている。耳の付け根から血が流れ出した。おいピン公、おめえねえさんの部屋を覗いて何を見た、言ってみろ。タツオは涎を垂らしながら顔を歪めて叫ぶ。何を言ってるのかよくわからない。あれだあれだあれだあれをやってた助けてくれ痛い許してくれ。バスタオルを体に巻いた女の横に痩せた男が怯えて立っている。巨大な性器がパンツからはみ出て、キョロキョロとあたりを見回す。あれじゃわかんねえんだよ、おめえ耳が千切れるのがそんなに嬉しいのか、プロレスラーが耳を摘んだ手に力を入れるたびに、タツオの足はバタバタともがき悲鳴が洩れる。見物人が増えた。タツオの耳からの血が地面に落ち始めた。タツオが痛みで気を失いかけ涙を流し始めると見物人は笑い転げる。ハシがプロレスラーの足にすがって、許して下さい、と頼んだ。何でもします金も弁償しますから許してやって下さいお願いします。プロレスラーは、ハシをじっと見て、こう言った。

「よし、オカマ、歌をうたってみろ、上手だったら、ピン公をかんべんしてやる」

キクは鳥の鳴き声のような細く高い音に気付いて水溜まりから顔を上げた。右目のすぐ横を殴られたらしくて視界は白く濁っている。路地に集まった人々が歪んで見える。聞こえてくる鳥の鳴き声がゆっくりと旋律に変わった。初めてハシが歌っているのに気が付いた。赤土の地面に跪いたまま、ハシは歌っている。不思議な声だ。とても小さなスピーカーから響いて来るような声質、部屋の片隅に転がった電話の受話器から洩れている音に似ている。ハシの歌声は流れずに立ち込める。旋律を発する極薄の膜が耳を包み込んだようだ。弱々しく感じられる音は肌に貼り付き毛穴から体に侵入して記憶の回路を揺さぶった。振り切ろうとしてもだめだった。歪んだ視界が色を失い匂いや温度が切り離されて、ハシの歌の旋律が作る幻覚が現れた。自分がどこにいて何をしているのかわからなくなってくる。回りの空気が重く体に絡み付き、ヌルヌルした海底へ引き摺り込まれるようだ。キクは真黒な馬が夕暮れの公園を疾駆する情景に捕えられた。映像が浮かぶのではなく、その情景が描かれた絵の中へ強引に引っ張り込まれたのだ。黒い馬はオレンジ色の逆光を浴びて恐ろしい速さで木立ちの間を駆け抜け、いつの間にかいななきが爆音に変わり、滑らかに輝く産毛が金属となり、銀色の窓ガラスの谷間を走る大型のオートバイに姿を変えた。猛烈な速さで移動するオートバイを追って、その情景を映す視点が同じ速さで動く。空中に張ったワイヤーロープに吊るしたカメラを時速二百キロで滑らせ、撮影したフィルムを観ているようだ。不安になる。恐しいスピードで移動しているのが何なのか、わからなくなった。自分なのか、カメラなのかオートバイかそれとも周囲のビルディングや街路樹や窓灯りなのか。キクはこの不安できれいな幻覚から逃れようと思った。

止めてくれ、と叫ぼうとした時、女の泣き声が路地に響いて、キクはオートバイの幻想から覚めた。黒い下着だけの太った女が、グニャグニャして巨大な男性器を摑んで泣いている。キクは立ち上がりハシの方へ歩いた。路地に集まった人々はまるで夢遊病者だ。瞳孔を開き焦点の合わない目で遠くを見つめている。脳がまだブヨブヨと未成熟だった頃の記憶に縛られているのだ。プロレスラーはタツオを離し、地面に膝をついて胸を掻きむしり震えながら訳のわからないことを呟いている。かあさんそんな顔をするな、恐い顔だよ、目がずれていて目尻に気味の悪い色が付いてるじゃないか、俺はもう暴れたりしないから、かあさんそんな顔で猫を殴ったりするのを止めてくれ。キクはまだ歌い続けているハシの前に立って、言った。

「もう、いいよ、ハシ」

僕は毎日、顔に穴を開けた少年達や、怯えきって精液を垂れ流す変質者を相手に、練習したんだよ、そうハシは言った。不安な音色とか旋律とかはないんだって気付いた、大事なのは音が聞こえない状態、つまり全くの沈黙の長さと強弱だ、わかるかい？　沈黙は聞く人間のうんと昔の記憶を震わせる、西アフリカの小人カバの求愛の鳴き声は、無音の長さが基準になってるんだ、精神異常者も不具者も、正常だと思ってる者も、個人的な沈黙を持ってる、歌ってのは、その沈黙を刺激してやるだけでいいのさ。「あの歌は何っていうんだよ」タツオが聞く。オリジナルだ、とハシは答えた。舞踏病のバラード、って言うんだ、舞踏病の人が聞くと、とても安らかになれる、そうでない人は恐い夢を見ちゃうらしいな。

「マーケット」の入口では坊主頭の外国人が、配線工事用のケーブル巻き輪に上がって、説教をしている。スピーカーから賛美歌を流し、開襟シャツと黒のズボンにゴム長靴、首から絞首刑用の縄を下げ、ハイビスカスの花冠を被っている。立派な日本語で、「マーケット」に入る人々に呼びかける。「み」の発音だけは「め」に聞こえる。悔い改めよ、大きく描いた立て看板と、ホワニータ教主寺院で心を洗いなさい、の小さな文字。めなさん、この場所に近づいてはいけません、性的な欲望、お金で買う、めなさんはもっと孤独になります、めて下さい。マーケットをめて下さい、女の人、おかあさんおねえさんおばさんです、あなた方のおかあさんです、めなさんお金出して何を買いますか、恥ですか？　めじめさですか？　ゆううつなオカマが腰を振りめなさんに一服の煙草をねだるでしょう、オカマとてもきれい、でもオカマをイエスは許さないでしょう、ソドムの街のように罰がこのマーケットにも下ることでしょう。

三人はマーケットに入った。マーケットは四車線の道路で途中から地下に潜っている。封鎖している警備兵が買収されて薬島の外部に通じているという話だ。マーケットは人で溢れているが話し声はほとんど聞こえない。話す時は耳許で相手以外には聞こえないように、囁く。道端にテーブルと椅子を並べただけの露店が何軒かある。客が椅子に坐ると娼婦や男娼が無言で酒を運んで来る。アルコール度の少ないビールと、黒い瓶に入ったシェリー酒だ。路上で客を待つ男や女は様々なポーズをとるが、自分から話しかけることは滅多にない。娼婦の数は道路が地下に潜っているあたりから急に増える。トンネルの壁にもたれ煙草を吸いながらスカートをまくって股を見せている女、天井に取り付けられた黄色くて古い蛍光管はその女の局部のひだに嵌め込まれた銀のリングを光らせている。灯りの真下で葡萄を食べてみせる黒人女、房から大きそうな実を選んで摘み舌に乗せて上手に皮だけ吐き出す。濡れた舌の上で、緑色の繊維がキラキラと輝く果実を転がす。背中が尻まで割れたドレスの下の滑らかで酸っぱい肌を暗示する。道路の中央で踊っている少女、トウシューズに白いリボンを巻きつけて太腿に水中翼船の刺青、蛇皮の首輪に鎖をつけている。尻だけにボディペインティングをした双生児は火を点けたそうろくを尻に挟んで炎を揺らす。トンネルの両側には薬局がある。売っているのはすべて精神安定剤だ。娼婦達も客も、肉体的依存度のない精神安定剤を愛用している。ネウトロ、というその興奮中和剤は、マーケットの秩序を支えるのに役立っている。穏やかな囁き声、ゆるやかでスムーズな動き、苛立ちや怒りを消し、相手を傷つけまいとする配慮や挨拶は不要だ。そのために地下に潜った道路は囁き声とため息と軽い咳払いだけが聞こえる、楽章間の休止を迎えた交響楽演奏会場のような雰囲気となる。静かな耳鳴りが全体を包んでいる。謝肉祭の行進や仮装舞踏会やサーカスやバレエから音を取り去ったのと同じだ。それも単純に音量を絞り込むのではなく、ある種類の効果音、ドレスの絹ずれや湿ったコンクリートを裸足で走る音、口の中で舌が歯の隙間を舐める音や溜め息や肌と肌が重なる音やグラスの内側を透明な酒が滑る音や羽飾りが微風に震える音だけが聞こえるようにした仮装舞踏会だ。初めて訪れる人は必ず、まるで死後の世界に足を踏み入れたようだ、そう言う。

午前零時、キク達三人は露店の一画に坐っている。タツオは千切れかかった耳にメンソレータムをつけた。痛い痛い、と訴えている。ばい菌が入って化膿しちゃうよ、頭まで腐っちゃったらヨイヨイになるんだよな、まだ若いのにヨイヨイになったりしたら女にもてなくなるだろうなあ、ミエ子に会っても嫌われちゃうよ、手遅れになったらどうしよう、片耳が腐れたらどうやってステレオ放送を楽しめばいいんだろう、足の指が裂けたのとは違うんだからさ、耳と頭ってすぐ近いからなあ。

地下に潜った道路は百メートル先で別の道路と交叉している。時々この十字路を車が通る。車は決して停まらない。極めてゆっくりと走り通り過ぎるだけだが、車が現れると娼婦達はその方へ移動する。車の中から指差された男や女はそのまま乗り込み、また、送って貰って車から降り次の客を捜すのもいる。タツオは車から降りてくる娼婦を注意深く眺めた。あ、やっぱりミエ子だ、と呟いた。ミエ子は車の中に投げキッスをすると後方ひねり宙返りを四回繰り返してキク達のすぐ後のテーブルについた。パイプ煙草を吸っているひげの男がミエ子を呼んだらしい。タツオはミエ子から顔を隠して、やっぱりあいつパンパンやってたんだなちくしょう、どうしよう耳さえまともで散弾拳銃持ってたら力ずくで連れて行くんだけどなあ、と小さな声で言った。ひげの男とミエ子の話がキク達がいるテーブルまで聞こえてくる。そうねえ、最近流行ってる遊びっていうとやっぱりマリオネットにつきるんじゃないかしら、外科手術用の糸を仕込んだカプセルを飲み込むのよね、それは胃や腸を下る時にどんどん糸を出していくようになってるんです、そして空気灌腸をやると下から出て来るんです、糸は七メートルもあると充分だと思いますよ、肛門から出た糸に三角錐の栓をつけてね、肛門の訓練ができてるフランス人の娘なんかテニスボールを結びつけるんだけど、その糸を口の方から引くってわけなの、たまらない直腸刺激でピョンピョン跳ねちゃうんです。タツオは泣き出しそうな顔になった。くそ、ひどいことになってるなあ、あいつ昔はおならもゲップもしないような娘だったのに、聞いたかよ、尻から糸垂らして踊るんだってよ、タツオは立ち上がった。腕ずくでもここから連れ出してまともな暮しをさせるぞ。金を稼いで、二人でセブ島に帰るんだ。タツオはミエ子に近づいた。タツオを見たミエ子は逃げようとする。タツオは腕を摑んだ。二人はタガログ語で何か言い合っている。ふいにタツオはミエ子の頬を殴った。ミエ子は殴り返した。ミエ子の手の平はタツオの千切れかけた左耳にあたり、マーケットの人々が振り向くほどの悲鳴が聞こえた。タツオは耳を押さえて転げ回っている。ミエ子がキクのところへやって来た。あなた方タツオの友達？　そうだ、とキクは答えた。あたしは、タツオとフィリピンへ帰るお金を貯めているの、タツオはピストルを造るのを止めるって約束してくれたから連れていくわ、それで、お願いがあるのよ、タツオが今持っているピストルを処分して欲しいの、どっかに捨ててくれない？　キクはしばらく考えて、俺が預るよ、と言った。代々木公園って知ってるだろう？　あそこの西門から入ると陸上競技場の入口がある、入口から数えて右へ三つ目のベンチの下に埋めといてくれないか？　弾丸も一緒に頼むよ。

ハシが妙な顔をしてキクを見る。キク、拳銃なんかどうするの？　キクは笑いながら言った。「いつか使う時があるかも知れない」

タツオとミエ子を地下道の途中まで送ったキクは、一軒の薬局に入り、ガバニアジドがあるかどうか、聞いた。ネズミのような顔の若い男が手を横に振った。三年前に全部なくなったよ、そう低い声で呟いた。在庫が残っていたとしてもたぶん売れないだろう、今売れるのはネウトロだけだ、信じられるかね？　興奮剤を欲しがる人が減ったんだ、みんな静かに眠りたがっている。薬局の中には天井まで積んである精神安定剤ネウトロの他に、民族衣装や楽器、装身具、喫煙器具などが床に転がっている。壁に写真が貼ってある。額に入った植物の写真だ。キクがじっと眺めていると、興味があるのか？　とネズミの顔の男が聞いた。キクが見ていたのは、赤いラッパ型の花が枝から垂れ下がった一枚だ。ダチュラ・サングイネイア、片仮名でそう書いてあった。その写真は、赤いボラチェロだ、ネズミ顔の男が呟いた。その横はパラオの檳榔子、端はフィジーのカワジュース、ギニアのコラノキの種子、ペヨーテ、ペルーのコカの葉、そしてジョッポ、みんな素晴らしい薬だよ、ここにはないけどね。キクは、ネズミ顔の男に聞いてみた。ダチュラって他にも意味があるんでしょう？　男は頷いて、薬瓶の棚から、一枚の古ぼけたパンフレットを取り、キクに手渡した。プリンストン大学脳神経外科教授会月報、一九八八年、七月号。それ、読んでごらん、裏に僕が訳した日本語訳がある、あげるよ。キクは読み始めた。

「超興奮剤ダチュラ」十八世紀の始め、インドのアッサム地方に駐屯していたイギリス陸軍の宿舎を、一頭の虎が襲った。通常、虎に限らず猛獣には攻撃距離というものがあり、敵がある一定のところまで近づくと攻撃に移る習性を持つ。また発砲するとほとんどは逃げるものである。ところがこの虎は現れた時から既に牙が血塗れでありいきなり見張りの兵士に飛びかかったかと思うと、殺されるまでに何と二十八人の兵士の喉を食い破った。早く撃ち殺してくれ、と訴えんばかりに殺しまくったのだそうだ。後に、解剖の結果、この虎が伝染性の骨髄壊死を患っていたことが判明した。体中の骨が腐りかけていたわけである。恐らく前足を軽く動かすだけで、想像を絶する激痛があったであろうが、虎は決して自殺をしない。ここで考えられることは、人間の喉を食い破るという目的だけでこの虎が生きる意志を保ったという事実である。殺されるまで敵を殺し続けることによってのみ、虎は、生きる意志を保ち得たのである。さて、我が同僚にして尊敬すべき脳化学者であるシュベルツェンベック博士が明らかにした神経兵器、「ダチュラ」は服用した人間を、骨髄壊死の虎と同じ心理状態にする恐るべき超興奮剤であると言えよう。成分は不明であるが、インドール核を含んでいることは間違いない。精神異常発現の主な要因はセロトニン代謝異常だと考えられているが、極少量で作用する。酵素学的な水準である。ＬＳＤ—25の数十倍、メスカリンと比較すれば実にその百万倍の強さで作用する。「ダチュラ」の人体実験は海軍化学兵器研究センターにおいて極秘裡に行なわれた。対象は囚人兵である。十三例の報告が残っている。「ダチュラ」は、抑制系の伝達物質をすべて消滅させてしまうと指摘する生化学者（ミレー、一九八五）もいる。「ダチュラ」の服用者はかつて地球上に現れたいかなる凶悪な人間よりもはるかに性質の悪い、回復不能の狂人となる。精神異常者の犯罪は、そのほとんどが誇大妄想の恐怖に耐えきれず、逃れようとして為されるのであるが、ダチュラ服用者にあっては恍惚境における現実参加の意志の唯一の具現として為される。その恍惚感は阿片がもたらす「既死の至福（H・D・グイド）」ではなく、爆発的な感覚の昂揚であるという。つまり、分裂病や強度の躁病患者等に見られる「失われた現実に対する復讐」とは根本的に違うのである。「ダチュラ」を服用するとまず記憶を完全に喪失することから始まり、想像を絶する恍惚に包まれる。末期の躁病患者に似ているとする説（トリューネル、一九八六、ソルボンヌ）もあるが、むしろ人間の形をした新しい生物が誕生すると言った方が正しい。服用者は絶大な快感の中で破壊を開始する。人体実験の報告によれば、瞳孔が拡がり、緑色の泡を吐き、筋肉が「鉄のように」硬く強くなるという。皮のフットボールを押し潰して破裂させた囚人兵がいたそうである。服用者は、目に入る物はすべて破壊し、生物を殺し続ける。彼は、殺されるまで止めない。殺す以外に彼を制する方法は、ない。一九八七年のケルン協定はダチュラを地上から消滅すべしとうたっている。だが現実には固型、液体、ガス状の完成品合わせて三トンのダチュラは、消滅ではなく封印されたに止まっている。ほとんどのダチュラは海中に沈められた。「ダチュラ」は一九七八年、南米ガイアナで起こった人民寺院集団自決で初めてクローズアップされ、表面化した。人民寺院事件に関しては、教授会月報の先先月号をごらん頂きたい。

午前一時、黒塗りのロールスロイスがゆっくりとマーケットに入って来た。地下道には影や暗部がない。照明のせいだ。壁と天井に埋めてある古い蛍光管はまずコンクリートに反射してから人を被う。マーケットに充ちた光は、すべて余波だ。発光する細胞を持つ軟体動物が無数に降り人々の皮膚に貼り付いたようだ。また、黄緑の色素で洞穴全体を輝やかせ浮かび上がらせる光藻にも似ている。光の余波は細かな粒になり漂っているのだ。だから人物の輪郭は曖昧で地下道には遠近感がない。暗い海で漂流する漁師は港の灯を見つけると勇気が湧いて来るらしい。この地下道では逆だ。弱々しい光を貼りつけた男や女は、一筋の闇を捜しそこに逃げ込もうとする。漆黒のロールスロイスに群がる娼婦は、その金属の夜の中に消えたいと願っている。銀のバンパーに囲まれた車体は移動する暗闇だ。昆虫が自らを際立たせる炎や光に集まるように、売春婦や男娼や乞食達は薄明で身を晒すのに疲れ眠りたくて、暗闇を吐き出すロールスロイスに近づく。着飾った男、露出した女が化粧や舞踊を中断して引き寄せられる。ロールスロイスの窓ガラスは濃い緑色で中に乗っている人間が見えない。ドライフラワーを売りつけようとする乞食女達の顔が歪んで映っているだけだ。

キクはハシに「ダチュラ」の話をしていた。ガゼルが俺に教えてくれたんだよ、すごい薬だと思わないか、ハシ、俺はとても興奮してるんだぞ、この街を廃墟にできるんだ、このうるさい街を昔の遊び場にできるんだ。ハシは、ロールスロイスをじっと見ている。キクの話を聞かなくなった。ハシ俺の話を聞けよ、この広い街で昔みたいに二人で遊べるんだぞ、野犬を見に行ったり、無人の映画館やダンスホールを探検できるんだ、お前、こんな苛々する街が好きなのか？

ロールスロイスの窓が開いた。いきなりドライフラワーを差し込み顔を近づけた乞食女がいる。すぐに悲鳴をあげて顔を引っ込めた。中の人間がライターか何かで髪の毛を焼いたらしい。周囲の男娼達の笑い声と、髪がチリチリ燃える音、その匂いがキクとハシに届く。

「僕はこの街が好きだよ、キク、化粧をしたり、騒いだり歌をうたうのが好きだ、僕はホモなんだよ、キクはいつだって強かったろ？　羨ましかったよ、キクは僕みたいに弱虫じゃないからさ、ほら、いつか小学生の最後の運動会で僕走らずに見学してたろ？　一人でずっと教室にいたでしょ？　あれ仮病だったんだよ、みっともなく走ってみんなから笑われるのがいやだったの、ずっとそうさ、仮病ばっかり使ってる、逃げてばかりいたんだ、キクはきれいだったよ、棒高跳びは、きれいだもの、キクの傍にいるのは耐えられなかったんだよ、自分が恥ずかしくなったんだ」

ロールスロイスから男が降りて来た。白いスーツに赤の蝶ネクタイをしている。男に、恐しく背の高い白人女が抱きついた。男は白人女の両手を高々と持ち上げて腋の匂いを嗅いだ。男の顔は白人女の腋の高さだ。「キク、僕はホモなんだよ、ひどいだろ？　でも、どうしようもないんだ」

ロールスロイスから降りた男は手足を怠そうに動かす。女のスカートへ両手を突っ込み尻の肉を押し上げた。白人の女が顔を近づける。男はスカートから抜いた片方の手で女の口をこじあけ舌を引っ張り出した。女の舌は真赤で、長く先端が尖っている。男の手の指の間を舐めた。手の指より舌の方が長い。赤い蝶ネクタイの男は音楽なしでしばらく女と踊り、ハシの方を見た。手を振る。

あいつは、僕のスポンサーなんだ、ハシが言った。みんなからDって呼ばれてる、みんなDって言うんだ、大変な金持ちだよ、Dっていうのはディレクター のDなんだけど、ドラキュラのDだって自分じゃそう言ってるよ、僕はね、初めてあいつに体を売ったんだ、その頃はまだ女装してなかったよ、東京へ着いたらここへ来ようと決めてた、でも鉄条網があって抜け道がわからなかったから、金もないし、清掃会社でアルバイトしてたんだ、青いユニホームを着てゴミを集めるんだ、昼間、盛り場のゴミを車に積んでいたらオカマがいたからこっそりマーケットへ抜ける道を聞いた、地下鉄の構内から入るんだと教えてくれた、僕は清掃会社のユニホームを着たままこの地下道に立ったんだ、あいつが、ミスターDが、車の窓を開けて僕を見ていた、僕と遊びたがってるんだろうってすぐにわかった。僕を欲しがる男は決まって恥ずかしそうな目で見るんだ、おいそこの清掃局の青年、こっちへ来い、運転手が僕にそう言った。すごく背の高い香水や白粉やかつらの匂いを掻きわけて進んだ。最初、男は笑った。ユニークな舞台衣装だな、運転手も、他の乞食達も笑った。ホテルに連れて行かれた。まるで新幹線の駅みたいなホテルだった。

ハシは中国料理を食べた。レストランはホテルの最上階にあって天井も壁も窓からの夜景もキラキラしていた。ハシは熊の手と蛙の唐揚げと豚の脂肉の甘酢漬けを食べた。脂肉は三センチ四方の角切りだったが、あまりにおいしくて八個も食べてしまった。酢が効いて脂臭くなかったのだ。三十分もすると胸が悪くなってきた。空腹に食べなれないものを詰め込んだせいだった。緊張も重なってどうしていいかわからずハシは床に吐いた。トイレに行って吐かなきゃならないなんて知らなかった。ハシは叱られるだろうと覚悟していた。逆に、ミスターDはハシを誉めた。ローマの貴族のようで素晴らしい、と笑った。

ベッドのシーツはクリーム色で光沢があった。裸になってから、お前は何をしてるんだ？　とミスターDはハシに聞いた。そうか、ゴミ集めか、お前はゴミ集めが好きなのか？　ハシはDのへそのくぼみに舌を突っ込みながら、好きじゃないけどそのうち慣れると思います、そう答えた。絹のシーツが音をたてた。ハシが恥ずかしがって細い足を動かすたびにサラサラと鳴った。その音を楽しみながらミスターＤが、それなら一番好きなことは何だ？　そう聞いた。ハシは思い切って言った。歌をうたうことです。ミスターＤは喜んだ。ここで歌ってみろ、と言った。ハシは照れて歌えなかった。Ｄはハシの顔が美しいと何度も手の平で撫で回した。お前はきっと母親似なんやろな、お前のおかあはんはきっと美人やったんや、男の子は母親に似るいうからな。ハシは思わず喋ってしまった。コインロッカー、ブーゲンビリヤ、乳児院、廃鉱の島のこと。みんな喋ってしまった。Ｄは、テレビに出ろ、とハシに勧めた。お前はきっとみんなの同情を買うだろう、お前は、売れるかも知れないな。

Ｄが射精した後、ハシは帰ろうとした。Ｄは腕を掴んで床に倒した。化粧してみろ、お前は化粧すると美しくなるぞ、Ｄは顔に剃刀を押し当てた。眉を剃られた。眉のない顔を鏡で見た時、最初いやな気分だった。他人が映っていると思った。そいつはもの欲しそうにハシを見ていた、ハシの体に触わりたがる男達と同じ目付きをしていた。Ｄは、塗ってみろ、とポケットから口紅を出した。ハシが拒むとＤは顔を押さえつけて唇を赤く塗った。口紅はハシの歯にもあたった。脂の味がして吐きそうになったが、鏡で唇の赤い自分を見ると不思議な感じがした。眉を剃った時は他人だと思ったが口紅を塗った顔はとても自然だった。生まれてからずっとこうだったんじゃないか、と思った。これが本当の顔だ、という気がした。奇妙な力が湧いてきた。酒に酔ったように、何でもやれそうな感じだった。

ねえ、ちょっと歌ってみようか、とハシは言った。どんな気分になりたいか言ってよ、僕はその人の気分や体調に合わせて歌を変えるんだ。ミスターＤは、不安になりたい、次に苛々して、最後に胸をキュウンと締めつけてくれ、と言った。ハシはまずリヒャルト・シュトラウスのサロメの間奏テーマを正確にハミングし、ラウンド・ミッドナイトをテープで逆回転した時のメロディーを歌った。そして最後に、この世の花、を聞かせてやった。ミスターＤの顔色が変わった。驚いていた。お前を歌手にする、とハシに言った。お前は天才だ、自分でわかってるのか、お前は天才なんだぞ。

「もうすぐ僕はデビューするんだ、僕は歌手になる、キク、僕の夢が実現するんだ」

ロールスロイスから降りたミスターＤはハシとキクの背後に立った。年寄りなのか若いのかわからない。額が禿げているが肌は皺もなく滑らかだ。目が細く唇が厚い。玳《たい》瑁《まい》の甲羅縁のサングラス、汗ばんだ絹のシャツと女の唾液で濡れた赤いネクタイ、短い指と短い爪、猫目石の指輪、口の中から薄荷の匂い、ハシの顎に手をかけ顔を近づけて唇を吸った。二人は親子のようだった。二人は誕生日か何かのパーティーで自然に喜び合っているように見えた。そこにいるのはお前の友人だろ？　紹介しなきゃだめじゃないか、ミスターＤが今にもハシにそう言うような気がして、キクはぞっとした。置いてきぼりをくったような気分だった。キクは、ハシにも、ミスターDにも激しく嫉妬した。新しくハシに頼って貰えるDと、頼れる父親のような大人を得たハシをねたましく思った。そう思う自分に猛烈に腹が立った。ミスターDはやっとハシから唇を離した。飯を食いに行こう、鴨の脂肉が入ったらしい、干葡萄と胡瓜で和えて食うばかりになってるんや、行こ、うまそうやろ。ハシはキクの方を見た。友達がいるんですよ、ずっと一緒だったキクって話したでしょ？　ミスターDは頷いた。ああ、知っとる、わかってるて、お前と同じ境遇の人やろ？　助けて貰たいうてたね、一緒に行こ、その友達も一緒に鴨を食えばいいやないか。ハシは、ありがとう、と言ってキクに微笑んだ。キクは今にも飛びかかって行きそうな顔付きでミスターDを睨んでいる。キクは椅子から立ち上がった。君も鴨の肉は好きかな、嫌いならすしなんかでもかまへんで。

「そんなもの、誰が食うか！」上ずった声でキクは叫んだ。そんな声を聞くのは、ハシは初めてだった。泣きだしそうな声だったのだ。キクは荒い息を吐いてテーブルに両手をつき、気を静めようとしている。ハシ、俺は帰るよ、お前が好きなことをやるのは自由だが、俺のことを変な奴に喋るのだけはやめてくれ。キクは行こうとした。離れようとするキクの肩をDが摑んだ。

「ちょっと、待ちいな、変な奴って誰や、僕のことか？」

「ハシがせっかく君のことを気つこうて言ってるのに、断わるんなら、もっと言葉を選ばんかい、失礼やろうが」

キクはミスターDの手を振り払った。

「離せよ」

「慣れなれしく、触わるな、触わられたら誰でも喜ぶと思ったら、大間違いだぞ」

「いばるのが好きなんやな、君は、ハシが困っとるやないか、僕は君を触わって喜んだりせんよ、場所柄を考えたらどうや、ここがどんな場所か知らんわけないやろ、男や女が自分の身を売る神聖な場所やぞ、僕はごつ礼儀正しいんやから、あんまりいばらんといてくれ、こんなところでいばられるのは、好かん、威張るんやったらホテルのロビーとか君の家の大理石敷きの玄関とかそういうところでいばってくれ、ここの連中はな、好きで淫売やっとるんやで、僕も好きで買うとるんや、乞食に優しゅうしたらいけんのや、乞食に優しゅうしたら若者に向上心がなくなる、わかったか、僕は君に偉そうにすな言っとるんや、人間はそれ相応の扱い方がある、恥を売っとる奴に威張られたん初めてや、尻まくって尻の穴まで見せとる奴に、好きなこと言われたらかなわん、そんな薄汚ない格好でまともな口をきくな、チンピラ」

キクはテーブルにあったシェリー酒の瓶を摑んで振り上げた。Dは驚いて後へ退く。Dの運転手がキクの腕を摑みねじ上げた。白い手袋がキクの手首を握ってニヤニヤ笑う。腕を折れ、腕を折ってやれ、痛がって泣かせろ、Dが叫んでいる。こいつらは俺達が赤ん坊の頃既に生まれていて泣くだけしかできない俺達を好きなように操って楽しんでるんだ、キクはそう思った。こいつらが俺達を閉じ込めてる、ハシ、言うことをきくな、こいつらはお前にただうまく上手に泣かせようとしてるだけなんだぞ。ハシがミスターDに謝まっている。友達は口べただけど悪意はないと思います、許してやって。Dは、わかってるわかってる、とハシの頬を撫でる。そやけどなハシ、これはお前にも言えることやぞ、甘えとるんや、食うに困ったことなんかないやろ、え？　チンピラ、コインロッカーに捨てられたくらいで威張るな、そんな子供は世界中に何十万とおるぞ、保母や里親から優しゅうされたくせに。キクは背後へ足を蹴り上げた。踵が運転手の贓を捉えた。キクの手首が離れた。キクはDを殴ろうと拳を上げる。Dの前にハシが立ち塞がった。止めてよ、キク、この人は大切な人だ。うまい言葉があったらどんなにいいだろうとキクは思った。お前はだまされてるんだ、そう言おうとしてハシの目を見た。ハシのそんな目を見たことはなかった。ハシは本当に変わったのだ、とキクは初めてわかった。ハシはキクの肩に手をかけて、棒高跳びをやりなよ、と言った。キクは島に帰った方がいいよ。キクの全身から力がぬけた。地面に膝をつきそうになった。このままだと泣き出してしまうかも知れない、と思った。慌てて拳を握りしめ振り上げた。誰を殴っていいのかわからなかった。ただ拳を振り上げないと、泣き出してしまいそうだったのだ。ミスターDに殴りかかった。鈍い動作だったので拳が当たる前に運転手から腹を蹴られた。キクは路上に転がり顔をコンクリートに伏せた。大丈夫？　ハシが駆け寄った。キクは声を出さずに頷いただけだった。

10

投光器の光ってこんなに弱いのかしら、何も写っていないポラロイド写真を眺めながらアネモネは呟いた。あの夜以来キクが何度も夢に出てきた。目が覚めてからは顔を思い出せない。途中までは像が浮かぶ、髪の毛や額までだ、目や鼻になるとはっきりしない、焦点がぼけたまま別の詰まらない男友達か雑誌やテレビで観る有名人の顔になってしまう。頭のうんと奥ではちゃんとキクの顔を憶えている。きちんとした絵にならないだけだ。こういうことはよくある。キクの顔の記号だけでも憶えていることに、アネモネは満足した。なぜあの男が気になるのだろう、と考える。夢に出てくるキクは必ず空を跳んでいる。スーパーマンのように両手を拡げて水平に飛ぶのではなく、あの柔らかな棒を使ってピョンピョンとビルディングよりも高く跳ねているのだ。頭のうんと奥でキクの記号が何か言っている。あの夜兵隊の目を逃れて植え込みの陰に隠れている時のような囁き声で、キザな台詞を喋る。こうやって空に舞い上がってお前らを見下すとアマゾンの沼地を飛ぶ蝶になったような気がするよ、とかそんな台詞だ。

午後、アネモネは女友達を見舞いに病院へ出かけた。キクの夢を見た朝はとても気分が良かった。

前だ。長い直線の髪を揺らして外国人に人気があった。モデル仲間でサチコという名前だ。長い直線の髪を揺らして外国人に人気があった。アネモネは食事に誘われたり海へ連れていって貰ったり可愛がられた。アネモネは自分を調節するのがうまいわね、目の大きな娘ってみんなそうね、きっと視野が広くなっちゃうんだと思うわ。サチコは外国人と結婚した。イタリア人の外交官だ。公式行事がかた苦しくて疲れるわ、そんな手紙を二、三度送って来た。二年ほど前だ。離婚して帰国し胸を患って入院してるのだと、つい最近知った。病院の近くのケーキ屋でマロングラッセを買った。白い病室でサチコは当時より太っていた。

「あたしってあの頃がやっぱり一番きれいだったわ、アネモネそう思わない？」

「あの頃って？」

「あなたと夜明けにおすしを食べたりしてた頃よ、素裸でビリヤードやったり、イブニングのままプールに飛び込んだり、あの頃」

「今でも、きれいだと思うけど」

「あの頃はもっときれいだったのよ、顔のレイアウトや化粧で飾るなんて馬鹿げてるわ、遅かったけどやっと気付いたの、あたしそのことがわからないまま自分がいやでしようがなくて苛々して、他の男と寝たの、時間に負けるような美しさで夢を買おうとしてもだめなのよね、夢を買えるのは血と汗と涙だけなのよ、どう思う？」

「よくわからないわね」

「そうね、あなたはとても若いものね」

「夢なんて、夜見るだけよ」

「わかるわ、そんな時期ってあるのよね、でもね、アネモネ、あたしあなたみたいな若い人を見てると苛立つことがあるのよ、あたしはバカなことばかりして体まで壊したけど、いろいろな国に行っていろいろな恋をしたわ、刺激に飢えていたし、すごく疲れたけど、あなたは、自分の感情を外に出さないし、何を考えてるのかわからないしね、毎日がなんとなく楽しければいいっていうのは、好きじゃないわ」

「別に、楽しくなくてもいいのよ、サチコは妊娠したことある？」

「あるわよ、子供もいるわよ」

「赤ちゃんが出来るとどんな感じ？　吐気がするってよく言うわね」

「吐気だけじゃないわよ、自然なものよ、哺乳類なんだもの」

「あたしはね、何をやってもね、時々体中の血が抜かれてるような気がするの、抜かれた血はスーッとお腹の方に下がって血袋みたいなものに溜まってるのよ、肝臓とか、その他の袋と同じで、たぶん赤ちゃんがどんどん大きくなるのと同じでね、それがいつか破裂する時が来ればいろんなことがわかるようになると思うの」

「ふうん、わかるけど、そんなことはだめよ、そんなことは、腹に血が溜まるなんてことは単なる錯覚よ、欲求不満のくせに何にも努力してない時の錯覚よ、弁解だと思うわ」

「錯覚？　錯覚でもいいのよ」

そう、錯覚でもいいのだ、とアネモネは思った。病室は密閉されて窓の外は八月の終わりの太陽に焼かれている。もうすぐ夏が終わる。アネモネの十八回目の夏の終わりだ。あたしが待ってるものなんてサチコには決してわかるはずはないだろう、サチコはよく話してくれた、いろんなパーティーや男達や宝石のこと、ガラスの箱に入った銀狐のコートが欲しくてどんな苦しいダイエットにも夜間ロケーションにも耐えたって言うんでしょ？　あたしは生まれた時から銀狐のコートを持っていた、だからあたしは物の価値を知らないのだって言うんでしょ？　結核患者のために窓は二重になっている。表の通りを歩いている人の影は長い。夏の終わりの斜光は細長いビルディングの影を作る。病室はその大きな影の中にある。サチコ、あなたは閉じ込められているのよ。今病気だからじゃないわ、生まれてからずっとそれに気付いてないだけ、アネモネは突然キクの顔を思い出した。細部に至るまで完全に頭に描けた。彼方に十三本の塔が見える。太陽は塔の合間に沈む。キクはあの恐しく高いビルが好きだと言った、あたしも好きだ。

ガリバーが天王星の中で怒り狂う時がある、一ヵ月に一度、餌を食べなくなり暴れ回る、厚いコンクリートの壁を太い尻尾で打ちつける、決して止めない、尻尾が裂けて血が流れ出しても止めない、ものすごい音でマンション全体が揺れる、歯の隙間から泡を吹いて、低く唸り発作は一昼夜続く、その後でガリバーは悲しそうな表情をする、あれはガリバーの中の熱帯の血が、ここは偽の場所だと拒否反応を起こしているのだ、いつかガリバーがそんな発作を起こさなくて済む日がやって来る、それもそんなに先のことじゃない、東京は巨大な沼になるだろう、あたしやキクが新宿に建てられた高い塔が好きなのは、沼に沈んだ東京の中であのビルディングの群れだけが残された地上となることを知っているからだ、サチコ、あなたは昔よく言ったわね、そんなに何もしないでじっとしてよく不安にならないわねって、こうも言ったわ、世界の何万という町にはその町にしかない夕陽がある、その夕陽を見るだけでもその町に行く価値があるものだ、アマゾン河口で巨大な淡水魚の鱗がキラキラ光った話、ポルトガルの片田舎でジプシーの歌うファドを四時間も聞いた話、うんざり、そんな旅行や恋はガリバーの発作と同じだ、閉じ込められたコンクリートの壁を叩いているだけだ、いくら発作を起こしてエネルギーを放出し満足しても、熱帯からは遥か遠く離れている。

「ねえアネモネ、あなたは欲望ってものがないんでしょ？　スーパーマーケットの中で生まれたものだから、何が欲しくて何が食べたいのかわからないのよ、何かが欲しいって大声で叫ぶのは恥ずかしいって思ってるんじゃないの？」

「よくわからないけどあたしは待ってるのよ」

「何を？　何を待ってるって言うのよ、待ってたって何も来ないわよ、あなたが待ってるっていうのは弁解よ、錯覚、乾きに乾いた砂漠の迷子が水と間違えて砂を飲んでるんだわ」

そう、錯覚だ、あたしは蜃気楼を見ている、そんなことはわかりきっている、でも飽きたのだ、水には飽き飽きした、うんざりして死にたくなるほど飽きた、砂を噛んで喉が裂け血が噴き出ても古い水を飲むよりはいい、退屈な空気を吸って吐気が溜まっていく、あたしの退屈な時間が地表を被い太陽に熱せられる、サチコあなたは吐気を中和するために、老人が休日に釣糸を垂らすのと同じように、退屈な歌をそれとは知らず喜んで聞いてるだけなのよ、あたしの嘔吐感は太陽に焼かれて上昇気流となり厚い雲を作る、雲はいつか重い雨粒を降らせるだろう、あなたの肺が腐るまで止まないわ、道路は濡れてひび割れ水溜まりは広がり小さな河となってビルの間を流れ始める、水位は日毎に増し息が詰まるような湿度はコンクリートの裂け目にマングローブの芽を吹かせるでしょう、街路樹は倒れて水に浸り腐って見たことのない毒虫の巣となる、虫達は卵を産み続ける、卵から幼虫が這い出る、アルコオルや精液中毒のあなたの悪夢が実際に始まる、あなたはとっくに腐乱している、あなたの食物や体を養分に虫達は育っていく、サチコあなたの病室は大きくなった虫や蝶や爬虫類達の宿になるのよ、でもあたしが待ってるのはもう少し先、雨が一段落して何十倍にも脹れ上がった太陽がもう一度姿を現わした時、あたしはあの高い塔の屋上でガリバーと暮らしている、周囲は沼と原色の花と熱帯樹と吹き出る汗、熱病の人間達、他には何も望みはない。

「アネモネ、あなた変わったわね」サチコはマロングラッセで頰を脹らませている。菓子の破片をポロポロと胸にこぼす。「変わったかしら、自分じゃわからないわ」

アネモネは病院を出た。あっという間にブラウスが背中に貼り付く。マンションに戻ったアネモネは驚きと喜びで声をあげた。部屋のドアにもたれかかってキクが待っていたのである。キクは元気のない声で言った。

「鰐を見に来たよ」

ミスターDが経営するレコード制作会社はハシを歌手としてデビューさせることを決定した。ハシの生い立ちは宣伝戦略の核となる。秘かにドキュメンタリイ番組の制作が開始された。「コインロッカーに生まれて」、乳児院、廃鉱の島、マーケットでの男娼生活、クリスマスイブにテレビ放映となるが、番組の最大の売りものは、ハシを捨てた母親との対面である。ミスターDは既にその女を捜すよう専門家に依頼している。ハシは何も知らされていない。

ハシは最後の荷物を整理するために薬島の工場跡に戻って来た。Dが新しく用意してくれたマンションへの引っ越しも済んだ。キクもタツオも部屋にはいない。ハシは段ボールに詰めたガラクタを畳の上に並べ始めた。コーヒーカップ、灰皿、丸めた紙屑、壊れたライター、コーラの空瓶、錆びたスプーン、マニキュア容器、使い古しの口紅、ヘアピン、林檎の種子、靴紐や輪ゴム、昔よくこうやって遊んだ、と思い出した。乳児院の寝室の床一面を占領してままごとをやった。箱庭を作るつもりだった。町全体の模型を作ろうとしていたのだ、よく憶えている。作っている時は体が熱くなった。だが待てよ、とハシは思った。何が何の象徴だったのか忘れている、僅かに記憶があるのは、糸巻と千枚通しだけだ、糸巻は消防署だった、千枚通しは軍隊の大砲だ。ハシはコーラの空瓶を手に取って眺めた。僕の頭の中はもうグニャグニャしていないみたいだ、そうハシは思う。空瓶は空瓶以上の意味がない、形が頭の中で熔け崩れて他の巨大な何かの象徴となることがない、そういう遊びを僕は卒業したのだ、そう思う時、ふいに途切れていた古い記憶が甦った。コーラの空瓶が給水塔だったことを思い出したのだ。スプーン、そうだスプーンは確かセスナ機の滑走路だった、ヘアピンは銃を構えた兵士だ、輪ゴムはトラック、丸い皿は野球場、果物の種子は汽船だった。そうやって懐しくがらくたを眺めていたハシは部屋の隅に転がった一つの部品に目を止めた。今まで気が付かなかったその部品が何なのか、最初わからなかった。その部品は、がらくたが建造物の象徴となるために頭の中で熔け始める時の、まだ何になるかわからない過程の形をしていた。過程の形のまま凍りついたようなその部品は、ハシをいやな気分にさせた。それを摑むとハシは急いで部屋を出た。

薄暗い廊下で妊婦が爪を切っている。シュミーズを透かして脹らんだ腹に走る皮膚の引きつれが見えた。ハシを見ると、雨が降ってるわよと声をかけた。傘を貸してあげようか？　妊婦からは天花粉の匂いがする。ハシは、傘はいいよ、と、肉の付きすぎた女の首筋を撫でた。くすぐったいよバカ、妊婦は子供のような声で笑う。妊婦がハシの左手に目をやる。ハシは白っぽいものを大事そうに握っている。ねえ、その石何なの？　石じゃないよ、ハシは階段を降りながら言った。石じゃない、人間の骨だ。

11

キクは鰐が鶏の頭を音をたてて嚙み砕き鋭い歯の隙間から血を垂らすのを見ている。〝天王星〟の中は摂氏二十五度に保たれている。八ヵ所に設置された加湿器は休むことなく蒸気をはき出す。部屋の広さは二十畳ほどだろうか、半分はプールで水面には見たことのない藻が浮いている。粉のように小さい藻で葉の縁に透明な産毛が生えてそれが光を反射する。緑色に濁った液体が沸騰しているようだ。鰐が動いて波を立てるとその部分の水藻が発光する。プールの底は柔らかな泥でその下は厚いアクリルの板だ。アクリル板には規則正しく無数の穴が開いてパイプが浄化装置まで繫がっている。プールの周囲にはゴムとブーゲンビリヤとマングローブの木がそれぞれ三本ずつ鉢にではなく床に敷いた粗目の土に植えられている。壁は真白なコンクリートで下手くそな絵が描いてある。太陽と鳥と豹と原住民の絵だ。天井には二十個の赤外線ランプが点いていて眩しい。

「電気代が大変だね」

そうキクが言うとアネモネは部屋一つ占領している工場用の電源設備を見せてくれた。

「あたしキクがこの部屋に来てくれたら、一緒に考えて欲しかったの、鳥だけど、どんな鳥を飼ったらいいかしら？」

「大きなインコみたいなやつはきれいだけどこの鰐の歯を掃除する鳥がいいんじゃないか？　よく動物ものの映画に出てくるだろう、鰐もその方が喜ぶんじゃないかな、映画なんか見てると気持ちよさそうだしな」

「一週間に一度あたしがドライバーでほじくってあげてるの、それがあたしとガリバーの唯一のコミュニケイションなのよ、だからその役目を鳥に取り上げられちゃうと寂しいわ」

アネモネはキクが一番好きな料理を作ってやろうと思っていた。オムライス、とキクが言った時がっかりした。あたしと同じ好みでクリームシチューとほうれん草のおひたしとかずのこの甘酢漬けだったら本を見なくても作れるのに。それに、アネモネはオムライスを知らなかったのだ。それ、なに？　とアネモネは正直に聞いた。キクはアネモネが写っている雑誌のページをめくりながら、ケチャップ御飯を薄焼き卵で巻いたやつだと教えた。

「ケチャップ御飯ってなあに？」

「御飯とケチャップが混ざってるやつさ」

「そんなのが好きなの？」

「うん、それであさりのみそ汁があればもう最高だけど、オムライスだけでもいいよ、ぜいたくはいえないもんな」

アネモネはまず二ヵ月も使っていない電気釜を洗って米を三合炊いた。炊き上がった飯をサラダボールに移しケチャップをかけて混ぜた。こんな料理がこの世の中にあるのだろうか、あたしをからかってるんじゃないかしら、とアネモネは不安になってきた。

「ねえキク、御飯が真赤になっちゃったわ」

「それでいいんだよ」

「ねえ、本当に御飯とケチャップだけでいいの？　ただ赤いだけよ」

「あれ？　グリンピース入れなかったの？」

「そんなこと言わなかったじゃないの、あなたグリンピースのことなんか一言も言ってないわよ」

キクが台所に行ってみると血の海に氷山が浮いてるようなベチャベチャのサラダボールを持ったままアネモネがべそをかいていた。結局キクの提案で、スパゲッティを茹でその上にドロドロのケチャップ御飯をかけて、薄焼卵を切って散らし食べることにした。食べ終わるとキクは絨毯の上に横になり寝てしまった。疲れていたのだろうか、アネモネが靴下を脱がし毛布をかけても目を覚まさなかった。

まだ眠くなかったのでアネモネは本を読んだ。時々キクは寝言を言い首筋や足先がピクッと動いた。ミルクそっち行っちゃ危い、ミルクそっち行っちゃだめだ、寝言はそう聞こえた。アネモネはリキュールを飲み、灯りを消した。まどろみかけた頃キクが声を上げて跳ね起き荒い息で震えていた。影になってアネモネには表情はわからなかったが、落ち着きなく歩き回り怯えているようだった。恐い夢を見たのだろうとアネモネは思った。ああ夢で良かったと胸を撫でまた続けて眠れる時は、恐い夢とは言わない。本当に恐い夢は目覚めてベッドの上で深呼吸しても、頭から抜け出し部屋を幽霊のように占領してどんどんその数が増え家具やカーテンの陰に隠れて見張りもう二度と眠ることはできない。キクがベッドの脇に来た。アネモネは眠ったふりをした。キクの手がアネモネの髪に触れた。アネモネは目を開けて、右豚右豚左豚、右豚右豚時計蝶、と呟き悪夢払いの呪文だとキクに教えた。右豚右豚左豚、右豚右豚時計蝶、キクは何度もそれを唱えた。

アネモネはキクを横に招いた。キクは汗を掻いてまだ震えている。ベッドのスプリングが沈んでマットが傾きアネモネはキクに寄り添った。キクの筋肉は鰐の皮膚と同じくらい硬かった。キクの震えがアネモネにも伝わった。アネモネは喉が乾いてきた。俺は島にいたよ、俺が育った小さな島だ、俺の弟が海岸で蟹を殺してるんだ、石で潰してる、そしてニヤニヤしてるんだ、俺は止めるように言った、首を振ったので止めなくてもいいからニヤニヤして蟹を殺すなって言い直した、弟は止めない、俺は怒って大声を出した、すると謝まって泣くんだ、大声を出したりして済まなかった泣くなよ、そう言って近づくと弟は顔を上げて舌を出しまたニヤニヤして蟹を潰した。蟹からはいやな匂いがしたよ、俺はだまされたのに気付いて軽く殴った、ほんの軽くだ、今度は本当に泣きながら土下座して弟は謝まった。どうして蟹を殺しちゃいけないのかって俺に涙声で聞いた、殺してもいいからニヤニヤ笑いながら潰すのは止めろ、俺はそう言ったよ、泣きながら殺してもいいか？　と弟は聞いて俺はうなずいた、ハシは泣きながら潰し始めた、泣き声はだんだん高くなってサイレンみたいに島中に響いた、ハシを見ると顔は笑ってるんだ、表情は笑ってるのにものすごく大きい声で泣き声を出してる、俺は少し恐くなったよ、恐くなったからメチャクチャに殴ってやった、俺はガタガタ震えながら蟹を潰していた石を拾ってそれでハシを殴ってやった。ハシの顔は何倍にも腫れ上がって潰れてその顔で表情は笑ったまま立ち上がって、それだけか？　と叫んだ、俺は砂浜を逃げ出したよ、ハシは笑いながら追い駆けてきた、ハシは巨大な風船みたいに腫らんだ赤ん坊になって俺を押し潰そうとした、重かったよ、息が詰まって、本当に重かった。

キクは一息に話すと何か言おうとしたアネモネの口を手で塞いだ。頼むから何も言わないでくれ、なあ俺は思うんだよ、もっと他にいろいろとやりようがあるんじゃないかって思うんだ、みんな少しずつ我慢すればうまくいくかも知れないじゃないか。アネモネはキクの指を少し噛み、我慢って何よ？　と唇を震わせた。キクしっかりしなさいよ、何を寝ぼけてるのよ、何のこと言ってるのか知らないけどあんた間違ってるわ、あたしは一番嫌いなのよ我慢ってことが嫌いなの、みんな我慢のしすぎよ、物わかりが良過ぎるって気がするわ、そんなあ、よくわからないけどさ、大人じゃないからね、あたしはね我慢ばっかりしてきたのよあんたもそうよ、キク、頭の中がモヤモヤモヤモヤモヤモヤモヤモヤモヤモヤしてるのよ、あたし達みんな子供の頃から我慢しすぎなのよ。アネモネは途中で興奮してきて目を大きく開き口に被さっていたキクの手を払いのけた。キクは闇に目が慣れてアネモネの白い喉が細かく震えているのも見えるようになった。アネモネの頬に指の跡が赤く付いている。いつかの夜を思い出した。鉄条網の傍でもこの指の跡をヘッドライトが照らした。キクは枕元の灯りを点けた。アネモネは目をきつく閉じて身を捩った。目蓋に青い血管が透けて見える。アキクは耳朶を摘まんで力を入れアネモネが呻いてから離した。真赤になっていた。アネモネが逃れようとしたので上に乗って肘で肩を押さえ両手で顔を挟み込んだ。真赤になった耳朶が少しずつ白い皮膚に戻っていくのを見届ける。指の先で尖った顎の先から首筋、胸、乳房まで強く押しながら滑らせた。赤い線が出来た。キクはアネモネの全身を赤く染めたいと思った。額の生え際から爪先まで赤くさせてピンを腋の下に刺せばこの女は消えてしまって俺の手の平の中でケチャップみたいにグチャグチャになるだろう。

キクはアネモネの寝間着を裾から捲くった。アネモネは俯せになって体を屈めようと寝間着の裾に足を入れて首を振った。キクは髪を摑んで顔を上げさせ表情を確かめようと思った。泣いていたらどうしようと考えたがアネモネは歯を食いしばっているだけだった。寝間着を胸元から裂こうとしたが繊維が硬くて破れず手に食い込んだ。キクの背中や顔から汗が吹き出てアネモネの上に落ちる。寝間着の布地に染みて肌が浮き上がった。キクは裾に歯で切れ目を入れて一気にナイロンの布を引き裂いた。歯が足に触れた時アネモネは背中を反らして尻を突き出した。キクはその尻を摑んで体を転がし仰むかせて既に皺だらけに捩れているパンティを抜き取った。アネモネは目を閉じて動かなくなった。キクは服を脱ぎながら体の震えを止めようとした。焦れば焦るほど震えはひどくなってベッドが揺れスプリングが音をたてた。ズボンがまだ足に引っ掛かっている時アネモネが目を開けて微笑んだ。汗を掻いているキクの脇腹を舐める。身を乗り出してキクの首を抱き小さい声で笑った。キクは両手で二人の体重を支え切れなくなりアネモネと重なったままベッドに倒れ込んだ。その拍子に鼻と鼻が打つかって二人は同時に「痛い」と声に出し笑った。キクは足をバタバタさせてズボンを脱いだ。パンツも脱いだ方がいいのか迷った。まだどうやって女とやるのか知らない。全部は脱がない方がいいのかも知れない、小便だって脱がずにやるようになってるんだし。ねえキク、キスして、アネモネが唇を尖らせた。キクが唇を合わせると舌を差し込んでくる。キクの舌を捜しているようだ。キクは目を閉じて口の奥に引っ込めていた舌を歯の間から押し出した。アネモネは重ねたり吸ったりしていたが突然自分のを引っ込めてキクの舌先を思い切り嚙んだ。キクは一瞬何が起こったのかわからなかった。痛くて手で口を押さえベッドから床に落ちた。アネモネは目を大きく開いて口から血を噴き出すキクを見ている。キクは口から溢れる血を手の平で受けてケチャップみたいにグチャグチャになったのは自分だと思った。キクは立ち上がって悲鳴を上げて逃げるアネモネを追いつめ髪を摑んで床に引き倒した。あたしあたしあなたの他のところはすごく硬いのに舌だけとっても柔らかくて嬉しくなったのよ。黙れ、と言おうとしたら血が零れてアネモネの顔にかかった。キクは怯えたアネモネの頰を張った。そして足首を持ち大きく股を広げて指で尻を割った。尻の割れ目はキクの指の血のせいではなくヌルヌルしていた。指が沈んでアネモネは全身を硬くした。キクは指を抜かずに少しずらしペニスの先端をあてがった。指を取り出すのと同時に腰を前に突き出した。深く根元まで挿入した瞬間にキクは射精した。アネモネはそのまま項垂れて動かないキクから離れて風呂場まで這った。股を閉じることができなかった。尻から太股を伝って血が流れ精液は直接絨毯に垂れた。

熱いシャワーを浴びているとキクが入って来た。アネモネの横でキクは手を洗い曇っていた鏡を拭いて舌を引っ張り傷を調べた。先端が千切れている。血はまだ止まっていない。二人は口をきかなかった。バスタオルを巻いてアネモネが風呂場を出るとキクは体を拭かずにズボンを穿いていた。服を着終わったキクは、帰る、と小さな声で言った。アネモネは喉が引きつった。どうしたらいいのかわからなかったが嘘だけはつくまいと決めた。行っちゃだめ、キク、ここにいて、行っちゃだめ。キクは立ったまま、俺は、と言って言葉を呑み込んだ。深呼吸をしながら窓際まで歩いた。「俺は、」カーテンを開けてもう一度言った。さっきよりは大きな声だった。窓ガラスに額をくっつけて外を見ている。アネモネに手招きした。犬を呼ぶような仕草だった。アネモネは爪先で近づいた。細い腱が足の甲に浮かんでいる。朱色のペディキュアが絨毯に埋まるたびに足の甲の細い腱が緊張する。俺は、コインロッカーで生まれたんだよ、でも、俺は、お前が好きだ、お前みたいなきれいな女は——、アネモネはキクの唇を指で塞いだ。何も言わなくていい、と囁いた。肩に手をかけて背伸びし頰を合わせる。濡れたアネモネの髪の先から水の粒が落ちて鳥肌の立った背中で割れた。

ハシのレコード吹き込みは伊豆高原にあるミスターDのスタジオで行なわれた。このスタジオは宇宙船と呼ばれている。全体が銀色の軽合金で造られて箱舟の形をしており屋上には透明な丸屋根の中に天体望遠鏡が設置してあった。天体観測はミスターDの趣味である。

12

Dは、体育と世界史を受け持つ厳格な教師の末っ子として生まれた。兄五人姉二人、一番上の兄とは二十歳以上も年が離れている。四十半ばで出来た子供としては異常なほど厳しく育てられた。真冬でも靴下を履かせて貰えないとか間食を禁じられていたとか父親が食卓に付くまで箸を持ってはいけないとか祭で露店の品物を買い食いしてはいけないとか家に友達を連れてきてはいけない、そんな類いの教育だった。Dは神経質な子供になっていたが、父親が示す禁止事項の中で納得のできないものが一つあった。それは、肉の脂身を食ってはいけない、ということである。脂肉や臓物は下司の食う物だ、父親はそう言ってロースハムでさえ白い部分を取り除いてから食卓に出させた。Dは、母親が包丁の先端で切り離す脂肉はどんな味がするのだろうといつも思っていた。ある時流しに捨てられていたベーコンの脂肉を生で口に入れた。塩気と香りと滑らかな舌触りで脂はDの喉を通った。緊張のあまり小便が漏れそうだったが、Dは感動した。脂肉は食道を滑って胃の中で踊り、今まで食べていたものがパサパサの乾藁ではなかったかと思うほど美味しかったのである。Dは母親の目を盗んで脂肉を食べ続けたが、ある日、豚肉をガスで炙っているところを父親に見られた。お前は動物的な人間だ、と三回大声で怒鳴られ四発頰を張られて食事を抜かれた。殴られたのは二回目だった。

小学生になってすぐDは近視になったが、父親はそのことを軟弱だと責め、一日に一時間座禅を組んで遠くの山を眺めるように命じた。遠くの山々を眺めれば近視は治るのやぞ。その努めを怠った時、生まれて初めて殴られた。父親は始終叱ってばかりいたが殴ることはあまりなかった。体罰の効用を疑っていたのではなく、子供達の方がいつもビクビクして父親の怒りを買わないように努力していたからである。だからDは大変な屈辱感とショックを受けた。ノイローゼになり学校も休みがちになった。熱もないのに早退したDを父親はまた叱った。母親は、「おとうはんに謝りなさい」としか言ってくれなかった。三つ上の姉だけがかばってくれたが他の兄姉は冷たかった。

小学校四年の時である。Dは首を吊ろうとした。未遂に終わり首に包帯を巻いて寝ているDに、父親はこう言った。人生にはいろんないやなことがある、人はそれを克服しなきゃあかん、お前にプレゼントがあるんや。枕元に天体望遠鏡があった。嫌なことがある時は星を見るとよい、自分が小さく見えて気が晴れるぞ。Dはそれから三年間父親が心筋梗塞で死ぬまで星を眺め続けた。天の川の移り変わり、という観測日記で中学生の時県から賞を貰ったこともある。星を眺めるのを止めたのは父親が死んだからではない。父親の荷物を整理している時にDは春画を見つけた。男色の春画だった。坊主頭の男達が汗を掻いて抱き合っているものばかりだった。Dはそれを自分の部屋に隠した。早熟な友人に、ホモが子供を作れるやろか？　と質問した。友人はこう答えた。ホモだって精液はあるんだし、自分がホモだってことを世間に隠すために結婚してどんどん子供を作る場合があるって何かで読んだな、それに、女房が常に妊娠してるとあれをしなくてもすむしな。Dは、もう一つ質問した。ホモって、遺伝するんやろか？　わからないな、と友人は言った。Dは既に男色の傾向があったのである。Dは女を抱くこともできた。だが女に欲望を感じる時は必ずある食物が必要だった。脂肉である。豚肉を目の前にし、しばらく眺め匂いを嗅ぐ、唇を湿らして歯に絡み粘って舌の熱で熔かす、ヌルヌルと食道を滑って胃の中で燃やす、すると女を抱きたくなる。しかし射精の後で、分解された脂肉が冷えきって内臓の壁に貼り付き体中の熱を奪ってしまうようなひどい気分になった。

ミスターDは二人のロック歌手を発見し育てた。一人はレコード会社に勤めていた頃に見つけ周囲の反対を押しきってデビューさせ大成功となった。もう一人は独立後に捜し出してこの歌手はイギリスのレーベルに移るまで八枚のアルバムを発表したが、その全部がミリオンセラーとなりDに莫大な富と力を与えた。二人の場合、共に周囲はデビューに冷たかった。こんな歌がヒットするはずがない、と誰もが笑った。だが、Dにとっては確実なスーパースターの卵だったのである。Dは、〝歌をうたう男〟の発掘に関しては天才だった。

　Dは一週間のうち五日、脂肉だけを食べて街を歩く。脂肉だけを腹一杯食べてもなお魅力的に見える若い男に声をかける。そして食事に誘い、一言尋ねる。君が好きな事は何だ？　音楽、と答えなかった男は一晩抱いて捨て、そう答えた者には再会の約束をする。約束の日に、多量の脂肉を食べ女の中に射精しておいてから、その若者の演奏をテストする。このやり方で間違いは全くなかった。ハシは、合格した三人目の若者である。Dは最初にハシの歌を聞いた時、太って色の白いハムの脂肉そのもののような女の中に射精した後だったこともあって、猛烈な不快感に襲われた。聞いている間ずっとそこら中ベッドや絨毯の上にゲロゲロと嘔吐したくなった。やっと歌が終わると、掻きむしられた内臓がゆっくりと暖まってきた。ハシの歌は線が細く声が掠《かす》れて何かギザギザしていた。それが強引に毛穴から侵入して内臓や血管を引っ掻きながら喉へ這い集まってきた。船に酔ったような気がした。やがて、酔いが納まり喉に詰まっていたものが消えると、Dは部屋の静けさに耐えられなくなっている自分に気付いた。脳はハシの歌を拒否していたが、内臓が求めていたのである。Dは、「もう一曲歌ってくれ」と頼んだ。二度目に聞いた歌は爪先から頭の毛までミスターDを震えさせ、かつて味わった最も強い陶酔ともっとも切ない感傷の両方をもたらした。

Dは考えた。こいつはすごい歌うたいや、しかし初めて聞く人は不快感を持つやろう、一度嫌いだと思った人間は容易に心を開かん、こいつの歌を聞く人の心を前もって開かさせとく必要がある。そこで、Dは、ハシの出生を、〝売りもの〟にすることを決めたのである。

ハシのレコーディングは終わった。その夜ミスターDは何でも好きなものを食べるようにハシに言った。ハシは料理女にオムライスを頼んだ。宇宙船の最上階にある海を見下ろす食堂。壁に銅版画が掛かっている。黒い僧衣を着た男達と両性具有の子供が唇の肉を羽に持つ蝶に跨がって空を飛んでいる夕暮れの光景。この絵は、Dが二冊出版している星座にまつわる古代インカの神話の本の挿し絵である。壁紙は濃い赤で光沢がある。床材は金属で、ハイヒールで歩くと不思議な音がする。巨大な鐘を逆立ちした女が蹴っているような感じだ。ミスターDの料理人は肉の硬そうな背の高い女である。オムライスを蟹入りにするか海老入りにするか、ハシに聞いた。ハシは、蟹と答えてから、あなたオリンピックのバレーボール選手でしょう？　テレビで見たもの、と女に聞いた。女は笑って、それは母でしょう、私は槍投げでした、と両脇に金を並べた前歯を覗かせた。Dは鴨の脂肉のパテと黒すぐりのシャーベットを食べている。

「おまえ、きのう何で喧嘩したんや、ドラムの奴と言い合うてたやろ？　何言うたんや？　ドラムの奴、えらい怒っとったで」

「うるさいって、うるさかったから」

「ドラムがか？」

「そう、あんなものドカドカ演られるといやなんです」

「一流のドラマーやで」

「僕は、打楽器が嫌いなんです」

「何でや、珍しいなあ」

「だって、うるさいもの」

「変わってるなあ、お前は」

Dの目は細い。ハシはまだ眼球を見たことがない。唇と歯が鴨の脂で濡れている。

「美空ひばりより島倉千代子の方が好きや言うたな」

「ええ、島倉千代子は好きだなあ」

「どうしてや？」

「理由なんかないな」

「何かあるやろ」

「僕ね、カーメン・マクレーよりヘレン・メリルの方が好きなの、エリゼッチ・カルドーソよりクララ・ヌメスの方がいいし、マリア・カラスよりシュワルツコップの方が好きだな、わかるでしょ？」

「おかあはんより、おねえちゃんの方がええのか？　生まれた時からおかあはんみたいな女おるからなあ」

オムライスが運ばれて来た。ハシは外側を包んでいる薄焼きの卵だけを食べた。蟹肉が赤く目立っている飯の中にフォークを突っ込むと埋まっていた蒸し焼きのトマトに刺さった。皺だらけのトマトの表面が裂けて酸っぱい匂いが上がってきた。ハシの頭の中に誰かの足がトマトを潰す絵が浮かんだ。子供の足だ。靴下を履いていない子供の足とその影、トマトが転がってきて、黒の小さな運動靴が踏みつけようとする。トマトは弾けて汁が遠くまで飛んだ。同じ匂いが漂った。この酸っぱい匂いは自分が生まれたばかりで初めて空気に触れた時みたいな気分にさせる。

「ねえ、僕は歌手になるんでしょう？」

「そや、オムライスちゃんと食べろ」

「嬉しいなあ」

「わかったからオムライスをきれいに食べろ、米粒残すと百姓に悪いやないか」

「なぜ僕が嬉しがってるか、わかる？」

「スターになるからやろ」

「今ね、ジャンプしたような気分なんだ」

「わからんような気がするな、お、どうだ、今のよかったと思わへんか？　それはわからんような気がする、これ流行《はや》るかも知れんな」

「あのね、僕は足踏みしてたんだ、よそ見ばかりしてた、思ったことがあったよ、高校に入って、体育の時間僕は何もできないから、みんなから笑われるからね、いつも見学してたの、キク、キクってほらこの前ちょっと突っ張った僕の兄貴がね、あいつはスターなんだよ、何やらしても足速いし高く跳ぶし、僕はそれを運動場の端っこで見てるだけだ、みんなトレパンはいてるのに、学生服着て、僕はね、そんな時思ったの、学生服って何か鎖のついた囚人服みたいに重いんだよ、思ったのはね、僕は走らなくて足踏みしてただ突っ立ってよそ見ばかりしてるけど、それは、今、この回りには僕の愛するものが何もないからなんだ、って思ったの、僕がよそ見してる方角にね、その時は何も見えないけど、僕が愛するものがあるって、信じてたような気がするんだよ、それで僕はジャンプした、つまんなかった運動場とサヨナラしたんだ、ねえ歌い終わってね、喉が疲れてて一人でベッドに横になるでしょ？　そうすると感じるんだ、僕はよそ見して夢見てた場所にいるって感じるよ、自分の肌に合わなかった物を全部飛び越えて、モヤモヤ思い描いてきた場所で休んでいるような気になるんだ、小さい時に捨てられた猫がね、家に帰りたいって思ってウロウロして、一時的な飼主に拾われても落ち着きなくよそ見ばっかりして、ついにいろんなものを跳び越えながら元の家に辿り着いたんだ、僕はね、捨て猫だったんだよ」

「捨て猫ねえ、まさしくそうかも知れんな、ところでお前頼むからそのケチャップ御飯食べえや、いつも言ってるやろが、その米粒が嫌いなんや僕は、恐怖のイメージの基本的な形なんや、いやな形しとると思わへんか？　ラグビーのボールみたいやろ、ラグビーボールはな持って走ったり地面の上にあるのを抱き押さえるのにはものすごく安定してるんやが、一度蹴って地面を転がすとどっちゃ行くかわからんようになるんやで、それは米粒も同じじゃ、つまり農業とはそないなもんなんや、農耕民族たる我々も日本国も似たようなものや、わかるか？」

「わかんないような気がするな」

「ところでお前が猫の話したから思い出したんやけど、俺、昔捨て猫拾ったことあるねん、俺のおとうはんはえらい厳しい奴でな、ちょっとのことで例えばメロドラマで泣いてもだらしないって怒鳴る人やったんやけど、動物は好きでな、物置きで飼うのを許してくれたんや、ええ猫でな、どこかのペットショップから逃げたんやないかと思うな俺は、毛が長いんや、毛の色は黒と茶とクリームが混じってな、きれいやったで、光ってな、子猫やったからよう懐いたよ、猫ちゅうのはな、お互いの無関心を競うとこがある、お前心理学の基礎知ってるか、AとBがおるとするやろ、AとBの付き合いでやな、主導権を握るちゅうか強い発言力を持つちゅうのはな、その付き合いに無関心な方なんや、わかるやろ？　AとBが男と女とするとわかりやすいやろ、AがBに惚れてて、Bは鼻クソみたいに思とるとすると、BがAを振り回すわけや、それで、猫はな、無関心なんよ、要するに、特に血統書なんか持っとるやつは、何万円かで人に買われるわけやろ、死なすとお金パーやから大事にされる、飯の心配なんかせんでもええ、そういう感じで親子代々きとるわけやな、無関心になるはずやで、なあ？　ところが俺はただで拾った、さあ猫は大変よ、死んでも俺は損せんからな、お互いの無関心競争で俺は勝ったんや、甘えてきても知らん顔して寂しさに肩震わしてる時さりげなくミルクを与えたりすると、もう猫は俺の虜になりました、どこ行くにも一緒に付いてきたよ、それがな、ある日いなくなってな、戻って来た時妊娠しとった、いよいよ腹がパンパンに大きくなって俺はお産を見よ思うてずっと側に付いてたん、五匹産まれたな、猫の子ってお前産まれた時は鼠みたいなんやぞ、俺はジャリやったから感動してな、嬉しかったよ、生命の神秘やものな、喜んで俺は猫の回りで歌うたいながら跳ね回ったんだよ、そしたら猫のやつ、勘違いしてもうてな、子供を殺される思たんやろか、生まれたばかりの子を口に入れたんや、俺はそれが当り前やと思った、ヌルヌルした胎盤が付いとったからそれを舌で取ってやるんだろうとな、違うねん、食ってまいよんねん、ガブリと噛み砕いて、口中血だらけにして、おい、ハシ子供を食ったんやで、俺はびっくりして叱ったよ、頭でも張ったろ思って手出したら噛みつかれた、俺は泣いたよ、恐くて、恐しい目して子供を食うんやでもうまったく、ほいでな、五匹目は吐き出しよった。もう食えんちゅう感じでな、でもあちこち噛まれてて冷とうなっとった、心臓も止まって、俺は泣きながら姉ちゃん呼んできて、訳を話して、もう一匹しか残っとらんから何とか助けてやあ、と頼んだ、姉ちゃんはお湯に付けたり全身をこすったりしてたけど、こらあかんわ、もう体硬となっとる、木の下に埋めたりや、そう言って俺に渡した、そいで俺は新聞紙に包んでビニール袋に入れて、穴を掘ったんや、一時間くらい経ったかな、穴も大体掘れた頃、ミャーミャー泣き声がしてな、ビニール袋の中から、俺はナンマンダブナンマンダブって袋を穴の中に入れよとしたら、これが動いとるんよ、体も暖こうなって、生き返りよってん、そいつは牡でな、すごい猫になったで、近所のボスになってな、でかい犬と喧嘩しても絶対負けんかったよ、引っ掻かれて盲になった犬がぎょうさんおったわ」

「その話、どんな意味？」

「別に、ただな、その生き返った猫はな、鳴いたんやな、ワイは生きとるんや、って俺に知らせたわけや」

「だからどんな意味なのさ、僕も同じだってそう言いたいの？」

「かわいくないやっちゃな、お前を捨てたおかあはんもな、お前が憎うて捨てたんじゃなしに、猫みたいにやな、本能で、守ろう思てやったんかも知れんやろ？」

「ふうん、そういうことか、下らないよ」

「何が下らんねん、ええ話やないか」

「それ、いつの話？　冬？」

「夏や」

「その猫の名前だけど、何ていったの？」

「どっちや」

「親の方」

「ペコちゃん言うねん」

「子供の方は？」

「野良ネコになったから名なしや」

「何で野良ネコが生き返って強くなったか、ミスター、あんたわかる？」

「逆境を弾ね返したからやろな」

「バカだな、憎かったからだよ」

ハシは手に汗を掻いて握っていたフォークを床に落とした。Dはハシから床のフォークに視線を移した。ハシは子供を食った時の猫みたいな目をしている。柿と水を運んで来た料理女が新しいフォークをテーブルに置き、拾おうと身を屈めたハシを、後でわたくしがやります、と制した。暗い床に落ちた銀色の冷たい光沢はDを萎えさせた。Dはハシを捨てた女と対面するのをテレビが映すことを、告げて納得させようと思っていたのである。

「そんなの当り前じゃないか、猫だけじゃないよ、鳥だって魚だって同じさ、何十匹も産まれて生き残るのはほんの少しさ、親から食われた死に損なった奴はね、憎かったんだ、まず親が憎かった、目はまだ見えないだろうから周囲すべて、自分に触れているもの、自分以外のすべてが憎かったんだ、頭で考えたんじゃないよ、脳なんてまだグニャグニャで物を考えられる状態じゃないんだから、全身の細胞で憎んでたんだ、人間だって死んだ後でも爪や髪の毛が伸びるって言うでしょ？　仮死状態でも少しは力が残ってるんだよ、夏だったんでしょ？　太陽に焼かれたんだ、暑かったんだよ、冷めていた血が焼かれて沸騰し始めたんだ、我慢できなくて叫び出す、そうして生き残って、母親や周囲を憎みきってやってくんだ」

「ほう立派な説やな、お前の考えか？」

「そうさ」

違った。キクがそう言っていたのだ。そうだ、思い出した。さっきから鼻を擽るこの匂い、トマトのことを思い出した。乳児院で遠足に行った時だ。ローラースケート場でコインロッカーを見つけた。蜂の巣のようだった。僕達は蜂の卵だ、二人でそう言った。この中に弟や妹がいるかも知れない。赤く髪を染めた女が一つの箱を開けた。トマトが転がり落ちた。あの時キクは怒った顔をして思いきり踏みつけたのだ。酸っぱい匂いだった。

「ほな、お前は憎しみを込めて歌ってるのか」

「そうじゃないよ」

「そうじゃなかったらどうなんや、その憎しみを忘れるためか」

「わかんないな」

「甘えとる、ガキや、お前らの言うこと聞いてると胸がムカムカしてここが俺の食堂じゃなかったらゲロゲロ吐きたいとこや、お前らは何もわかっとらん、お前らが生まれた頃は、地球全体にエアコンが付いとったんよ、寒さを知らんのや、お前なんか可愛がられたんやろが、施設でも里親にも、過保護なんやな、要するに、生まれた時チヨロッと寒い風に当たったのよ、他の奴はそれも知らん、要するに生まれた時だけチヨロッと寒かったんよお前は、でもそれ以来ずーっとエアコンや、回り全部が暖いからな、ちびっと寒い思いした言うていい気になって暖い中でビービービービー言うとるだけや、そんなんで人の心が打てると思うか、アホが」

ハシは水を一気に飲んだ。Dに反駁しようとしたが言葉が出て来なかった。キクなら何か言い返して殴りかかるだろう、と思った。新しいフォークで蒸し焼きのトマトを潰しながらキクの強い筋肉を忘れようと努力した。キクは僕のことを嫌いになっただろう。トマトの中に緑色の粉が詰まっている。ハシはそれを口に入れた。金魚のような顔の料理女が得意気に笑っている。焼きトマトの中にパセリと青海苔を入れてみましたの、おいしいでしょ？　ミスターDは溶けかかったシャーベットを二つに割り大きな方の塊を口に放り込んだ。紫色の氷の粒が舌の熱で溶ける音が聞こえた。

東京へ戻ってからハシは一人の女を紹介された。Dが手配したスタイリストである。名前をニヴァといった。

ニヴァは髪型と化粧と衣装のスケッチを十数種類用意しDと相談した後、自ら車を運転してハシをまず美容院へ連れていった。青山三丁目、黒いガラスのビルの八階、蜥蜴《とかげ》みたいなアイシャドウを入れた女が入口に立って出迎える。店の名前を描いたネオン管が点滅する。Ｍａｒｘ。来店した有名人を写したポラロイド写真が壁一面に張ってある。店内は美容院というより十九世紀の西洋風な客間だ。整髪用の椅子は二脚しかない。臙脂色のチーク棚には腰回りが極端に細いコルセットが並べてある。中央にあるのは灰色に古びた琺瑯の浴槽で彫刻と水が入っている。彫刻は、鋭い棘を持つ観葉植物、赤ん坊の人魚、三頭のイルカと石鹼の泡をそれぞれ質感の違う大理石で造ってある。

ニヴァが中に進むと四人の美容師達が仕事を中断して挨拶に来た。店長は？　とニヴァはその中の一人に聞いた。外出してますとリボンで前髪を束ねた若い女が答えると、ニヴァは表情を変えずに、呼んで来て頂戴、と言って寝椅子に腰を降ろした。ハシはニヴァの後に立ったままでいた。しばらくすると太った男が野球のユニフォームを着て汗を拭きながら現れた。Pというマークの入った帽子を被って口髭を生やしている。手と顔を洗い煙草に火を点けると、この子かい？　とニヴァに片目をつむった。ニヴァはそうだと言って寝椅子から立ち上がり両手でハシの髪を搔き上げた。太った男にスケッチを見せる。男は奥から古くて厚い本を持ってきた。ページをめくって一枚の写真を指差す。ニヴァは頷く。ハシは写真の人物が誰なのか聞いた。太った男はかん高く滑らかな声で、十七歳の時のブライアン・ジョーンズだと答えた。ハシはまず髪を洗われた。シャンプー台で、太った男はシャワーノズルを交換した。ところどころ錆付いている真鍮製のノズルを使ってハシの髪を濡らした。これはな、ルドルフ・ヴァレンチノが泊まったというホテルの風呂場から俺が掻っ払ってきたもんだ、縁起物だぞ、髪は芸術家のアンテナだ、君のことをミスターDは乞食王子だと言ってたぞ、どんな意味なんだろうな。ハシは濡れた髪が切られて落ちていく退屈な時間、鏡に映るニヴァを観察した。卵みたいな顔の女だ。目と眉が吊り上がっている。唇が薄い。ハシは全体の印象から、戦争中の女みたいだ、と思った。濃紺の地味なスーツ、踵の低い靴、肌色で少し皺の寄ったストッキング、重そうな鞄、短い髪、あれで鉢巻をして背筋を伸ばして敬礼すればどんな戦場に立っていてもおかしくないぞ、そう思ってハシは一人で微笑んだ。鏡の向こうのニヴァと目が合った。ニヴァはナイロンの糸で歯を掃除している。ハシはマニキュアをしていないニヴァの手を見た。老婆のような乾いて荒れた手をしているのに、ハシは初めて気付いた。

噴水のあるホテルの地下、オカマの店員がいる洋服屋で、ニヴァは黒繻子のブルゾンと側蝶の入ったズボンをそれぞれ五つずつ注文した。撮影があるからと言って、絹のシャツの寸法をその場で直させた。オカマの店員は一ヵ月前にある男優のお伴で南太平洋の島へ行き舵木鮪を釣り上げた話をニヴァに何回も繰り返した。興奮した男優が足首の筋を違えて海に落ちそうになり原住民から馬鹿にされたこと、剝製にした舵木鮪を囲み燻製の肉を食べてパーティーをやること、そのパーティーで自分はネオン管を尻に刺して深海魚の真似をする余興をしなくてはいけないことを話した。ニヴァはうまく相槌を打ちながら衣装の代金を五パーセント引きにするよう交渉し成功した。

これからはおしゃれしなきゃだめよ、おしゃれしなさい、車の中でニヴァはそう話しかけた。ハシはハンドルを握るニヴァの手の甲が別な人間のもののように皺が多いので気になって仕方がなかった。おしゃれしなきゃだめよ、おしゃれは世界で一番空しい遊びなんだから、だから楽しいのよ、洋服や化粧は何のためにあるか知ってる？脱がされて裸にされるためにあるのよ、見る人にね自分のあそこを想像させるためにあるの、裸にされてぶたれて顔に水をかけられて犬みたいに這わされてしまうと、全てゼロ、だからいいのよ、そう言ってニヴァは初めて笑った。

宣伝用のスチール撮影は東京タワーの巨大な模型があるセットで行なわれた。まだ準備が残っていて時間があると言われたハシは他のスタジオを見物した。電球が仕込まれていて点滅するプラスチック製の西瓜畑で、相撲取りと妊婦がワルツを踊っていた。携帯拡声器を持った若い男に聞くと、精神安定剤のコマーシャルフィルムだと教えてくれた。その隣のスタジオでは戦車の砲塔にぶら下がったオランウータンが星条旗を振っていた。カメラが回り始めると戦車から下りてしまう。調教師が砂糖の塊を持って説得するがうまくいかない。ライトが眩し過ぎて落ち着かないんでしょうと、済まなそうに調教師が言って、最初照明を落としカメラが回る時に一斉に点灯することになった。スタジオ内が暗くなるとオランウータンは低く長く唸り始めた。調教師は必死の思いで戦車の砲塔に摑まらせようとする。右手で砲塔を摑み、左足で星条旗を持った。照明が点けられて、女のスタッフが悲鳴をあげた。茶色の猿は左手で自分の性器をしごいていたのである。ハシが笑っているとニヴァが近づいて来てそろそろ準備が終わるから戻るように言った。ニヴァはオランウータンのそこだけ毛のないペニスを見て不快な顔をした。ハシは笑うのを止めた。双子の少女が全身にオイルを塗って果物の籠を頭に乗せ泣きながら歩いている。一人の方は口に体温計をくわえている。マネージャーらしい男がオッパイだけだ、バカ野郎がオッパイだけなんだぞ、オッパイだけだ、オッパイだけなんだ、そう後から怒鳴っている。水着姿の二人とすれ違う時ハシは強い腋臭を嗅いだ。振り返ると少女の頭の籠からメロンが落ちるところだった。メロンは足の指で割れた。メロンの果肉から真赤なペディキュアの指が突き出ている。少女は足を拭いて貰いながらハシに気付くと体温計をくわえたまま笑いかけた。ハシは笑わなかった。

その夜ハシは生まれて初めてアルコールを飲んだ。宣伝用のスチール撮影は予定を三時間越えて夜中まで続いた。食事の後ニヴァは高いビルの屋上にあるバーに誘った。カメラマンの言いなりになって無理に笑い過ぎた、疲れちゃったよ、ハシがそう言うとジュースじゃなく酒を飲むように勧めた。ハシは酒が嫌いだったのだ。廃鉱の島で桑山は毎晩酒を飲み急に元気よく喋り始めいやな匂いの小便をした。自分がいかに苦労したかどれだけ哀れで幸福か大声で長々と喋り最後には必ず炭鉱の歌をうたって泣き出すこともあった。酒とはそういうものだと思っていた。ニヴァはさっきから一人でウィスキーを飲んでいる。ウエイターが、レモンの輪切りを浮かせた透明なカクテルを運んで来た。ニヴァが選んだやつだ。それ神経に一番効くのよ。一口舐めると舌が痺れた。

目の前の灰皿にニヴァの煙草が溜まっている。吸い口が真赤だ。一本はまだ吸いかけで先端から煙が出ている。ニヴァの指が伸びてきて挟む。細い指だ。ハシは思い出した。なぜ手だけが荒れていて年寄りみたいなのか聞いてみようとずっと思っていたのだ。ちょっと質問があるんだけどいい？　そう言ってハシは少し緊張しグラスの透明な酒を一息に飲み干した。手が、そこまで言いかけて激しく咳込んだ。焼けた砂が喉を通過してシャベルで胃を掘られてるようだった。ニヴァは声を出して笑いながら背中を擦ってくれた。咳が収まるとハシにアルコールの効果が現れた。周囲のざわめきが遠のいて気にならなくなり、ニヴァがさっきよりうんと傍にいるような気がした。もう一杯同じカクテルを注文した。それも一息に飲み干した。今度は咳込まなかった。ニヴァが拍手している。ハシは重い頭で手のことを聞くのは止めようと考えた。

ニヴァの滑らかな脹ら脛を見る。不思議な曲線が黒いエナメルに吸い込まれている。何てきれいなんだろう、とハシは思った。次に煙草をくわえたニヴァの唇に目を移した。天井からの微かな灯りで輪郭が光っている。ウエイターが灰皿を取り換えに来た。その時ハシは、ニヴァが両方の手の甲をウエイターに見られないように隠す仕草をしたのに気付いた。偶然だったのかも知れないがハシにはそういう風に見えたのだ。突然、この世の中には幸福なんてないんだ、という悲しい思いに捉われて涙が出そうになり必死に我慢しているとその思いは怒りに変わった。きょう一日僕のために尽くしてくれたこの美しい人が、美容院や撮影所や洋服屋でもみんなから尊敬されていつも表情を崩さず絹のシャツの代金もまけさせてしっかり僕を守ってくれたこの人が、ウィスキーを飲めて滑らかな足と鋭いけど笑うと優しくなる目と濡れて柔らかな唇を持つこの人が、手の甲が年寄りみたいだというだけで不幸になるなんて僕は許さないぞ、でも今の僕には寂しさに震えているこの人を救うことはできないんだ、手を治してやれたら、きょう一日の感謝を込めて僕が手を治してあげることができたら、ああ僕が魔法使いになれたらもう僕は何でもくれてやる、この絹のシャツも和代の形見の骨もこの声帯もみんなくれてやるぞ。自分でも驚くほどの激しい怒りが込み上げてきた。あまりに激しかったのでしばらくハシは放心状態だった。

ハシの様子がおかしくなったのに気付いたニヴァは水を飲ませようとした。ハシは水の入ったグラスを床にこぼしニヴァの手を握って泣き始めた。何にもしてやれなくてごめんなさい、ごめんなさい。ハシは体を震わせて悲しみの吐け口を捜した。吐け口がどこにもないと確かめた時、下手くそな演奏を続けているピアニストが目に入った。ハシはニヴァの手を握ったままピアニストに向かって小さな声で罵声を浴びせた。お前が美しい曲をそんなに汚なく弾くからこの人の手は荒れて人生は暗いものになってしまうんだ。作曲家は命がけで旋律を作っているんだぞ、みんな寂しくならないように友達のことを思い出しながら一人で戦ってるんだ。ハシはタツオが作った散弾銃でピアニストの頭を吹っ飛ばす自分の姿を想像した。ニヴァのためにしてやれることはそれしかないように思われた。ハシは勢いよく立ち上がった。よし僕がみんなから美しいニヴァを守ってやるぞ。ハシはピアニストの方へ向かって歩いた。ニヴァが止めようとする。ハシは自分でも信じられないほどの力でニヴァを突き放すとウィスキーの瓶を摑んでピアニストに殴りかかった。悲鳴が上がり振り向いたピアニストは危く身をかわした。ハシが思い切り振り下ろした瓶は鍵盤を叩いて恐しい音がした。瓶が割れる音とピアノの不協和音、液体が床にこぼれる音、ハシが激しく嘔吐する。店内は一瞬静まり返りそしてざわめいた。ニヴァとウエイターが駆けよろうとするのを見たハシは、ビルが真二つに裂けるような声で、僕に触わるな！　と叫んだ。そして動かなくなった。不快な顔で帰ろうとする客、彼らに謝まりながら床を拭いているウエイター達、何てひどいロクデナシだと呟いているピアニスト、突っ立っているニヴァ。ニヴァが最初に気付いた。その次にピアニストが耳を澄ました。ウエイター達が床を拭くのを止め、客達は立ち止まった。全員が話すのを止め動かなくなった。ハシが歌っていたのである。

ハシは四つん這いで目をつむったまま歌っていた。最初鳥の鳴き声に似た短いハミングで始まり次に耳許で囁くような不思議な旋律に変わった。誰も聞いたことのない旋律だった。ハシが作った舞踏病のバラードである。

ニヴァは聞いていて鳥肌が立った。ハシの歌声は動物の細い毛で編んだ薄い膜の彼方から届くような音、それは流れるのではなく店内に立ち込める。弱々しいはずの音の波は消えずに肌に貼り付く。耳からではなく毛穴から侵入して血に混じっていくようだ。空気の揺れは止むことなく溜まり次第に密度が濃くなっていく。ニヴァは粘つくジャムのような店内の空気が自分の中で何かを思い出させようとするのを拒もうとした。消そうと努力したが、ある情景が頭に浮かんだ。浮かび上がるというより、一つの記憶に繋がる神経の回路に引きずり込まれた感じだ。突然目の前で始まった映画の中へ引っ張り込まれた気がした。それは夕暮れの町の情景だった。空の稜線だけがオレンジ色で残りは全て暗い青に沈んでいく中を電車が走っていく情景である。ニヴァは頭を振って店内を見回した。全員が動かない。ピアニストは手で顔を被って体を震わせている。止めさせなければならない、とニヴァは思った。勇気を出してハシに近づく。手で口を塞いだ。ハシは驚いてニヴァの手に噛みつき転げ回って暴れた後、僕は弱虫だね、そう言って意識を失った。

13

ハシはミスターDが用意したマンションへ帰りたくなかった。濡れた路上を歩いている。酔いは醒めた。ニヴァは三十八歳だった。癌の手術で乳房を両方共摘出していた。下半身だけが女だった。ハシにとって最初の女だった。何故勃起したのか不思議でならない。女の裸を見て勃起したことはこれまで一度もない。乳房がなかったからだろうか、硬く熱く窄めた舌で肛門を舐めてくれたからだろうか、単に酔っていただけなのか。ハシは雨が降ればいいと思って歩いた。ニヴァの部屋にいる時少し降った雨はすぐに止んだ。空の中央で雲が切れている。切り離された雲は恐しい速さで東へ流れていく。こういう空の時、もう雨は一滴も降らないことをハシは知っている。

中学生の頃、運動場に水溜まりができると体育の授業は中止になった、時間割りに体育がある日は雨だけを待った。特に器械体操は嫌だった。鉄棒で逆か上がりが出来ないのはクラスでハシ一人だったのだ。誰よりもキクに恥ずかしかった、鉄棒の授業が潰れるように、本で知った中米インディアンの雨乞いの呪いをやった。鼠の死骸を軒下に吊るすというものだ。廃墟の街に鼠採りを仕掛けると檻に入りきれないくらい採れた。海水に浸して殺す時にこれで雨が降らなかったらどうしようと恐しくなった。自分のことを嫌な奴だと思った。自分を嫌な奴だと思わなくて済む方法がわからなかった。鉄棒はもっと嫌だったからである。軒下に十二匹の死骸を針金で吊るした。全部吊るし終わる頃には緊張でぐったりと疲れた。キクや和代に見つかった時の言訳を考えながら吊るしていった、理科の実験だと言おうと思った。並んだ鼠を眺めているとどんな願いでも叶うような気がしてきた。ひょっとしたら逆か上がりも出来るようになるかも知れないと思った。空と鼠を交互に見て厚く暗い雲が現れるのを待った。しばらくすると鳥の鳴き声がした。翼の影が地面を旋回している。鳶だった。十数羽が集まりまず屋根の上に降りてきた。ハシは二度石を投げたがすぐに諦めた。鳶は屋根から舞い上がり一瞬空中に静止した後に獲物目がけて急降下した。確実に一撃で引き千切った。鳶が飛び去った後、鼠の尻尾だけが針金に引っ掛かって揺れていた。それは地面に落ちることのない灰色の雫のようだった。

雨はすべての輪郭を曖昧にする。くっきりとした影の代わりに水溜まりの揺れる反射で路上を歩く者に応える。

「雨が降ると何か思い出しそうになるよね」ニヴァの部屋の窓を小さな雨粒が叩いた時ハシはそう言った。ニヴァは起き上がり後を向いてスポンジを詰めたブラジャーをつけた。

「ねえハシ、今はまだいいけど、有名になったら昔を思い出したりしちゃだめよ、自分が誰だかわからなくなるわよ、売りとばされた人間は子供の頃を思い出しちゃだめなのよ、狂っちゃうんだから、そんな人は何人もいるわ」

ハシはいつの間にか薬島に通じる地下道の前まで来ていた。夜明け前のマーケット、既に戸を閉めた露店、紙や金属やガラスの切れ端、煙草の吸い殻、売れ残った男娼達が疲れた顔で地面に坐り込んでいる。二人の娼婦が膝に手を添えて足の曲げ伸ばしをしている。客を取れなかった売春婦は帰る前に必ず両足の屈伸運動をする。運動靴に履き換えて軽く走る外人娼婦もいる。一晩中立ちつくした筋肉が睡眠中に引き攣ることがあるからだ。足の痙攣は体が内側から痺れる恐ろしい夢となって真昼に娼婦を目覚めさせる。そんな時はカーテンや雨戸の隙間から洩れる光の束が足にあたっていたりする。一人の売春婦が転んだ。片方の靴の踵が折れたらしい。スカートが捲れて下着のない太股が露わになった。陰毛に煙草の吸い殻が絡まっていると青白い肌の男娼がからかう。尻餅をついた娼婦は股を晒したまま靴を修理していたが、やがて諦めたのか放り投げた。足を引きずりながら歩き始める。片方のハイヒールだけが地面を叩く音。よろけながらトンネルの出口付近まで行ってやっと女は片方だけの靴が無用なことに気付いたらしい。振り返り明日の天気を占うように足を振り上げてハイヒールを高く脱ぎ捨てた。裸足の女はトンネルを出ると手の平を上に向けて空を仰ぐ。

雨は降っていない。女が消えた闇の中から自転車の少年がトンネルに走り込んで来た。荷台には瓶詰めのヨーグルトがある。体操を終えた娼婦達が買うのだ。化粧が剥げ落ちた口の回りにつく白濁の液体をゆっくりと舐めて拭ううちにマーケットの夜が終わる。トンネルを出ようとすると顔見知りの男娼が挨拶した。口のきけない老いた男娼は手話でハシの絹のシャツを賞めた。

薬島の中は懐しい匂いがした。消し忘れた電球が泥濘に歪んで映っている。路地や家並は変わっていない。薬島を出て二ヵ月と経っていないのだから変わっているわけはないのだがハシはこの鉄条網に囲まれた路地や家並が消えて失くなっていればいいと思っていた。ここだけではない。廃鉱の島、桑山の家、カンナが夏に咲く坂道、ミルクの犬小屋、海岸、乳児院、桜の並木や砂場、礼拝堂、全て消滅すればいいと思っている。何故か？　僕は歌手だ、僕は歌手になった。本当は、歌手になるのではなくて歌手として生まれてきたかった、歌手になる前の僕は死んでいた、笑いたくないのに言われるままに笑う焦点のぼやけた写真の中の人物だった、歌手になる前の僕をずっと過去に遡っていくと怯えて泣いている裸の赤ん坊がいるだろう、箱の中で薬を振り掛けられて仮死状態のまま見捨てられていた赤ん坊だ、これまでずっとそうだった、僕は歌手になって初めてコインロッカーの外へ出ることができたんだ、仮死状態の自分は嫌いだ、仮死状態で住んでいた場所はみんな爆破して消してしまいたい。ハシは路地を歩きながらニヴァの舌の感触を思い出した。背中や尻や性器や足の指がそれを憶えている。ザラザラしてまるで軟骨が隠されているように硬い舌だった。ヌルヌルと湿って先端が尖っていた。ニヴァは、僕の精液を飲んだ、あの味はよく知っている、喉に引っ掛かってうがいをしても取れない、精子の死骸は歯茎の裏にこびりついて紅茶を飲む度にフェラチオの記憶を呼び起こす、ニヴァは初めてだと言った。ねえハシ、大事なことを教えてあげるわ、チークダンスを踊る時にはね、男は胸を張らなきゃいけないのよ、あなたみたいに背中を丸めてちゃだめなのよ、女と踊るのは初めてなんだと言いそうになった、ニヴァは僕を男として認めてくれた、僕はもうオカマじゃない。突然ハシはギクリとして立ち止まった。前方に人影がある。こっちに向かって進んで来る。

「やっぱりあんたか、あんたじゃないかと思ってたんだ、窓から見ていてあんたじゃないかと思ったんだ」

同じアパートで地震の度に万歳と叫んで騒いでいた老人だった。

「あんた、戻って来たのかい？」

「違う、ちょっと遊びに来たんだよ」

「寂しいもんだよ、みんないなくなって寂しくなった、夜は恐くて眠れないんだ」

「そう、もう僕は帰るよ」

「うどん食べていかんか、手打ちのうどんを買ってたくさん余ってるんだよ」

「ありがとう、でも僕は帰るよ」

老人は色褪せたフランネルのパジャマを着て女物の下駄を履いている。体から酸っぱい匂いがする。ハシはいやな予感がした。早くこの場を離れた方がいいと思った。路地を戻ろうとすると老人が袖を摑んで引き留めた。

「あんたに頼みがあるんだよ」

「僕は、急いで帰らなきゃならないんだ、また来るから」

老人は段ボールの箱を抱えている。

「僕も頼む人がおらんで、あんたしかいないんだよ、これを埋めて貰えないだろうか」

老人はそう言って段ボール箱を差し出した。

「何なの？」

「あんた方の横の部屋に腹の大きなパンパンがいただろう、あの女引き払う時に置いていったんだよこれを」

「貰っとけばいいじゃないか」

「そんなわけにはいかん、これは死体だ」

いやな予感が当たった。老人は段ボール箱を地面に置くと、頼むよ、と言って逃げようとした。ハシはパジャマの襟を掴んだ。

「困るよ、何で僕がそんなことしなきゃいけないんだ」

老人の首筋はひどく冷たくてハシは襟を放した。老人は地面に膝を付いて震え出し急に大声で泣き始めた。ぬかるんだ土を爪で引っ掻き、訳のわからない罵声をハシに浴びせた。充血した目から涙が溢れて顔を被った鱗のような皺の間に溜まった。人でなしが、お前ら今に天罰が下るぞ、ひどい奴らめ、死者を大切にしないお前らを主はお許しにならないだろう、ヨハネの黙示録を知ってるか、地面が裂け大地が割れてから助けを請うてももう遅いんだぞ。路地に並ぶ部屋に灯りが点き、うるせえぞ、という声が響いた。ハシはドラム缶の陰に隠れた。窓が開き上半身裸の男や女が顔を出した。老人は泥塗れになってうずくまり壊れたラジオのようなかん高く割れた声で聞きとりにくい罵声を続けた。顔を上げて天を仰ぎ、主よ我々に罰を与え給え、と繰り返した。向かいの窓から茶碗が飛んできて老人の足許で砕けた。背後から投げられたウイスキー瓶が頭に命中して割れた。ほうら馬鹿野郎、てめえにちゃんと天罰が下ったじゃねえか。老人は動かなくなった。人々の影は消え窓が閉まる。路地はまた静かになった。

ハシはゆっくりと老人に近づいた。低い声で呻いている。抱き起こして肩で支えアパートまで運んだ。部屋は非常食や薬、固型燃料とミネラルウォーターで埋まっていた。寝かせて傷口を拭き棚にあったメンソレータムを詰め込んで引き裂いたタオルを巻いた。ハシは路地へ戻り段ボール箱を拾い上げた。ガムテープで密封されさらに幾重にも紐がかかっている。振ると、硬くなった赤ん坊が箱の隅にぶつかる音がする。ハシは廃車置場へ行きスコップを捜した。スコップがなかったので代わりに先端が平たく潰れている鉄骨を拾った。そして空地に穴を掘り始めた。何も考えずに穴を掘った。汗が吹き出てシャツが肌に貼り付いた。鉄骨を思いきり地面に突き刺す。跳ね上げ手で土を掻き出す。爪に泥が詰まる。深く掘らないと犬が掘り返してしまう、鳶が舞い降りて硬くなった赤ん坊を食い千切るだろう。ハシは休まなかった。腕はすぐに萎え腰が痛くなった。労働や運動の度に、他人と比べてあまりに早く疲れてしまうのでハシはこう考えたことがあった。つまりハシの体には胃や腸や肺と並んで疲労という浮遊臓器があって運動をするとそいつが働き出し筋肉や心臓にぴったりと貼り付いてしまう、だから他人より早く重く疲れやすいのだと。今のハシはそんなことを考えていない。狂ったように穴を掘っている。手や足や木切れを使って土を掻き出す。何か一人言を呟きながら。もう二度と雨乞いなんかしないぞ、二度と鼠なんか吊るさないぞ、雨なんか降るな、土が湿ると赤ん坊が腐る。

ガラスの破片で指を切った時、夜が明けたのに気付いた。ガラスの破片が、彼方の高層ビルの隙間から届いた光を反射したのだ。ハシは自分がフィラメントの一部になったような気がした。銀色の揺れる波に見える鉄条網、その向こうの並木やビルや地平線に連なる巨大なフィラメントの一部になって輝いているのだと思った。こいつは違う、こいつは微生物の餌になるだけだ。段ボール箱を穴の底に置いて土をかけながら死んだ赤ん坊に向かってハシは言った。

「弱虫め、僕は、ちゃんと生き返ったんだぞ」

14

「ウワネ浦海底洞窟の怪――。小笠原諸島カラギ島は硫黄島の南四十キロに浮かぶ面積約四・六平方キロメートルの火山島である。四年前の一九八五年、合衆国政府から正式に日本領土として返還された、小笠原諸島の返還に遅れること実に十七年、その間先住民の帰島はもちろん墓参団が訪れることさえ許されなかった。その理由を合衆国政府は明らかにしなかったが、米海軍の小規模な通信施設があったことは事実である、諜報衛星の受信基地だと噂されたが、硫黄島に駐屯する自衛隊の報告では単なるロラン局であることがわかった。米海軍は全世界の海域に独自のロラン局を持っておりその一つだったわけだ。しかし返還後ロランのための衝撃波送信装置は既に撤去されていた、木造の米軍施設は現在カラギ小中学校の校舎として使用されている。

カラギ島の人口は百八十四人、パイナップル畑と気象庁の観測所がある。住民の約半数は戦前からの先住民とその二世だが、残り半数は都会を捨てて移ってきた若者達である。小笠原父島から船の便が週に二度あるだけで交通が極めて不便なために島民が希望する観光化は進んでいない。海岸は美しく亜熱帯の植物が自生し珊瑚礁は島の北側を薄緑色に染めている。小笠原の島々の珊瑚は、東南アジアの密漁船に荒らされて壊滅状態であることを考えれば今日本に残されている唯一の楽園と言えるかも知れない。

返還と同時に有月渡君（三十三歳）はそれまで勤めていた商事会社を辞めてカラギにダイビングショップを開いた。ダイビング講師認定証と僅かな資金で始めたが、遠くはオーストラリア、ドイツ等からも客がやってくるようになった。例の事件が起こるまでに延べ千人のダイバーがカラギを訪れている。世界で最も美しい珊瑚礁と絶賛した著名な水中写真家もいる。現在有月君は店を閉めパイナップル農場の手伝いをしている。北側の海岸が全面遊泳禁止になってもカラギの海から離れることはできないと言う。現在の心境を有月君は次のように語っている。

『やっぱり残念ですよね、こんな海はもう少ないですからね、珊瑚礁ってみなさんが考えてらっしゃるよりももっとひどく壊滅的にだめになってるんです、大きな資本が入ればそれだけで海岸は荒れますからね、昔からここに住んでる人は船の便が少ないって文句言ってますけど私はこれでいいと思うんです、飛行機なんか飛ぶようになるとホテルが建って沖縄の二の舞いですからね、本当にこの島はダイバーにとって天国だった、全くの夢の島でした、直径八メートルもあるテーブル珊瑚がありましたよ、残念です、え？　事故のことですか？　忘れようとしてますけどね、すごいショックでしたからね、一回ならね、偶然ってこともあるんだろうけど、続けて三件でしょう、しようがないですよ』

カラギ島北側には約三十一ヵ所のダイビングスポットがあった。初心者から職業水中写真家まであらゆるタイプのダイバーに適した場所が揃っていた、ウワネ浦はその中で難所と言われるポイントの一つである、背後にはすぐ高い断崖が迫っており海岸へ降りる道は細く急斜面で一つしかない、もちろん車は入れない、その山道は約八百メートルもあって空気タンクを背負って歩くのは健康な男性の若年者に限られる、ウワネの海岸から数メートルも海に入るとほぼ垂直に落ち込んで壁を降りきったところで水深十八メートル、珊瑚はあるがそれほど多くはない、沖へ向かってなだらかな斜面が続き途中で珊瑚礁は姿を消す、途中の海底の水深は最も深い岩場で八十メートルである、沖合い一・五キロに巨大な岩礁があり一部水面に突き出てウワネ小島と呼ばれる、この岩礁の周囲には速い潮流があり方向は時間によって変化する、潮は岸とウワネ小島の間のある箇所で渦を巻いておりき巻き込まれると深場へ引きずり込まれ助けようがない、岩礁は珊瑚と熱帯魚、それにイルカと鮫の宝庫である。

ダイビングスポットとしてはカラギの中で最もスリルに充ち美しい。前述の有月君は友人のダイバー達と潮の流れを調査した。ウワネ小島周囲の潮流図を作りベテランのダイバーだけに潜水を許可した。ベテランという意味は、ダイビング技術の熟練はもちろんガイドの指示を守り勝手な行動をとらないということである。

一九八六年九月フランスの有名な水中写真家J・E・クロデールがカラギに三ヵ月滞在しウワネ岩礁の美しさを次のように讃えた。『透明度はマルジブの十倍、魚影はタヒチランギロアの百倍、珊瑚礁の素晴しさは比類がない、私はかつてアクアラングを発明したばかりのクストーが未踏の世界だったであろう数々の海底に潜って感じたはずの興奮と比べても決して劣らないと確信するスルリと充足を得たのだ。』

クロデールの残した水中写真は何よりも彼の興奮を物語っているが、今となってはそれがウワネ岩礁の貴重な唯一の記録となった。

一九八七年十一月四日、カラギ島南方二百キロの洋上で海底火山が爆発した。カラギは地震に何十回も見舞われ、ウワネ岩礁を取り巻く潮流も当然変化した。有月君は再調査を開始したが、地震によって出来たと思われる巨大な海底洞窟を発見したのである。入口は穴というより縦長の裂け目で人間が一人やっと入れる広さ、奥へ進むにつれて次第に広がり迷路のように交錯して途中かなりの広さの岩棚がある。この岩棚は海老の巣になっていた。有月君達は探測をここまでとした。広い岩棚からはさらに三本の狭い洞窟が枝分かれしていたが、これ以上進むことは危険だと判断したためだ。水深計は岩棚の底で二十九メートルを示した、減圧が必要な水深である。潜水開始から寄り道をせず直接洞窟を進んで岩棚まで約八分を要する。12リットルのダブルタンクを使用してもこの岩棚が探険の限界だと有月君は判断したわけである。さらに奥へ進むためにはもっと大がかりな装備と多くの人員が必要だ。有月君はこの洞窟は必ずもう一つの出口へと繋がっているはずだと思っている。

さて、最初の事故は一九八八年の一月十九日に起こった。ドイツ人のダイバー、フランツ・マイヤー夫人とその友人を案内して洞窟に潜った時である。岩棚に至る細い穴をロープを伝って進んでいた。当然のことながら光はない。三人が持つライトが唯一の灯りである。中ほどまで進むと有月君は異様な音を聞いた。キューンキューンという柔かな金属音、イルカに違いないと思ったがそれは恐ろしい速さでこちらに向かっていた。イルカが人間を襲うことはない。妊娠中の牝がごくたまに攻撃してくるがその場合も単に威嚇するだけだ。有月君は横穴の底にぴったり腹這いになるよう二人の女性に指示した。恐らく灯りに驚いたのだろうとライトを消し頭上を通り過ぎるのを待った。イルカは近づいてきた。一頭だけのようだった。恐しい勢いで通り過ぎたかと思うと急に向きを変え最後尾にいたマイヤー夫人に体当たりをしたのである。夫人の悲鳴を聞いて有月君はライトを点けた。イルカは血塗れで、狂ったように夫人とその友人を鼻で突き回した。体当りされたショックで夫人は口からレギュレーターを離してしまっている。

『とにかく、あんな凶暴なイルカは見たことがありません、仲間とはぐれたのかも知れないけど私が最初に見た時既に体中傷だらけで異常に、そうあれは異常としか言いようがないな、異常に興奮していました、マイヤー夫人は突きとばされてレギュレーターを外してしまい溺死寸前でした。私はおとりになってイルカを引きつけようとしましたが、穴の中では水がすっかり濁ってしまって何も見えなくなってしまいました。イルカは全く攻撃を止める様子はなく私は二人に外へ出ることを何とか伝えようとしましたが、もう二人は動けなくなってました。私は必死に泳ぎやっと洞窟から出ました。減圧しなくてはいけません。アンカーロープに掴まっているとイルカが後を追ってきたのか穴から、ぬっと姿を現わしました。しかし、私は攻撃を受けずに済んだんです。イルカは私を見つけて少し近づいて来ましたが、口から大量の血を吐き腹を上にして浮上していきました。死んでたんです。

警察と、ドイツの保険会社は、夫人とその友人の死因で私に少し疑いを持ったようでした。彼らはイルカが襲ってきたと言っても信用しなかった。わかりますよ、私だってこの目で見なかったら信用しないでしょう。それが最初の事件だったんです』

二度目の事故は一九八八年の二月二日、これは有月君は目撃していない、地元の漁師、尾輪哲二とその二人の息子が洞窟内の海老を採りに潜り全員死亡したものだ。妻の勝江が上がって来ない三人を心配して漁協に連絡し有月君達が捜すと、岩棚で三人は天井に貼り付いて死んでいた。死因は急性心不全だと発表された、生前三人は全くの健康体で心臓にも障害などなかった。岩棚は広さ高さ共に普通の家屋の十畳間ほどの大きさであり、急激な浮上による空気栓塞とも考えられ、何より不審だったのは一人の息子の太股に手銛が刺さり、もう一人の肩はナイフで傷ついていたことである。手銛は尾輪哲二の物、ナイフは手銛で刺された息子の物だった。死後硬直もあったがレギュレーターは口にしっかりと三人共くわえたままであった。三人は親子で殺し合いを演じたわけになる。この不可解な事件の謎を探るために、ある記録映画会社の水中カメラマンとその助手四人が一九八八年の三月有月君を訪ねてきた。第三の事件はこの時に起こったのである。

『私は止めるように言いました。東京のダイビングセンターから洞窟内の潜水を禁じるよう指導されてましたし、私も何だか気味が悪くて、でもそのカメラマンの方は、大崎さんとおっしゃる方でしたが、私がガイドを引き受けなかったら自分達だけでも洞窟に入ると、こちらの制止を聞かないんですよ。私は仕方なくガイドをしました。だって仕方がないと思いませんか？　事故が起きないように、起きても連絡が取れるように、耐水耐圧のトランシーバーを各自で持つようにしました。慎重を期して予備のタンクをアンカーロープに十本くくりつけておきました。さらに洞窟の入り口に助手を一人残し我々が体に巻きつけたロープの端を持ってて貰うようにしたんです、何かあったらすぐ引いてくれるように合図を決めて、水中映画撮影のライトはとても明るいので私はそれまで見られなかったいろいろな洞窟内の生態を見ることができました。非常に珍しい海老の幼虫を発見しましたし、盲のウツボが群れている巣もありました。

岩棚までは何事もなく進んでさらに奥に通じる裂け目に近づいた時です。カメラマンの大崎さんがカメラを放り出して突然苦しそうに手足をバタバタさせたかと思うと胸を掻きむしって動かなくなったのです、今私が思い出すのは大崎さんが裂け目の前で接写撮影をするために少しの間レギュレーターを口から外したことです、ほんの十秒かそこら口から外しました、その直後に彼は苦しみ始めました、私は危険だと判断して合図を送り外に出ようとロープを引っ張って貰いました。岩棚にいた三人の助手は私が止めろと言うのに大崎さんに泳ぎ寄って、自分のレギュレーターを大崎さんにくわえさせようとして口から外しました、大崎さんのレギュレーターが故障でもしたと思ったようです、レギュレーターを外して少ししてからです、まず大崎さんの一番近くにいた一人がわけのわからないものすごい叫びを上げて、ああ水中で音は聞こえないと思われるでしょうが、言葉がはっきりしないだけでかなり聞こえるんですよ、ものすごい叫び声でした、それで持っていたスピアガンでライトを掲げていた一人の胸を撃ったんです。ライトは助手の手から離れてかなり濁った岩棚の底へとゆっくり沈んでいきました。点いたままです、回転しながら落ちていったのでいろいろな方向に灯りが向けられたわけです。その時私は一瞬だけ一つの裂け目の奥を見ました。一瞬だから見間違いかも知れませんが、その裂け目の奥に平たい灰色の岩場があるようでした。コンクリートのように見えましたがそんなはずもありえませんし、たぶん見間違いでしょう。

さて、スピアガンを撃った男は足にくくりつけているダイバーズナイフを抜いて私ともう一人に向かってきました。洞窟内は真暗になり血と舞い上がった砂で濁り前は全く見えません。私はロープをたぐって必死に逃げました。イルカの時と同じだなと思いました、背後でものすごい悲鳴が聞こえました、私と一緒に逃げていたもう一人がやられたのだなと思って恐くなりました。あんな恐かったことはありません。真暗で何が起こったのかよくわからずとにかく私を捜そうとする者が背後から追ってくるのです。やっと外に出て待っていた一人の助手に逃げろと説明するのですが彼は何が何だか全くわからなくて、それに死体と繋がったロープを体に巻いていたので動けなかったのです。ナイフでロープを私が切ってやろうとしていると男が現れました。大きなダイバーズナイフを握ってよくわかりませんが、ものすごく怒っていたような感じでした。マスクで顔の一部分しか見えませんからね。よくわからないんですが私はとても怒って興奮してるなと感じたんです。待っていた助手はそんなこと知らないから手を差伸べて救助しようとしましたが、ナイフで喉を突かれました。あっと言う間です。男は何度も何度も突いていました。血が吹き出して、私は危険だと思いました。その怒った男もですが、鮫です、私は減圧症よりも鮫やその男の方が恐かったものですから浮上することにしました。男は追ってきました。真上に浮上するとそれこそひどい減圧症になると思ったので斜めに水面を目指したんですが、途中でナイフを持った男に腕を摑まれました。驚きましたね、何て言ったらいいか、ゴリラに摑まれたような感じでしたよ、ものすごい力でした。でも水中での動きは緩やかですから、私は振り下ろされるナイフを避けて、男のレギュレーターのホースを切ってやったんです。男はそれでも三十秒くらい息をせずにナイフを振り回したんです。すごいことですよ、普通なら三十秒息を止めるのは簡単ですがね、激しい運動と水圧であの場合なら五秒と息は持たないはずなのに。それでもさすがに三十秒経つと口から泡を吐いて動かなくなりましたよ、でも困ったことに腕を摑んだ手だけは離さないんです。鮫が来ました。まず血を吹き続ける助手の死体に群がりました。私は指を一本一本剝がそうとしましたが、それがまるで鉄みたいなんですよ。硬直しちゃってね、しようがないんで一緒に浮上しましたよ、鮫が追い駆けてきて男の足を一瞬のうちに食い千切りました。私は船に辿り着いてやっとの思いで引き上げて貰いました。とても助かるとは思わなかったな』

有月君はその男の死体と共に船に引き上げられたわけだが、警察の検死医は死体を調べて、常識では考えられない筋肉の緊張と興奮状態を示していると報告した、しかし血液や内臓の状態は正常だったし普通の溺死者と何ら変わるところはなかったそうである。有月君は自分の手でウワネ岩礁洞窟の入り口を鉄網で封印した。海上自衛隊のフロッグメンが調査をするという情報があったが、危険だという理由なのか、それは取り止めになりかわりにカラギ島の北側全域にわたっての遊泳禁止命令が当局から出された。昨年の五月である、だが謎は全く解明されていない、様々な説が流れこの事件を扱った小説が書かれたりした。海神の祟りであるとか新種の海蛇に嚙まれたのだとか単なるパニックによる発狂だとか、真相は海の中にあり誰も知ることはできない。行方不明が相次ぐバハマ諸島の例もあり、海では何が起きるかわからないという教訓にするしかない。海に比べて我々は余りにも小さいのである。それを忘れてはならない。海はまだまだ神秘に包まれている世界である。だからこそ我々は海を愛するのだが、同時に数知れぬ危険に充ちているのだ、慢心することなく常に基本を忘れずダイビングを楽しみたいものである」

キクは雑誌を閉じた。もう何十回も読み返したのでそこのページは黒く汚れている。アネモネの本棚にあったスクーバ・ダイビング愛好者のための雑誌だ。マーケットで手に入れたパンフレットの、すでに暗記している文章を呟く。「ほとんどのダチユラは海中に沈められている」。キクは、アネモネと共に水路図誌販売会社に出かけ、二枚の海図を買った。小笠原諸島分図とカラギ島全図である。

夜、キクはアネモネの仕事を見物した。都内のスタジオ、倉庫とあまり変わりはなく、湿って薄暗くて冷んやりとしている。天井には格子状の鉄骨、吊るされた何百というライト。床と壁は真白なコンクリートだ。照明が点灯されると眩しくその巨大な白い部屋に立っても全く影ができなかった。

飾り付けが始まっている。白い部屋をブルガリアの牧場にしようというのだ。大きな背景画が運び込まれ、起伏のある人工芝や柵や煙突のある家や羊の群れ、毛の長い犬と群生したタンポポの生花が置かれた。アネモネはフリルのいっぱいついた白い服と格子縞のエプロンを着てヨーグルトを入れた籠を下げニコニコ笑いながら人工芝の上を歩く。撮影が始まるとキクは退屈になって他のステージを見物した。様々な場所が作られている。熱帯の孤島、南極の氷山、砂漠の戦場、遊園地、宮殿の大広間、サーカス小屋、火星、温度のない立方体の異郷だ。キクは照明用の梯子を昇って全景が見渡せる天井の鉄骨に腰をかけた。そこでずっと撮影を眺めていた。

終わった終わった、そう笑いながらアネモネが撮影衣装のままで傍にやって来た。右端から順にステージの飾り付けが取り払われる。光量がゆっくりと落ちていく。影になった人物が慌ただしく動き回り植物や家具や兵器や玩具や楽器や噴水や石垣を運び去っていく。あっという間に異郷は白い部屋に戻る。景色を白いペンキで塗り潰すのと同じだ。面白いね、とキクは呟いた。金色の付けまつ毛をむしりながらアネモネがキクを見る。何が面白いの？　キクはライトが消えたステージを指差した。あそこでは、さっきまで舞踏会をやってた、きれいな宮殿だったよ、今はただの真白い大きな部屋だ。

スタジオからの帰り道、二人は西新宿の十三本の塔のまわりをグルグル回った。点灯された窓ガラスは巨大な象嵌《ぞうがん》となって空へ伸び、先端で点滅する赤いライトが塔の正常な脈搏を示している。カラギ島にダチュラを探しに行こう、キクはアネモネに言った。ダチュラって何？　アネモネは塔と塔の谷間に車を止めた。キクの目に塔の先端で点滅する赤い灯が映っている。東京を真白にする薬だ、キクはそう答えた。

15

ミスターDの事務所は西新宿超高層ビルの谷間にある九階建ての古い建物である。

一人のロック歌手を見出して独立したDはこの古いビルの七階全室を借りてレコード会社を始めた。二人目の才能が市場を世界に拡げて成功した時にビルを丸ごと買い取った。地下が駐車場と倉庫、一、二、三、四階に営業、経理、宣伝、制作の各事務所を置き、五、六階は大小のスタジオ、七階はコマーシャルソングや映画音楽のためのダビング映写室、フィルム編集室、八階は数種類の音楽雑誌を出版する別会社のオフィス、そして最上階に会議室とDの部屋があった。

ミスターDの社長室は室内装飾の趣味の悪さで知られている。Dは一九四〇年代のアメリカ映画が好きで、特にボブ・ホープのファンだった。ボブ・ホープが主演した映画に、猛獣狩りに憧れる製粉業者の話があって、その中に出てくる社長室のセットをそのまま模したインテリアなのである。壁一面に張られた密林とサバンナの写真、縞馬とライオンの敷き皮、ゴリラと駝鳥の剝製、象の足で作った椅子、部屋の中央には噴水付きの、ハート型の池があった。ミスターDは毎週月曜日の午前中この部屋でマッサージをする。十三本の超高層ビルに面した窓のシャッターを全部開けて派手な水着姿の黒人女に、マッサージさせる。超高層ビルで働く人達がそれを見て羨むだろうとDは考えているのだ。見てろ、いつかあのビルを一本買い取ってやるぞ、と言うのがミスターDの口癖だった。

ハシのデビューシングルは三万枚プレスされて一割ほど売れ残った。新人としては成功と言うべきである。Dは一万枚売れれば上出来と思っていた。ハシの出生が予想以上の反響を呼んだ。ハシは週刊誌に十一回登場しテレビには七回出演した。ミスターDはハシにインタビューの応答を教え込んだ。応答例は三人のシナリオライターが数種類作製しDが選んでハシに憶えさせた。

コインロッカーに捨てられた孤児だったそうですね？

「そうです」（質問を受けた後しばらく間が必要、いかにも答えるのが面倒臭いという感じで短く言い切る、必ずインタビュアーの目を見ること、じっと見続けるのではなく一瞬強く見る、睨んではいけない）

御苦労がおありでしたでしょう？

「そう見えますか？」（質問の後すぐ言い切る、悪意のない笑顔をしても良い、無邪気に、心の底から正直に〝そう見えるのかなあ〟という気持を表わす、答えた後はインタビュアーがどんなことを言っても俯いて喋らないこと）

小さい頃から歌がお好きだったそうですが、どんな歌が好きでした？　歌手では誰が？

「島倉千代子とエリザベート・シュワルツコップです」（この応答では全く異なるタイプの歌手を二人挙げること、毎回違う人物を挙げた方が良い、即答する、例えばミック・ジャガーと著名な浪曲家のように、一方は有名な人物、もう一方は恐らくイン

タビュアーが知らないと思われる歌手、その歌手のことを聞かれたら、詳細に制止されるまで喋り続けること）

歌手になろうと思ったきっかけは？

「寂しかったからです」（同情を買うような調子にならないよう注意する、明るく、力強く、今は全然寂しくなんかないんだ、という感じで、軽く微笑むのもいいがいかなる場合でも照れ隠しの笑いは厳禁、言い切った後は一切喋らない）

産みの親に会ってみたいと思いますか？

「よく、夢を見ます、ほとんど恐い夢です」（真剣な顔で、重苦しくすることはない、息を吐きながら喋ると良い、溜め息にならないように、よく、と言った後でしばらくの間を置き、見ます、と言ってからは一息に、笑ってはいけない、回答中に視線をゆっくり三度変える）

もし会えたら何と言いますか？

「やあ、しばらく」（答えた後が重要、すぐにインタビュアーを見る、もし少しでも笑っていたら悲しそうな軽蔑の目で見る、真剣な顔をしていたら軽く微笑んでやる、そして、前者の場合恐縮して笑うのを止めたら逆に微笑んでやり、笑い続けたらそのまま席を立ってもよい、後者の場合、微笑み返してきたらすぐに態度を硬くする、そのまま真剣な顔を崩さなかったらゆっくりと微笑みを解く）

捨てた親を憎んでいますか？

「少しだけ」（このような質問をするのは神経がタフな記者かロマンチストの女性アナウンサーが多い、どちらの時でも、そっけなく、詰まんない質問だなあという表情で答えれば良い）

ハシは見事な演技を見せた。ハシは取材が嫌いではなかった。他人から注目されるのは気持ちが良かった。ミスターDの指示は、「嫌われない程度に風変わりな少年」になることで、ハシはその微妙な境界線を完璧に守り相手の予想に反した答えや表情を示すことに快感を覚えるようになった。他人を驚かせたり怒らせたり感心させたり泣かせたりする度にこれまで全く縁の無かったものがハシの中で生まれた。自信である。テレビは鏡だった。鏡に映っている自分は今までと違って怯えて泣いたりしない。その逆だ。

ハシはミスターDに教えられた性格設定が気に入り、ブラウン管やグラビアの鏡の中の自分になりきろうと努めた。それは決して難しくも苦しくもなかった。ちょっと考え方を変えるだけで良かったのだ。僕は昔から風変わりだった、他人とはちょっと変わっていた、弱虫の振りをしていた、大人の男の人がいつも恐くて怯えて泣いたこともあったけど、あれは、そうすると大人の男の人が喜んだからだ、運動が出来ないからと仮病を使ったこともあるけど、そのために自分を嫌って悩んだが、そうやって僕は他人より変わった方法で磨いてきたんだ。

ハシはブラウン管に映る自信に充ちた分身が頭の中の記憶まで操作して変えてしまうのに驚いた。グラスファイバーポールを握り級友達の中を空に舞うキクは既に英雄ではなく可哀想なゴリラだった。ハシが学生服のまま青白い顔で体育を見学している様を嘲笑った女生徒達はみな考えの足りない苦しみも知らないかわりに震えるような感動を知らない連中だったのだ。あのロボットみたいな桑山をこのテレビ局に連れて来てマイクを向けたらどうだろう、気を失ってしまうかも知れない。そうやってハシは嫌な思い出を次々に作り変えた。

記憶を丹念に辿るとある出来事を境にして二種類の自分がいたことに気付いた。その事件が起きる以前、自分はずっと被害者だった。役割や使命に気付いていなかったために能力は眠ったままで他の関係ない価値の基準に従い縛られて、弱虫と呼ばれていた。鉄棒が出来ない、ただそれだけの理由だ。それだけでみんなは不当に僕を怯えさせた、僕が自分で自分を嫌いになるように仕向けた、あの出来事以来だ、僕が自分に潜んでいた欲求に目覚めたのは、何をしたいのかわかったのは、僕が音を捜し始めたのは、あの日僕の性器を犬のように舐めていた大男を煉瓦で殴った時からだ。

天花粉でサラサラ滑るコインロッカーの質感、体中に塗られた軟膏の匂い、込み上げて喉に溜まり口から溢れ頬や耳を伝う薬の味、身動きが出来ない恐怖を催眠術が呼び起こした。デパートの屋上で。目尻の皺を除去する手術に失敗した赤い髪の歌手が僕に思い出させた。階段を駆け降りて川沿いに走り公衆便所へ入った。湿った空気、窓からは曇った港が見えた。港は、海面も空も建物も船もすべて灰色で溶け合ってい た。厚い雲に被われた夕暮れの中では景色は溶け合って見える。点き始めた街灯や船の灯火は岸壁と軍艦と海面とその背景の境界をさらに曖昧にする。曳航されて岸壁を離れ沖に向かうタンカーの影はゆっくりと薄明りの中に消えていった。

浮浪者は便所の隅にいた。体が腫れ上がった大男で麦藁帽子を被りうずくまっていた。ハシに気付くと露出した性器を揺らし唸り声をあげて威した。大男だったが体重が非常に軽そうだった。体に詰まっているのは血ではなく空気なのだろうとハシは思った。針で喉を突いたら萎んで窓から飛んでいきそうだった。煙でできた人間だ。困った時に現れて主人を助け願いを叶えてからまた煙に戻ってランプの中に消えるのだろう。笑いながらハシのズボンを脱がせた、頼む頼む頼むよ、恐くないから頼むよ、そう言い続けた。ハシは恐くなかった。涎を垂らした裸足の大男は、ハシにとって忠実な犬で煙が化けた魔法使いだったのだ。男はハシの性器を口に含んだ。口の中はイソギンチャクの巣だった、ハシは目を閉じてされるままになった。体が暖くなって、呼吸の度に尿意が頭へ昇ってきた。男は忠実な犬だった。クンクンと鳴き吠えながら色の白い舌で舐め続けた。尿意に似た信号の波はハシの目の裏側に集まり頭の中心を揺すっている。目の裏側から脳へと通じて軟骨の壁を削る。埋もれていたものが僅かに動き始めた。それが動いた時ハシは全身が震えるのがわかった。それは、静かにしろ、とハシに囁いた。絡まっていたイソギンチャクの吸盤が一本ずつ解れ、ハシは体の力を抜いた。収縮と膨張を繰り返す真赤な塊が姿を現わした時ハシは声を上げて身を引いた。わかったよ！　と叫んだ。わかったから消えてくれ、早く煙になって消えろ！　大男は涎を地面に垂らしながら這ってなおもハシの性器を捉えようとした。ハシの目の裏側には、裸になった記憶が真赤な塊となって既に動き始めていた。だからもういいんだお前の役目は済んだから早くランプに帰ってくれ！　大男は長い舌を顎まで伸ばして麦藁帽子を地面に落とした。頭は尖っていた。ハシは頭の先端にスイッチがあるのだと思った。傍にあった煉瓦のかけらを摑んで思い切りスイッチに叩きつけた。簡単に、煉瓦は頭の肉に減り込んだ。男は赤い煙を吹き上げヨロヨロと立ちあがって闇の中へ消えた。ハシは血のついた煉瓦を便器へ捨てた、裸になった記憶を血塗れの煉瓦が搔き混ぜた。耳にこびり付いた風船男の悲鳴の彼方から音が聞こえてきた。音だった。

そう、そうやって僕は思い出したのだ、音は渦を巻き旋律となって全身を包んだ、僕は目を閉じた、眠りに落ちる前に、熱帯の珊瑚礁を泳ぎ回る魚や夕日のサバンナを疾走するキリンや氷山の上を滑空するグライダーの映像を一瞬の間に見た、キクとシスターと精神科医の顔、灰色の建物と壁にゴムのある部屋、そして血管に入り込み全身を巡る音、僕はあの音とそうやって再会した、何が僕の記憶を裸にしたのだろう、あの変質者だろうか、僕はあの日に変わったのだ、あの日に今の僕の胚芽が弾けた、あの変質者に感謝すべきなのか？　そんなことはない、案外大事なのは僕が煉瓦であの男の尖った頭を叩き潰したことだ、時には、僕を忠実に愛している者の頭を叩き割ることが必要だ、何のために？　自分の欲求と出会うためにだ。

ハシの演技はほとんど成功した。エキセントリックだが不思議に好感の持てる少年、そんな少年になったんだとハシ自身が錯覚するほど成功したのである。そしてさらに、ハシはブラウン管で見事な演技を続ける自分にすべての記憶を捩じ曲げさせせようとした。屈辱感がハシの中から一掃されようとしていた。

「二万九千百十一枚、今までに売れとる、新人としちゃまあまあや、しかしなハシよう聞け、このくらいじゃあのノッポビルの窓ガラスも買えんぞ」

ミスターDの体は黒人女が塗る牡羊の油で光っている。ハシはDの事務所へ呼ばれた。二枚目のレコードの打ち合わせだとDは言った。黒人女はビキニの水着と編上げのブーツを履いている。

「ところが、ハシという歌手がこの世の中にいるのを知っとるのは三十万人くらいおるはずや、ハシちゅう名前は知らいでもコインロッカーの捨て子が今頃現れて何かしよるくらいなことは百万人以上が知っとる。ええか大事なのは、二曲目や、すぐ吹き込んでくれ、歌詞がここにある、読んでみ」
ハシに関するドキュメンタリーがテレビで放映されその中でハシが母親に会えば、数百万人の人々がハシのことを知るだろう、ミスターDはそう確信したが言わなかった。ハシの歌は麻薬に似ている。最初拒絶反応を起こす。そこで人々にその秘密を、ハシの出生を知らせて納得させる。コインロッカーで生まれたんだ、そこら辺の口あたりのいい歌手とは違うのさ。三度聞かせられれば勝ちだ。そいつはハシの歌から離れられなくなる。

「物語の始まり」
　人差し指を空に向けて
太陽を撃つ
世界を盲にするために
キラキラと落ちてくる
太陽の破片を集めて黄金のナイフ
あなたの胸をつらぬき
あなたの耳許で囁く

退屈な時は終わった
僕があなたを狂わせてあげる
物語は今始まったばかり
　溜め息を吐く夜を裂く
世界は僕の足許で
ボロボロに千切れて喘ぎ
切れ端を縫ったビロードのマント
あなたの部屋へ忍び
寝ているあなたを起こす
退屈な夜は終わった
僕があなたを狂わせてあげる
物語は始まったばかり
僕があなたを狂わせてあげる
物語は始まったばかり

「どうだ、気に入ったか？　この歌詞には金がかかってる、気に入ったか」

「あまり、ロマンチックじゃないんだね」

「歌えそうか？」

「難しいけど、歌ってみたいな」

ミスターDは起き上がりバスタオルで油を拭き始めた。超高層ビルを見上げる。あれ買うてくれよハシ。

黒人女は金を受け取り尻に手を入れたDから離れてブーツを履いたまま毛糸のワンピースを着た。鬘をハンドバッグに仕舞い、夜更かしした後は首と肩をグルグル回しとくといいわ、と日本語で言って部屋を出て行った。ミスターDは萎えて皺の寄った性器を指で弾くとハシに笑いかけた。

「お前どや、若い男買いに行こや、マーケット新しいのが入ったらしで」

「ねえ、頼みがあるんだよ」

「何やオムライスやったらダメやぞ、ここの食堂はそばしかないんやから」

「ニヴァを僕のマネージャーにして欲しいんだ」

「何やあんなおばはん、どうしたんや」

「立派な人だよ」

「それはそうや、ええぞ、ニヴァはええからそれより久し振りにマーケット行って若いの二人くらい買って騒ごうやないか、なあハシ久し振りに騒ごうぜ、お前女のどこがええのや、チンポヌルヌルして気持ち悪うないか？　あんなジャラジャラしたおめこのどこがええのや」

「僕、オカマやめたの」

「偉そうに」

ミスターDは服を着て電話を取り、早よそば持って来んかい、と怒鳴った。天ぷらそばとザルそばを女子社員が運んで来た。Dは机の引き出しから青い缶詰を取って蓋を開けた。缶には鶏の脂肉が入っている。皺皮の裏にある黄色い脂肪にパイナップルの果肉を混ぜて固めたものだ。Dはそれを三切れ摘んでそばの汁に落とした。

「食うか？　台湾のやつでうまいぞ」

指に付いた脂を舐めている。ハシは首を振った。ハシはそばを食べようとしなかった。脂で唇を光らせているDを見て目が合うと恥ずかしそうに小さな声で言った。

「僕ね、ニヴァと結婚しようと思ってるんだ」

ニヴァの夢は天使の服をデザインすることである。ニヴァの父親は音楽家だった。学生時代はピアノを弾いていたそうだが食べていけないので歌声喫茶のアコーデオン弾きになった。ニヴァの母親はその店に出入りしていた女学生で二人は親達の反対を押し切って結婚した。

ニヴァが産まれてまもなく母親は胸を悪くした。難産予防の新薬の副作用だろうと医者は診断した。アコーデオン弾きの給料は少なかった。狭い借家に赤ん坊と病人が住むのは良くないと二人は相談し、恥を忍んで母親はニヴァを連れて実家に戻ったのである。実家は岡山に古くから続いた旅館だった。待遇はあまり良くなかった。母親は離婚を勧められたが応じなかった。ニヴァは天井が高く陽当りの悪いその旅館の一室で十四歳まで育った。暗い部屋で母親は咳込みながらよく水彩画を描いていた。ニヴァは好んでモデルになった。病気が感染するという理由で抱いて貰えなかったので、じっと椅子に坐り両手を膝の上に置いて母親に見つめられるその時がニヴァは何よりも嬉しかったのだ。母親は実物よりもきれいに描いてくれた。描きながらニヴァに話しかけた。我慢させて済まないね、この家は私達と肌が合わないから、母親はそう言った。

アコーデオン弾きの父親は半年に一度訪ねて来た。田舎には売っていない人形や玩具を必ず持って。何度も抱き上げて頬擦りをしてくれた。夕食が終わると母親やみんなの前でアコーデオンを弾いて歌った。しかしニヴァはこの痩せた男が大嫌いだった。男が来て帰る度に母親が必ず泣いたからである。

ニヴァが小学校に上がった頃、アコーデオン弾きは来なくなった。母親の病気は良くも悪くもならなかった。ニヴァは学級で一番背が高く勉強がよく出来てあまり笑わない生徒になった。小学校の五年生になって初めて針と糸と布を手にした。ニヴァは真白なドレスを作りたいと思った。母親はいつもニヴァをモデルに描く人物に真白なドレスを着せていたからである。ニヴァは布を家に持って帰り毎晩遅くまでかかってドレスを作った。出来上がると最初に母親に見せた。母親は小さくて真白なドレスを見て、まあ天使の服みたい、と言った。そしてニヴァを抱きしめた。

ニヴァは真白な服を他に何着も作った。その度に母親は抱きしめてくれた。ある時母親はニヴァを抱いたまま泣いたことがある。確か夏だった。母親の汗は冷えていた。冷たい汗に触れて突然ニヴァは恐しい思いに捉われた。この人が死んだらもう誰もあたしに触わってくれないだろう、という予感である。何故急にそんなことを思ったのか今もわからない。今までずっと抱いてくれなかった母親から何回か抱き上げられて、妙に興奮したのかも知れない。誰もあたしに触わろうとしないだろう、突然そう思った。妄想は、学校で固まり始めた。男子生徒が照れてフォークダンスでも手を握らなかったりすると、やっぱりそうだ、と思って鳥肌が立った。ニヴァは洋裁の本を買って白い服を作り続けたが不思議なことに、母親が喜んで抱きしめる度に、誰もあたしに触わろうとしないという妄想は強くなっていくのだった。

ニヴァは母親の反対を押し切って東京にあるミッション系私立の女子高に入学した。そのまま大学に進んだ。学園祭でワンピースを売っていると男に声をかけられた。陽焼けした背の高い学生で、暑いからソーダ水を飲みませんか？　と言った。ニヴァは一緒にソーダ水を飲み、この男と結婚するのだと決心した。名前も知らなかった。その夜ニヴァはすべてを許した。本当に結婚したかったから、自分から結婚したいなどとは決して言わずニヴァはうまく振るまった。その後は二度と体を許さず、スイスのオートクチュール賞を取っていてあたしの夫になる人は苦労しなくて済むだろうとか、実家は岡山の大きな旅館だとか少しずつ嫌味にならない程度に匂わせた。うまくいった。一年後二人は結婚したのである。

男は筋肉だけが自慢の平凡な商社員だった。ニヴァは全然愛していなかった。ただ自分に触れようとしてくれた最初の男だっただけだ。結婚生活には何の喜びもなかった。息が詰まる毎日だったが、ニヴァは妄想から解放された。ニヴァは子供を作るのを拒んだ。デザイナーとして店を構える金はなかったのでニヴァはスタイリストになったが、妄想が消えると天使のドレスを作る情熱は失くなっていた。

生きているのか死んでいるのかわからない十年が過ぎてニヴァは乳房に小さなしこりを見つけた。癌だった。切り取らなくてはいけないと言われた。ニヴァは泣いた。悲しかったが、自分が変な期待をしてるのに気付いた。離婚できるかも知れないと思ったのだ。乳房を摘出されて男と別れるというのに、なぜ微かな喜びの予感が湧いてくるのか不思議でならなかった。

入院中に離婚が成立した。ニヴァは懐しい妄想と再会した。そうだ、こんな醜い傷跡を残したあたしの平らな胸、肉が僅かに余っているだけの乳房、誰が触わりたがるだろう、誰も触れようとしないだろう、しかしその思いは苦痛ではなかった。誰も触れないだろう、その思いはもう妄想ではなかった。事実だったのだ。事実に怯える必要はない。ただ認めて何日間か泣けば良かったのだ。

ハシはニヴァの胸の手術の跡を切り開いて詰まっていた〝距離の思い出〟を引っ張り出した。旅館の一室で見つめられるだけでじっと坐っている自分が傷跡を引き裂いて現れた。送って行こうとしたタクシーの中でぐったりとシートにもたれかかったハシが強く手を握った時、ニヴァは自分の欲望に忠実になろうと決めた。アパートに連れ込んで服を脱がせハシの全身を舐めた。欲情して自分の胸に触れて貰いたかった。ハシは勃起して目を覚ました。灯りを点けて胸を見せた。お願いだから触わって。ニヴァが真剣に頼むとハシはしばらく回りを眺め、自分と相手の性器を確かめて急に笑い出した。実に楽しそうに笑った。みっともない？　とニヴァは泣き声を出したが、ハシは強く抱きついてきた。肉の薄い胸を優しく撫で舌を這わせひっ掻き軽く噛みペニスを擦りつけた。いやあ素敵だ、最高だよ、そうハシは言った。

ハシのマネージャーになることが決まった時ミスターDはこう言ってからかった。お前は丁度良かったんや、初めての女としては理想的だったんだよ、あいつ初めてのおめこやったんやで、ホモやからな。ハシが肉のない乳房を笑った理由がわかってもニヴァは悲しくなかった。ハシがホモだった。そんなことどうでもいい、あの性交は素晴しかった、ハシはあたしを舐めてくれる、唾液と舌があたしの〝距離の記憶〟を埋めてくれる。ニヴァは今ハシのステージ衣装をデザインしている。真白なサテンのブルゾンにするつもりだ。天使の服になるだろう。ニヴァは二つのものを得て幸福だった。愛すべき天使と、その天使が着る服を作る夢である。

16

ハシは途中でタクシーを降りて歩くことにした。ニヴァとの食事の約束までまだ時間があったし花を買うのを忘れていた。ニヴァは蘭が好きだ。花屋の前には大きなクリスマスツリーが飾ってある。店内は暖く、水に濡れた葉っぱの匂いがした。シャツの釦を外し胸毛と象牙のネックレスを覗かせた男が、いらっしゃいませ、と声をかけた。バラの茎を切っている。ハシは蘭を注文した。白で縁に赤が薄く滲んでいるやつを五本。

銀紙とリボンで店主が花束を作っている時毛皮を着たオカマが入って来た。ねえ大将ブーゲンビリヤ枝付きでどっさり頂戴。店主は蘭の花束を中断して奥のガラスケースから両手で抱えられるだけのブーゲンビリヤを取り出した。何に使うんだい？　クリスマスのショーであたしが髪に刺して赤鼻のトナカイを踊るのよ。枝をあまり振るなよ、花びらはすぐ落ちるからな。

ハシは色鮮やかなブーゲンビリヤを初めて見た。ハシが大事に持っているのは茶色になった押し花だ。ねえ、ブーゲンビリヤの花言葉って何だろうね、ハシは呟いた。店主は笑いながら首を振る。オカマのうつ病、っていうんじゃないかしら。オカマがウインクしてそう言ったのでハシも笑った。ブーゲンビリヤの花びらは薄い。少しの風でも枝の上で震えて散ってしまいそうだ。僕を捨てた女はどうしてこの花を一緒にコインロッカーに撒いたのだろうか？　あの女流作家は、その時花屋にあった中で一番高価な花だったから、と言っていた。オカマは銀狐のコートの肩に真赤な花びらを何枚か乗せてハシの横を擦り抜けた。

犬を連れた盲目の老人がバイオリンを弾いている。指がかじかむのか風が吹く度に音程を外す。犬の吐く息が白い。酔っ払いが立ち止まり犬の前に坐った。仲間は止めるように言っているが下げていた折り詰を開け鮨を犬の鼻先に差し出した。犬は毛の抜けた雑種で鮨の匂いを嗅ぎ主人の方を見ている。老人はバイオリンを止めずに、どうした？　と嗄れ声を出した。いやなにトロを食わせてやろうと思ってさ、酔っ払いは言った。すみませんがこいつは生ま物を食わんのです。酔っ払いは犬の首輪を摑んで鮨を口に押し込もうとした。こいつどうしたんだよこの野郎トロだぜ。犬は尻尾を巻き悲鳴を上げて逃れようとする。老人は謝まり酔っ払い達の求めに応じてチゴイネルワイゼンを弾いた。酔っ払いは満足して空き缶の中に残りの鮨を詰め込んで去った。老人はしゃがみ込んで飯粒を掻き出し地面に叩きつけた。

六本木の路上に並ぶ若い乞食達は地面に箱を置いてアクセサリーや自分の絵や詩集を売っている。拾ったのだろうかクリスマスケーキを手摑みで食べている連中がいた。寒そうに背中を丸めている女は頬に安全ピンを突き刺し紙を下げている。紙には、パンクよ永遠なれ、と書いてある。安全ピンは錆びている。暗くてよく見えないが頬の肉が化膿しているのかも知れない。時々薬のチューブを出して塗っている。女はケーキを頬張ったままビニール袋のシンナーを吸う。キューピーの絵を並べた男は顔をフランスの国旗と同じ三色で塗り分け座禅を組んでいる。十二月だというのにTシャツ一枚素足にゴム草履だ。吹き矢を売っている男がいた。実演して見せている。人気があるらしくて人だかりが出来ている。材料は一メートルほどの鉛管と円錐形に紙を巻きつけたコンクリート釘だ。威力はなかなかのもので十メートル離れた厚い板に簡単に刺さる。人が殺せます、と看板に描いてある。見ていたハシは後から声をかけられた。縮れた髪の男が笑いかけた。男は前歯が失かった。

俺だよハシ、男は息が洩れる声で言った。タツオだった。タツオは安全ピンの女の横で詩集を売っていた。蜜蜂の死骸、というタイトルだ。

「俺が書いたんじゃないんだよ、変なおじいさんが書いたんだ、ただでくれるんだよ、ハシは偉くなったなあ」

ハシが要らないと言うのに詩集を一冊無理矢理ポケットに押し込んだ。

「ハシの歌聞いてるよ、みんなあまり良くないって言ってるけど俺はそんな奴らいつも殴ってやってるんだぜ」

タツオはハシが持っている花束を見た。

「きれいだな、それ南方の花だろ？　南方は花でも魚でもみんなきれいなんだよな」

「タツオ、悪いけど、僕急いでるんだよ」

「あ、そうか、そうだろうなあ、忙しいんだろうなあ」

「ミエ子は？」

ハシがそう聞くと、タツオは思い出したように前歯のない口を手で隠した。

「歯なし、になっちゃったよ、あいつら麻酔もせずに抜いたんだぜ、散弾拳銃はほらあの運動選手がどっかに隠したからさ、隠し場所を言えって拷問されても言えなかったんだよ。ハシ、麻酔せずにペンチで歯を抜くと、痛いな、耳千切られるより痛かったな、わかるだろう？　歯医者の資格もない奴がやったんだぜ、歯医者からやられても痛いのにさ」

「悪いけど、僕本当に急いでるんだよ」

「なあハシ、ハシと居た頃は楽しかったよなあ、何年も前みたいな気がしてるけど、ほんのすぐ前なんだよな、ハシお金持になったんだろ？　セブ島に行った？　お金持はみんなセブ島に行くらしいな、ハシは行った？」

「悪いな、タツオ、また会おうよ」

歩きかけたハシのコートの袖をタツオは摑んだ。

「あ、ごめん忙しいんだな、わかるよ、一つだけ頼みがあるんだ、ごめん、あの、もしセブに行ったらさ、ミエ子に会えたらでいいんだけど、俺のことを伝えてくれないか？　歯がないけど元気だって、もう二度と殴ったりしないってさ、セブに行くだろ？　お金持になったんだから、おみやげはギターがいいらしいよ、手作りですごく安いんだってさ、貝殻の細工物や何かは日本でも売ってるんだけどギターは本当のおみやげでいいらしいよ、シンガポール航空で行くと一番安いんだよハシ、インド航空も安いけど機内食がカレーばかりらしいんだよ、カレーばかりじゃ飽きるよな、マニラから国内線で五十八分しかかからないとこなんだよ、日本からだと乗り換えの時間も入れて六時間二十九分なんだ、驚くよなあ、六時間二十九分なんてすぐ経っちゃうよ、俺なんかもうここに四時間以上もいるんだぜ」

ハシは何も言わなかった。タツオは右手の袖を離さなかったので、蘭を左手に持ち換えた。タツオはポケットからガラス玉を出した。指輪だ。

「週刊誌で読んだよ、婚約したんだって？　これ汚ないけどあげるよ、いいんだ気にするなよハシ友達じゃないか、友達というのは物をやったり貰ったりする時に気にしちゃいけないんだぜ」

ハシがガラス玉をポケットに入れるとタツオは前歯のない顔で笑って手を離した。ハシは、じゃあね、と言って歩き出した。振り返るとタツオはピョンピョン跳び上がって人混みから顔を出していつまでも手を振っていた。

煙草を吸いすぎて喉が痛い、とニヴァは言った。ハシはウエイターに命じて蘭をテーブルに飾って貰った。

「ねえ、ブーゲンビリヤってきれいだと思う？」

「どうして？」

「花屋にあったからさ、あれ、きれいかな」

「匂いはないのよね」

「僕を捨てた女はね、ブーゲンビリヤをコインロッカーの中に撒いたんだよ」

「そう、花が好きな人だったのかしら」

「どうしてそんなことしたんだろう」

ニヴァは目を伏せて食前酒を飲み干した。ハシはそれを見て、こんな話止めようね、と笑って言った。ニヴァは苦しかった。ハシは一週間後のクリスマスイブにその女と会うのだ。その女は既に住所も名前も全て調べられている。ハシは知らない。ニヴァは、喋ってはいけないとDに言われている。説得する自信があれば言ってもええぞ、俺も何度か言おう思たが出けんかった、お前言えたら言ってもええぞ、言えたらや。ニヴァは言えなかった。

ハシはタツオと会っていやな気分になった理由を考えていた。ブラウン管の鏡に映った自分が塗り換えた記憶は過去の知り合いに会うと崩れそうになる。丹念に築き上げた、屈辱感のない新しい意味に満ちた思い出は過去を知る生きた人間に出会うと簡単に壊れる。ハシはそう思ってゾッとした。あいつらみな死ねばいいんだ、と思った。前歯のないタツオの顔が浮かんできた。必死の思いでそれを消すとキクが現れた。キクはどうしても消えなかった。

「どうしたの?」

ニヴァが声をかける。ニヴァは胸の割れたベルベットのワンピースを着ている。ハシは手を伸ばしてその胸元に差し込んだ。こんなとこでだめよ。海綿のパッドと硬い針金の入ったブラジャーに触れた。性交の前の食事。ニヴァの裸は頭の中にある。男みたいな乳房と、女性器、いかしてる。写真で見るような腫らんだ乳房ってどんなだろう、牝牛のやつしか触わったことがない、案外興奮するかも知れない、女の乳房と男性器を持った人間がいたら最高だな、背中に羽が生えているだろうか。

前菜とスープが運ばれてきた。スープは刳り抜いた亀の甲羅に入っている。一口喉に流し込むと震えるほど美味しくて、ハシはキクやタツオのことを忘れた。

17

二人はアネモネの運転するフォードブロンコ八七年型に乗って西新宿に向かう。アネモネが会員権を持つヘルス・クラブは外国総銀ビルの別館にあり超高層の塔に囲まれて銀色の丸屋根を輝やかせていた。二人はこのクラブに毎日通っている。ダイビングの技術を習うためだ。アネモネは地下の駐車場にブロンコを停めた。

キクは新品の潜水器材を取り出す。アネモネはテレビコマーシャルやグラビア、ポスター等のモデル契約料を鰐の餌代だけ残してほとんど貯金していた。キクはその大半を使ってウワネ海底洞窟探検に必要だと思われる特殊な潜水器材を買った。海中での動きを楽にし空気消費量を少なくするための水中スクーター、もしダチュラが流出していた場合海水を飲まないように顔面を密封する職業潜水夫用のバンドマスク、バランシングベスト、減圧コンピューター等である。

ヘルス・クラブのフロントで会員証を提示しロッカーの鍵を受け取る。更衣室でトレーニングウエアに着換えキクとアネモネはまず人工芝が敷かれた一周四百メートルの起伏のある競走路を軽く走る。この走路は幅三メートルで一周するとクラブの施設を一巡りするようになっている。乗ると遊園地をすべて眺められるジェットコースターと同じだ。アネモネは軽く二周する。キクはペースを変えて五周走る。四面のスクウォッシュコート、テニスコート、四つのプール、二人は走り終わると三階のフロア全体を占めるアスレチックジムへ入った。

ウエイトトレーニングセンター、トランポリン、床運動のマットや鞍馬鉄棒といった体操器械、人工雪を付着させたベルトコンベアを回転させるスキー練習機、軽砂と発泡スチロールと原油を混合した半液体を震動させ波を得るサーフィンの練習台、アネモネはトランポリンで十回跳ねて人間ピンボールマシンの受け付けに向かった。循環器系の簡単な検査をするとパンチの入ったアクリル板を貰える。人間ピンボールマシンは国内ではこのクラブにしかない。スタート地点には球形の鉄網が三個並んでいる。アネモネはその中の一つに入る。鉄網は二重になっていて隙間にボールベアリングが詰めてある。この鉄網の外側はゴムに被われた無限軌道の回転体となるわけである。鉄網の内部には透明なプラスチックの椅子がある。アネモネはそれに坐った。椅子はトローリングボートのフィッシャーマンズチェアに形が似ている。レバーによって前後左右に傾く。鉄網の内部は直径二・五メートルくらいだろう。スプリングの付いた握り手や鉄パイプが複雑に突き出ている。アネモネは椅子の脇にある釦を押しアクリル板を足許の穴に差し込んだ。得点板が点滅する。扉が開いて鉄網がゆっくりと転がり始め徐々に速度が上がる。目の前には緩やかな傾斜の巨大なピンボールマシンが拡がっている。途中、背筋穴、上腕筋壁、腹筋溝、広頸筋ベルト、大胸筋帯、大腿四頭筋穴、脛骨アキレス筋壁、三角筋橋、大殿筋溝と呼ばれる障害がある。例えば背筋穴というゴム底の丸い穴に転がり込むと、鉄網内の椅子は後に倒れ、アネモネは上体起こしによる背筋運動を行う。椅子に内蔵されている受容器が運動神経線維を流れる興奮信号の量を計る。約三分後に鉄網は穴を飛び出し再び転がり始めるが、背筋穴なら背筋の運動消費量の違いによってそのコースがいろいろと変わる。各コースの床には光に反応する重力計が埋め込まれて、その値は鉄網内部の得点表示板に加算されていく。そのようにして障害を全部廻るとゲームは終わる。性別年齢別に千点満点で総合運動量が判定される。アネモネは八百十三点だった。

午前中のアスレチックジムには婦人客が多い。表面に白粉と香料を擦り込んだ脂肪の匂いが立ちこめる。腫れ上がった体を白のトレーニングウエアで縛った女達は人工芝の上で芋虫に見える。蜂の幼虫だ。肛門から高圧ポンプで牛乳を詰め込んで脹らませた生まれたての赤ん坊が美容体操をしている。あの首筋から垂れる汗は甘い。尻や腹が揺れている。肉を切ってもあまり血は出そうにない。黄色いネバネバした汗と一緒にいろいろなものが床に零れてきそうだ。米粒や潰れたスパゲティの切れ端や黴の生えた豆腐や発酵したラードや凍ったマヨネーズや未消化の卵や糸を引くチーズケーキが音をたててトレーニングウエアを引き裂き女達の尻から床に零れてきそうだ。ねえそこのお若い方、腹筋運動は便秘に効くって本当かしら？　一匹の芋虫が這いながらキクに聞いた。わかりません、と答えてキクはアネモネの方へ歩いた。

プールへ向かう途中アネモネが一人の老人を指差した。あの人少し変じゃない？　老人は人工芝の走路をよろけながら走っている。二人の前を通り過ぎる時何かブツブツ呟いていた。顔色が真青で足に痙攣がきていた。キクは指導員を呼んで止めさせるように言った。指導員は並んで走りながら止めさせようとする。老人は首を振って走り続ける。指導員は老人の前に出て肩に手をかけようとした。老人はその手を払おうと身を捩りバランスを失って倒れた。キクも走っていって体を起こすのを手伝った。キクと指導員は頭を動かさないようにゆっくりと運んだ。汗が乾ききって塩が浮いている。口を開け、真白な舌を垂らしている。走り過ぎだ。指導員が舌打ちをして、一体どういうつもりだ、とキクを見た。今月に入ってもうこれで六人目なんですよ、いくら言っても聞かないんだ、放っといたら死ぬまで走りやがる。医務室に運び入れた。老人は酸素吸入を受けた。不眠症なんだよ、と指導員に言い訳していた。体を疲れさせないと眠れないいんだよ、血管が干涸らびて皮膚の隙間に虫が湧いているような感じだ、君達にはわからんだろう、そう言ってアネモネを見た。全身を巡っていた血が止まってしまって腐ったような気がするんだよ、気味の悪い虫が私の骨を齧《かじ》っている、ギザギザする足の嫌な虫だ、私の足や腰にうじゃうじゃいるんだ、そういう感じなんだ、走って息が切れて体中から血の気が失くなるまで走ると虫も死ぬんじゃないかな、気持ちよくなる、死ぬほど疲れると死ぬほどよく眠れるんだよ。老人は照れ笑いをしてアネモネの手を握った。赤い斑点のある風船が窄んだような手だった。強く握って離さずそのまま眠った。アネモネは一本ずつ指を剝がした。

「水中で呼吸を続けるためには加圧された空気の供給を受けています。十メートルでは二気圧、二十メートルでは三気圧です、ボイルの法則によって二気圧の空気を一気圧にするとその容積は二倍になるわけです、水深二十メートルで呼吸し肺の中に吸い込まれた三気圧の空気は水面に上昇すれば、三倍に脹れあがります、そこで肺から空気が排出されないままダイバーが浮上すれば、どうなるでしょうか。肺の中の空気が膨脹しますね、その容積が肺の肺活量と残気量よりも大きくなると、肺胞というガス交換を行う細胞に亀裂が生じることがあります。すなわち、肺が破裂するわけです。空気が胸腔内に洩れると、気胸、が起こります。激しい胸の痛み、呼吸困難、血の泡を吐きます。空気栓塞はもっと危険です、肺が破裂すると空気が血管に吸い込まれ血管に入った空気は心臓を通って外に送り出され小動脈に詰まって血流を止めてしまうのです、心臓血管や脳の血管に栓塞が起きると急性心不全や急性脳障害を起こして致命的なことになります、憶えて下さい。スクーバダイビングでは、息を止めて浮上してはいけません」

キクは熱心にノートをとる。アネモネは泳ぎ疲れて居眠りをしている。キクは微かな寝息をたてるアネモネの唇を鉛筆の先で突ついた。アネモネは姿勢を変えずに目を開けた。朝の化粧は全部落ちている。ねえあのおじいさん若い頃スピードスケートの選手だったんだってよ。アネモネは舌を出して唇を舐めた。半分閉じた目蓋が震えている。

夜、食事の後テレビを見ているとハシが出演した。背が高くて目と眉が吊り上がった女と一緒でアナウンサーの質問に答えていた。ハシは昔の顔に戻っていた。髪も切って白粉も塗っていないハシは、一倍以上年の離れたその女と結婚するつもりらしい。女の左手が画面に大写しになった。恥ずかしそうに指を曲げたり伸ばしたりしている。細長い薬指に宝石がある。爪に色のない大きな皺の多い手を見てキクはわかるような気がした。ハシがこんな女の手を求めるのがよくわかった。ハシの顔がアップになるとキクはアネモネを呼んだ。おい俺の弟がテレビに出てるんだぞ。キクはアネモネに、ハシは歌がうまくていろんな音楽を全部知ってるんだ、と自慢した。

アナウンサーが下を向いて言いにくそうに、あのうあなたがホモセクシャルだと言う噂があるんですが、そう言った。ハシは全く表情を変えずどこか遠くを見るようにしばらく黙って突然恐しい勢いで喋り出した。ホモセクシャル、男が好き？　僕が？　僕がホモだって？　あの悪名高い売春街マーケットで化粧して体を売ってた？　誰が言ったの？　証人もいるのか、うーん、それでどうかしたの、その通りだよ、ええい苛々するなあ、当り前です、男は大好き、寝たことは数え切れない、でも女も好きなんだ、その人とやりたいと思ったら男も女も年も関係ないよね、年寄りだっていいよ、別に人間じゃなくたっていいんだ、やりたくさせるやつだったら肌が合いそうで気をそそるやつだったらプードルでもいいよ羊だって馬でも鶏でも大丈夫火星人とやれて合いの子が出来たら真先にこのスタジオに連れて来てあんたに見せたげるよそしたらインタビューすればいいじゃない今と同じように今みたいに間の抜けた顔でインタビューしなさいよ火星人の合いの子に聞くといいよあなたがホモセクシャルだって噂があるんですけどってね。アナウンサーは唖然としてしばらく何も言えなかった。イヤホーンをいじったりカメラの脇にいるディレクターに指示を仰いだりした。背の高い女が、ごめんなさいこの人気紛れで時々こうやって悪気のない嘘吐くんですよ、と謝まった。ハシは関係のない方向を睨んでいる。顔に汗を掻き目が濡れてキラキラしていた。

　キクは驚いた。ハシが奇妙な自信に満ちていたからだ。別人のような喋り方をした。目付きや動作を見てキクは思い出した。ハシがこんな状態になったのは二度しかない。乳児院でガラクタの山を作っていた時と、催眠術をかけられた後で家に閉じこもりテレビを見続けた時だ。目が濡れてキラキラ輝きどこを見ているのかわからない。乳児院の寝室の床一面にわけのわからない箱庭を作ってキクだけに説明してくれた時と同じだ。あれが戦車だよキク、その横のガードレールが飛行場で、コインロッカーはほらあそこの自転車の尾灯だよ、きれいでしょ、人間の卵の巣みたいでしょ？　キクは画面で薄笑いを浮かべるハシに向かって呟いた。お前どうしたんだ、今度は何を作ってるんだ、誰に催眠術をかけられたんだ、誰がお前を病気にしたんだ。ハシが苦しんでいるように見えた。いじめられて怯えて泣いているのを助けてやる時、ハシは無理に笑顔を作って、ありがとう、と言った。ありがとうね、キク。キクはその声が聞きたくなった。

　ハシの番組が終わると風呂上がりのアネモネが濡れた腕を伸ばしてテレビを消した。何をするんだ、キクは大きな声を出した。

「別に、テレビを消しただけよ、番組は終わったんでしょ？」

　アネモネは髪を束ね頭の後で蝶の羽の形にピンで止めている。

「キク、あんたあのオカマのことを考えてるでしょ？」

キクは首を振った。

「嘘よ、考えてるわよ」

「俺は自分のことを考えてるんだ、ハシのことじゃない」

「あんたのいいところは物事を考えないことなのに、本当よ」

「考える時だってあるよ」

「考えちゃだめよキク、考えちゃだめ、あんたあの高い棒を跳ぼうとする時、何か考える？　走り出した後よ、跳べるだろうか、失敗するだろうかって考える？　考えないでしょ？　あたしが嫌いなタイプの人間は多勢いるわ、その中でも最低なのは悩んだり反省ばかりしている連中よ、自分について考えるような人はあたしに言わせればもう棺桶に足を突っ込んでるんだわ」

「おまえは――」

「何よ」

「ちゃんとしてる」

「何が？」

「ちゃんとした家の子供だ」

「それがどうしたのよ」

「それがどうしたもくそもあるか、ちゃんとした家の子供じゃないか、俺とハシは捨てられたんだぞ、俺達を産んだ女は、捨てたんだ、必要じゃなかったんだ、捨てられたんだぞ」

「そんなに何度も言わなくていいわよ、知ってるから、だからあんたは憎んでるんでしょ？　この町を廃墟にしたいんでしょ？　するんじゃないの、それでその他に何を考えるって言うのよ」

「なあ、俺はあいつと一緒にずっと育ったんだよ、いいやつだったんだ、その、あいつが初めてだったんだ、アネモネわかるか初めてだったんだ、俺を必要とした初めての人間だったんだ」

アネモネはテレビの前を動かないキクにゆっくりと近づき後から胸に手を回した。

「キク、あんた間違ってるわよ、誰かを必要とする人間なんていないもの、あんたの言うことは違うわ、あのオカマとあんたは何の関係もないのよ、あんたの言うことを聞いてると、飼っていた鳩に逃げられたガキみたいで気持ち悪いったらありゃしない。大事なのは、自分が何をしたいのか捜すことだと思うわ。あたしは、あたしのパパとママもあまり頭が良くないし、考える人って有名な彫刻があるでしょ、あれ嫌いなの、あれ見てると爆破したくなってくるわ、ほらオシッコが溜まるところに石ができる病気があるじゃないの、血の混じったオシッコが出たりとにかく痛い病気よ、あの彫刻はその石よ、病気の石よ、爆破してやりゃいいんだわ、あたしは生きてる鰐の方が好きよ、あたしって鰐みたいな女よ、ねえキクびっくりすることを教えてあげようか、あたしは鰐の国の使者なのよ。ディズニーランドに四つの国があるように、脳には三つの国があってね、運動の国、欲望の国、考える国、欲望の国の王様は鰐なの。運動の国の王様はヤツメウナギで考える国の王様は死人よ。あたしは鰐の国に住んでるわけ。あたしは顔もかわいいし太ってないし、貧乏人の娘じゃないし、健康で先天性梅毒じゃないし、どうでもいい人達から好かれなくても苦しくないし、便秘もしないし、両方とも視力は二・〇で足も速いの、鰐の神様がどうでもいいことを考えなくてもいいようにして下さったのよ、わかる？　あたしは使者なの、この町を鰐の王国にするためにあたしは選ばれて、ある男の手助けを命じられているのよ、あなたよ、キクをずっと待ってたの、あなたはこの町をメチャクチャに食い千切るために生まれてきたのよ、あたしと巡り合ったのが何よりの証拠だわ」

「鰐の国ってどこにあるんだよ」

「あたしの口の中、暗くて柔らかなベロの下」

そうか、じゃ見せろ、そう言ってキクはアネモネを膝の上に抱え上げて二本の指で口を開かせた。濡れた髪が足の上に拡がってくすぐった。キクはアネモネの舌を指で摑んで、どこだ鰐の神様は、と言いながら顔を近づけた。アネモネはゲッゲッと気管を震わせて舌を動かしキクの指を根元まで銜え嚙みついて笑った。舌を突き出したままキクの髪を引っ張って顔を近づけ耳を舐めた。鰐の国も、あたしもあんたを必要としてるわ、と耳の穴に舌を突っ込んで囁いた。

ハシは子供の頃から自分の周囲に膜を作っていた、いつでもその中に逃げ込んで自分を閉じ込めることができるようにだ、キクだけがその膜を通り抜けることを許された。気持ちのいい膜だった。ハシは密閉されたその膜に声を反響させ震わせてキクを喜ばせた。キクは唾が絡まって白く濁ったアネモネの舌を自分の腹に押し当てた。アネモネは、とキクは思う。こいつは、ハシを被っていたあの空気の膜そのものだ。冷んやりしてヌルヌル震えている。

18

その男は便利屋と呼ばれていた。ミスターDの麻雀仲間で表向きの仕事は古物商だが、要するに便利な男だった。便利屋はDにこう依頼された。桑山橋男、通称ハシという捨て子がいる。捨てた女を捜せ、但し、ハシにも女にも気付かれてはならない、そして今年のクリスマスイブにその産み捨てた女がどこで何をしているか正確にわかるようにしてくれ。

便利屋に与えられた時間は三ヵ月と二日しかなかった。便利屋は一つの仮説を立てた。もしその仮説が間違っていたら何十年かかっても捜せっこないと判断した。仮説が正しければ、何とか間に合うかも知れない。ハシを産み捨てた女は、他にも子供を捨てるか殺すかしているに違いない、それが便利屋の仮説だった。嬰児殺人、嬰児遺棄、嬰児死体遺棄の前科を持つ女、逮捕歴のある女を徹底的に調べ上げた。手掛りはあまりない。

国電根岸線の関川駅コインロッカー三〇九番、ハシは全裸のまま紙袋に入れられていた。発見した警察官の調書によると、全身に天花粉を塗っていて口から黄色い汁を吐いていたそうだ。汁からは薬の匂いがしたという。薬は市販されていない嬰児用の咳止めシロップだと警察病院で判明した。生後約三十時間。この女は一九七二年の七月十九日には間違いなく関川駅にいた。さらにその三十時間前にはどこかの病院にいたはずだ。ハシがその中にいた袋は、横浜中区元町の輸入雑貨店〝ギンガム〟のものだった。コートやスーツを入れるかなり大きな袋でまだ新しかった。そしてブーゲンビリヤの花弁、これは枯れていなかった。便利屋は調べた。東京を含め横浜市近辺で当時ブーゲンビリヤを確かに置いていたという花屋は僅かに十一軒。以上の事実からわかるのは、女が他所からやって来たのではないということだ。一九七二年七月十九日当時横浜近辺に住んでいた女に絞っていいのではないか、便利屋はそう考えた。その条件に該当し、嬰児遺棄、嬰児殺人の逮捕歴を持つ女は三人しかいなかった。

国崎千代子は当時二十三歳、横須賀で男と同棲していた。男は中古車販売店に勤めていた。半年後二人は別れている。千代子は七三年二月から郊外レストランのウエイトレスとして働き始める。同年七月結婚。相手の方は再婚でゴルフ会員権等のブローカーであった。一歳に満たない連れ子がいた。千代子は二十歳になってまもなく知人の勧めで株式投資を始めそれが唯一の道楽である。結婚後しばらくは控えていたが夫の目を盗んで弱電メーカーの株を買いすぐにそれが暴落して二十万円近くすった。夫に発覚して口論となり隣の部屋に寝ていた連れ子を絞殺。殺人罪で懲役八年の刑を受け、六年後の一九八〇年栃木刑務所を仮出所している。現在は横浜市保土谷区のアパートに一人住まい、ビルの掃除婦、四十歳。

便利屋は暴力団員を一人連れてある男に会いに行った。男は横浜市緑区の公営住宅に住むカーワックス販売の外交員、国崎千代子と横須賀で同棲していた相手である。便利屋は男の家に押しかけ国崎千代子の兄だと名乗った。日曜日昼食の最中だった。男と妻と二人の子供はインスタントの焼きそばを食べていた。男は、便利屋が千代子の名前を出すと焼きそばを喉に詰まらせた。気が弱い男のようで、便利屋は暴力団員にあっちへ行ってろと手で合図した。男は近くの公園で国崎千代子のことをほとんどすべて話した。千代子が後座位を好んだことまで話したが、嬰児遺棄はない、と言った。二度堕胎したが産んだ子供を捨てたことはありませんよ。便利屋は男に五万円渡しすべて忘れるように念を押した。

　糸谷典子は当時二十歳、学生で、横浜市中区に住んでいた。親子ほども年の違う獣医と付き合っていた。一九七〇年九月嬰児遺棄で逮捕、懲役二年八ヵ月執行猶予五年を受けている。獣医との間にできた子供を道路の溝に捨てたのである。

「彼は認知してくれませんでした、私は高校生の頃彫刻のモデルをやったことがあります。東京の予備校でゼミを受けてた時です。何も知らない田舎者でしたが、その彫刻家が好きだったからです。作品に憧れていました、着衣でという約束だったんですが、彫刻家が、私の子宮を見たいと言い出しました。この作品は女の強さを表現したいので子宮を見ることが必要だと言ったんです。性器ではない子宮だ、下劣ではなく崇高なのだと説得されました、私は見せてやりました、嫌らしい男なのだと後で判り泣きましたが、どうしようもありません、大学に入って忘れようとしました。先生(獣医のこと)と知り合って完全に忘れることができたようでした。赤ちゃんができると、先生は認知してくれませんでした、私は堕そうかと何度も思ったのですが、堕すと嫌な気持ちになって彫刻家のことを思い出すだろうと思いました、どんどんお腹は大きくなってある日突然あの子が生まれました、私は先生に見せに行きました、私は堕したと嘘を吐いていたので先生は驚いてひどいことを言いました、嫌らしい女だ、私を威す気か？　私は追い返されました。ノイローゼになっていたのかも知れません。帰り道、抱いていた赤ん坊が彫刻家にそっくりだと感じました、先生の子供ではなくて彫刻家があの時いろいろと嫌らしいことをしたので、つまり変な棒を突っ込んだりしたのであの男の赤ん坊かも知れないと思ってしまって、発作的に道端の溝に捨てました、通行人が見ていたらしくて、びっくりして私を呼び止めようとしましたが、私は走って逃げました」

溝に捨てられた子供を実家に預け、糸谷典子は驚いたことにその後も獣医と関係を続けている。三年間、である。一九七三年の一月やっと獣医と別れ裁判を通じて慰謝料を取り熊本県人吉市の実家に帰っている。現在未婚、家事手伝い、三十九歳。

便利屋は帰宅途中の獣医を車で拉致した。糸谷典子が一九七二年七月、あんたの子をコインロッカーに捨てたという記憶はありませんか？　「君達は何だ？　やくざか？　僕をなめるなよ、もう調べたかも知れないが家族はいないし、年老いたオヤジがいるがあんなのはもし君達が殺してくれるとしたら僕は大助かりだよ」手荒なことはしませんよ、本当のことを教えて欲しいんです。「どこの組だ？　僕は土佐犬協会の専属医師でね、大抵の組長クラスとは友達なんだぜ、僕を怒らせない方がいいよ、黙っててやるから早く降ろしてくれ、言っとくがこの車のナンバーを僕は憶えたしね」便利屋は暴力団員の案内で品川の大きな工場に車をつけた。レストランチェーン店の中央工場である。暴力団員は工場の鍵を持っていた。守衛は彼の顔を見ると門を開けてくれた。便利屋は巨大な漏斗形の機械の前に獣医を連れて行った。暴力団員が説明する。この機械は肉を液体にするやつや、牛だろうが象だろうが、丸のまま放り込めば茶色の汁になって出てくる、そのまま冷凍されて、二、三年後にハンバーグになる。獣医は、すべてを話した。「典子は僕の理想の女だった、性的に優れていた。ボクサーでいうと、ファイターとテクニシャンの両方をかね備えた素晴しい女だったんだ。ただ結婚はしたくなかった。頭がパーだったし、僕は独身が好きだからね。一人赤ん坊が産まれたと聞いた時にはショックだった。僕の分身がいる、そう考えただけでも鳥肌が立つよね。だからその後は卵子を分解して受精を破壊する薬を使ったんだよ、羊や馬に使うものだけど人間にもよく効くんだ、酸性の塗布液だからワギナも熱く絞るようになるし、君達にも分けてやろうか？　だから典子はその後妊娠していないし、第一できないはずだよ」

吉川美樹、当時二十一歳、横浜市港北区で主婦、夫は区役所の職員だったが彼女が最初の事件を起こした時辞めてチリ紙交換をやっている。吉川美樹は現在栃木刑務所に服役中である。

美樹は一九七四年、死体遺棄で逮捕された。我が子が布団で窒息死し、ゴミ袋に入れてゴミ集積場に捨てたのである。初犯でもあり、子供を死なせてしまったというショックから心神喪失状態が認められ実刑は免れた。それでも新聞に報道されたので夫は区役所を辞職しなければならなかった。二番目の子供は二年後七六年に産まれた。しかしこの子は死産であった。前の子の呪いだと美樹は思い、いくら死産でもちゃんと葬るとえこひいきになる、前の子が嫉妬する、そう考えて産院の焼却炉の中に放り投げた。再び死体遺棄である。子供を失った悲しみのための発作的犯行、と判定され起訴されなかった。四年後の一九八〇年、美樹は三度妊娠した。美樹の夫は法廷でこう陳述している。「妻は妊娠初期、精神が不安定でした。私が失職中で先行きの生活が不安だったことも理由の一つだったと思います、既にお腹の子は死んでいる、きっと死んでいる、自分には前の二人の子の呪いがかかっている、そう言っていました。私は妊娠中期になってつわりも納まればそんな不安定さも弱まると考えて別に何もしませんでした。予想通り、五ヵ月を過ぎると妻は平静を取り戻しました。しかし生活苦は続き私は港湾労働をしてました。出産間近になると妻は再びおかしくなりました。胎児が動かない石みたいだ臭い腐っているようだ死んでいるに決まってる、そしてこう言った時私は精神科医に相談することにしたのです、ねえあなた、あたしこの子が死んでなくて元気に産まれてきたら殺すわよ、だってこの子だけえこひいきするわけにいかないわ、精神科医は出産後の入院を勧めました、女の子が産まれました、妻は入院し、私はやっと仕事を得ました、生活は少しずつ楽になり、妻もよくなっていきました。娘が四ヵ月に成長した頃妻が病院から戻ってきました、ニコニコ笑って私に手を振りました、娘を抱き上げて頰ずりを繰り返しました、その時娘がむずかって泣き出してしまったのです。そして、妻は、娘を、止める間はありませんでした。あっという間のことです、地面に落としたのです、娘は、頭から落ちました」吉川美樹は殺意を認めた。憎かった、と陳述した。やっとノイローゼを治して帰ると私の顔を見て泣いた、憎かった、殺してやろうと思った。そう言った。美樹の精神は鑑定の結果正常とされ、実刑が確定したのである。美樹は現在服役中、四十二歳。

便利屋は夫の仕事場を訪ねた。夫は離婚せずに美樹の仮出所を待っていた。夫は熱帯魚の飼育販売店の運転手をしていた。便利屋が美樹のことを聞くと嬉しそうな表情をした。「優しい女なんですよ、気持ちがね、とっても優しいんです」大きな水槽をゆったりと泳ぐ淡水魚を指差した。

「アロワナです、こいつは二十万円もします。こいつを見ると美樹ちゃんを思い出します、妻はね、このアロワナを飼うのが夢だったんですよ、いやね、以前妻の実家へ行って妻が小さい時のノートを見つけたんですよ、それにアロワナの飼い方がびっしり書いてあったんです、可愛い字でね、そういう子供だったんです、それを見て感動しましたね、生き物が好きでね、そのノートは私と知り合う以前のものなんですよ、つまり私に対して嘘をつけない時代のものというわけです、動かせない過去のものですよ、その中で美樹ちゃんはアロワナに対する愛をノートに書いてるんです、私はこの女を信じようと思いました、気は優しくて力持ちとよく言いますが、美樹ちゃんは、気は優しくて人殺し、なんです、優し過ぎるんです」

便利屋は夫の無邪気な話を聞きながら諦めていた。吉川美樹が十七年前にハシを産み捨てたとは考えられない、この夫婦は当時区の職員住宅にいたのだ。妊娠や出産をしたら同僚に知れないはずはなく、捨てたりしていたらその後の事件に際して警察に隠しておくことなどできるわけがないのだ。無茶な仮説だとは思っていたがやはり駄目だったか。ミスターDは発見できた場合これまでの報酬の五倍を出すと約束したが、どうやら俺は失敗したようだ。便利屋はアロワナのガラスケースを指で突つき自嘲気味に笑って聞いた。子供をコインロッカーに捨てた女がいるんですがね、あなたそういう方を知りませんかね？

「知ってます」と夫は答えた。便利屋は吃驚した。知ってる？　そんな女を知ってるんですか？

「チリ紙交換をやっていた時のことです、仲間にヤギという男がいました、そいつは左手の小指がない賭け将棋が好きな元タイル工で、ものにした女のことを翌日話すのを楽しみにしていました、ヤギが相手にする女は大体中年の女給か商売女でしたが、ある日、サウナのマッサージ嬢をひっかけたって自慢してましたよ、按摩だけあって揉むのがうまいってね、その女按摩が酒に酔って若い頃の話をしたそうです、高知だったかどこからか出てきて、昔の幼馴染みに会ったらそいつは結婚してて、美樹ちゃんのことがあったからよく憶えてるんです、一発やったらガキが出来たから捨てちゃったって、死んだのを確かめてから捨てたっていってましたよ、コインロッカーに」

便利屋は夫の胸ポケットに五千円札を捩じ込んで車に乗り込んだ。チリ紙交換会社にヤギを訪ねると既に辞めていた。同僚が、犬猫美容師学校の運転手をしていると教えてくれた。

青柳ペット美容師学校は川崎市の多摩川沿いにあった。ヤギは確かにそこで働いていた。学校では生徒の実習に使う犬や猫を一般家庭から借りる、その代わりシャンプーやカットグルーミングを無料で行う。その犬や猫の運搬がヤギの仕事である。便利屋はヤギの届け先を聞き後を追った。ヤギは道端に車を停めてプードルが入れられている檻をグルグル回しているところだった。鉄檻の一本を摑んで吠え続けるプードルに構わずグルグル腕と一緒に回転させた。プードルが吠えるのを止め口から泡を吐いてぐったりすると回すのを止めてトラックの荷台に放り込み、電柱に立小便をした。便利屋は暴力団員と共に近づきナイフと金で女按摩のいたサウナを聞き出した。ヤギは頰を少し切られ五千円札を貰って喋った。「川崎の駅裏にある、天満ってサウナだよ、でも十年も前だからな、いるかどうかわかんないぜ」ヤギは女の名前を知らなかった。大柄でやたらに手が大きくて盲腸の跡があり目が細くて陰毛が濃く髪を金色に染めてた、そう言った。〝天満〟にはやはり女はいなかった。支配人は、ここのマッサージ師は全員免許を持っているので組合に問い合わせればわかる、と電話をかけてくれた。

一週間後、便利屋はミスターDからこれまでの五倍の報酬を受け取った。女の名前は沼田君枝、四十四歳、今は東京立川市のサウナで働いている。確かなのは、七二年の五月腹が大きかったこと。六月から七月にかけて仕事を一ヵ月半中断していること、嬰児をコインロッカーに捨てたと少なくとも四人の人間に話していること、二人は同僚のマッサージ師、一人はヤギ、一人は半年間同棲した若いバーテン、バーテンの話によると子供を捨てたのは君枝が二十七歳の時すなわち七二年の夏に間違いないこと、赤ん坊は男だったこと、七二年の夏沼田君枝は旅行していないこと、それはヤクルトの配達婦が証言した、配達するヤクルトは毎日飲まれていたそうだ。つまり、沼田君枝が一九七二年の夏、横浜市内のコインロッカーに男の嬰児を捨てた、これは事実だ。そして、その年の夏、横浜市内のコインロッカーで発見された男の嬰児は、二人しかいない。

19

鰐は人工の池に沈んでいる。鰐は僅かに水面から出した眼球で揺れる肉塊を追っている。キクは、赤ん坊の頭ほどの馬肉を二切れ紐に結んで棒に吊るしガリバーの頭上で振っていた。ガリバーが興味を示し匂いにつられて噛みついてくるまで肉の棒を揺らすのである。鰐を池から誘い出して天王星を歩き回らせる。その後餌を与える。運動不足で太り過ぎた鰐は体を支えきれなくなって歯骨枯乱症という致命的な病気に患る。

いつも餌をやるのはアネモネだが、きょうは二人きりのクリスマスパーティーをやるのだと朝早く起きて料理を作っている。チョコレートケーキと七面鳥の照り焼きと尾頭付きの鯛のスープ、海老とじゃがいものサラダ、それにきんとんを作るらしい。きんとんは正月料理じゃないか、とキクは言ったが、中学校の家庭科で習って先生から賞められた唯一の料理でおめでたいのは同じだからいい、とアネモネはバケツ一杯の栗を買い込んだ。

キクが何度肉を振ってもガリバーは池から出ようとしなかった。肉を下げている棒は物干し竿を半分に切ったものだ。肉は一塊が五キロだから振っていると腕が疲れてくる。キクは台所のアネモネに向かってこいつ食わないぞ、と言おうとした。すると突然鰐が跳躍した。尾で激しく水面を叩き一メートル近くも空中に跳び上がってあっという間に肉を奪ってしまった。棒を引っ込める間もなかった。大きな水飛沫でキクは頭からびっしょり濡れた。

エプロンを着けたアネモネが戸の隙間から顔を出した。どうしたの？　キクは一つだけになった肉塊を振って見せた。餌を奪われちゃったよ。抱えていたきんとんの皿をキクに渡しアネモネは棒を持った。手本を見せたげるからね。一塊の馬肉を食べ終わって鰐は再び池に沈んだ。アネモネは肉塊を鼻先で揺らし、尾の動きを見ていた。行動する直前に尾の付け根が緊張するのよ。池に小さな波が起こった時アネモネは棒を振った。ガリバーは恐しい速さで池の水を掻き浮上して餌に飛びかかった。鰐の動きは連続的ではない。尾でバランスをとりながら五、六歩素速く進んで止まる。止まった時は石になったようでピクリとも動かない。キクわかる？　ああやって止まってても別に考えてるわけじゃないのよ、力を溜めてるだけなの、あたし達や壁や天井や空気からの圧力を溜め込んで次の追跡の準備をしてるのよ、耐えてるのね、閉じ込められてるっていう屈辱を闘志に転換してるんだわ。鰐は体を半転させたかと思うと鉄の尾で肉片を叩き紐を引き千切った。アネモネは手摺りを越えて天王星の中へ落ちそうになりキクが慌てて支えた。鰐は肉塊を池へ引き摺り込んだ。肉の脂と血が池の表面に拡がった。

　食卓の上にプラスチック板を噛み合わせて作ったクリスマスツリーがある。半透明なプラスチック板には髪の毛よりも細いチューブ入りの発光液が埋め込まれてそれが樅の木の尖った葉っぱを表わしている。発光液はそれ自体白色だが角度を変えて重ねるとすべての色を作り出す。息を吹きかけて発光液のチューブを揺らすと新しい色の群れが現れる。裾から頂点まで順に風を当てると夕暮れの西空に浮かぶ三角形の雲と同じ色になる。すなわち下辺は白く輝き中間に燃えるオレンジ色が彩度変化の層を作り上辺に暗い赤と空を透かす微かな青の線が入るのである。アネモネは大量の氷を作ってポメリーのシャンパンを五本も冷やした。戸棚から福寿草のカットを刻んだグラスを二個出した。美容院に行って髪を右斜め上で固めオニヤンマに跨がった裸の少女をかたどった彫金細工の飾りをつけた。クリスマスイブだ。

　キクは乳児院の午後を思い出す。頭からすっぽり被る赤と白の服を着せられた。両方の袖と襟元にボンボンがついていた。礼拝堂で讃美歌をうたわされた。窓に暗幕を張って燭台を一人一人持った。寒くて指に力が入らなかった。燭台を落とさないように大声で歌った。大声を出すと体が暖まったからだ。お祈りが終わるとトロンボーンを吹くサンタクロースが来た。紙の長靴を貰った。長靴の中身で憶えているのはキャラメルと粉末ココアとビニール製のラグビーボール、色粘土とパンダの風船、戦車の消しゴムだ。

さっきアネモネがプレゼントの包みをくれた。まだ開けちゃだめだ、と言った。キクもプレゼントを渡した。本だ。〝オムレツその全て〟という本で真中あたりにオムライスの作り方が載っている。アネモネはチョコレートケーキを焼いている。残りの料理は出来たらしい。キクはアネモネが買ってきた黒のスーツに着換えた。その時、電話が鳴った。アネモネが出て、不思議そうな顔をしてキクに受話器を渡した。あなたに電話よキク。

「俺を憶えてるか？　あの時は失礼したね」

ミスターDだった。忘れられない声だ。喉に砂糖が詰まってるような声。

「ここが、どうしてわかった」

「そないなことどうでもええ、えらい可愛いお嬢さんと一緒に住んどるやないか、君も大したもんやな」

「切るぞ」

「待て、ハシがそこにおらんか？」

キクは一瞬いやな予感がした。

「いるわけないだろう、ハシがどうかしたのか」

「そうか、そんならええのや、邪魔したな」

ミスターDは電話を切ろうとした。

「おい待て、ハシがどうしたんだ」

「新聞見とらんのか」

そう短く言ってDは電話を切った。キクは床に落ちていた新聞を拾って一面からハシの名前を捜した。いやな予感が形や字や音や匂いになって目の前に現れるような気がした。テレビラジオのプログラム欄を見てキクは立ち上がった。ハシの名前と写真があった。コインロッカーに捨てられた歌手、十七年振りに母親と再会。キクは何か言おうとするアネモネの口を手で塞ぎ、必ず戻ってくるからそれまで俺のプレゼントを開けるなよ、と言った。皿の上で湯気を立てていた七面鳥の足を千切って頬張り部屋を飛び出した。キク！　とアネモネが背後で叫んだ。エレベーターが降下し扉が開いてロビーを抜け外気に触れるとキクは走った。七面鳥を齧りながら走った。ハシ待ってろよ、俺が何とかしてやるぞ。キクは代々木公園に走り込んだ。目印のベンチの下を掘る。重い油紙の包みを解く。そして、四丁の散弾拳銃にそれぞれ実包を詰めるとスーツの下に隠しまた闇の中へ走り出した。

水鳥の羽撃く音がする。鳴き声は風に混じって届く。ハシの吐く息が白い。この公園を横切るのは二度目だ。一組の恋人がベンチで接吻している。男は右手の指で煙草を挟んでいた。二人の体から微かな音がした。女の髪が焦げたらしい。二人は唇を合わせたままだ。もう一度微かな音が聞こえて煙草の火が消えた。雪が降ってきたからだ。大粒で軽そうな雪は地面に着く前に、木の枝や女の髪や街灯や水鳥の羽の上でほとんど消えた。犬を連れた少女が向こうから走ってきた。犬は猛然とハシに吠えて、少女は鎖を引きしきりに謝まった。再び走り出して通り過ぎた時少女が笑いかけたような気がした。ハシは思わず呼び止めたくなり声が出そうになった。その少女に話かけたくなったのだ。聞いてみたかった。自分を捨てた母親に会ったら何と言えばいいんだろう、君はどう思うかい？

ハシは三日前にニヴァから聞かされた。このことは既に決まっていてどうしようもできないの、やるしかないことなのよ、最初に言っとくけどね、断われないの、あなたも私もまだものすごく弱いのよ、あたし考えたんだけど、あたしね悩んだのよ、あなたがきっと苦しむだろうと思って同じくらい苦しみたいと思ったわ、そして考えたの、方法は二つしかないと思うのね、一つは、演技をすること、あなたの母親には違いないだろうけど、あなたはその女の子宮を借りただけだと思いなさい、その女とは関係ないんだと自分に言いきかせて、女がどんな反応をしても、怒っても、泣いても、ただ悲しそうな表情で眺めてなさい、三十分はすぐに経つわ、テレビを見ている人もすぐに忘れるわ、そしてあなたもなるべく早くその女のことを忘れるようにするのよ、もう一つは自分の感情にまかせる方法、これは、危険だけど楽だと思うわ、でも、恐らくあなたはその女と会っても何の感情も起きないはずよ、他人と同じだもの、他人と変わりはしないわよ、ねえハシ、感情がコントロールできないほど昂ぶってきたら第二の方法、醒めていられたら演技をするのよ、いい？　でもその女と会ってもあなたは何とも思わないはずよ。

ニヴァは、とハシは思う。ニヴァは何もわかっていない。ニヴァは知らないのだ。どんな女が自分を産んだのだろうと想像することは地獄だ。素敵な女を思い浮かべることはできない。その女は決して笑顔を見せてはいけないのだ。自分の子供を捨てた罪に怯え続けていなければいけない。後悔して常に自分を責めていなくてはならない。ハシはいつも気が変になった乞食の老婆を想像した。これ以上はないというほど醜い顔で汚ない肌、臭くボロボロの着物をつけている老婆だ。病気が全身を被い内臓を溶かしている。犬の餌にもならない女だ。そんな女を思い浮かべる。頭の中で、気が済むまでその女を転ばせ吐かせ血を流させ恐怖に顔を歪めさせ小便をさせ泣かせる。気が済むと、鳥肌が立ってくる。耐えられないいやな気分になる。女が可哀想で涙が出そうになる。女に正気を戻してやる。十歳ほど若くしてやり顔の皺を取ってやる。ゴミ捨て場に倒れているのを起こし立たせてやる。髪を梳いてやる。靴を履かせる。風呂に入れる。服を着せる。歩かせる。病院に連れて行き吹き出物を取り手術をしてやる。手術の跡も消してやる。泣くのを止めさせる。町を歩かせる。男と腕を組む。裸になる。肉が少したるんでいるが染みはない。男から舐めて貰う。笑う。女が笑う。そこでまた我慢できない怒りが込み上げてくる。またその女を逆戻りさせて乞食にしていく。乞食の老婆にゆっくりと戻す。ニヴァはそんな苦しみを知らない。しかし昨日まではテレビに出ようと思っていた。演技をうまくやれる自信もあった。どんな女が現れても慌てず赤の他人だと自分に言いきかす練習もした。番組の直前に逃げようなどと思ってはいなかった。きょうハシは沼田君枝を遠くから見たのだ。昼間Dが連れて行った。車から、気付かれないように、沼田君枝が大根と魚を買い歩くところを見た。大きな女だった。背が高く首も太かった。寒いのに靴下を穿いていなかった。買い物袋はビニール製の安物で汚れていた。大根と白菜の漬け物を買った。ネーブルを手に取り値段を聞いて首を振り棚に戻した。金持ちじゃないんだ、とハシは思った。髪を染めていた。マニキュアはしていなかった。薄く化粧をしていた。魚屋に寄り、鱈の干物を一枚買った。一枚だ。一人で住んでいたのだ。男も子供もいなかった。魚屋と話をした。魚屋が何か冗談を言って笑った。女は笑わなかった。見ていてハシは体が震えてきた。涙が出そうになった。嬉しくて気が狂いそうだった。車のシートを摑み叫び出しそうになるのを我慢した。しかし我慢しきれずに車から出ようとした。Dが制止した。口を押さえた。ハシは、おかあさん、と叫ぼうとしていた。

車の中で暴れた。産み捨てた女は精神異常ではなかった。乞食の老婆でもなかった。普通の女で、貧乏で一人暮しで寂しそうで笑わなかったのだ。昂奮が収まると、ハシは恐くなってきた。あの、理想的な母親が自分を拒絶するかも知れないと思い異常な恐怖に襲われたのである。間違いなく自分は涙を流しながらあの女の胸にとび込むだろう、抱きしめて貰おうとするだろう、その時あの女が怒って突きとばしたら、そう考えるとわけがわからなくなった。ミスターDがつけた厳重な看視をトイレの窓から脱け出し、女のアパートへ急いだ。女はいなかった。そしてこの公園へ来た。

公園の外れに静かな住宅街がある。その家の門の前まで来た時、雪がひどくなった。ハシは呼び鈴を押した。若い女が出て来た。何の御用ですか？　ハシの喉の奥に別人の小人がいるように言葉が次々に出て来た。僕は桑山橋男と言います、歌手です。十七歳になります、僕は十七年前横浜でコインロッカーに捨てられているのを見つけられました、コインロッカーの中にブーゲンビリヤの花が撒いてあったそうです、一年ほど前、こちらの先生がテレビで言ってらっしゃいました、刑務所で女に会ったと、その女は我が子を捨てた場所にブーゲンビリヤの花を撒いたのだと、先生はおっしゃいました、その女性のことを詳しくお聞きしたいのです、その女性は僕の母かも知れません、夜遅く失礼ですが今でなくてはいけないのです。若い女は変な顔をした。よく見ると看護婦のようだった。先生は今御病気です、どなたともお会いになりません。教えられた文章を読む、といった感じで看護婦は言って、ハシは言葉を続けようとしたが、玄関の戸は閉められた。鍵を閉める音の後で、お帰り下さい、と声がした。

ハシは帰らなかった。雪は積もらずにただ道路や髪を濡らすだけだった。ハシは家の中を何度も窺った。灯りは点いているが人の動く気配は無かった。ハシは街灯に照らし出される雪を数えながら待った。雪は街灯に群れる虫と違って渦を巻いたり散って音をたてたりしない。音を消す。さっきまで聞こえていた水鳥の微かな鳴き声が止んだ。遠くを走る車の音も弱められて届く。雪は次々に光の中に現れる。ハシは門柱に寄りかかって、体が濡れ冷えて歯が鳴り手足の感覚が麻痺していくのを楽しんだ。耳のすぐ後で雨戸が開く音がした。振り向くのに時間がかかった。光が洩れて、新しい雪の中に老婆が立っていた。影になって顔は見えなかった。あまり寒くはないのね、とその影は言った。ハシの頭には薄く雪が積もっていた。看護婦が出てきて門を開けた。ハシは庭へ回り白い影の方に歩いた。庭には大きな丸い檻があって、孔雀が二羽飼われていた。一羽は巣で眠り、一羽は雪の中で羽を拡げている。羽は雨戸から洩れる光で緑色に輝やいていた。降りしきる雪は孔雀の羽の紋様の中に吸い込まれる。お入りなさい、老作家はハシを招き入れた。

女は客の顳顬《こめかみ》を揉み終わると控え室に戻り細長い薄荷入りの煙草を吸った。既に着換えを済ませた同僚がケーキを食べながら外を指差した。雪が降っていた。ショートパンツを抜き取り足をもう一度タオルで拭いた。パンティストッキングを穿く時爪が引っ掛かった。臑《すね》のあたりが少し裂けて女は舌打ちした。きょうはブーツを履いてきたのを思い出した。何て運が悪いんだろうと思った。ブーツの月賦は三ヵ月分しか払っていない。靴屋の主人が雨や雪の日にはなるべく履かないように注意した。特に雪がいけない、靴の寿命が半分になる、そう言ったのだ。女は憂鬱になって窓の外を見た。道路は濡れているだけだが建物の屋根には雪が細く積もり始めている。同僚が読んでいた週刊誌から顔を上げて、窓から何か見えないか、と聞いた。さっき帽子を被った男達がカメラやライトを持ってうろうろしてたから映画の撮影と思ったのだが、まだいるか？　もう一度聞いた。女は首を振った。今夜アパートに帰ったらすぐにブーツを拭いてワセリンで磨こうと決めた。食事を済ませた後では疲れが出て何をするのも億劫になるから、帰ったらまずブーツの手入れをしよう、沼田君枝はそう思った。

サウナがあるビルは目立たないように隠された四台のビデオカメラと十二台の五キロライトに囲まれていた。五十メートルほど離れた空地に電源車と機材車と中継車と報道陣の車が停めてあった。ミスターDはビデオ中継車にいてまだ何も映っていないモニターの画面を眺め、何度も時計に目をやった。横ではニヴァが膝に顔を埋めている。ハシはこのまま来ない方がいいと思うわ、ニヴァが顔を上げずにそう言った。中継車内の電話が鳴った。ニヴァが跳び上がって摑んだ。見つかったの？　と叫び、がっかりした顔になって受話器をDに渡した。Dは頷き、長い間何も答えずに、いやそれは止めろ、と言って電話を切った。電話は事務所にいる便利屋からだった。黒いスーツを着て、手製銃を持った若い男がDに会わせろと言って乗り込んできた、いないからと追い返そうとしたが、ハシと母親が会う場所を教えろと銃を突きつけた、威しだろうと思って黙っていると天井目がけて発砲した。恐しい破壊力だったので女子社員が怯えてその場所を喋ってしまった。若い男はそれを聞くと外へとびだして行った、警察に連絡しようと思うがどうか、便利屋はそう言ったのである。いや、それは止めろ。ミスターDはハンディトーキーで部下に伝えた。黒いスーツを着た若い男が現れたらこの中継車へ連れて来い、ハシがここにいると言え、手荒なことはするな、ここへ連れて来るんだ。Dはまた時計を見た。

ニヴァの隣にアナウンサーがいる。間違えないように台本を見ながら何度も声に出して練習している。さてみなさん、今感動的な瞬間、真実のドラマが始まろうとしております、思い出して下さい、以前子捨て子殺しが相次ぎました。きょう、この降りしきる雪の中でコインロッカーに捨てられた子供と、捨てた母親が十七年振りに対面するのです、母親はもちろん許されない罪を犯したことになります、しかし赤ん坊は苦難を乗り越え立派に歌手として成長しました、私共はこの出会いに際して言うべき言葉を持っておりません、フランスの若い哲学者の言ったことを思い出します、海と母親は子供を殺そうとして荒れ、生かそうとして荒れる、私達はこれから始まる真実のドラマをただ静かに見守りたいと思います。

ニヴァは昨夜のハシを思い出した。落ち着きがなく何度も寝返りを打った。神経が疲れて眠れない時ハシはニヴァにフェラチオしてくれと頼む。昨夜ニヴァは自分の方から、やってあげようか、と声をかけた。ハシは、それより楽しい話をしよう、と言った。ニヴァは新年そうそうに出発する新婚旅行の話をした。ニヴァの提案で二人はカナダとアラスカを二週間ほど回る予定だったのだ。ニヴァはスキーがどんなに簡単でどんなに楽しいかを話し続けた。ハシは黙って聞いていたが枕に顔を押しつけたまま小さな声で呟いた。ねえニヴァ、会ったことない人を愛したり憎んだりしていいと思うかい？　ニヴァは何も言えなかった。何も言わずにハシのベッドに移り抱きしめた。僕は大丈夫だよ、とハシは何度も言った。僕は大丈夫だよニヴァその女に会ってもちゃんとやあしばらくって言うよ。ニヴァは後悔している。きのうの夜、ハシにはっきり答えてやれば良かった。親は生んだ子供を育てる義務があるんだから、あなたはその女を憎んでもいいのだ、たとえ会ったことのない女でも憎んでもいいのだ、そう言えばよかった。急に中継車の後部ドアが開いた。男が叫ぶ。女が出てきます、来て下さい。Dもニヴァも外にとび出た。電源車のスイッチが入った。ゼネレーターがものすごい唸りをあげ始めた。Dが怒鳴る。女が出てきたらすぐカメラを回せ、逃げようとしたらライトとカメラで囲め、他のカメラが写っても構わん、路地を見張ってる人間を倍に増やせ、さっき言った黒いスーツの若い男を通すな、他のやじ馬や車も通しちゃいかん、もしハシが戻ってきたら縄で縛って気絶させてもいいからカメラの前に連れて来い。

　キクはタクシーから降りた。料金を払わずに、ここで待ってろ、と言った。もう一人連れてすぐ戻ってくるからここで待っててくれ。運転手は文句を言いかけたがキクは既に駆け出していた。ある路地の奥が突然明るくなった。そこだけ急に昼に戻ったようだった。ガス爆発にしちゃ音が聞こえねえな、屋台を引いていた老人が呟いた。キクはその照らし出された建物の方へ走った。路地の入り口で四人の男が立ち塞がった。撮影をやってますんで申し訳ありませんが別の道を通って下さい。キクは荒い息で、俺はハシの友達だ、と叫んだ。どなたも通すなと言われています。キクは、ハシは俺の弟なんだ、ともう一度叫んだ。路地の入り口にはやじ馬が集まり始めた。ゼネレーターの唸りは地面や空気を震わせ、降ってくる雪を際立たせる巨大な灯りの下では人々の怒号や叫び声が聞こえた。ミスターDに会わせてくれ、あの人は俺を知ってるんだ。四人の男達は首を振った。路地は二十メートル先で直角に曲がりその右奥に照らし出されている建物がある。曲がり角を様々な人が通り過ぎる。ほとんどがカメラを抱えた男達だ。やじ馬は増えてきた。キクはその先頭にいる。路地の奥で大きな喚声と女の叫び声があがった。来たぞ！　という声がする。人々の往来が激しくなった。ハシ！　という女の声がした。それらはすべてゼネレーターの呻りの谷間に聞こえる。キクは、あっと声をあげた。曲がり角をハシが横切ったのだ。何人ものカメラマンに囲まれたハシが横顔を見せて通り過ぎた。笑っているように見えた。キクは道を塞いでいる男達の間を強引に抜けようとした。先頭の男が腕を摑んだ。キクは顎を殴りつけた。男は薄く雪が積もった道端へ倒れた。残りの男達がキクの襟首と肩を左右から挟みつけるようにして押し戻した。キクはベルトに差していた散弾銃を握って男達の足許に発射した。雪が舞い上がり男達は崩れ落ちた。足を押さえて転げ回っている。退け！　と叫んで最後の一人に拳銃を向けると慌てて逃げた。キクはその後を走った。曲がり角を右に折れる。背伸びしてカメラのシャッターを押す人々で道は埋まっている。人垣の向こうに巨大な光源がありアナウンサーの話す声が聞こえる。キクは人間を掻き分けて進もうとして弾き返されベルトからもう一丁の散弾拳銃を抜いた。空に向かって撃った。全員が一斉に振り向いた。話し声も止んだ、キクが拳銃を構えたまま進み出ると人垣が割れた。ハシ！　キクは叫んだ。キクの声だけが響いた。来いよハシ、車を待たせてある、俺と帰ろう。ハシが人垣の隙間に現れた。逆光で顔がよく見えない。手招きしている。キク、ちょっとおいでよ、会わせたい人がいるんだ。全員がキクを見ている。キクは巨大な灯りの中へ進み出た。その場所は真昼のように明るかった。鉄骨が何本も立ってその先端に黒い箱がある。その箱から光が出ている。光の中心を見ると眩暈がしてしばらくは視界が黄色く見えなくなる。Dがいる。ハシと一緒にテレビに出ていた背の高い女がいる。アナウンサーが煙草に火を点けた。もう一人、知らない女がセーターで顔を隠してうずくまっていた。スカートや靴は泥に汚れ体を震わせて決して顔を上げなかった。黒い箱の光はその女に向けられている。四台のテレビカメラがある。組立てられた鉄パイプの台に二台、アナウンサーの横に一台、動き回る手持ちカメラが一台。Dがじっとキクを見ている。なるほどよう似とる、そう呟いた。ハシが近づいて来た。濡れた目をしている。キクはあの声を期待した。ありがとうね、ハシがそう言うだろうと思った。ハシが口を開いた。

頭にセーターを被ってうずくまっている女を指差した。

「キク、キクのおかあさんだよ」

ハシが何を言ってるのかわからなかった。

「キク、あの年寄りの女の作家に会ったんだ、僕、今夜会ったよ、そしたら僕を捨てた女は死んじゃったんだってさ、おとし病気で死んだらしいよ、だから、この人は、君のおかあさんなんだよ」

アナウンサーがうずくまっている女に駆け寄って喋り始めた。沼田さんお子さんが来ましたよ、今度は本当のお子さんですよ、ほら起きて何とか言ってやって下さい、ここにいるんですよ、あなたにそっくりだ、体も大きくて健康そうだし、実に立派な若者です、顔を上げて下さい、棒高跳びの選手だそうです、ちょっとだけ見てやって下さい、あなたがコインロッカーに捨てた子供がここにこうやって立っているんですよ、きっとあなたを許してくれますよ。肩にビデオカメラを担いだ男がキクの顔すれすれまで近寄った。キクはそのカメラを突きとばし真昼のように明るい人間の輪から出ようとした。何十というカメラがシャッターを切りながらキクを押し返した。退いてくれ、俺は帰る、退いてくれ。キクはアネモネの部屋へ帰ろうと思った。忘れていたものが頭の中で動き始めていた。脳の襞に埋めておいたはずの重く光る金属が音をたて始めた。キクは吐気を催して目を閉じた。目の裏側に赤い汁を吐くゴム人形が浮かんできた。硬くなった和代の太股が浮かんできた。俺を見るな、俺を閉じ込めるな、帰らせてくれ、灯りを消せ。目を開けた。雪が目に入って視界が霞んだ。眩しすぎる雪と泥の上に女が震えているのが見えた。俺を捨てた女だって？　その女の格好はいやな予感の塊りだった。セーターを頭から被って体を硬くさせ不格好にうずくまっている女は、生まれてからずっと味わってきたいやな予感を全てくっつけ貼り合わせた気味の悪い塊りだった。人間ではなく金属のようだった。目が痛み始める。黒い箱からの光は目の中で暴れた。眼球の表面が乾いてしまった、右目と左目の視界がずれる。ずれた部分に色が現れる。鮮やかな原色、その色が拡がる。キクを取り巻く人々の目の中、頬や唇や首にその色が付着する。ハシわかったぞ、お前はガラクタの山を作って俺を放り込んだな、泣いている振りをして俺をだましたんだな。キクの視界は発光して白く輝く金属の輪になった。金属は回転を始め光の破片をとび散らせる。肌に突き刺さる白い光の破片。回転は速くなり爆音が聞こえる。再びハンディカメラが顔色を失ったキクに触れそうになるほど近づいた。キクは叫び声をあげて散弾拳銃を構え引き金に力を溜めた。Dが、止めろ！　と叫んで、カメラマンは咄嗟に身を引いた。轟音が響いてレンズが粉々に吹き飛び雪と見分けがつかなくなった。キクは肩で息をして拳銃を放り投げ最後の一丁を構えた。

「止めなさい」

キクは振り向いた。うずくまった女が顔を上げて、止めなさい、ともう一度言った。

「あたしを、撃ちなさい」

女は立ち上がってゆっくりとキクに歩み寄った。女の顔から湯気が出ていた。俺は、閉じ込められている、思い出せ、この巨大な光に切り取られた場所、閉じ込められたままだ、破壊せよ、お前が閉じ込められている場所を破壊せよ。キクは、降ってくる光の破片に向かって引き金を引いた。一瞬目の前に体の大きな女が立ち塞がった。女が銃口の前に顔を突き出したのだ。散弾が女の顔を引きちぎった。女は両手を拡げて吹っ飛んだ。女はさっきと同じような格好でうずくまった。赤いセーターを被っているように見えた。目も鼻も唇も耳も髪の毛も失くなった顔がキクの方を向いている。そのドロドロした赤い顔は降り続ける雪を吸い込み、表面から湯気を立てた。

20

アネモネは荷物の整理を終えると最後の薄焼き卵を作った。一枚だけ残しておいた皿に移しフォークで裂いて口に運ぶ。あれから何十枚薄焼き卵を作っただろうか、俺が戻って来るまで開けるな、そう言ったキクとの約束を破ってクリスマスプレゼントの包みを解いた夜以来、ずっと毎日卵ばかり焼いていた。

アネモネは警察に七回呼ばれた。あいつは拳銃をどうやって手に入れたか言わなかったか？　あいつはクリスマスイブの夜君の部屋を出る時拳銃は持っていたか？　何をしに行くと言って部屋を出たのか？　誰かを殺すと言ってなかったか？　あいつは部屋を出るまで君の部屋で何をしてたんだ？　君とあいつはいつ知り合った？　どういう関係だ？　寝たか？　君は幾つだ？　君の名前は？　アネモネというのは本名か？　アネモネは一言も口を開かなかった。しかし取り調べはそんなに苦痛ではなかった。警察官は同情的でアネモネが悲しそうに微笑むとすぐに質問を変えた。それにアネモネはそれほど重要な証言者ではなかった。

ミスターDに雇われた弁護士が何度も訪ねてきて裁判で証言してくれるように頼んだ。ねえアネモネさん桑山橋男はこう言ってます、キクはきっと僕を救おうとしたのだろう、テレビの前で母親と会わされる僕を救い出そうとしたのだと思う、と言ってるんです、あなたはどう考えます？　そのようなことをキクは言ってませんでしたか？　ハシを助けに行くんだ、キクがそう言うのを聞きませんでしたか？　聞いた、というあなたの証言があれば桑山菊之はとても有利になります。アネモネは拒否した。理由は？　と聞かれて、裁判が嫌い、と答えた。キクは二日間精神病院に収容されていたそうだ、病院で脳の手術でもやられたのかと裁判の日思った。

法廷に現れたキクは落ち着きがなく周囲をキョロキョロと見回し怯えきっていた。太って、目に光がなく背を丸くしておどおどあたりを窺っていた。アネモネは目立たないよう地味な服装と化粧で傍聴席の隅にいた。検事が起訴状を朗読する。銃砲不法所持、脅迫、器物破損、傷害、殺人。キクは廷吏に何か話しかけようとして裁判長から注意された。静かにして、起訴状の内容をよく聞くように、そう言われただけでキクは縮み上がった。

事件直後、キクはすっかり有名になった。未成年だったので名前も顔写真も伏せられたが、キクはテレビの実況放送中に散弾拳銃を発砲したのである。キクは十三分間テレビの画面に大写しになり、アナウンサーは、兄弟としてハシと共に育てられた棒高跳び選手の桑山菊之君です、と叫び続けていた。キクは実況放送中に人を殺した世界最初の少年Aだったのだ。キクは有名になり、ハシのレコードはそれから一ヵ月爆発的に売れた。

裁判は、事件直後の恐るべき反響が幾分収まった頃始められた。キクが起訴状を全面的に認めたので法廷はざわめいた。弁護士が慌てて駆け寄り、殺人の意志を否定するように説得した。キクはしばらく首を振っていたがやがて面倒臭そうに立ち上がり、殺人の意志はありませんでした、と本を読むような口調で言った。傍聴席も弁護士も裁判官も、検事さえもその発言に安心した様子だった。

弁護側の証人喚問は三日間続いた。弁護士は、殺人の意志を否定し残る罪状についてはすべて認め、最愛の友人であり兄弟として育てられたハシがテレビで見せ物になるのを見るに忍びず止むに止まれぬ気持ちで脅迫、傷害等を犯したと強調し、情状酌量を狙って各証人から証言を引き出した。その見解はこれまでの報道の論調とほぼ同じで、キクはみんなから同情されていたのである。島から出て来た桑山や乳児院のシスターは、二人がいかに分かち難く結ばれていたかを話し傍聴人の涙を誘った。ミスターDは、私が一番悪い奴です、罰せられるべきは私です、と静かに話し、ハシの出生を売り物にしてレコードを売ろうと思っていたのだと正直に証言した。それは人間の考えることやないかも知れません、私ら関西の人間は鬼いいます、私は鬼みたいなことを考えとったんです、レコードの売り上げしか考えんと本当に残酷なことを平気で進めた、人の苦しみを玩具にして見せ物にする、仲よう育った被告が怒ってハシを救いに来たのは当然や思います。

キクは、散弾拳銃の出所も自供していた。タツオ・デ・ラクルースというフィリピン人から預ったものだと、ハシが確認の証言をした。弁護士は最後に検死医を呼び、沼田君枝の頭蓋骨の弾痕について報告を聞いた。弾痕の角度を検討すると、発砲時に、銃身は十四度以上二十八度以内の角度で水平より上向きであったはずだ、と検死医は証言した。つまりキクは激情の余り空に向けて撃ったのである。その銃口の前に、背の高い沼田君枝が顔を出した、従ってキクには殺意は無かった、銃口を上方に向けていたのであるから周囲のカメラマン達を狙ったものではない、事故だ、これが弁護士の結論だった。検死医が、被害者の頭蓋骨レントゲン写真を示して説明するうちにキクは苦しそうに身を捩って震え始めた。顔面とか散弾とかの言葉を聞く度に耳を押さえ目を硬く閉じていたがついに泣き出した。裁判長の指示で検死医は証言を中断し三十分の閉廷となった。キクは廷吏に連れ出された。背中を丸め女のような手つきで顔を押さえて。法廷内のすべての人々は、キクがどれほど良心の呵責に苦しんでいるか知ることができたわけだ。検事は反対尋問においてキクの殺意を立証しようとは思っていないように見えた。弁護側証人の証言の転覆を意図せず、当事者の反省を促すにとどめているようだった。検事の証人喚問は半日で終わった。キクが所持していた散弾拳銃は十分な殺傷能力があることを立証しただけだった。キクも含めてすべての人が裁判に安心し満足しているようだった。アネモネを除いて。

最終弁論、この事件の文学的な側面に言及することは危険でありましょう、私はそれを承知しております、人間の過去と心理が織り成す背後の物語に目を奪われることなく法は冷厳に適用されるべきです、しかし法の存在理由が人間の生命の尊厳にあるとする時、私は、私達が構成する社会そのものが持つ罪を意識せざるを得ません、十七年前、コインロッカーに遺棄された被告は間違いなく被害者でした、もちろんそのことは当件における被告の立場に何らかの正当性を与えるものではありません、しかし、被告の当件における一連の行動は、被害者としての恥辱や苦痛を共有する戸籍上の弟の窮状を見るに忍びないという理由に発するものであることは明らかでありま す、被告は人命の尊厳を汚す目的で発砲したのではないのです。

最終論告、当件は、事件の特殊性ではなく、犯罪の本質を判断しなければならないという裁判の基盤を問わるる審理でありました、私達は被告の罪が被告の過去によって贖《あがな》うことができないことをここに示さなくてはなりません、しかし、人間の恥部を覗く欲求を満足させて何がしかの利益を得ようとする行為がしばしば許されざる犯罪の接ぎ木となることの警鐘として当件を捉えることに対しては本官も異論はないのであります。

判決公判の日もキクの態度は変わらなかった。おどおどして力のない目で周囲を眺め背中を丸めて小刻みに震えていた。判決主文、銃砲不法所持、脅迫、器物破損、傷害に関していずれも有罪、殺人に関してその意志の無かったことを認めるも過失致死の罪は免れ得ない、よって被告に五年の懲役刑を科する。人々は立ち上がった。ミスターDと弁護士は握手した。検事は苦笑していかにこの裁判がやりにくかったかを回りに示した。ハシはニヴァと抱き合っていた。ニヴァはハシの髪を撫でながら、三年で出れるわよ、と慰めている。彼が出て来たら一緒に住んでもいいわハシ。キクは背中を丸めたまま廷吏に腕をとられて法廷を出ようとしていた。アネモネは喉がムズムズした。最初は法廷内の空気が悪いせいだと思い小さな咳払いをして喉に詰まった異物感を取り除くつもりだった。唇を開き手の指を軽く首に当てて歯と舌に力を込め異物を引き摺り出そうとした。ムズムズする塊は喉を出る時に脹れ上がり、咳払いではなく、かん高い叫び声となって唾と共に弾けた。

「キク！」

アネモネは傍聴席から身を乗り出し被っていた白いベレー帽を振って、叫んでいた。

「ダチュラを忘れたの？　ダチュラよ！　あんた、こんなのに騙されちゃだめよ！」

真白のスーツと長靴、ネオン管織りのバラの胸飾り、頭に貼りついて渦を作る短い髪は先端だけが染料で輝やき、完璧な化粧の人形のようなアネモネに、退廷を急いでいた人々は一斉に注目した。キクはゆっくりと振り向いた。ダチュラという言葉を聞いた時ピクリと肩を震わせた。

「まだ何にも終わってないのよ！　キク！」

キクは一度だけアネモネに笑いかけた。笑いかけた時にだけ背中を伸ばした。やがて廷吏に促されると再び溺死の猫のような背に戻り出口から姿を消した。クリスマスパーティー用の黒いスーツを着たままだった。釦は取れ肘や膝が擦り切れて光り、袖は破れて糸が何本か垂れ下がっていた。キクの後姿が見えなくなるとアネモネは周囲を無視して出口に向かった。キクはすごく苦しんでるっていうのに、ハシの声が背後で聞こえた。アネモネは出口で振り返り一人一人を順番に睨みつけニヴァの痩せた頰に視線を止めた。

「あんたらみんな、いつか鰐に食わせてやるわ」

その夜にアネモネはキクのクリスマスプレゼントを解いたのだった。プレゼントは本でオムレツその全て、というものだった。一八二ページにオムライスの作り方が載っていた。キクはその部分を赤い線で囲んでいた。アネモネは卵を二百個買ってきてオムライスを作り始めた。足りなくなった材料を補充して行く以外はずっと部屋に閉じこもり起きてから寝るまでオムライスを作り続けた。部屋は卵だらけになった。アネモネはベッドを除いて部屋の床の全てを薄焼き卵とケチャップ御飯で埋め、それを眺め回してバカみたいと呟き短い間声を出して笑い、やがて全身が痙攣するまで泣いた。

泣き止めるとベッドに一番近い皿を取って壁に貼ったカラギ島の海図に投げつけた。陶器が割れる音でキクの裸を思い出した。筋肉の上に薄い紙を貼りつけたようなキクの裸。ひょっとしたらあの裸に触れることはできなくなったのかも知れない。そんな恐怖に捉われた。体が震えてまた泣きそうになった。もう涙は残ってないだろうから狂うかも知れないと考えた。下着を脱いでいつもキクがやってくれたように指を尻の間に当てた。指が冷たかった。尻は溝の奥まで鳥肌で埋まっていた。アネモネは尖った爪を尻の肉に突き立てた。体の震えが止まるまで長いことそうしていた。やがて尻の溝をヌルヌルしたものが流れ始めた。アネモネは爪の先を滑らせ脱ぎ捨てたナイロンの短いストッキングを摘んで尻の溝に押し当てゆっくりと動かした。キクの性器の形を思い描こうとした。ナイロンと陰毛と酸っぱい液体が擦れ合う音を聞きながら、水煮のアスパラガスそっくりだといつも思ったキクの性器を思い出そうとした。うまくいかなかった。アスパラガスそのものが頭に浮かんだり、一緒に入った風呂で見せてくれた父親の性器が目の裏側に現れたりした。アネモネはキクが服を脱ぐところから始めて胸の中央に生えている長い毛や臍《へそ》のあたりの深い皺や脇腹にある盛り上がった傷跡や足の甲にできたスパイクの胼胝《たこ》を思い出すのに成功した。そして股の間を手探りしている時、突然キクの顔をすっかり忘れてしまっているのに気付いて叫び声を上げベッドから跳ね起きた。股にナイロンストッキングを挟んだまま床のケチャップ御飯を踏みつけながら部屋を横切りキクの写真が納めてある額を手に取った。アネモネは三十秒間その写真を眺めた。キクのところへ行こう、と決めた。

翌日マンションを売った。宝石からテニスのラケットまで持ち物をほとんど処分した。七つの銀行に分け、合計すると二億を少し超える金額の普通預金口座を持った。両親にはロンドンに行くと嘘をついた。モデルクラブの事務所に電話し、あと四ヵ月残っている契約期間を破棄するので来月貰うことになっている昨年度下半期のギャラを違約金にしてくれと頼んだ。事務所は了承してくれた。そして今、すべての荷作りが終わり最後の薄焼き卵を食べた。車の荷台を改造して鰐を載せた。大分迷ったが連れていくことにした。ガリバーは窮屈そうに尻尾を曲げて簡易水槽に沈んでいる。十時間辛抱するのよガリバー、そしたらキクに会えるからあなたも会いたいでしょ？最小限の衣類と二人分の潜水器材を積み込み、アネモネは午前三時にフォードブロンコで出発した。

東北自動車道を北上する。終点まで行って狭い海峡を渡ればキクがいる町に着く。函館という港町。アネモネは踵の無い中国靴を履いている。赤い繻子の布地に金色の糸で白菜畑が刺繍してある。アネモネはその中国靴で一定の深さにアクセルを踏み込んでいる。毎分四千五百回転、ブロンコは時速百三十キロで走り続ける。アネモネは口笛を吹いている。東京から離れていくのだという実感がない。東京は、そのすべての窓の灯りは、アネモネが着ているラメのシャツの表面で光る繊維の粒となって、依然として彼女の背中に貼り付いている。

アネモネは旅行が嫌いだ。これまでに一度しかしたことがない。中学校の修学旅行だけだ。三泊四日で関西の古都を回った。最初の宿泊地でアネモネは一睡もせず普段の三倍も喋り三倍の量の食事をした。二日目、三日目とバスの中では寝てばかりいた。古い建物や庭を巡ったはずだがあまり記憶にない。ただ場所を移動したことを、全身が、憶えている。座席に凭《もた》れて眠り続け、震動や音で鈍く目覚め、うっすらと目を開けると、窓の外の景色が必ず変わっていた。いつの間にか陽が沈んで遠くに灯りが点いたりしていた。自分は旅行している、そう思った。そんな風に思ったのはその時が初めてで、それから後も一度もない。窓の景色を変えるためだけに場所を移動するのが旅行で、アネモネは嫌いだった。

アクセルを踏み続ける。ヘッドライトで切り取られる闇は一瞬静止してから次に恐しい速さで後に飛んでいく。灰色の道路が曲線を描いて延びている方向が微かに明るくなった。もうすぐ夜が開ける。アネモネは、給油と食事のため休息をとることにした。フォードブロンコをサービスエリアに入れる。車を止め運転席の横に置いた冷凍箱から馬肉の塊りを取り出した。密閉した荷台を覗き、肉を放り投げてからアネモネは食堂へ歩いた。先端だけを染めた髪と銀狐のコートと黒のレザーパンツと中国靴が長距離トラックの運転手達の注意を引いた。注文したカレーライスと蜆の味噌汁が運ばれて来るまで手と顔を洗おうと思った。席を立ってトイレに向かうアネモネの細い腰を、飯を搔き込んでいた男達が一斉に見上げた。

トイレは調理場の奥にあった。掃除したばかりらしくて床が濡れている。暖房が届いてないので息が白く濁る。鏡は割れていた。水は冷たくて気持ちが良かった。調理場の湯気が扉の隙間から流れて来る。湯気にはキャベツの匂いが混じっている。

突然女性用ボックスの戸が開いて男が二人転がるように出て来た。一人は下半身裸でガタガタ震え、頼むよ止めてくれよ、と呟いている。もう一人は右手に注射器を持ち大声で笑っていた。二人はアネモネに気付いて顔色を変えた。あ、女だ、下半身裸の男は濡れた床に尻をつけて転がり両手で股間を隠した。男は猛烈に勃起していた。男は扉のすぐ前に尻をついていたのでアネモネは外に出ることができなかった。注射器の男は蛇皮の背広にベレー帽を被り乗馬ズボンに地下足袋を履いている。背は低いが肩の肉は盛り上がり首は太く手足や顔が大きかった。アネモネに気付いて短い間笑うのを止めたが、勃起した男が慌ててブリーフを穿きワイシャツの裾を引っ張って性器を隠そうとしているのを見て再び大声で笑い始めた。なあ頼む、女の前で笑わないでくれ俺を笑いものにしないでくれ。勃起した男は黄色いズボンとピンクの靴下と黒皮の編み上げ長靴を急いで着けた。靴下は踵が破れている。アネモネが見ているのに気付くと恥ずかしそうに下を向いた。注射器を持った男よりさらに背が低い。アネモネの唇より低い。三十歳前後の顔をしているが頭の真中あたりが禿げている。それでも櫛を入れ数少ない髪をポマードで光らせて七三に分けていた。ねえお嬢さん俺は生まれつき胃腸が悪いんだ。男は生牡蠣のような目をしていた。ねえお嬢さん胃腸が弱いのは生まれつきなんだよ。濡れた床に転がっていたのでズボンのあちこちに染みが出来ている。胃腸が弱いもんでね、子供の頃から磁気の針をお尻に入れてたんだよ、胸ポケットにバッテリを忍ばせてコードの端にエボナイトの電極があるやつだ、おばあちゃんの言いつけなんだ、俺はずっとおばあちゃんに育てられたからおばあちゃんの言うことは従わないといけない、わかるだろう？　なあ、わかるだろう？　それでね男の射精中枢ってのは脊髄にあって肛門のすぐ横なんだよ、俺は、小学二年の時に初めての射精をみてからそれ以来出っ放しだったんだ、まるで牛乳みたいに出っぱなしになったんだ、エボナイトの電極は大人の親指より太くてね、肛門も拡がっちゃったよ、俺をオカマにしたのはおばあちゃんだけど俺は恨んだりしていない、だっておばあちゃんは干魚の行商とカニコロッケの屋台をしながら俺を育ててくれたからね、わかるだろう？　寒い日にね、おばあちゃんは手袋をせずに鯖の干物がいっぱい詰まった籠を下げて河原を歩いてた、手が千切れるように寒い日だったよ、俺は毛糸の手袋をしてたんだけど、おばあちゃんは手袋が嫌いなんだろうって思ったね、でも違ったんだ、手袋を買う金が無かったんだ、俺は偉い人だと思ったよ、この人の言いつけは何でも守ろうと思った、それで電極を肛門に入れろと言われた時も素直に従った、俺は肛門に電極を入れるとあれの先から白い液が出て耐まらなく気持ちが良くなるなんて知らなかったんだ、そんなこと小学生にわかると思う？　ねえお嬢さんわかると思う？

禿げた男は酸っぱい息を吐いて喋り続けた。唇の端から泡を飛ばしてアネモネの腕にすがりつきたそうに喋った。アネモネは気分が悪くなってきた。もう一人の男は注射器をケースに仕舞うと陽が差してきた外をトイレの窓から眺めている。ねえお嬢さん俺はいやらしいと思う？　そうじゃないだろ？　可哀相だろ？　喋り続ける男は額と首筋に青く太い血管を浮かせワイシャツ一枚のくせに体中汗を掻いている。アネモネは男の脇を擦り抜けてトイレを出ようとした。ねえお嬢さん待ってくれ、おとついからおばあちゃんの具合が悪いんだ死にそうなんだ、それでも俺は仕事を休むわけにはいかなくて、だから韓国産のビタミン注射をして働いてる、俺は、偉いだろ？　なあ、偉いと思わないか？　禿げた男はアネモネの腕を摑んで大声を出した。俺は偉いだろ？　アネモネは強く摑まれた腕を振り切ろうとした。窓の外を見ている男を見て、何とかしてよ、と声をかけた。

ベレー帽を被った筋肉質の男はいやな顔をして禿げた男を眺め首を振って舌打ちした。いい加減にしろよ、みっともねえぞ。あんた、とアネモネに向かって言う。あんたこいつを黙らせて欲しいかい？　アネモネは頷いた。するといきなり禿げの男に殴りかかった。アネモネの目の前を大きな拳が唸りを上げて通り過ぎ禿げの男の鼻に当たった。鈍い音がした。禿げの男は鼻を押さえて崩れ落ちた。膝を曲げてトイレの床にぺったり坐り目を大きく開いている。しばらくして鮮血が滴り出した。

アネモネはトイレを出た。本当にいやな気分になった。禿げを殴った男は後を追ってきた。並んで歩きながらアネモネに話しかける。よお、礼を言ってくれよ。アネモネは無視して席に戻った。カレーライスは冷えていて食べる気になれなかった。味噌汁を一口だけ飲んだ。筋肉質の男は隣の椅子に坐った。なあねえちゃん俺に礼を言えよ。前歯に金を埋めている。フェラチオする外人女を描いた首飾りをしている。それをアネモネの目の前で揺らした。殴ってやったんだ、礼を言え。周囲の男達がニヤニヤ笑って注目している。アネモネはハンドバッグから千円札を二枚取り出して男に渡した。男は食堂に差し込んできた陽に透かしてしばらく眺めていたが、舌打ちして床に痰を吐き、千円札で、冷えたカレーを掬うとアネモネの手の甲に叩きつけた。茶色の飛沫がアネモネの顔や銀狐のコートにかかった。なめるなよ女。アネモネはベトベトの千円札をカレーの皿に戻しハンカチで手を拭った。顔を上げたアネモネは悲鳴をあげた。禿げの男が血塗《まみ》れで立っていたのだ。左手をテーブルについて体を支え右手で鼻を押さえている。額の先から血が垂れている。痛いか？　筋肉質の男が聞いた。禿げの男は首を振った。驚いた食堂の従業員達が駆け寄って来た。ああ心配しないでくれ、こいつは便所で転んだんだ、大丈夫だよ、鼻が折れただけだ。禿げの男は、その通りだ、というように何度も頷きアネモネの向かい側に坐った。置いてあった冷えたカレーライスを食べ始めた。カレーに塗れた千円札を摘んで不思議そうな顔で見ていたが急に笑いだした。笑う度に鼻がグニャグニャ揺れカレーの皿に血が滴る。俺俺カレーに千円札が入ってるやつ初めて食食食食ったよ。アネモネは食堂を出た。俺俺振り返って二人を見ると千円札を指差してげらげら笑い合っていた。

巨大な長距離トラックが並んだ駐車場を歩く。二人の男が追ってくる様子はない。

ブロンコに乗り込み、ガソリンスタンドで給油を終えた。再び走り始めて一時間ほどした頃カーラジオからハシの歌が流れてきた。僕があなたを狂わせてあげる、物語は始まったばかり、僕があなたを狂わせてあげる、ハシはそう歌っていた。

陽が高くなるにつれて道路の反射が眩しくなった。サングラスを取り出そうとした時背後で警笛が鳴った。アネモネは驚いてバックミラーを見た。トラックがぴったりと後についている。車間距離は恐らく二十センチとないだろう。トラックの車高が高いので、運転席は見えない。バックミラーいっぱいに分厚そうな鉄板だけが映っている。アネモネはシフトダウンしてアクセルを思い切り踏み込んだ。一瞬トラックは遠ざかり運転席が見えた。さっきの二人だった。禿げた男がハンドルを握っている。顔は拭き取っているがワイシャツは血がついたままだ。アネモネは窓を開け手を出して、先に行け、と合図をした。トラックは嘲笑うようなすさまじい警笛で答えさらに車間距離を狭めた。アネモネは、落ち着け、と自分に言い聞かせた。次の上り坂で一気に引き離せばいい、今焦って追突されるとブロンコは安定を失って側壁に激突するだろう。

高速道路は長い緩やかな下りが続いた。アネモネは速度を落とす。あの二人がどんな嫌がらせを考えているのかわからないが低速の方が対処しやすいと思った。時速三十キロまで落とした。するとトラックは急に停止に近いノロノロ運転を始めブロンコとの距離は百メートルほど開いた。アネモネはしばらくそのまま走った。突然バックミラーのトラックが恐ろしい勢いで大きくなり始めた。アネモネは気付いて加速した。だが遅かった。トラックは警笛を鳴らし放しで襲いかかり前部の巨大なバンパーでブロンコの右後部を抉って通り過ぎた。ものすごい衝撃がハンドルに伝わってきた。アネモネはハンドルを右に切りシフトダウンを繰り返し小刻みにブレーキを踏んで車が左に流れるのを何とか防いだ。側壁に接触しコンクリートと鉄板が引っ掻き合ういやな音がした。アネモネは歯を食いしばって耐えた。重いハンドルをしっかりと固定しやっと車線内に戻った。バックミラーを覗いて叫び声をあげた。ガリバー！荷台の扉が跳ね上がって鰐が姿を消していたのだ。アネモネは急停止して後方に車影がないのを確かめバックし始めた。後続車が現れたのでブロンコを左端に止めた。車から降りて道路を走った。ガリバーは中央分離帯の側で引っくり返っていた。アネモネは悲鳴を上げて駆け寄ろうとするが地響きをたてて通過する車の群れに阻まれた。鰐は地面に振り落とされたショックと寒さのためか動こうとしない。ガリバー！とアネモネは呼んだ。鰐はピクリと尾を動かした。大丈夫だ大丈夫だ、とアネモネは呟いた。ガリバーの皮は硬い、ガリバーは一トンもある、轢いても壊れるのは車の方だ、でもどうやって助けたらいいのだろう。アネモネが名前を呼び続けるので鰐は尻尾を動かして起き上がる努力を始めた。節のある白い腹が反り短い手足は何かを摑もう踠いている。通過する車はガリバーをうまく避ける。ガリバーは尻尾を深く折り曲げた。レスリングの選手がやるブリッジの姿勢だ。脇腹が裂けて血が流れている。今度は尾を高々と上げ敷石に打ちつけた。何度も打ちつけてその度に体をひねりとうとう反転させるのに成功した。あたりを見回している。中央分離帯に上がった。植え込みの中に入ろうとする。草の匂いがしたのだろう。分離帯の芝生を這って進んだ。通過する巨大なトラック群のために高速道路は小刻みに揺れている。ガソリン臭い風が舞い上がり轟音が下腹に響く。疲れてきて鰐の名前を呼ぶのを中断したアネモネは、震える足許から中国靴やレザーパンツを伝って込み上げてくるものに気付いた。高速道路の中央を隠れるように這うガリバーを見ていると、これまで味わったことのない感情が込み上げてきた。生まれて初めての感情でそれが何なのかわからなかった。ただひどく寒かった。歯の根が合わず全身が震えた。雨が降ればいい、と急に思った。彼方の山の稜線までくっきりと見渡せる快晴の真昼がたまらなくいやだった。トラックの量が増えた。風を起こして目の前を通過する度にアネモネは悲鳴を上げた。トラックが恐かった。自分が蟻になった気がした。トラックより遥かに巨大なものが自分を押し潰そうとするのを感じた。声を出して泣き始めた。ママ助けて、ママ助けに来て頂戴。反対側の車線で鈍い音がした。鰐が快晴の空に舞い上がった。落下の瞬間に、鰐は空中で二つに千切れ、頭部は植え込みの灌木に引っ掛かり、胴体は道路の真中に飛んで走ってきたタンクローリーに再び撥ね上げられた。鰐の破片が噴き出す血はトラックの車輪で運ばれ道路に赤い平行線を何本も描いた。

21

囚人護送車の屋根に黄色のグラスファイバーポールが括り付けられていた。暗い車内に四人の受刑者と二人の刑吏が乗っている。二人の刑吏は、先週出かけた舟釣りで鮎並《あいなめ》を十何匹上げた話をしている。

ポマードで髪を固めた受刑者の一人が、看守さん、と話しかけた。二人の刑吏は話を中断してその男を睨む。すみません、看守さんって呼び方、拘置所で慣れちゃったもんで、あのう刑務所の飯は、やっぱり麦が混じってるんでしょうか？　俺、麦、だめなんです、匂いが。二人の刑吏は顔を見合わせて笑った。質問したポマードの男もつられて笑ったが、刑吏が一言も答えず厳しい顔に戻ると、舌打ちして下を向いた。

少年刑務所の前庭には蘇鉄の植え込みとハンマーを掲げた男二人の銅像がある。〝希望の像〟台座にはそう彫られている。正門や玄関は塵一つなく掃除され、灰色の建物は窓が少なく、昼下がりの町工場に似ていた。

おい桑山、同乗してきた刑吏が玄関に向かうキクを呼び止めた。グラスファイバーポールを持っている。この棒は新入調室の倉庫に保管するからな、領置品明細表を貰ったらちゃんとこの棒の品目を記入するんだぞ、わかったな。キクは頷いた。

「返事をせんか、桑山」

キクは小さな声で、はい、と返事した。

四人の受刑者は建物に入る。髪をポマードで固めた男が、病院みてえな匂いしない？　と呟いた。誰も答えない。靴を履いたまま階段を上り、四人は「所長室」と描かれた部屋に通された。十畳ほどの陽当りのいい部屋、ソファに三人の男が座っている。痩せて眼鏡をかけ書類に目を通しているダブルのスーツを着た男、その向かい側で短くなった両切りの煙草を吸っている紺色の制服の年寄り、ソファの隅で背凭れに体をまかせ編み上げの長靴を脱いで足を掻いている制服を着たデブ。四人を連れて入った刑吏は、新入所者四名ただいま到着致しました、とかん高い声で言って姿勢を正した。ダブルのスーツを着た男がゆっくりと顔を上げた。制服のデブは、おう、と言って長靴を履いた。

君達は本日より当所において相応の期間収監されることになります。私が所長の土佐です、当所は、君達に懲罰を加うるを第一の主眼とはしておらない、正常な社会復帰ができるように、矯正をその第一の目的としておるのです、君達は、全員が初犯のはずであります、本所は、犯罪傾向の進んでいない弱年者を対象に、数多くの職業訓練を始め、普通学科教育、通信教育、クラブ活動、体育、文化などを通じて、君達に指導矯正を行う、どうか速やかに刑務生活に慣れ、他の先輩囚諸君ともうちとけて、模範的な無事故の受刑者となり、一日も早く家族の許へ帰るように励んで下さい、以上。

ダブルのスーツを着た男がそう訓話した直後、髪をポマードで固めた受刑者が頭を下げながら声を出して笑った。何かおかしかったからではなく、緊張に耐えられないという感じだった。制服のデブが進み出て、お前頭がおかしいのか、とポマードの男の前に立った。制服のデブは分厚い胸や太い首回りから汗の匂いをさせて恐しく威圧的だった。お前何か勘違いしとるな、え？　それとも生まれてからずっと刑務所に入るのが夢で今うかれとるのか？　嬉しくてたまらんのか、どうなんだ。制服のデブの長靴はポマードの男の運動靴の二倍も大きかった。ポマードの男は頰をピクピク動かせて、すみませんすみません、と繰り返した。所長が笑いながら、まあいいでしょう田所先生、と制服のデブを宥めた。だんだんわかってくるでしょう。

田所と呼ばれたデブは補導部長だった。耳が両方とも潰れている。柔道をやっていたようだ。外股で腰を揺すって歩く。太っているが肉は摑めないほど硬そうだ。田所は四人を先導して学校の教室に似た部屋に入った。二人の刑吏が、海の見えていた窓に暗幕を引く。キク達は椅子に坐らされて、映画が始まった。刑務所の沿革や施設を紹介する短編映画だ。粒子が荒れた画面に最初海が映った。水平線に陽が沈もうとする夕暮れの海岸、男の声でナレーションが重なる。〈この映画は、刑務生活の概要を知っていただくために作製したものですから、参考にして下さい〉夕暮れの海に重なって、男二人の彫像がシルエットで浮かんで来る。〈この像は明るい社会復帰を目指して矯正に努める収容生のみなさんの姿を彫刻家の住友政長氏が一年三ヵ月をかけて造り上げられたものです〉

ハンマーを掲げる男の彫像が、ゆっくりと暗くなった後から、自動車の板金塗装をする受刑者がスクリーンに現れた。〈当少年刑務所の職業訓練は、その種類、内容、出所後の就労率、いずれにおいても全国有数です、木工、活版印刷、洋服、板金の各科では、訓練終了者に対して労働省職業訓練局長から履修証明書が交付されます〉続いて様々な種類の職業訓練の内容と作業風景が紹介された。〈木工科の高速木材乾燥機、超仕上鉋盤、活版印刷科の電子石版印刷機、洋服科の鳩目穴結密針機、板金科の全自動足踏切断機、溶接科の瓦斯切断器、自動車整備科のガレージジャッキ、超急速充電機、船舶職員科の鋼船少年勇洋丸四四・八九トン、無線通信科の超短波無線電話装置、理容科の人体解剖アクリル模型、クリーニング科の回転貯水室、調理科の球根皮剥機、ボイラー科のコルニッシュボイラー百立方メートル、それらは当刑務所自慢の設備です〉画面に登場する受刑者は一様に笑顔を作っている。〝娯楽室〟と札の下がった部屋でトランプをしたりギターを弾いて歌っている受刑者達の肩口がアップに映る。肩口に金色や銀色の布線が縫い込んである。〈六ヵ月間、無事故で過ごすと、銀線が支給されます。銀線が四本になると、つまり二年間無事故で過ごすと金線が支給され、所長先生が朝礼で名前を読み上げ表彰されます。金線が二本以上になった模範収容生は、上級独居房に移ることができます、上級独居房には普通房の一・七五倍の窓と、カーテン、花瓶、手鏡、吊り棚があり、快適です〉人権保護のため受刑者の顔は画面にあまり出ない。止むを得ず顔が映る時は目の部分を黒く塗り潰してある。柔道をする受刑者、グラウンドを走る受刑者、水彩画を描く受刑者、陶器を焼く受刑者、宗教教誨を受ける受刑者。〈春と秋には教官先生や看守先生達も参加する運動会があります、また各収容棟対抗の卓球、ラグビー、ソフトボール、バレー、サッカー、柔剣道の競技会が年一回開かれます、美術、書道、詩吟、コーラス、文芸、演劇などのクラブ活動の発表会も秋に催され、所外の人々も招かれます〉診療室、調理場、風呂場、理容室、宗教教誨室、普通雑居房、懲罰独房、便所、そして面会室。〈面会室には一級と二級があり、収容生のみなさんの模範度によりいずれかを使用することになります〉二級面会室には看守の監視と金網が、一級には丸テーブルと椅子、紅茶と一輪挿しがあった。映画はその後、普通雑居房での生活を中心に、点呼の方法、起床就寝、清掃、臥具の敷き方に至るまで細かに説明した。そして出所の日を迎える画面で終わった。私服に戻った受刑者は正門前で所長や職員に挨拶して、出迎える家族と抱き合う。母親らしい婦人が差し出した稲荷ずしを一人が頬張る。その顔の大写し。黒く塗り潰された部分から涙が垂れて最後のナレーションが被さった。〈みなさんも、一日も早くこのような明るい社会復帰の日が訪れるよう、努力しましょう〉

終、という字が画面に映ると誰かが溜め息を洩らした。暗幕が開いて部屋は明るくなった。二人の受刑者が椅子をずらして立ち上がった。ポマードで髪を固めた男と、金属のように滑らかで白い肌の大きな男である。

「立ち上がっちゃいかん!」

映写機を仕舞っていた刑吏が一喝した。

「映画を見たばかりだろうが、映画ちゃんと見とったのか? 何事も勝手にやるなってつい今しがた映画でやったろ? 指示があるのを待てと、このハンパ者が」

ポマードの男が慌てて着席した。白い肌の大男は立ったままだ。

「お前、いつまで立っとる気だ、外人か? 目の色は黒だろ、日本語わからんのか」

田所が低い声で言って大男の受刑者を睨んだ。

「坐れという指示が、出てないです」大男は真剣な顔付きで答えた。田所は、顎に手をやりながら、そうかそうか、と呟き、大男に近づいた。二人の背丈はほぼ同じだ。

キクより十センチは高そうだから、一メートル九十を越えているだろう。田所は白い肌の大男に坐れと言って、名前を聞いた。

「自分の名前は、山根素彦であります」

　大男は眉一つ動かさず落ち着いた声で答えた。キクは山根と名乗った男と一瞬目が合った。柔らかな髪の毛が白く滑らかな額に被さっている。灰色の眉と睫、細い一重目蓋の間にほとんど色のない小さな眼球がある。鼻の曲線はセルロイドの玩具のように丸く影がない。唇は薄く肉が硬そうで縦皺が一本もなかった。山根は、仮面をつけているように見えた。灰色のビニールを貼りつけたような顔だった。

　四人の受刑者は階段を降り、暗い通路を進んだ。通路の突きあたりに鉄の扉がある。田所が合図し刑吏がその扉を開ける。鉄が軋む音。扉の向こうには畳三枚ほどの小部屋があった。警棒を持った二人の看守がいる。一人が「入看帳」と表書きした黒いノートを田所に差し出した。田所はノートに、日時と名前と入房目的を記入した。三月二十九日、田所、新入所者引連。看守は腰に下げた大きな鍵を鉄の壁に押し当てた。この小部屋の向かい合った二面の壁は鉄製の扉だ。看守が二人がかりで扉を開ける。光が差し込んで来た。キク達は眩しくて目を閉じた。扉の向こう側は異様に明るい。田所が、入れ、と言った。鉄の棘が支柱に生えた檻のような回転扉が目の前にある。一人ずつその中に入り、ブザーと共に檻が回転して、向こう側に弾き出される。

檻は回転する度に鉄と鉄の打《ぶ》つかる音を出す。「お前らの住家だ」田所が指差した。

鉄格子が嵌《は》まった天窓、両側に厚い扉が規則正しく並ぶ恐しく長い廊下があった。天窓から差す光はコンクリートの壁と床を黄色く染めて、廊下は突きあたりが見えないほど遠くまで続いている。背後で看守が鉄の扉を閉めた。ポマードで髪を固めた男が、いやだあ、と呟いて床に坐り込んだ。肩を落として顔を上げようとしない。田所が、男のジャンパーの襟を掴んで引き起こした。廊下の長さと明るさは歩く者に眩暈を覚えさせる。廊下には屑一つ落ちていない。コンクリートを這う虫もいない。見えるのは、鉄パイプの錠と厚い木の扉と壁の小さな染みと罅割れ、そして天窓に嵌まった鉄格子が床に作る平行四辺形の濃い影だけだ。

「お前らは、機械で言うと、故障品だ、普通なら、故障した機械を修理する人間は、持ち主から金を取る、そうだろ？　電気屋に壊れた洗濯機持っていくと金取られるだろが、それを刑務所は逆だ、官費で、お前らを修理する、有難いと思え、まずそのことを有難いと思わなきゃいかん」田所はそう言った。八畳ほどの広さで木と布の衝立てが並ぶ、新入調室。四人の受刑者はそれぞれ衝立ての間に立たされ、素裸になって、両手を上に伸ばし片足ずつ持ち上げ、十数回ピョンピョン跳ばされた。肌着と囚人服が渡される。コンクリートと同じ色の上衣とズボン。ズボンは前についた短い紐を締めて穿く。靴は足の甲をゴム帯で固定する爪先の尖ったズック、靴下はない。それまで身につけていた私物は番号のついた木の箱に入れ、品名を詳しく領置品明細表に記入する。キクは、その他の領置品目、という欄に、米国製跳躍競技用グラスファイバーポール、と記入した。

着換えの済んだ順に、四人は理容室で髪を切られた。ポマードの男は濡れた髪が床に落ちるのを見て肩を震わしていたが、ついに声をあげて泣き出した。理容師は先輩の受刑者で、ポマードの男の髪の毛を左手で摑み、泣いて動くと頭の皮切っちまうぞ、と言って顔を揺すった。バカ野郎め、臭えもんベタベタ塗りやがって。

「何だお前は、フランケンシュタインか」

田所がそう言ったので全員が山根の方を見た。坊主になった山根の頭に太い線が走っていた。額の、毛の生え際から後頭部を一周する手術縫合の跡だ。頭の地肌には模様が描かれている。頭頂と手術の跡を何本も結んだ赤い波形の線。ポマードの男は山根の頭を見て泣くのを止め唾を飲み込んだ。

「自分は、手術で、頭蓋骨に硬質プラスチックを嵌め込んでるのであります」山根は恥ずかしそうに言った。

四人は囚人番号を貰った。白い布切れに墨で描いた漢数字。田所が名前と番号を呼ぶ。返事が小さいと何度も繰り返された。平山邦夫、四一八号、工藤巧、四七七号、山根素彦、五三九号、桑山菊之、六〇三号。

独居房の広さは二畳、色が変わった坊主畳が敷いてある。布団と毛布が一枚ずつ、ビニールに手拭いを巻いた枕以外には何もない。三方は窓のないクリーム色のコンクリート、出入口は厚い木の扉である。扉には外側からだけ開けることのできる小窓が二つ、目の高さの小窓は巡回看視用、膝上の高さの小窓は朝夕の食器を出し入れするためのものだ。天井にかなり高く嵌め込まれている蛍光灯には跳び上がっても届かない。便所や水飲み場は外にある。指定の時間外に、用を足したい者や水を飲みたい者は、巡回の看守を待って申し出なければならない。新入所者は、刑務生活のオリエンテーション、いろいろな検査を受ける間、この独居房に入る。窓のない厚い壁は音と匂いと景色を完全に遮断し、入所者は一時的な閉所恐怖症に陥る。管理する側にとってそれは都合がいい。独居房の圧迫は、他人と接し話をしたいという欲求を起こす。受刑者の性格把握が容易になるのである。また、最初の規律訓練として優れた効果を発揮する。声を発することは禁止されているので受刑者は、体操や自慰や坐禅、深呼吸を繰り返して神経を消耗し、職業訓練やクラブ活動のある雑居房での刑務生活を待ちわびるようになる。何でもいいから早く作業をさせて下さい、ほとんどの新入所者はそう訴える。逆に、独居房の圧迫に屈せず心理状態に何の変化も起こさない者は、要注意人物として補導部のリストに載ることになる。

キクは独居房が気に入っているように見えた。一日中壁に凭れて坐り続けても看守や教官に苦痛を訴えなかった。夜、夢にうなされて大声をあげ看守が駆けつけることは何度かあったが、日中の態度は入所して以来変わらなかった。つまり他人との接触や会話を嫌い消極的で何にも興味を示さず、指示命令には服従するが、自分の意志や判断を放棄しているかのようだった。桑山お前は何をやりたいか？　職業訓練適性を審査する教官がそう聞いても、キクははっきりした返事をしない。何かやらねばいかんのだぞ、さらに強く促すと、下を向いたまま小さな声で、何でもいいんです、と答えた。嘱託の精神科医は犯行直後に発病し入院を要した離人症が完治していないのだ、と診断した。すなわち、自分を産んだ女性を殺害したという精神的な苦悩を未だに処理しきれず病気の中に逃避しているというのである。

新入所者は、触診、レントゲン、身長体重測定、視力聴力、知能指数、ハンケル式職業適性検査、クレペリン性格検査などのテストを受け、成育歴、教育歴、非行歴を考え合わせ専門教官との個人面接によって職業訓練種目が決められるが、キクのように犯行後の精神的葛藤がまだ続いている場合、また刑務生活の先行き不安から情緒の安定を欠いている場合は、訓練種目決定を六ヵ月延長し、所内自営作業に回される。キクは第三炊事配膳班に編入された。少年刑務所の起床は午前六時四十分だが、炊事班は朝食準備のため二時間早く起きる。

新入独居の期間が終わり、キクは第三炊事班員ばかりの雑居房に移った。仮面を被ったような滑らかで白い肌の大男が一緒だった。山根素彦である。キクと山根は雑居房の入り口の板の間に正座して同房の囚人達に挨拶した。先輩受刑者は四人いた。それぞれ、福田、林、佐島、中倉と名乗った。看守が姿を消しキクと山根の挨拶が済むと、年長者らしい福田が、一応聞いておかなきゃいけないんだが、と頭を掻きながら話し出した。ルールらしいんだ、新入りは何をやって、入ってきたのかを話すのが、まあ決まりなんだよ、それで俺達は、その、隠語とかここのコツみたいなのを教えるんだけど、下らないと言えば下らないが一応ルールということになってるんで、隠語も憶えとくと便利だし。

「殺人です」

福田が話している途中に山根が正座を崩さず答えた。林と佐島が、コロシかあ、と呟いて顔を見合わせる。あ、そう、いやね、何をしたか知っておくと何かと気をつかう時に便利なんだよね、君は？　桑山君は何をしたの。

「自分も、殺人です」

中倉が、なんだみんなコロシかあ、と言って笑った。福田も林もつられて笑った。キクと山根は下を向いて黙っていた。いやね、俺達もみんなコロシでね、うん、そう言えば何だよなあ、俺達六人で日本の人口を六人も減らしちゃったんだなあ。

「あの、自分は、四人殺しましたから」

山根がそう言ったので福田らは笑うのを止めた。四人だと？　中倉が身を乗り出し、拳銃を撃つ真似をして、ハジキか？　と聞いた。

「いえ、素手です」

空手か？　ボクシングか？　どっちなんだよ、と中倉は興味深そうに山根の手を見た。山根は、空手です、と答えた。それでお前何年食ったんだ？

「十年です」

何だよ十年？　未成年じゃねえだろ？　やけに少ねえなあ、四人殺《や》って十年は少ないよなあ。

「あの、自分も、重傷を負いましたから」

はあ、その頭の傷だね、まあいいや、とにかくお前は強そうだ、冗談でも俺達殴ったりするんじゃねえぞ、ムショで殺されたりすると本当にバカバカしいからな。

中倉は肉料理屋の店員だったそうだ。見習いで豚の骨付き肉を降ろしていた時、訪ねてきた祖母の顔を見て先輩達が笑ったので、すぐ横にいた奴を包丁で突ついた。刺すつもりなんかなかったんだ、俺は、注意しようと思って肉切り包丁でこづくとズサッと埋まりやがった、人間の肉は、豚より柔かいんだぜ。佐島は漁師だった。その日は朝から曇っていてそんな時は必ず右の奥歯が痛んだ。奥歯が痛くて耐らないのに昼飯のおかずがニシンの煮つけで小骨が詰まってしまった。小骨を取ろうと苛立っているところへ虫の好かない釣客が舟酔いで嘔吐した。俺は歯が痛いのにゲロを掃除しなきゃいけないんだと思うと腹が立ってきて、操舵がなってないと文句を言う客を蹴ったんだ、軽く蹴ったんだぞ、そしたら殺人だとよ、野郎スクリューに巻き込まれたんだよ、悪いのは、スクリューなのによ。福田は造船所のボイラー掃除夫だった。中学時代は野球をやっていた。投手だった。高校になると外野に回ったが肩の強いのが自慢だった。造船所に就職してすぐ結婚し男の子が産まれた。その男の子が大きくなったら、肩の強いところを見せてやろうと楽しみにしていた。ボイラーに詰まった油屑をハンマーで砕く仕事を二年続けた。重いハンマーを何万回も振り上げたので肩が壊れてしまった。もう遠くへボールを投げられないと知った次の次の日、泥酔して喧嘩に巻き込まれ、椅子で殴った男が死んでしまった。ああ俺はソフトボールを六十五メートルも投げたんだぞ、ソフトボールだぞ、夏ミカンより大きいのを六十五メートル、すごいだろ？　すごかったんだよ。林は水上スキーの指導士だった。金に困って床屋に強盗に入り、大声をあげた年寄りの口を塞いだら手を噛んだので、首を絞めた。俺、シャンプーの匂い嫌いなんだ、思い出すからな、床屋やってる奴ってシャンプーの匂いするからな、それと、ベロも嫌いだ、お前ら知らないだろ、首絞まって死ぬ時な、人間ってベロをだらんと伸ばすからな、ベロって長いんだよ、顎の先まで垂れるからな、他の奴には言ってあるけど山根と桑山、俺の目の前でな、ベロ、だらんと垂らしたりするなよな。

炊事班房の六人には共通点があった。全員が小型船舶の免許を持っていたことだ。漁師の佐島や水上スキー指導士の林は当然だが、中倉は肉料理屋の前にサルベージ会社に三年勤めている。海底ケーブル敷設船に乗りサルベージボートを運転していた。福田は造船所のある港町で舟釣りを趣味とし投網《とあみ》が得意だった。船頭を雇うのは割高になるので釣り仲間と小型船舶免許を取得した。山根は学生時代の先輩が持つクルーザー付きのヨットで訓練し、頭を怪我する以前はスクーバのボートダイビングも楽しんでいたのである。キクは、桑山が廃船寸前の小さな漁船を買った時、運転を頼まれ、長崎まで講習を受けに行った。キクを除く五人は、船舶職員訓練科の試験に落ちた連中だった。十五名の定員から外され、六ヵ月後の試験を目指して炊事班の仕事をやっていたのだ。補導部は五人の影響でキクが船舶職員科を志望しその目的意識が離人症状を解消するかも知れないと考えた。

少年刑務所は完璧な管理体制を持っている。それは受刑者を暴力で押さえ込むのではなく、反抗のあらゆる機会を早いうちに潰してしまうという方法だ。収容棟を囲む高いコンクリートの塀と舎房の出入口にある二重の鉄柵がなかったら全寮制の学校とあまり変わらない、ある受刑者はそう洩らしたそうだ。設備は恵まれ、刑務生活の細かなところまで不公平がないよう配慮されている。例えば食事だが、二ヵ月に一度全受刑者の嗜好調査が行われ、主食のパンや飯の量は五段階に分かれていて各種作業の肉体疲労度を測定しそれに応じて支給される。つまり激しい労働の者は飯をたくさん食えるわけだ。

しかし、週二日の体育日に思いきり汗を流し適度の労働の後栄養士が計算した献立ての食事をとり視聴覚室でテレビを見て音楽を聞く合間に、また眠る前に、すべての受刑者が思うのは出入口の二重の鉄柵と高い塀である。一人になって考えるのは必ず外界のことだ。刑務所を出て家族と共に食事をしたいという思いに誰もが発狂しそうになる。所内の生活の中で脱走の契機となるべきものを捜す。脱走を決意させる要因、自分を脱走にかりたてる怒りの提供者を捜す。そして見回した結果何もないことに気付く。閉じ込められ見張られてはいるが、それさえ忘れると脱走に向かわせる不満を発見できないことに気付くのだ。限られた中で最大限に快適な暮らしをしようと職業訓練やクラブ活動やスポーツに励む。しばらくの間充足が訪れ、やがて再び塀と鉄柵さえなかったら、ここに家族がいたら、と思うようになり、そんなことを何度か繰り返すうちに受刑者は仮釈放までの時間を受け入れる決心をする。時間を呑み込むのである。外界と自分を隔てるものは高い塀と二重の鉄柵ではなく時間なのだと納得した受刑者はその時間を短縮することだけに注意を向ける。金線銀線を獲得し模範囚となるために自らを誘導し他の欲求を眠らせる。自分の時間を呑み込んだ者は二度と脱走を考えない。受刑者は浅い冬眠に入る。

この管理方法は最上だが微妙なバランスの上に成立している。一人の脱落者がそのバランスを崩す可能性がある。管理する側が最も恐れるのは、自殺だ。全受刑者を慢性の、静かな鬱病にしておくやり方は老人ホームと同じだから自殺が発生すると必ず流行するのである。自殺者が何人か出ると所内の緊張を高め受刑者は不安定に揺れ動いて呑み込んでいた時間を暴発させ一斉に吐き出すこともあり得る。補導部がキクを炊事班雑居房に移したのは、悪化すると自殺に至る離人症の進行を、船舶職員科受験という目的を持つ集団に置くことによって防ごうとしたからだった。

ボイラーが唸り飯が炊き上がると調理場は湯気と怒号で騒然となる。炊事配膳班は三班十八名で構成され、一日三食延べ千二百食を賄う。三班は交代で二日作業し一日休む。二人の専任調理師が作業を監督する。キク達は調理師の指示に従って、ネギやキャベツを刻んだり、米を磨いだり、山になった漬物を混ぜたり、小豆を水に浸したり、塩の分量を計ったり、天かすを掬ったりする。四百人分の食事ができると配膳用のバケツに分ける。味噌汁を鍋からバケツに注ぐ時には柄の長い柄杓を使う。鍋の底に沈んだ具を均等に分配するためである。配膳が終わり汚れた食器が戻って来るまでが、炊事班の短い休憩となる。

「桑山、慣れたか？」

汗を拭きながら中倉が話しかけてきた。キクはレンジに凭れかかったまま黙って頷いた。中倉はキクより三歳年上だった。左腕に桜の花弁の刺青をしている。

「お前、変わってるなあ、ずっとそんなに喋るの嫌いだったのか？」

キクはまた頷いた。

「お前にちょっと聞きたいことがあんだよ、いいか？」

キクは迷惑そうな顔をした。中倉は構わずに話した。

「オフクロを殺るっていうのは、やっぱり気分悪いか？」

キクは眉を寄せて指に付いた白菜の切れ端を床に落とした。

「止めた方がいい、いやな夢見るから」

キクがそう言って中倉は頷く。そうだろうなあ、わかるよ、でもね、今だってオフクロのことでいやな夢は結構見るんだよ、殺らないでイライラしてさ、しかしこればつかりはなあ、試しに殺してみるってわけにもいかないしな、サンキュー参考になったよ。

キクは濡れた床を見ている。流しの横に段ボール箱が積んである。鯨の肉が入っているはずだ。汚れたアルマイトの食器を何百と洗った後、凍った鯨の肉を調理師が電気鋸で切るだろう。氷と肉の粒が飛び散る。キクの目の裏側で点滅するものがある。

女の顔だ。自分を産んだという女の顔。その顔から皮膚を剝いだ目も鼻も耳も口も髪の毛もない血塗れののっぺらぼう、肉の塊り。その二つが交互に点滅する。四発目の散弾を撃ち皮膚と肉を削られて熱くなった女の顔がゆっくりと雪に埋まって見えなくなった時から点滅が始まった。あの雪のクリスマスイブ、間断なく焚かれた写真機の閃光より強く、規則的に脈拍に合わせて二種類の女の顔が現れた。女の顔はキクに似ていた。あの夜初めて女の顔を見た時、キクは、自分のある部分が切り離され突然脹れ上がって歪んだ複製になったような気がした。その女が、止めなさい、と呟いたのだ。銃口の前に顔を突き出した瞬間に、唇が、止めなさい、と動いた。真剣な顔だった。その微かな呟きが点滅の度に繰り返し聞こえた。止めなさい、その幻聴は反響し、何を止めろというのかわからないままキクは従いすべての自発的な行為を中止していたのである。

「桑山はいつもボンヤリしているんだな」

山根が傍に来てそう言った。山根は汗を掻いて顔が上気している。頭の手術の跡も赤くなっている。いつか中倉や福田がしつこく頼んで、山根は手術の話をした。山根は四人を正拳で殺した集団乱闘で自分も重傷を負った。バス停留所の標識の台座で殴られたのだ。左側頭部頭蓋骨陥没。脳膜の損傷はなかったので奇跡的に命をとりとめた。砕けた頭蓋骨を取り除き硬質プラスチックを嵌めた。山根は、レジン板というプラスチック板を頭蓋骨のカーブに合わせてガスバーナーで曲げる作業を医者と二人でやったそうだ。

「俺も、桑山みたいになったことあるぜ」

プラスチック板を嵌め込む手術は成功したが、傷口に発生した膿が右前頭葉に流れてしまった。山根はこの膿を摘出するために計六回延べ百時間に及ぶ手術を受けた。何回目かの手術の夜、医者が二人話しているのが聞こえてきた。山根の状態について、恐らくだめだろう助かる見込みはないかも知れない、二人の医者はそう言っていた。麻酔時間がまだ続いているはずだったので酸素テントの中は手術道具が置いたままだった。山根の頭上には八面に割れた鏡があった。いろんな色の管が埋めこまれた自分の脳が見えた。豆腐みたいだ、と山根は思った。今にも箸が伸びてきて誰かが摘んで食べても不思議じゃないような形をしていた。医者の話はまだ続いていたが、自分のことを話しているのはわかっているのに、他人事のように聞こえた。

「豆腐みたいなやつをずっと見てるとな、何や自分が他人みたいに感じたんだよ、どうでもいいような気がしたな、いろいろ考えたり感じたりしているのがこの豆腐かと思うとさ。自分が豆腐になったみたいでな、今のお前みたいにあの頃はずっとボンヤリしてたよ」

キクと山根は昼の検食当番だった。検食というのは、受刑者が口に入れる前に、総務部長、補導部長、所長の順で試食することだ。朱色の盆に献立を並べ埃がつかないようにガラス箱を被せて各室に運ぶ。米と麦七対三の飯、鯡《にしん》の塩焼き、煮豆と京菜、若布の吸い物。所長は一口ずつ箸をつけてから、植木に水をやってくれとキクに頼んだ。山根には窓際で飼われている文鳥の餌と籠の底に敷いてある新聞紙を替えるように言った。

キクは渡された薬缶を持って手洗場に水を汲みに行った。途中で所長は席を外した。山根は文鳥の籠から水と餌の容器を取り出そうとしている。キクは五鉢のゼラニウムに水を注ぎ終え山根の作業を眺めた。文鳥が、新しい水で羽を洗い始めた。山根が指差してキクを呼んだ。山根は所長がまだ戻らないのを確かめると手の平に餌を乗せて巣の中にいるもう一羽の文鳥に差し出した。山根はしばらく粟粒を突つかせていたが急に手を窄めて文鳥を捕えた。手を籠から出してもう一方の手の指で文鳥の頭を撫でた。文鳥は怯えて鳴き山根の指を突つく。触ってみろよ、山根は大人しくなった文鳥をキクに渡した。文鳥はキクの手の平で逃げなかった。山根はキクの手の平に乗せたまま文鳥の胸を自分の耳に押し当てた。桑山俺はな、とそのままの格好でキクに話しかける。俺はな、小さい頃から乱暴だったけど、頭手術してからもっとひどくなってな、精神異常にな、なっちまったんだよ、医者から言われたんだけど、お前なぜ人間は眠るか知ってるか？　体力の回復もあるけど、脳の深部を休ませるためだってな、脳の深部には休息が必要なんだそうだ、脳の深部ってのは休ませないと人間が凶暴になるらしい、俺はそこをやられちまってな、一時ひどかったんだ、よく憶えてないけどとにかくその発作が来ると暴れるんだ。それも物壊したりさ、看護婦椅子で殴ったりな、凶暴っていうより、体中に変なものがいっぱいに詰まってどっかに風穴を開けないと死んでしまうような感じさ。体が言うこときかないんだ、俺ずっと縛られてたけど放っといたら何十人殺したかわからないぜ、それでな、発作が起こりそうだって思う時にな、我慢する方法をいろいろ考えて試したんだ、数字を数えたり、坐禅したり、歌うたうとか、一番いいのはな桑山、何だと思う？　心臓の音を聞くんだよ、自分のでもいいし他人のでもいい、必死になって聞くんだ、病院に女房が息子を連れてきた時、まだ四ヵ月の赤ん坊だがちゃんと心臓がドックドック打っててな、俺は何て言うか妙に感動したんだよ、その赤ん坊の心臓の音を思い出すんだ、不思議に我慢できるんだよ。

キクは文鳥の胸を耳に当てた。耳朶に鳥の体温が伝わってきた。文鳥の鼓動は速くて遠くを駆けるオートバイに似ていた。

22

就寝前の自由時間に福田がキクに聞いた。春の運動会の各班対抗リレーに出場しないかというのだ。お前選手だったんだろ、棒高跳びのさ。キクは下を向いて黙っていた。

「お前が足速かったら情勢がうんと変わるんだけどな」受刑者にとって各班対抗リレーは数少ない賭けの対象である。一週間に二度支給される甘食や、肌着やズック靴といった日用品を賭ける。「本命はな、体育の教官チームだ、三年連続で勝ってる、自動車整備にものすごく速い奴が一人いる、元競輪選手で去年の秋は鼻の差で二位だった。俺達はな、俺と、林と、中倉と、第二班の奴でチーム作ったんだが、キクがもしムチャクチャ速かったら、すごいことなんだよ、他の奴らは知らないからな、大穴だ、勝ったら大福やらチョコレートやら胸悪くなるくらい食えるぞ、お前走れるのか？　本当は速いんだろ？」

「走らなきゃいけないのかな」

顔をあげてキクはそう言った。

「お前走れるか？」

「いや俺は足が速いかって聞いてんだよ」

「俺は、どっちでもいいよ」

中倉が苛立った様子で身を乗り出した。

「わからねえ奴だな、キクこれは賭けリレーなんだぞ、お前が速い足持ってたら、俺達は大福を二十個くらい食えるかも知れねえってそういうことだよ」

山根が怒鳴る中倉を制してキクに百メートルのタイムを聞いた。計ったのは一年も前だけど、と前置きして、十秒九を三回出したことがある、とキクは答えた。全員が驚きの声をあげた。福田はリレーのメンバー表にキクの名前を書き込んだ。キクは迷惑そうな顔をしたが文句は言わなかった。キクは変な奴だな、と中倉が布団を敷きながら呟いた。変な奴だよ、そんなに速いんなら最初から走る走るって喜べばいいじゃねえか、お前のことヤジ公が何て言ってるか知ってるか？　ロボだってよ、ロボ。ヤジ公とは看守のことである。ロボはロボトミーの略で、所内に数名いる一部脳葉切除手術を受けた強度のてんかん患者のように、反応のない植物的な人間につける渾名だ。


少年刑務所のグラウンドには砂が撒かれている。五十五年前、山野を切り開いて整地した時に海岸から運び入れたものだ。粒が細かな砂で風にとばされ雨が続くと流されるがなくなることはない。コンクリートの高い塀が回りを囲んでいるからだ。キクはグラウンドの砂を掬って風に飛ばした。福田が近寄って、リレーの予選が始まるぞ、と言った。キクは頷き準備体操を始めた。両足の屈伸、柔軟体操、腿を高く上げて数回ダッシュを繰り返し足首を回してアキレス腱をよく揉んだ。それを見ていた中倉が、さすがにすげえな、と呟いた。筋肉が、憶え込んでいることを勝手に演じているようだった。予選には六チームが参加した。一チーム四人が二百メートルのトラックを一周ずつ走る。福田、中倉、林、キク、の順だ。顔見知りの看守がキクをからかった。お、桑山走るのかボヤけてバトンを落とすなよ。

第一走者がスタートラインに並び、号砲が鳴ってレースが始まった。福田はスタートよく飛び出してトップと余り差のない二位を走っている。自動車整備班と教官達のチームはこの後の予選に出場する。二位以内に入れば決勝で彼らと当たるだろう。福田は二位で中倉にバトンを渡した。中倉は福田ほど速くない。三位を走っていた木工班の走者に抜かれそうになった。慌てた中倉は足を出して相手を引っ掛けようとした。その足を追い抜こうとする走者が蹴った。バランスを失ったのは中倉の方だった。必死に体勢を立て直そうとしたが、木工班の走者が追い抜きざまに肩を押すと前のめりになって転倒した。林と福田が溜め息をついた。中倉はすぐに起き上がって走りだしたがトップと二十メートルも離れた最下位に落ちていた。中倉は怒り狂って林にバトンを渡し、木工班の第二走者に殴りかかろうとしたが、福田とキクに止められた。バカ野郎てめえが足なんかかけようとするからじゃないか。林が五位に上がったが、トップとの差は全く縮まっていない。

　キクは走路に出て二回深呼吸をした。林が五メートルに近づくとキクは走り出した。何だ炊事班のアンカーはロボじゃねえか、ボヤけてまた転べ。キクが全力疾走に移ると野次が止んだ。キクはあっという間にすぐ前を走る一人をぬいた。一秒もかからなかった。中倉と福田が息を呑んで、こいつはわからねえぞ、と呟いた。キクは体が揺れない美しい姿勢で無表情のままさらに一人抜いた。どよめきが起こった。キクの灰色の制服がはためき千切れそうだ。キクに目を合わせると他の走者は静止して見える。最後の直線でキクは二位に上がりゴールインした。中倉達が興奮して抱きついてきた。他の受刑者は最初呆気にとられていたが、一人が立ち上がって、おいロボてめえすごいぞ、と叫ぶと引き上げるキクに群がった。お前どうしたんだよ、オリンピックの選手かよ、本式の運動選手なんだろ？　集まった連中は顔を輝やかせてそんなことを言った。キクの呼吸は全く乱れていない。額に薄く汗を掻いていた。その汗を指先で拭って、キクはいやな顔をした。周囲にできた人垣を見回した。山根が駆けて来て、大したもんだな、と軽く頭を叩いた。

その時強い風が吹いてグラウンドの砂が舞い上がった。キクは目を閉じた。汗が冷えて鳥肌が立った。薄く目を開けてみると、細かな砂粒が視界を隠し、回りを囲んでいる受刑者達は一瞬の後に濃い影となって現れた。冷えきった汗に砂粒が貼り付く。砂が作る白い煙は影の輪になった人垣だけ浮かびあがらせ背後の景色を消した。取り囲んだ影はキクを注目しキクを指差していた。キクは血が下がるのを感じて視線を足許に落とした。白く煙った視界の外で誰かがしゃがみ込んでいるような気がしてぞっとした。皮膚を剝がれ目も鼻も口も耳も髪の毛もない赤い肉の塊りになった女が、すぐ傍に転がっていたのを思い出した。恐しい勢いでいつもの女の顔の点滅が始まった。どうしたんだキク気分でも悪いのか？　山根が声をかけた。キクは真青な顔色をしていたのだ。どうした、急に走って具合が悪くなったのか？

「なんでみんな俺を囲んでるんだ？」キクは絞り出すような声で言った。様子がおかしいので人垣は増えていった。山根がキクの肩を摑んだ。みんなびっくりしてるんだよ、キク、お前みたいなランナーをみんな初めて見たもんだからびっくりしてるんだ。

「俺を見るな、おれは、何もしてないじゃないか」キクは人垣の切れ目に向かって歩いた。受刑者が移動して切れ目は塞がった。なあ、お前テレビに出るような運動選手なんだろ？一人の受刑者がそう言ってキクの肩を摑み揺すった。キクはその手を振り解くと突然地面にしゃがみ込んだ。背中を丸め両足を折り曲げて抱きかかえ頭を地面に擦りつけた。その姿勢のまま灰色の制服の裾を持って頭を隠そうとした。教官がやって来て群がる受刑者を遠ざけ、桑山こんなところで何をしとるんだ、キクを揺すった。キクは動こうとしない。何だあの野郎どうしたんだ、やっぱりロボじゃねえか、たそがれて電波がきやがった、教官先生そいつ頭に電波が来て痺れてるんですよ、電波が来たロボはおしまいよ、口から泡吹いてヨイヨイだ。

キクは全身を折り畳んだまま医務室に運ばれた。冷たい汗を掻いて震え一言も口をきかない。医師は安定剤を打とうとしたが腕も足も硬直していて注射針が折れた。キクは歯を鳴らし始め舌を噛まないように看護人がタオルを口の中に突っ込んだ。山根と中倉と林が医務室に入ってきた。あのうキクは決勝に出られるでしょうか？　そう中倉が聞くと、医者は笑った。何を言うか、正気に戻るかどうかもわからんのに。山根が、医者や教官の前に進み出た。「自分は半年間、精神病院にいて、これに似た患者を、空手の蘇生術の応用で、治したことがありますが、ちょっと桑山にやってみてもいいでしょうか？」教官と医者はしばらく相談し危険はないと山根が何度も言うので許可した。山根は震えるキクの首を掴んだ。首と頭の境目あたりを親指で押し場所を確かめると、気合と共に強く突いた。キクの体が跳ね上がった。上体が反り返り反転して仰向けになった。ぐったりと手足が伸びきり薄く目を明け口を動かした。山根はキクの耳許にしゃがみ口の中のタオルを引っ張り出した。キク、俺の声が聞こえるか？　聞こえたら、目を一回閉じろ、俺がお前を助けてやる、聞こえるか？　キクは目を閉じた。

「恐いか？」

キクはまた目を一回閉じる。山根は大声を上げるようにとキクに言った。胃袋が飛び出すくらいの声をだすんだ、楽になるぞ。山根は不思議な声質でキクに語りかけた。ゆっくりとどの語句にもアクセントをおかずに均等な声色で話した。本を読むような調子、薄い壁を透かして隣の部屋から聞こえてくるようだ。キクは目を一回閉じるとベッドが震えるほどの叫び声をあげた。掠れた叫びは長く続き、途切れるとキクは肩で息をして泣き始めた。何が恐いんだ？　山根は耳許で聞いた。

「言ってみろ、口からはき出せ、喉に溜めてるといつまでも恐いぞ、言ってしまえ」

キクは激しく首を振った。

「キク、考えてみろ、今のお前は赤ん坊なんだぞ、諦めるな、怯えてるものに負けちゃだめだ、諦めるとすべてはおしまいだ、諦めた瞬間あたり一面は地獄だ、何が恐いのか吐き出してしまえ」

「俺は、俺は」

キクは喉を突き出して狂犬病の患者のように喘いだ。

「そうだ、お前は怯えきって震えて泣いてるんだ、それがお前だ。虚勢を張る必要もないし、俺は味方だ、お前、何を見てるんだ？」

「顔だよ」

「誰の顔だ？」

「女の顔だ、俺を見てる」

「誰なんだ、その女は」

「知らない女だ」

「知ってんだろ？　知ってるはずだぞ」

「知らないよ、本当だ」

「言ってしまえ、知ってるんだ」

「バカ野郎！　本当に知らないんだよ、それがピカピカ点いたり消えたり、ちくしょう！　俺を産んだ女だ、でも知らない、俺をずっと身籠ってた女なんだ、でも本当に知らない女なんだ、一度しか会ってないから知ってるはずがないだろう、真赤なセーター着てる女なんだ、顔も真赤だ、血だらけだ、目も鼻も口も耳も髪の毛もないのっぺらぼうだ、そんな女なんか知らないよ、当たり前だろ、それが消えないんだ、血塗れののっぺらぼうが、俺に、止めろ、と言ってる、止めろ！　俺は何を止めたらいいのかわからない、わかるわけないだろ、わからないよ」

山根はキクの額に噴き出した汗を拭いてやった。口の周りもきれいに拭ってやる。

キクわかった俺の声が聞こえるか？　キクは目を一回閉じた。いいか？　俺のいう通りにしろ、頭から絵を追い出すんだ、言葉も追い出せ、音だけを聞け、音を聞くんだ、今何が聞こえる？

「あんたの、山根さんの声だよ」

「それだけか？　ようく聞くんだ」

キクは目を閉じた。

「喚声が聞こえるな」

「今グラウンドで騎馬戦やってるんだよ、その他には？」

「車の音、大きなトラックみたいだな、クラクションも聞こえるよ」

「他には？」

「鳥の鳴き声」

「うん、外の木に止まってる、もっとあるだろ？　もっとあるぞ」

「足音、スリッパや裸足の音、このベッドの軋み、山根さんの息遣い、誰かが唾を呑み込む音、他の人の息、ガラスかなんかがテーブルを転がる音、風も吹いてるな、旗がはためく音、子供達の声がする、ボールを蹴ってるのかな、あまり空気の入ってないゴムのボールを蹴ってる音だ、鐘みたいな音もする、耳鳴りかな、山の向こうで鐘が鳴ってるんだ、うん、鐘だよ」

「気分はどうだ？」

「ああ、あんたの声を聞いてると落ち着く」

「良かった」

「雨の音がするよ」

雨は降っていなかった。

「雨垂れだ、耳のすぐ傍に落ちてる、大きな音だ、柔かくて、一定の間隔で落ちてる」

「本当に雨の音か？」

「そうなんだ、これまでにも時々聞いたことがある、うんと小さい頃聞いたことがあるような気がする」

「ああ、そうか、わかったよ、キク、少し眠るか？　眠ったらどうだ？」

山根は医者に安定剤を打つようにと合図した。医者は素速くキクの太腿に注射液を入れた。キクはピクンと動いたがやがて全身の力を抜いた。

キクは自分が小さな虫になったような気がした。地面を這いながら巨大な水滴が垂れる音を聞いている感じだった。いつの間にかその水滴の中に吸い込まれた。音はだんだん強くなった。女の顔が現れた。止めなさい、止めなさい、と言い続けていた。

キクはあらゆる行為を中止した。五秒前の自分に戻った。五秒前の自分に戻り続けた。水滴の中に沈んでいくうちに水の色が赤く変わった。真赤な水の中を何本も光が走った。キクは五秒前の自分に戻り続け、恐しい速さで、わけのわからないヌルヌルした赤い重い水の底に沈んでいた。

突然、キクは思い出した。大声をあげた。医務室にいた連中は驚いてキクを見た。キクはベッドから起き上がったのだ。医者が駆け寄った。お前は安定剤が回ってるはずだぞ、どうしたんだ？　キクは強く目を擦った。こめかみを拳で叩き頭を振った。よろけながらベッドから降りようとした。止めようとする医者を突きとばした。全身の骨が折れ血が凍ったような感じでキクはグニャグニャと床に崩れ落ちた。山根が抱き起こす。寝てた方がいいぞ。キクは山根に支えられて何とか両足で踏ん張った。呂律の回らない舌を動かしている。

「俺、今今今今から、走るぞ」

山根が医者と教官を説得した。どうせ走れやしません、こいつは初めて自分から何かやる気になったんですよ。キクは山根に抱きかかえられてグラウンドに出た。山根さん手を離してくれ、一人で歩けるよ。キクはグラグラ揺れながら地面に立った。入念に足を揉み始めた。中倉さん、リレーの決勝までどれくらいあるのかな？　中倉が七、八分だと言うと、それまでには血が通うだろう、と呟いた。

「だけど、キク走れるのかよ」中倉が聞いた。見てろ、キクはそう言って、足を揃え背筋を伸ばして全身を引き絞った。腕と太腿の筋肉が盛り上がり灰色の制服が肌に貼りつく。身体が一本の棒になったようだ。キクはそのままの姿勢でグラリと前方に傾いた。倒れる寸前に片足を前に出して体を支えた。全力疾走の前傾姿勢だ。倒れまいとして次々に足を前に出す、それが走るということだ、全力疾走をすれば決して倒れることはない、最初に二本足で立ち上がった猿は、きっと全力で走ったんだ。ガゼル、俺は走るぞ。

第一走者の福田は三位を走っている。教官チームは圧倒的に速い。二位は自動車整備班だ。キクは手足を揉み何回か頭から水を被った。山根が応援に来た。いけそうか？　中倉がバトンを受け取った。転ぶなよ！　と林が怒鳴る。トップや二位との差は開いたが中倉は三位を確保している。自動車整備班のアンカー元競輪選手は小さいくせに太腿はキクより太い。林が走りだした。キクは立ち上がってスタートラインへ歩く。林は僅かに差を縮めた。トップの教官チームと七、八メートル、二位の自動車整備班とは三メートル。横に並んだ元競輪選手がキクに声をかけた。あんた、まじめに走るかい？　俺まじめに走んないからな、賞金もないのに、だから俺追い抜いてもいばるなよな、俺、まじめに走んないって決めたんだから。

まず教官のアンカーが走り出した。次いで元競輪選手、キクもバトンを受け取った。元競輪選手の瞬発力は素晴らしくすぐに教官の背後にぴたりと迫った。だが教官も抜かせはしなかった。キクは少しずつ差をつめたがやはり手足が重そうでフォームも少し崩れていた。キクは必死になって風を摑もうとしていた。あるバランスが完成すれば空気の流れを捉え、その裂け目から侵入できる。体液の密度が増え毛穴や細胞の隙間を塞ぎ、風は足元から起こり走っているのではなく運ばれるような感じになる。筋肉の摩擦が突き破った穴から吹く風、体液の震動が起こす風に全身が運ばれるのだ。

二番目のコーナーを曲がり切る時にキクは大きく左へ傾いた。手を突きそうになったが、キクは後に流れていた左足を転倒する寸前に踏み出し渾身の力をこめて地面を蹴った。地面を蹴る両足の爪先から確かな衝撃が全身を巡り始めた。キクは硬くて冷たい風の芯を捉えた。いつもの感覚が戻ってきた。直線の真中でキクは前を走る二人を捕まえた。全力疾走で空気の裂目に身を置くと急激に周囲が収縮していくのを感じる。景色が遠近感をなくし白っぽく濁って一瞬静止する。スピードは景色を掻き回して溶かし自分の裏側で混ぜ合わせる。真暗な部屋の中央に立ち突然電球を点けるのと同じだ。暗闇は急激に縮まり自分の影となって固まる。グラウンドの砂粒、すぐ前を走る二人、声援を送る受刑者、建ち並ぶ房舎、柔らかな葉が揺れる木樹、回りを囲む灰色の高い壁、後方に立ち昇る油の混じった煙、そしてキク自身、すべてが同時に収縮を始める。暗闇を萎ませて影に閉じこめる電球、それと同じ役目を果たす巨大な光源が現れる。赤くヌルヌルと濡れた奇妙な動物、発光する毛先を持つ動物、グラウンドはその動物の脾臓で、細かな砂粒が舞う走路は海綿状のリンパ節、走者は白血球と細菌だ。キクは既に思い出していた。はっきりと思い出した。自分を産んだ女はなぜ、止めなさい、と言ったのか？　すべて行為を中止し五秒まえの自分に戻り続けるように言ったのか？　あの女は、自分の顔から皮膚を剝いで目や鼻や口や耳や髪の毛を剝ぎ取って肉の塊りになることによってキクに教えようとしたのだ。自分を遡り、胎内に帰って、あの音を思い出せ、と教えたかったに違いない。あの音、ハシと一緒にゴムが貼られた部屋で聞かされた音、ハシ、あれは窓の外の雨垂れの音じゃないぞ、ハシの推理は間違ってはいない、屈折と透過を経て永遠に続くという安心感を与える音、心臓の音だ、あの精神医の部屋で聞いたのは、心臓の音だ。産み捨てた赤ん坊にある日突然撃ち殺される運命だったあの女の心臓の鼓動、あの女は、とキクは考える。あの女は、間違いなく俺の、母親だ、俺を産んで、夏の箱に捨て、俺の力を奪い、肉の塊り、閉じられてヌルヌルした赤いゴムの袋になって俺に教えようとした、俺が一人になっても生きていけるすべてを一瞬のうちに教えようとした。あの時周囲の視線に屈せず、俺だけのために立ち上がり、俺の傍に寄って、俺だけに呟いた、俺は、あの女を尊敬する、立派な母親だ。

キクは最後の直線に入り先行する二人の外側に出た。そしてあっという間に二人を抜き去った。テープを体に巻きつけてゴールインしたが、キクは止まらなかった。山根や中倉達が喚声をあげて駆け寄ってくる。キクはもっと走りたかった。体が軽かった。回りを囲んでいる灰色の壁くらいポールがなくても跳んでみせる、と思った。次から次と足許から込み上げる力に突き動かされグラウンドの端まで走った。目の前に壁があった。キクは力を吐き出すように握っていた赤いバトンを思い切り遠くへ投げた。バトンは高く上がり光を反射してキラキラと回転し壁の向こう側へ消えた。

23

ハシのレコードは驚異的に売れた。特に五枚目のシングル盤と二枚目のアルバムは記録的な売り上げとなった。品切れのレコード店が続出し店主達はミスターDの事務所に駆け込んで大至急大量にプレス追加するよう陳情した。

ハシは廃鉱の島から戸籍を移しニヴァと正式に結婚した。Dは豪華な披露宴を主催し、ハシとニヴァに高層アパートのワンフロアを全部占有する新居を贈った。Dはハシに関わる人みんなに披露宴の招待状を郵送しようとした。乳児院のシスター達、桑山、廃鉱の島の同級生、薬島の住人、男娼連中も招待するつもりだった。絶対にいやだ、とハシは言った。準備されていた招待状を破り捨てた。どしたんやお前、人間という字を見てみや、人の間と書くやろ、今のお前はな、数多くの人との接触があったおかげなんやぞ、自分一人で生きてきた思たら大間違いや。

「違う」とハシは言った。「僕は生まれ変わった、それまでは嘘のつきっ放しだったんだ、僕が生まれ変わる前に会ってた奴らはみな嫌いだ、ぞっとする」

何百という氷の彫刻で飾られた盛大な披露宴とは別に、ニヴァの提案で二人は小さな儀式を行った。二人きりで新居のすぐ傍にある神社に参拝したのである。

カナダ・アラスカの新婚旅行は一年間延期された。新しいレコードの吹き込み、テレビ・ラジオへの出演、コマーシャルフィルムの撮影、六ヵ月に及ぶコンサートツアー、身動きのとれないスケジュールがびっしりと組まれていたからだ。ニヴァがスケジュールを作った。Dは休養を勧めたが、旅行に出かけて、急激に変化したこの数ヵ月のことを考える余裕を与えない方がいいとニヴァは考えた。今のハシは泳ぎを知らずに急流に投げ込まれたようなものだ、引き上げて休ませるよりしばらくそのままにして泳ぎを習得させた方がいい、力が足りなくて流されてしまったら元々急流に飛び込む資格などなかったことになる、ニヴァはDにそう言った。

コンサートツアーは苛酷だ。音楽家は演奏旅行で鍛えられる。旅を続けるとどの町も同じに見えてくる。同じ歌をうたい同じ動作をする繰り返しに耐えねばならない。疲労が溜まると観衆の熱狂や興奮さえ新鮮でなくなる。極度の消耗の中でポップスターは自分に問わねばならない。お前はこの商売が本当に好きなのか？　と。

バックバンドの人選は重要だった。ハシはDにバックバンドのスタイルと人選の条件を提出した。一九六〇年代前半のフランスのポップバンドスタイル、つまり、スネアをゆったり張った簡素なドラムスと、くぐもった音のベースギター、ジミ・ヘンドリックスよりジャンゴ・ラインハルトに近いギター、サキソフォン、そしてバンドネオンである。この編成は一九六三年にジョニー・アリディがデンマーク演奏旅行をやった時のバックバンドと全く同じだ。

個々の演奏家に関してハシが提出した条件は、金に困ってないこと、ホモセクシュアルであること、の二つだった。理由は何や？　Dは聞いたがハシは答えなかった。ハシを好きになって欲しいからだろう、とニヴァは思った。金目当てで参加する若い演奏家はハシと衝突するかも知れない。ハシの音楽観は独特だからレコーディングでも反発する演奏家が多い。ハシは人間の感情を音で表現できるなどと信じていなかった。感情そのものが嫌いだった。音を独立させてくれ、ハシはいつも演奏家にそう注意した。君自身から音を切り離すように、裸の音を鳴らしてくれ、君の体温や匂いがついてない音だ。金に困っていない演奏家ならハシの音楽に共鳴する者だけが集まるだろう。そして彼がホモセクシュアルだったら、ハシを嫌いになることは絶対にない。ハシはホモを支配する技術を熟知している。

ドラムスは日系米人で副業に清朝中国のアンティックな店を経営する三十一歳のジョン・スパークス・シモダが選ばれた。シモダは八歳からドラムを始め米西海岸で十代の頃リー・コーニッツの九重奏団に参加した。万年筆会社の日本支社長の愛玩物として六年前に来日し、不定期だがスタジオミュージシャンとして演奏を続けていた。ベースはトオルという二十九歳の写真家だ。トオルは美容師出身でヘア専門の写真修業に渡米し、男色とジャズベースとコカインを憶えてきた。六年前に一度麻薬取締法違反で逮捕され起訴猶予処分になっている。トオルは女ともやれる。ギターは松山裕二、二十二歳、千葉の沿岸コンビナートの夜間警備を一手に引き受けるガードマン会社の一人息子である。小学校の頃からギターの個人教授を受けている。尊敬するギタリストはウエス・モンゴメリー。痩せて腋臭のない女とならば性交できる。サキソフォンは北見ヒロシ、二十一歳、代々医者が続いた家に生まれたが赤緑色盲で医大入学を諦める。そのために両親が離婚、都内三ヵ所にマンションを経営する母親と二人暮らし、音楽大学のクラリネット科を中退、シャンソン歌手の伴奏家として演奏旅行から戻ったばかりだった。バンドネオンは徳丸静也、六十二歳、著名な作曲家でもある。十数曲の大ヒット曲があり著作権料だけで悠々たる生活を楽しんでいる。学生時代からアルゼンチンタンゴの楽団に所属し、自身の編曲指揮による「オレ・ガッパ」は戦後タンゴ史に残る名演と言われている。美しい男娼を捜し出す名人であり、薬島マーケットの定連、一年に一度リオ・デ・ジャネイロに少年を買いに出かける。ハシはこのグループを「トロイメライ」と名付けた。

トロイメライは伊豆高原にあるDのスタジオで五週間の合宿に入った。音合わせから五人は男色家特有の繊細さを発揮した。ハシは彼らの演奏技術に舌を巻いた。最高のバックバンドを作ってやるというDの約束は本当だったのだ。これまでのレコーディングのようにハシは苛立つことがなくなった。春の夜の雷鳴を伴う雨垂れのような序奏、そう言っただけで五人は曲想を理解することができた。君達はみんな詩人だ、素晴らしい、ハシは連日有頂天だった。五人にはそれぞれ個室が与えられている。起床時間は午前十一時、一番の早起きはギターの松山裕二だ。前の晩徹夜をしても九時には起きて体操を兼ねた空手の練習をする。大きなオートバイを走らすこともある。松山は他のメンバーとあまり口をきかない。スタジオの前庭は滑らかな傾斜の芝生で道路を隔て海岸に続いている。松山は合宿に入って二日目に前庭に木箱を置き輪切りにしたリンゴを並べた。他のメンバーが起きてくるまで彼は鳥がリンゴを突つくのを眺めながら紅茶をゆっくりと飲む。遅くまで寝ているのはトオルだ。他の全員が食卓についいて、料理女が呼びに行こうとすると必ず歌いながら現れる。ヘイベイビイ、お前のレモンジュースを絞ってやるぜ、汁が足許に垂れるまで、トオルはいつもその歌を口遊む。絹のシャツにフラノのズボン、アフターシェーブローションの匂いがする。トオルはよく喋る。誰彼となく話しかける。よう北見、サビの二拍三連きょうはトチるなよ、おっまた目玉焼きか、一九七九年のグラミー賞のビデオ持ってる奴いない？　ゴスペル部門の受賞者誰か憶えてないかな？　ＴＷＡだけが猫を客席に乗せれるってみんな知ってた？　他の航空会社は猫だろうが犬だろうが鳥だろうが何だろうが動物はだめだっていうのにさ。

遅い朝食の後、三十分休んで、練習が始まる。夕食まで途中休憩はない。バンド全体の音が拡散しないように曲の進行を点検するのは北見ヒロシだった。北見にその才能があったからではない。その他のメンバー達はサウンド作りの主導権に関心がなかったのだ。最も若い北見がさらに年下のハシを尊敬しているのは誰の目にも明らかだった。ハシとメンバーの連絡役を買って出てハシの指示を大声で復唱した。ギターのリフはもっと金属的に、二小節目バンドネオンが絡む時ベースは音数を減らすよう工夫して下さい、ドラムですがエンディングの短いロールは汗を絞り切る感じを出すように。演奏家の体温や血液や匂いを取り去った音、そのハシの要望を他の四人は忠実に守っていた。だから常に冷静で精巧なオルゴオルに近い演奏を続けるメンバーの中で北見ヒロシは時々遊離することがあった。少々熱が籠り過ぎたサックスソロを吹いて他の誰かがからかうと北見は恥ずかしそうに笑ってハシに助けを求めた。ハシは北見の肩を叩いて、いいんだ、と慰めた。

合宿が始まって一週間の間にニヴァはミスターDに三回電話している。バンドの音はハシが思う通りの線で固まり始めてるけど、あたし何か不安なの、何かが欠けてるような気がするんです、アンサンブルは不気味なほど完璧だけど、こんな音ではコンサートの観衆は醒めきってしまって、眠るか帰るかのどっちかだと思うわ、ハシは何千何百という人々の前で歌うってことがどんなことかわかってないのよ。ミスターDの返答は決まっていた。ハシが自分で気付くまで何も言うな、それにあいつらは黙って従うようなヤワな演奏家と違う。

夕食は午後七時、背の高い料理女が腕を振う。メンバー達は個別に好きなものを注文できるが、希望の料理は前日までに申し込まなくてはならず、ジョン・スパークス・シモダを除いては全員が同じ献立を文句を言わずに食べている。シモダは合宿に際してワインを二ダースも持参した食道楽である。シモダは顔付きは日本人だが髪は銀色だ。肌は血管が透き通るほど白い。不潔恐怖症で松山の爪に汚れが詰まっているのを見ただけで一度嘔吐しそうになった。シモダは一時間かけて夕食を楽しむ。同席するのはニヴァ一人だ。清朝中国の屏風、陶器、象牙細工や漆塗りの骨董品に関する長々とした会話に耐えられるのはニヴァだけだったからである。

夕食後二時間の休憩。ハシはコンサート・ライティングの見本をビデオで検討する。球面鏡や歪曲鏡や水泡投射レーザー光線、立体映画のドーム映写、五万ルクスの残像灯、輪郭反射装置。ハシは豚の解剖拡大映画を円型ドームに投射するプロジェクターと発光する金属片を噴き上げる装置を選び、ライティングチームに打診した。

休憩の時、松山裕二は必ず散歩に出る。陽が沈んだ海岸で泳いでくることもある。北見ヒロシはサキソフォンの基本音程練習を欠かさない。シモダは中国将棋を一人で指す。トオルは愛人に電話をするか、テレビを見るか、面白半分にニヴァの髪型を変えたりしている。他のメンバーが誰も麻雀をしないのでトオルは面白くなさそうだった。徳丸静也は園芸の本を読み近くの旅館から按摩を呼んで仮眠をとった。再び練習開始、終わるのは午前三時だった。

二人の寝室でニヴァはハシに何度か忠告した。あなたはとても気に入ってるのかも知れないけど、今のままではトロイメライはバラバラよ、結成して十日も経ってないのに、雰囲気だけはもう二十年も一緒に演っているバンドみたい、冷えきってて、まるで死人が演奏してるみたいよ。

「わかってるさ」

ハシは言った。ハシは合宿を開始した当初に比べるとひどく気が沈んでいた。そんなことにはとっくに気付いたがどうしていいのかわからない、と打ち明けた。

「彼らがあまりに優秀だったから僕は驚いてしまった、彼らは僕を軽蔑してるんじゃないだろうか？」

「あたしはハシが毎日自信満々でやってるんだとばかり思ってたわ、コンサートツアーを続けるにはね、想像を絶するエネルギーがいるのよ、今みたいな状態じゃ無理よ」

「みんな一緒になってワイワイお喋りするようなチームワークが必要なのかな、そうじゃないでしょ？」

「そんなんじゃないわよ、あなたはコンサートで聴衆を支配するのよ、わかる？　何百何千という人達を揺り動かして抱きしめたり突き落としたりしなきゃいけないのよ、恐ろしく強い磁石みたいに魅きつけて離さない力よ、それは魔術みたいなものよ、バックバンドさえ支配できない男に、聴衆を支配することなんか到底無理でしょう」

「ニヴァ、僕は恐いんだ」

「何が？」

「すごく高い山の頂上に運ばれて、一人ぼっちで下を見てるみたいだ、実際そんな夢をよく見るんだ」

「山の頂上で何をしてるの？」

「飛ぼうとしてるんだよ、手をバタバタさせてね」

「うまく飛べる？」

「最初のうちはね、でもだんだん疲れてきて最後は必ず落ちちゃうんだ、落ちる時みんなが笑っていてとても嫌なんだ」

「弱気になったらおしまいよ」

「そう、僕はもうおしまいじゃないかって思うことがある、ニヴァ、本当のこと言うと不安で死にそうなんだ」

「何が不安なの、急に有名になったから?」

「ちょっと違う、有名になる方法が僕の場合イカサマじゃないかって思うんだよ、だって他の有名人を見てごらんよ、他の歌手にしても、ボクシング選手にしても何年かかけて這い上がってきた奴ばっかりだろう? 僕は違う、僕は押えつけられて必死になって這い上がったんじゃない、ヘリコプターで吊り上げられただけだ、僕の力じゃない、僕がコインロッカーで生まれたからだ、僕の歌じゃない、キクがあの女を殺したせいだ、僕は何とかごまかしてるだけみたいな気がする、ニヴァ、僕はこれから先何年もやっていけるだろうか、大丈夫だろうか? 這い上がってきた奴みたいな、積み重ねてきた力が僕にはないんだよ」

「何年か先のことを気にしてるの? バカね、死ぬ時のことを考えてガタガタ震えてる奴と同じじゃないの」

ハシは起き上がってニヴァのベッドに潜り込んだ。喉に引っかかってモヤモヤしていたことを言ってしまったので少し落ち着いた。ニヴァはハシの目蓋を唇で閉じさせた。ねえハシ、昔スラブにフルクサスという王様がいたの、フルクサスは牛追いの伜だったけど知恵と勇気で敵を次々に倒してついに王になったのね、王になってからも灌漑工事をやったり牧畜の基礎を作ったり周囲の国々を制圧したり、すごくやり手で回りの人はエネルギーの固まりみたいに見えたんでしょうね、ある時占領された隣国の王女がインタビューしたのよ、あなたはやりたいことをやりつくしてしまった人に見えますが、これからの目標などありまして？　フルクサスは何て答えたと思う？　こう答えたの、きょう一日の残りを何とか乗り切ることですってね。

ハシはニヴァの寓話を途中から聞いていない。ニヴァの脇腹を撫でている。ニヴァの肉は弾力を失って柔い。骨の回りをゼラチンが包み薄い皮膚が粘って貼りついているようだ。トオルが二日ほど前に言ったことを思い出す。男は爬虫類で女は果物なんだぜ。もぎたてのやつを齧るとその果物の樹の根や黒土や空気や太陽の味がする。若い女の裸はピンと尖ってる、果物と同じだ、樹の枝に繋がってたんだから、指で押すと赤く窪んでどこか遠い所と繋がってるような気になるもんだ、年寄りの裸はいけない、肉で言えばハムだ、果物で言えばピーチケーキだ、ゼラチンや砂糖でベトベトで切り離されてブヨブヨだ、あんたよくあの奥さんとやれるね。俺だったら気持ち悪くてできないね。

ニヴァは腰を折って舌を股に伸ばしてきた。ゼラチンと砂糖の尻が目の前で揺れている。ハシは全く突然に、キクの判決公判の日叫び声を上げた少女を思い出した。体に貼り付いた真白なスーツを尖った乳房が突き上げていた。あの少女の肌に触れてみたい、と思った。爪を立てて強く皮膚を摑むと血の赤みが浮き上がってくるだろう。少女の裸を思い描くと硬く勃起してニヴァが嬉しそうな溜め息をついた。ニヴァの性器はゼラチンと砂糖の合間から垂れ下がっている。あの少女の裸に赤い窪みを作らない限り、とハシは考えた。僕はキクに完全に勝ったとは言えないかも知れないぞ。

「止めた、悪いけど俺は降りる」

合宿が二週間目に入ったある日、ギターの松山裕二は突然演奏を中断してピックを放り投げ、そう言った。北見ヒロシが最初からもう一度繰り返すように宥めたが、松山はギターマイクのスイッチを切り、あんたにはがっかりした、ハシを指差しそう言ってスタジオを出て行った。誰も止めなかった。ハシも含めていつかはこうなるとみんなが思っていたのだ。ニヴァが忠告し、ハシは何回も編曲や曲想や歌い方を変えてみたがトロイメライはその度にますます冷えきって透明で弱々しい閉じられた音になっていった。

どうする？　トオルが言って、とりあえず休憩だ、ハシが合図した。トオルはベースギターの弦を拭きながら、下を向いているハシにこう言った。俺はあんたが好きだ、優しいし洗練されて、よく気を使ってくれる、他のみんなもそう思ってると思うよ、俺達の性格もまあ似たようなもんだ、あんたが狙うサウンドもよくわかる、あんたの狙いに俺達が反発してるんだったら最初っから参加したりしないさ、非常に醒めた音を積み重ねて聴衆に安心感を与え、徐々に、不協和音と微妙なリズムのずれを使って不快の芽を散らしていく、聴衆は安眠から覚めぽっかりと開いた不吉な穴と向かい合う、その穴は湿っていて生温く見知らぬ虫がうじゃうじゃと這い回り出口はどこにもないことに気付く、逃れようがないと観念した瞬間に不気味な虫達の死骸が結晶化して美しく光り輝いているのを発見する、その発光する洞内珊瑚を辿って行くときらめく海を見下ろす出口が現れる、あんたは曲想をそう説明した、俺達は理解したよ、そしてサウンドをまとめていった、俺が思うに、俺達の演奏は不気味に静まり返った穴の中でストップしているんだ、あんたの歌の調子もだ、どうすりゃいいのかあんたが苦しんでいるのはよくわかる、だが俺達にもわからないんだ。

「そんなことはない、はっきりしてる、ボーカルが弱いんだ」

スタジオに戻ってきた松山が大声で言った。松山は右手に食用蛙を握っていて、シモダがいやな顔をした。松山はボーカルマイクに食用蛙の口を押しつけ首の付け根を強く摑んで鳴かせた。蛙は掠れた音で呻き続けた。あんたの歌より、と松山は笑って言った。

「こいつの鳴き声の方が迫力がある、聞いてみろ、致命的だ」

蛙の口から緑色の液体が垂れて、シモダが顔をそむける。松山はマイクから蛙を離した。

「ハシ、お前は確かにぞっとするほど歌がうまいよ、お前は音の質感を巧みに操作して奇妙な雰囲気を作り上げるのがうまい、いや、雰囲気を作るんじゃないな、真空状態にするんだ、気圧の無い空洞を聴く者の頭の中に開ける、お前の歌を聴く奴が不思議な白昼夢を見るのは、その空洞が記憶の破片を吸い込んでしまうからだ、お前はその手の歌手としちゃ超一流だよ、聴く奴の中に忍び込んで神経を撫で撫でする、麻薬と同じだ、だが群衆を支配しある高みに突き上げるためには麻薬だけでは足りない、爆弾が必要だ、聴衆が麻薬で築いた白昼夢を一瞬に吹き飛ばす爆弾が要るんだ、シモダがどんなに強烈なバスドラムを打っても俺がスピーカーが割れるほどのフィードバックをやっても、北見がリードを噛み砕いて嵐のように吹きまくったって、だめなんだよ、お前のボーカルが弱くてだめなんだ、お前のフォルテッシモは叫びになっていない、お前のは、まるで、赤ん坊の泣き声だ」

松山はスタジオの二重窓を開けて蛙を放り投げた。

「上澄みなんだよ、掻き回さなきゃだめだ、ハシ、俺達みんなきっと同じなんだ、だから余計に腹が立つんだと思うな、お前だけじゃない、みんなそうだ、裸になって皮膚も剝いで肉を削って何もかも晒け出してみたら、そこには何も無い、ドロドロしたものがない、プラスチックみたいにツルツルして薄っぺらなものがあるだけなんだ、俺はある女の叫びを聞いたことがある、その人は戦争中小さな子供で暗い河を渡っていたそうだ、母親の背中で、途中その女の兄が足を滑らせて河に引き摺り込まれて、その河底の水藻に足を取られて沈んだんだそうだ、兄の手だけが水面から出ていて、その女は母親に知らせたけど、母親は疲れ果てて眠りながら歩いていたらしい、眠りから覚めないんだな、どんどん兄さんの手は遠ざかる、恐怖の余りその女は叫び出した、その女はその叫びを憶えていて、その女の体の中心にはその叫びがあるんだよ、俺にはそんなものはない、ハシお前にはあると思ってた、お前はコインロッカーで叫びをあげたんじゃないのか？　俺は、お前の体の中心にその叫びがあるんだろうと思ってたよ」

ハシは、あの音を聞きたかった。キクと二人で聞かされた不思議な音だ。あの音をもう一度聞くことができたら、ゴムに囲まれた精神医の部屋で聞かされた音に出会えたら。

「そんなことは関係ないね、私はそんな難しいことじゃないと思うね、ハシの声の質だよ、ハシの声はきれいすぎるんだ」

バンドネオンの徳丸がそう言った。シモダもその意見に頷いた。

「声を潰したらどうだろう」

ハシはそう言ってみんなを見回した。

「だめだね」

そう答えたのはシモダだ。

「あるドイツ人のジャズ歌手が、女だったがね、ハスキーな声にしたいとかで、手術したんだ、喉から注射器を刺して声帯に人工腫瘍を植えつけた。確かに声は割れて掠れるようになったよ、でも二年経たないうちに、丸っきり声が出なくなった、ぜえぜえ言うだけでね、声帯の形状は遺伝子で決定される、しかし鍛えて強くすることはできる、相撲の行司やビージーズの次男のようにね、でも時間がかかる、何年もかかるんだ」

「本当に声のせいなんだろうか？」

ハシは徳丸に聞いた。徳丸はバンドネオンをケースに仕舞い、煙草に火をつけて頷いた。

「厳密に言うと、声の質じゃないかな、ドイツ第三帝国の宣伝相ゲッベルスと全盛時代のジョン・レノンの声紋が酷似しているという報告があるんだがね、歌や声が熱を帯びると、どういう訳か聴く者を興奮させるタイプの人間がいる、そんな人の声には宗教的な響きがある、祈りとか呪いが無意識のうちに込められてるんだ、音は空気の波だからね、空気に含まれるある興奮物質を揺らすことができるかどうかじゃないかな、ハシの声は、祈りや呪いを抽出していないんだ、でも正直だからまだいいよ、祈りや呪いを抽出しているふりをしている奴らばっかりだからね、偽者よりは正直者の方がいいのさ、正直者にも素晴しい歌手がたくさんいる、チェット・ベイカーやブライアン・フェリー、ルー・リード、ウィーン少年合唱団や東海林太郎、コンサート向きじゃないが、私は今のままでも別に構わないと思うね、好き好きだろうが」

徳丸静也はそう言ってハシに笑いかけた。

「年寄りはそれでいいかも知れんが若い奴らは承知しないぜ、あいつらは騒ぎたくってしようがないんだから、葬式みたいなコンサートに来る奴はいないよ」

松山がそう大声で言った。

「わかった」

ハシはみんなを見回した。

「わかったよ、僕にある考えがある、一週間合宿を休もう、一週間後、僕の歌にみんながっかりするようだったら、トロイメライは解散だ、僕は歌手を止めてオカマに戻るよ」

ハシはそう言ってスタジオを出て行った。自分の寝室に入り鍵をかけて閉じこもった。ねえハシ開けてよ、ニヴァが声をかける。悪いけどニヴァ今夜だけ一人にしてくれ。背の高い料理女や三人の掃除婦、管理人達にも三日の休みを与えて帰し、ハシは広大なスタジオ宇宙船に一人で残った。

ハシはある実験をしようとしている。昔何かの本で読んだ。ローリングストーンズの本だ。ある偶発的な事故の後、ミック・ジャガーの声が変わった。その事故以来ミック・ジャガーはあの官能的な声を獲得した。その事故をハシは実験しようと思う。まず道具を並べる。アルコオルランプ、多量のガーゼ、アロエの葉の切れ端、グラス、ウォッカ一瓶、大きな鋏。グラスにウォッカを満たしその中に舌を浸した。アルコオルランプに火を点け鋏を焼いて消毒する。ハシはグラスの中で揺れてウォッカを掻き混ぜる舌を見ながら、ばかばかしい話だな、と苦笑した。なぜこんなことをする気になったのだろう。バンドのためなんかじゃない、ニヴァも関係ない、ミスターDもくそくらえだ、コンサートツアーなんかどうなったっていいんだ、歌なんか本当はどうでもいい、喉が潰れるんなら潰れろ、歌手なんかとっくに飽きた、ただ、逃げるのはいやだ、逃げたくないだけだ、鉄棒が嫌いで体育の授業をさぼった、体育の授業が潰れればいいと雨乞いをした、僕はきっと笑われたくなかったのだ、そんなことやっても駄目なんだ、怯えて逃げれば逃げるほど、敵の思うつぼになる、敵って誰だ？僕を閉じこめる奴らだ、僕に嘘をつかせ、偽の生き方をさせる奴らだ、負けないぞ、もう二度と逃げたりしない、手に入れたものは離さない、トロイメライもニヴァもだ、支配してやる、コンサートも支配してみせる、キクは今頃何を考えているんだろう、僕がうまいものをたらふく食べてぐっすり眠っていると思ったら大間違いだよキク、怯えて泣いてもいないし、もうキクに恥じることは何もない、コンサートも支配できる声と力を手に入れたら、あのキクの恋人を奪ってやる、あの若い女の子の尖った裸を引っ掻いてやるぞ。

舌はなかなか痺れない。軽く嚙んでみる。まだ痛覚が残っている。顎が疲れてきた。ゆっくりと舌を引き上げる。思い切り伸ばす。先端を左指で摘む。ヌルヌルしてうまくいかない。爪を立てて強く摘む。鋏を持った。煤で汚れ赤く焼けている。舌先に当てたとたんハシはとび上がった。口を押さえて倒れ床を転げ回った。悲鳴をあげる間もない。机を倒しグラスが弾けた。あまりに痛くてしばらく目が見えなかった。汗が噴き出た。焼けた鋏が絨毯を焦がしていた。倒れたまま鋏を取り、ウォッカを振りかける。酒が蒸発する匂いと金属が急激に冷える音。涙が止まらない。さっきあんなに熱くて痛かったのにどうして声を出さなかったのだろうと思った。たぶん悲鳴は誰かに助けを求めようと無意識に出るもので、一人きりの場合無駄だから省いても構わないのだ、そんなことを考えた。

もう一度舌を伸ばす。目を閉じると体中が舌になったような感じだ。鋏をいっぱいに開いて舌先を挟む。冷たい刃に触れると火傷の痛みが薄れた。小さい頃乳児院でシスターに読んで貰った童話に舌を切られる雀の話があった。おばあさんが雀の舌を切るのだ。確か雀は後で復讐するのだが、どんな方法だったのか、短い間それを思い出そうとしたがだめだった。顎の震えを止めようとする。なかなか止まらない。刃の上で舌の先端がピクピク動いている。舌が静止した一瞬ハシは鋏を思い切り閉じた。刃の上をヌルヌルした柔い肉が滑りすぐに血が噴き出した。ハシはガーゼを口に突っ込んだ。痛みよりも血の量が多くてそれが恐かった。体中が震えだした。次から次にガーゼを口に押し込む。詰め込み過ぎて息ができなくなった。よろよろと立ち上がり真赤になったガーゼを吐きだす。アロエを嚙み砕いて舌先に当てるが血は止まらない。床に鋏が転がっている。舌の切れ端が刃の上にある。ハシは舌を切られた雀がどうやって復讐したか思い出した。化物を詰めた箱をおばあさんにプレゼントするのだ。ハシは血が止まるまで口をガーゼで押さえてその場に立っていた。その間ずっと考えていた。化物を詰めた箱を誰にプレゼントしてやろうか、そのことをずっと考えていた。

24

アネモネはバスを待っている。退社時で停留所には十人ほどの列が出来ていた。アネモネの前は眼帯をした老婆、後は子供を二人連れた女性だ。時刻表と時計を交互に見て、遅れとるねえ、と老婆が振り向いた。駅前が混んでますから、とアネモネは答えた。老婆は頷いて茶色の布袋から煙草入れを出し一本を指に挟んだ。後の二人の子供は飛行機のプラモデルの奪い合いをしていて、時々アネモネの背中にぶつかった。アネモネが振り向くと、買物籠を下げた婦人が謝まった。買物籠から毛糸とセロリの葉が覗いている。煙草に火をつけた老婆が眼帯をずらしガーゼで目を拭いながら、あんたいい匂いするね、とアネモネに言った。老婆の目は爛れてガーゼに黄色い染みが付いている。牛乳の匂いするけど牛乳屋さんなの？　アネモネは自分の腕や手の甲の匂いを嗅いだ、あんた匂いって自分じゃようわからんのよ、どこの牛乳屋さんなの？

「ケーキ屋です、デパートの横のケーキ屋」

アネモネはそう答えた。老婆は頷き汚れたガーゼを屑入れに捨てる。眼帯の奥の目は皮膚が腫れ上がって爛れアネモネは轢き殺された鰐の目を思い出した。

警察は拾い集めた鰐の破片をゴミ捨て場に放り投げた。事情聴取の後アネモネはゴミ捨て場に戻り鰐の破片が入ったビニール袋を下げて何ヵ所かの火葬場を回ったが全て断られた。大破したブロンコは中古車屋に売り、衣類と潜水器材は梱包して手荷物で送って、汽車に乗った。汽車の中でビニール袋が裂け鰐の血と体液が床を汚し始めた。車掌に見つからないうちに途中の駅で降り、タクシーで青森まで行った。腐乱した鰐の破片は海に捨てた。青函連絡船の中で、高速道路で轢き殺された大鰐、という新聞記事を見て怒りに震えた。

函館に着いた夜はホテルに泊まった。不安で気が狂いそうになり、翌日の飛行機を予約した。この町にいてもキクが傍にいてくれることはないのだ、東京へ帰ろう、と思った。一睡もできなかった。翌日飛行場へ向かう途中、高く長い灰色の塀を見た。少年刑務所だと運転手が教えてくれた。アネモネはタクシーを降りた。灰色の塀の周囲を長いこと歩いた。この向こう側に背を丸めたキクがいる、アネモネは東京へ帰るのを一日だけ延期しようと思った。刑務所の正門には警棒を下げた刑吏が立っていた。アネモネは恐る恐る面会をしたいと話しかけた。刑吏は所内に入って総務課で手続きするように教えてくれた。アネモネは勇気を奮って暗い建物の中に入った。担当の職員と会う前に、消毒液の入ったバケツを運ぶ坊主頭の受刑者と擦れ違った。受刑者は立ち止まってアネモネを見つめた。何をしているか！　と大声が響いて、受刑者は通り過ぎた。

それでは今のところは職業も住所も決まってないわけですね？　汗臭い紺の制服を着た男は、アネモネの中国靴と黒のレザーパンツと長く伸ばした爪に塗った赤いエナメルをじろじろ見ながら言った。残念ですが肉親以外ですとそういった人の面会は許可できないことになっています。アネモネは、それじゃ住所と職業がちゃんとしてればいいんですか？　と聞いた。職員は大きく頷いた。

バスが来た。人々が乗り込み始め列の間隔が詰まる。

眼帯の老婆のすぐ前の男は大きなトランクを持っていた。トランクを抱きあげる時、男は少しよろけて腰が老婆の背中にぶつかった。老婆は倒れそうになりアネモネにすがろうとした。老婆の火のついた煙草がアネモネの腕に触れた。アネモネは小さく叫んで腕を振り上げた。その手が後で並んでいた子供の顔に当たった。子供は持っていたプラモデルを落とし、飛行機の翼が折れた。老婆が煙草を踏み消してアネモネに謝まる。アネモネは腕を擦りながらバスに乗ろうとした。ちょっとあなた待って下さいよ、子供の母親らしい婦人が呼び止めた。泣きだした子供を抱き、翼の折れた飛行機を見せる。あなたが壊したんですよ。アネモネは無視してバスに乗り込もうとした。待って下さいよ、逃げるんですか？　アネモネの脇から次々に人がバスに乗り込む。しばらく様子を見ていた眼帯の老婆も後から押されて振り返りながらバスの中に姿を消した。バスはしきりにエンジンを吹かす。ガソリン臭い煙が目に染みる。胸がムカムカしてくる。おいくらですか？　弁償しますから、いくらですか？　アネモネは婦人にそう聞いた。まあ人をバカにして、そんなこと言ってないでしょ？　あなたがこの子にちょっと謝まってくれれば済むことなのよ。もう一人の泣いていない背の高い方の子供がアネモネの足を蹴った。アネモネはその子供に向かって手を振り上げた。その腕をバスの運転手が摑んだ。何やってんだバカ野郎、子供じゃないか。バスの窓から乗客が顔を出している。あたしが悪いんよ、と老婆が乗車口から顔を出して叫ぶ。ほんとに何て人でしょう子供のもの壊しといて何て人でしょう。バスの運転手はアネモネの腕を離さない。ニヤニヤ笑っている。バスの中で誰かが早く発車しろ、と怒鳴ってクラクションを鳴らした。ハンドルに触わるなよ！　と運転手が叫ぶ。アネモネは運転手の手を振りほどきハンドバッグから財布を取り出した。一万円札を一枚抜き婦人に差し出した。何のつもりよ、と婦人は運転手の方を見た。こんな人っているかしらふざけてるわ。運転手は大声で笑いだして、マトモじゃない、とアネモネを指差しバスに戻った。足を蹴った子供が、謝れ、とアネモネに言い続けている。婦人はその子供の手を引いてバスに乗り込んだ。おい、発車するぞ、乗らないのか。アネモネは返事をしない。あたしが悪いんよあの娘は悪うないあたしのせいなんだから娘さん悪うかったね、老婆がバスの窓から顔を出してアネモネに手を振った。

アネモネは歩いてアパートまで帰った。

ケーキ屋の休日、アネモネはミシンと布地を買った。鰐の漫画がプリントされているカーテンの布地だ。ミシンの使い方がわからなくて何度も失敗した。昼過ぎから始めて徹夜で縫いあげた。

部屋の窓からは港が見渡せる。対岸の稜線が明るくなり始めた。夜が明けていくのを見るのは初めてだった。遠くの海面が空の端と繋がって滑らかな灰色になる。小さな灯りをつけて進む細長い影は防波堤の向こう側で船の形になった。航跡が海面に映る雲を揺らす。船の灯りは青く染まりかけた空気に混じりゆっくりと消えていく。

アネモネは目を押さえた。雲が切れて光の束が港の半分を照らしたからだ。暖められた空気が白くなるのを見て、アネモネはでき上がったばかりのカーテンを窓に吊るした。折り返しの縫い目が歪み裾に下げたボンボンの長さが揃わなくてあちこちに皺が寄っていたが、アネモネは嬉しかった。薄いクリーム色の布地が差し込んでくる光に透けた。こんなにかわいくて素敵なカーテンはどこにもない、と思った。誰かに見せたかった。キクに見せてやりたい、と思った。風がカーテンをめくり、港へ続く銀色の屋根の連なりが眩しかった。

その日アネモネは化粧を薄くした。アパートから少年刑務所まではどんなに道路が混んでも十五分以内で行けるから、午後一時四十五分きっかりに部屋を出ようと思っていた。早く着き過ぎてあの暗い建物の中で待つのはいやだった。迷った末にアネモネは白い絹のブラウスと赤のフレアースカートを選んだ。その上に薄い布地のコートを羽織る。靴はグレーの踵が低いやつ。みんなケーキ屋に勤めだしてから他の女店員と比べて目立たないようにと新しく買ったものだ。キクはアネモネの服装があまり気に入ってなかった。派手すぎるとか軽薄だとか言った。キクは銀行の受け付けに坐ってる女の通勤着みたいなのが一番好きだった。アネモネは身仕度を整えて鏡の前に立ち、この服装ならキクは喜ぶだろう、と思った。

一時四十三分にセットしておいた目覚し時計が鳴った。アネモネはもう一度髪に櫛を入れ匂いが濃くならないように注意して首筋に香水をつけた。

若い刑吏が面会室まで案内してくれた。部屋は薄暗く、錆びた金網で仕切られている。折り畳式の椅子が二つ。ここは二級面会室なんです、刑吏は済まなそうに言った。あと一年もすると金網もない一級で面会できるんですがね、こんなところじゃあ、キッスもできないものねえ、刑吏はアネモネの緊張を解《ほぐ》そうとそう言って小さく笑った。刑吏が面会室を出るとアネモネはハンドバッグから紙切れを取り出した。紙切れにはこう書いてあった。「キクがニコッと笑った時——元気そうじゃない？　キクがむっつりしてる時——（何も言わず肩に触わる）」金網を考えに入れてなかったので、アネモネは、キクが寂しそうな顔をしている場合の台詞を必死に考えた。浮かんでくる台詞はどれもこれも間が抜けてるように思えた。今にも向かい側の鉄の扉からキクが顔を出すのではないかと焦り、胸がドキドキした。喉が乾き手の平が汗で濡れ、慌ててハンカチを握った。こんなに落ちつきがないようではキクを元気づけることなんかできないわ、アネモネの頭には、背を丸めて怯えているキクの姿しかなかった。

深呼吸をした。何とか気持ちを落ちつけて、キクが笑おうとむっつりしていようと、元気を出さなきゃだめじゃないの、と言うことに決めた。向かいの椅子に坐って肩を落としうつむいているキクを想定して、小さな声で練習を始めた。元気を出さなきゃだめじゃないの。わざとらしいわ、もっと淡々とした感じで言わなきゃ。元気を出さなきゃだめじゃないの。ちょっと冷たすぎるかしら、学校の先生みたいだから。元気を出さなきゃだめじゃないの。これじゃまるで叱ってるみたい、そうだ、暖い声ではっきりと自然に言えばいいんだわ。元気を出さな、突然鉄の扉が勢いよく開き、懐しい汗の匂いが部屋に充ちて、人影が現れた。アネモネ！　キクはそう叫んで金網にとびつき、揺すった。錆の粉がとび、金網は破れそうな音をたてた。こら、壊すなよ、とついてきた看守が言った。信じられないな、信じられないよ、キクはそう呟き、ようやく椅子に坐った。キクは金網に鼻が触れるほど近づきアネモネに笑いかけた。アネモネも微笑んだ。キクは何か言おうと口を開きかけたが言葉が出なかった。「元気そうじゃない?」アネモネは涙をこらえてそう言った。キクは小さく頷いた。「カーテンを作ったのよ」何か喋っていなければ泣き出しそうだったので、アネモネは思いつくままに話した。

「今、函館のグーテンモルゲンってケーキ屋に働いてるの、グーテンモルゲンってドイツ語でおはようって意味なのよ、イチゴのショートケーキが一番よく売れるけど、最近はみんな飽きてきたのかしら、キウイーやらピーチのショートケーキが売れる日もあるの、ノリ子ちゃんって女の子と友達になって、とてもいい子でね、二度映画を見に行ったの、ノリ子ちゃん本を読むのが好きでね、よく貸してくれるんだけど、あたし、本はだめだから眠くなっちゃうのよね、有名な小説家や画家の奥さんの書いた本ばっかしなのよ、キクはどう思う? そんな本読まなきゃいけないと思う?」

どうしてこんなバカなことを話しているのだろうと思いながらアネモネは喋った。キクは微笑んでアネモネの顔を見ているだけだった。黙って見つめ合っていると何か叫び出しそうになるので、アネモネは休みなく喋った。

「ケーキ屋はデパートの隣にあるんだけど、そのデパートの五階に店出してる時計屋の息子がね、あたしにちょっかいするのよ、趣味の悪い外車に乗って、歩いても十秒もかからないのに、ケーキ買いに来てたの、話にならないおばかさんで、おとうさんの会社の株を半分持ってるとか、ドーベルマンを三匹飼ってて警察から賞状をよく貰うとか、キックボクシングの選手と友達だとか、詰まんないことを長々と喋っていくのよ、あんまりしつこいから一度だけね、喫茶店で話してやったの、あたしの恋人は刑務所に入ってる人殺しだって、指一本でも触れるとあんたとんでもないことになるわよって言ってやったの、ノリ子ちゃんがそう言った方がいいって言ったから、そしたらその男は真青になっちゃって、何て言ったと思う？　君は不良少女なんだねって言うのよ、笑っちゃったわよその時は」

キクは黙ってアネモネを見ている。話は全く聞いていないようだ。

「鰐はどうしたんだ？　大きくなったろ？」

キクがそう聞いた。アネモネは唇を舐めていたが、小さな声で、死んだの、と言った。

「そうか、可哀相だったな」

「うん、可哀相だった。でも、もういいの」

「もういいって何がだい？」

「うん、もう忘れたってことよ」

キクはまた黙り込んだ。アネモネの髪の形や手の甲や爪や胸元を見ている。桑山あと五分だ、看守が横を向いたまま言った。キクはアネモネから目を外さずに、はい、と返事した。アネモネは時計を見てあっという間に二十五分経ったことに気付き、まだ何も話していないのに、と苛立った。なあアネモネ、とキクが看守に聞こえないように囁いた。金網の隙間から舌の先を出せよ。アネモネは舌を突き出して金網の隙間に押し込んだ。キクは素速くその先端を舐めた。舌先を離すと、透明な唾液が糸を引いた。俺、船に乗る訓練をやってるんだぞ、キクがそう話し始めた時、看守が、そろそろ時間だ、と告げた。キクは、一分待って下さい、と頼み、アネモネに早口で囁いた。お前、金はあるか？　アネモネは頷く。いいかアネモネよく聞いてくれ、俺はもうすぐ訓練の実習航海に出る、手紙で寄港地を知らせるから俺にずっと付いて回ってくれ、俺の乗った船を陸路で追っ駆けるんだ、わかったな。看守がキクに近づいて立たせた。キクが扉に消えようとした時アネモネが叫んだ。キク、じゃあダチュラのこと忘れてないのね！　キクは頷いた。アネモネは目を輝やかせて、口の中でザラザラしている金網の錆粒を勢いよく吐き出した。

25

楽屋にまたバラの花が届いた。誰からだい？　トオルがメッセンジャーボーイに大声で聞く。蟹とまぐろの缶詰会社の広報宣伝部よりとなっております、ボーイがそう答えるが、トオルはもう聞いていない。松山裕二は部屋の中央に立ったまま十七回目のチューニングをしている。松山は頭のてっぺんから爪先まで濃い紫とピンクに塗り分けている。髪の毛もその二つの色に染め分けている。ジョン・スパークス・シモダは革張りのソファに身を沈めスティックをクルクル回す。宙に浮いたシンバルを叩いているように見える。楽屋にクリームケーキが届けられた。バンドボーイにナイフを取りにやらせて、松山が、食おうぜ、とケーキを乱暴に切り分ける。そんな甘ったるいもん腹に入れるとステージで吐くぞ、トオルがそう言う。吐いたって構わねえじゃねえか、俺は吐こうが気を失なおうがハンパなギター弾いたりしないぞ、松山は笑いながら言ってクリームケーキとシャンパンを交互に口に入れる。徳丸は滑らかな肌の二人の少年に蝶ネクタイを結ばせている。

僕は歌で全世界を救うんだ、飢えてる人や考えることのできなくなった人々を救済する、それだけだ、カメラマンや音楽ジャーナリストに囲まれたハシは顔を紅潮させて歩き回りながらそう叫んでいる。興奮している。コンサートの始まる前はいつもそうだ。自分を空っぽにしようとする。完全に空っぽにしてから充電する。充電の方法はいろいろある。きょうのようにジャーナリストにでたらめなことを怒鳴ってうるさく質問させ苛立ちをつのらせるのもその一つだ。じゃああなたの歌はこの国の若い人々に一時のカタルシスを与えるものではなくて、世界中の飢えた人々を救うためだというわけですね。ハシは目をぎらつかせて落ち着きなく歩き回る。二人の美容師が衛星のようにハシにくっついて回り髪を卵の白身で固める。じゃあハシの音楽っていうのは宗教だというわけですね？　ＶＴＲカメラが二機の照明を掲げて歩き回るハシのエナメル靴の大写しを捉えようとしている。北見ヒロシがサキソフォンでＢ♭から始まる上昇トリルを吹く。発情期の牝馬が百頭声を揃えていなないているような音だ。そうなんですね？　ハシの音楽は宗教なわけですね？

ニヴァが拡声器を使って開演五分前を告げる。会場に五十人警備員がいるからこの前みたいに変な挑発しちゃ絶対にだめよ。松山裕二がシャンパングラスを床に落として割る。濡れたカミソリピックを染めた髪の毛で拭く。

宗教？　そんなものじゃないよ、宗教じゃない何ていうか、全く突然に地下鉄の駅が爆発するようなもんだ、大勢の死人が出て爆風で飛ばされた人のお尻が広告塔にまるで桃みたいにぶら下がってるのと同じだ、ハシの歩き回る速度が早まる。ジャーナリストの一人が、それじゃハシにとって救済っていうのは要するにテロリズムなんですか？　そう言って動き回るハシの肩を叩きこちらに向かせようとする。僕に触わるなあ！　やっと汗が冷えてきたのがわからないのか！　ハシはジャーナリストを突きとばし松山に駆け寄りクリームケーキを奪いとって壁に嵌め込まれた鏡に投げつけた。クリームの飛沫が部屋中に散って、ニヴァが開演のベルが鳴っていると拡声器で繰り返し怒鳴り、トオルが、ようし行くぞ！　と叫んで首にビニールのスカーフを巻き、北見はコーラで軽くうがいをして、ハシを先頭に全員がステージへ向かって走った。

ハシのコンサートツアーが始まるとすぐ全国紙の夕刊にこんな記事が載った。

悪趣味である、こんな悪趣味なロック公演は初めてだ、家族の誰かが死んだ通夜の席で悪酔いしわけがわからないうちにはしゃぎ回り、その後で死ぬほどの自己嫌悪に陥るのに似ている、公演は墜落していくようなリズム隊の演奏で始まりハシは長い長い節回しで恐ろしくゆっくりと四十年前のヒット曲、有楽町で逢いましょうや誰よりも君を愛すを歌う、全体的な音は冷たく打楽器は激しく打ち鳴らされる割にメトロノーム以上の役目を果たしていない、ハシはステージの上をグニャグニャと動き回る、太い革のベルトを持ってそれで空を打ちながら大音響の通夜を支配しようとする。

最も驚くべきことはボーカリスト、ハシの声がつい二ヵ月前に発売された新しいアルバム「硫黄島」に比べて変化していることだ、以前は聖歌隊を辞めさせられた自閉症の少年みたいな声だったが、今度のコンサートツアーに聴くハシは交尾中のオットセイの牝のような、ヌルヌルして首筋や胸元に纏わりつき熱いシャワーで流しても取れない油みたいな声だ、声が変わった原因について質問すると鋏で舌の先を五ミリくらい切ったのだと冗談を言ってとぼけている。

昔、魔女裁判での拷問の一つに耳の穴から溶かした山羊の脂肉を注ぎ込むというのがあったそうだ、ハシの歌とバックの演奏は聴衆をそれに似た気分に追い込んでいく、リズム隊の疾走、ギターと電気サキソフォンの唸りをあげるユニゾンの間で、バンドネオンが吐気がするほどに哀調のある我々の最も恥ずかしい神経を舐め上げる旋律を奏でる、それは鉄の玉とダイナマイトと鋲打ち機で解体される高層ビルディングと猛スピードで車が行き交う立体交叉の高速道路とに挟まれた細い道を、路地を、一人の老人に連れられた少年の乞食が帽子を差し出しながら歌って歩く光景を思い起こさせる、ハシは常にそのようにして歌い始める。

あなたを待てば雨が降る、濡れて来ぬかと気にかかる、ああビルのほとりのティールーム、雨も愛しや歌ってる甘いブルース、挑発的な尻の隙間から熱い汁を垂らした女が日当りのいい部屋でタイプライターを打ってるのを、縛られたまま眺めている気分になる、戦時下のロンドンでVロケットの猛爆に会いながら盲人のピアニストが弾く甘ったるい夜想曲みたいなものかって？　その通りだ、爆撃に似たリズム隊の彼方からハシのノクターンが耳に届くとかすかな恐怖が芽生える、恐怖だ、爆撃が地下の退避壕に及ぶかも知れないという恐怖ではない、その逆、Vロケットの閃光を見たくて叫びをあげ外に飛び出してしまうのではないかという恐怖だ、自分は何かとんでもないことをこれからやろうとするのではないか、例えば隣に坐っている少女を殺して犯すのではないか、座席に火をつけやしないか、そんなザワザワとした恐怖が頭の中で騒ぎ始める、ハシはそんな時を逃さず最初のアクションを起こす、ギターのフィードバックより鋭い叫び声をあげる、それが肌に刺さると耳に注ぎ込まれた山羊の脂肉が沸騰する、鼓膜や蝸牛管や卵円窓がグツグツと煮えたぎり溶けて目や口や鼻から流れ出す、聴衆に変化が現れるのはこれからだ、それまでは含み笑いやひそひそ話をしていた者も感電したように跳ね上がり舞台に釘付けになる、ハシの催眠術にひっかかる、巧妙なだまし絵だ、ステージから突き出た半球のドームに豚の解剖の拡大図が映し出される、切開された内臓はベースの震動に合わせてヒクヒクと動き血管や筋は赤く張りつめているが何故か我々は海を連想する、エンゼルフィッシュが泳ぐ海ではなく炭素が電解されて最初の生物が誕生するもっと以前の大気に削られて爛れながら落下する焼けた隕石が、ジュッ、と音をたてて突っ込んでくる創世紀の海だ、海底火山や噴火を繰り返し水の中で燃えあがる炎が海を赤く染める光景を連想する、こっちへ来い、僕の足許へ来い、とハシは歌う、みんなまだまだ狂い方が足りないぞ、世の中には君の知らないことが多過ぎる、何でも君の理解の範囲にあると思ったら大間違いだ、頭のネジを外してドロリとした油を注せ、体がグラリと揺れたらそれが第一歩だ、揺れながら野犬の死骸で埋まった夜明け前の線路を歩け、風が内臓を吹き抜ける、こんなに気持ちのいいことはない、走ってきた電車は君を轢く前に爆発する、心配は要らない、転覆して割れた窓ガラスからポマードべったりの髪やトパーズの飾りをつけた女の子の首がずらりと並んで、君は王様だ、いつも見慣れてうんざりした風景にまだ未練があるのか？　蜃気楼さ、君の幻灯だ、映写機を蹴飛ばして火をつけろ、白い膜の向こうに薄汚れた壁がありその向こうは豚の内臓でその向こうが雨の降る果汁世界だ。

ハシはマイクロフォンに酸っぱい舌打ちを浴びせて、バックバンドのメンバーを紹介する。演奏終了間近、発光する金属箔が天井から降って来る、ありがとう、ありがとう、とハシは最後の挨拶をする、ありがとうみんなの愛のおかげだ、六十八年前横浜の公園で三人の幼い少女がアルメニアの貨物船乗組員に襲われナイフで腹をえぐられてその中に射精された、彼女らの魂を救済できるように、みんなもこの僕と一緒に祈ってくれ、全世界を救えるのは街頭募金じゃない、愛だ、ありがとう。舞台の脇から警棒を下げたガードマンが最前列に向かって駆け出し整列する。犬も四匹。バンドはエンディングテーマを演奏する。

物語は今始まったばかり、とハシは会場に詰まった熱気を掻き回し続ける。観客はほとんど立ち上がっている。舞台に殺到する者は吠える犬に怯えて立ち止まる。松山がギターのピックを放り投げる。ステージは暗くなり、ハシ達は引っ込み、舞台は警備員と犬が占拠し、爆撃も豚の内臓の海も山羊の脂もすべての蜃気楼は一瞬の間に消えて、観客はとり残されないように間の抜けた笑いとお喋りを交しながら一斉に出口に向かう。

ハシは楽屋まで一直線に走り待ち構えるニヴァと抱き合って唇を吸い、ビールを頭から被り残りを飲み干して空瓶を床に叩き割る。何度言ったらわかるんだ、興奮してるのはわかるがそんな子供みたいな真似をするな！　と誰かが怒鳴る。松山が上半身裸になってハシに近寄りハシの顎や首筋に垂れるビールと汗を舐める。なあ松山、僕はやっぱり天才だと思わないか？　僕の喉はアルミニウム製の蛇腹で出来てるような気がしないか？　北見ヒロシは笑いながら寝転んでいるシモダの顔にビールを注ぎ空瓶を割る。他にもビール瓶が何本か割れて床に泡が流れる。宿舎のホテルの最上階のスイートルームにパーティーの用意がしてある、とミスターDが拡声器で繰り返す。トオルや松山やシモダ達は楽屋の出入り口に花束や縫い包み人形を持って群れているグルーピー達を掻き分けコンサートホールの裏口に並ぶ黒いリムジンに乗り込む。

一つの地方の公演日程を消化するとミスターDはパーティーを主催する。パーティーにはその土地の金持ち連中が招待されることがある。その時は政治家や銀行家の短い挨拶で始まる。中央と地方都市の有効な潤滑油は文化とスポーツをおいて他にはありますまい、タキシードの老人がそう言った後カクテルやシャンパンで乾杯する。広い続き部屋は仕切りやベッドが除かれ、柔かなクッションのソファが回りを囲んでいる。医者や企業家の着飾った夫人達がナプキンを巻いたグラスを握って坐っている。中央のテーブルには様々な鳥をかたどった氷の彫刻が並んでいる。

松山がタキシードの老人と話している。君はどうして男のくせに髪の毛を下品な色で染めてるんだ？　ステージでよく目立つようにと思ってね。君達みたいな若造を軍隊に入れて坊主頭にして鍛えてやりたいと口にする仲間が多いよ。軍隊って面白いのかな？　面白くはないさ、規律を守らない奴は重営倉に入れて、翌日銃殺だ、私は軍隊経験がないがもしこれから入隊して士官になれたらやってみたいことがあってね。ふうん何だい？　銃殺の指揮さ、構え！　狙え！　撃て！　ってあれだよ、映画なんかで見ると楽しそうじゃないか。ジョン・スパークス・シモダは真赤なロングドレスの陶磁器会社社長夫人と清朝中国の緋黄桜壺について喋っている。北見ヒロシは地元の放送局と新聞社の経営者と肩を組んで、この後始まる二組のショーの説明をしている。一つはたぶん外国の女がストリップを演ると思います、もう一つはあれじゃないかなあ、痩せた青年がね、腕に筋肉弛緩剤を注射してね、希望者の拳を肛門に入れたりするんじゃないかなあ。放送局と新聞社を持つ背の低い眼鏡の男は汗だらけの手で北見ヒロシの肩を撫で、きょうの公演の熱狂的な成功はあしたの朝刊の郷土版にトップで載るよ、そう言っている。徳丸は昔からの友達だという運動靴メーカーの社長と景気の動向やボクシングやリオ・デ・ジャネイロのネリコプテルという男娼宿の思い出話をしている。トオルだけが、なぜこんな年寄り連中の相手をしなけりゃいけないんだ、とミスターDに文句を言っている。俺の部屋にはグルーピーが三人も待ってるんだぜ、いつになったら解放してくれるんだよ？　ミスターDは時計を見て、もうすぐ終わるから辛抱してくれ、とトオルの頰をピタピタと叩く。

若い外国人の女のストリップが始まる。きれいな顔立ちだが腹や腿の肉は弛んでいる。ハシは三人の中年女に囲まれてソファにいる。女達は白粉を顔の皺の溝に埋めキャビアを乗せた薄切りのパンにレモンを絞り酒で耳朶を赤くして太腿をハシに擦り合わせる。あなたの歌を聞いてるとね、この辺にだぶついちゃってるお肉をナイフで切り取りたくなってくるのよね、そう言って腋の下に垂れた柔い肉をハシに触らせる。でも、ハシは本当にきれいね、そう、女の子みたい、胸に触わるとおっぱいが脹らんでてもおかしくないくらいよね。喉頭癌の手術で声帯を除去したばかりだという和服の女は、そうそうハシを見てるとねえ、とハワイで上映されていたというポルノ映画の話をする。ナチスの生体実験でねえ、大きなお尻とおっぱいを植え付けられた美少年を想い出すわ、あそこ以外はねみんな女物の皮膚をベタベタ貼って縫われちゃったのよ、かわいそうだけどそりゃもう溜め息が出るくらいきれいなの。ハシは濃い酒を舐めながら、僕は変なところにも毛が生えてるんだよ、そういってシャツの裾をめくり一人の夫人の手を取って腰のあたりに誘導する。ねえ？　すごいだろ？　それで僕の顔をじっと見て、今から不思議な気分にさせてあげるよ、手を離さないでね、僕の顔ってまるで子供みたいだろ？　子供じゃなかったら正直者のきこりだよ。僕の顔をじっと見ながら僕の体の他の部分を思い描くのさ、おっぱいは脹らんでないけど胸は滑らかに盛り上がってて細かな産毛が生えてるんだ、押すと筋肉がチュルチュル音をたてる、骨が震えているのがわかるよ、僕の手足の指は細い、首なんか強く握ると折れそうだろ？　肌はどこも密度が濃くて夏でもあまり汗を掻かない、色が白いだろ？　そういうことをしっかりと頭において硬い毛をジョリジョリいわせてみなよ、そうすると必ずあれに触わりたくなっちゃうんだ、握らせてあげるからさ、僕のあれはね最初はまるで猫の舌みたいだけど、少しずつ大きくなっていくんだ、形にね、なっていく、頭に描ききった僕の細い骨とチュルチュルした筋肉と滑らかで白い肌と濃くて硬い毛を混ぜながら僕のあれがあんたの指の間で脈を打ってでかくなるのを確かめると、興奮するよ。

喋りながら、ハシは違うことを考えている。こんな、中年を過ぎた女達に囲まれて好き勝手に体を触わられてるのになぜ不愉快にならないのだろう、ということだ。演奏会場の使用許可と宣伝のために辛抱して年寄り達と付き合ってくれ、とミスターDは言ったが、ハシは中年の女達に囲まれているのが苦痛ではない。

筋肉弛緩剤を打たれた青年が、生まれたばかりの赤ん坊ほどの大きさの、純金製だという砲弾を、一時間かけて肛門に沈み込ませ、出席者全員が拍手して、午前三時過ぎにパーティーが終わった。部屋に戻ろうとするハシにトオルが声をかけた。若い女を一人回してやるから後で俺達の部屋に来い、あんたの大切なおばさんが寝てからでいいからさ、来いよ。

部屋に戻ってシャワーを浴びながら、ニヴァが裸でベッドに入ってきたら何と言って断わろうか、とハシは考えている。疲れてるんだ、ごめんね、そう言えばいい、ニヴァはいつものようにラグビーボールの形の睡眠誘導剤を三錠飲んで先に寝るだろう。ニヴァは鏡の前で化粧を落としている。ねえハシ、ゆっくり話したいことがあるのよ、ニヴァはそう言った。ハシは、疲れてるからあしたにしてくれ、と言って枕許の灯りを消した。

「そうね、あしたにするわ」

ニヴァは自分のベッドに入った。

「ニヴァ、最近はよく眠れるのかい？」

「どうして？」

「楕円形の睡眠薬、飲まないじゃないか」

「止めたのよ、あれ」

おやすみ、とハシは言った。小さい頃あたしのおばあさんがね、とニヴァは真暗になった部屋で話し始める。おばあさんがね、あたしが泳ぎにいくって言うと、だめだよって禁止するのね、あたしが子供で満足に泳げないし海は危険だと思い込んでるのね、海なんかに行くと死んでしまうと心配してるのね、あたし昔はバカだなあって思ってたけど、最近その気持ちがわかるようになったわ。

「つまんないこと喋ってないで早く寝たほうがいいよ、早く寝なよ」

ハシ、どうして舌を切ったりしたの？

「もう話したじゃないか、歌い方を変えたかったからだよ」

危いことしちゃだめよ、最近あなたが無理してるんじゃないかと思って、あなたがやりたいようにやればいいのよ、他の人の言うこと聞く必要ないんだから。

「僕は何でも自分で決めてるよ、歌い方変えたからコンサートも大成功してるんじゃないか」

自分を見失わないようにしないと。

「うるさいなあ、いい加減にしてくれよ、楕円形の睡眠薬飲んで寝た方がいいんじゃない」

ハシ、あなたは有名人だからいろんな事を言われて、いろんな事を要求されるのよ、もっとパワーを、もっと歌の心を摑む努力を、もっとわかりやすく、もっとラブソングを、そんなこと関係ないのよ、あなたがやりたいことをやるのが一番大事よ。

「そんなことわかってるさ、早く寝たいんだ、ニヴァちょっと変だよ」

ごめんなさい、もう止すわ、海に入るなって言ってもきかなかったあたしに、諦めたおばあさんが言ったわ、何て言ったと思う？

「知るもんか」

「首より深いところへは入るなって」

「僕はもう本当に寝るよ」

「ハシ、あなた、おとうさんになるのよ」

ハシは暗い中で大きく目を開いた。シーツがぼやけて灰色に見えた。

「子供ができたの」

ハシはシーツの綿埃が喉に詰まったような感じがした。何か言わなければと思ったが言葉が見つからなかった。子供だって？　僕がおとうさん？　ハシは死んだ赤ん坊を埋めたのを思い出した。段ボールの中でカタカタ音をたてたあの硬くなった赤ん坊、女の腹で卵がゆっくりと育っていくということがわからないので、目に見えない嬰児が空中に浮いているような気がした。その時になると、女の股から姿を現してオギャアと叫ぶが、それまでは自分の回りのどこかに見えない針金で吊り下げられているのだと思った。うまくその場所を捜しあてて空気を揺するとカタカタ音をたてそうで、いやな気分になった。あしたゆっくり話すわね、そう言ってニヴァは眠った。ハシは気付かれないようにそっとベッドを脱け出した。トオルの部屋は鍵がかかってなくて真暗だった。女は金色のハイヒールだけをつけて裸で床に転がっている。涎を垂らして酒臭かった。ハシは灯りを点けた。女は目を押さえて、眩しい、と呻いた。女の顔には見憶えがあった。今夜のコンサートの最前列で帽子を振っていた女だ。ハシに気付くと這うように起き上がり抱きついてきた。ハシよりも大分背が高い。ハイヒールを履いた足首が捩れてハシの首に両手を回したまま女は崩れ落ちた。支えきれずにハシも床に倒れた。あんた、ハシ？　薄く目を開けた女がそう聞く。あんた、本当にハシなの？　ハシは頷いて女の乳房に触れた。硬く光っていた、ねえ、抱いてよ。あたい前戯嫌いなの、濡れてなくてカサカサしてるとこに無理矢理突っ込まれるのが好きなの、ねえ、痛くやってよ、女はそう言って足を開いた。ハシは服を脱ぎ始めた。腋の回りが太腿の内側や脇腹の肉が、横になっても垂れず波を打たない女は初めてだった。

ニヴァに隠れて三人の女と寝たことがある。三人共、ニヴァと同じ年配だった。その女達は脱ぐのを恥ずかしがった。自分の体が張りを失っていると恥じているようだった。女達はハシの目をつぶらせた。衣裳を落とした婦人達の太腿の内側や膝の下や脇腹や腋の周囲や肘の裏側の皮膚は、体から切り離されているように冷たく余分なものとして柔く垂れ下がっていた。固めてもすぐにグニャリと崩れてしまう水を入れ過ぎた粘土と同じ、尻の肉を摘んでも、手応えがなく、奇妙な安心感があった。今ハシの目の前にいる若い女は違う。太腿や尻の硬い肉は揺れない。微笑んで股を拡げた若い女の裸は衣装だ。ハシは勃起しなかった。女は口に含んで立たせようとした。大きくなあれ大きくなあれ、と歌い、顔中唾だらけにして舐めた。

「やっぱり、若い女はだめか」部屋の入口にトオルと松山が立っていた。笑っている。ああベロ疲れた、ハシってインポなのねえ、舐めていた女が離れた。見てたのか？　ハシはトオルと松山に言った。二人が笑いながら頷くとハシは殴りかかった。トオルはハシの拳をかわし腕を摑んでベッドに放り投げた。落ち着けよハシ、俺達が見本を見せてやるからな、松山は女を四つん這いにするとズボンのファスナーを下げ脱がずに犯した。腰を突き出す度にベルトの止め金が音をたてた。なあハシ、シモダが言ってたぜ、オカマだった奴はそうなるんだってな、金で体売ったことのあるやつは、本当は恥を売ったんだってことをよく知っててさ、若い女がこうやって尻を突き出しても立たねえんだってな、変に警戒するんだってシモダが言ってたぞ、こいつらのここは恥じゃないからな。普通の器官だからな、口とか鼻とかと同じだよ。トオルがハシに片目をつむってみせて四つん這いの女に近づき汗を掻いた尻を蛇皮のブーツの先で軽く蹴った。ハシお前は孤児なんだよ、トオルは笑いながらそう言った。オフクロを知らないから、今それやってんだ、ブヨブヨの、年寄り達の皮膚をしゃぶって、ママ、ママってやってんだよ。

ハシは顔色を変えた。ベッドの脇にあった灰皿をトオルに投げつけた。トオルは身をかがめてかわし陶器の灰皿は壁にあたって砕けた。変なこと言うと許さないぞ！ハシは叫んだ。ベッドから降りるとトオルに殴りかかった。トオルは抵抗しなかった。ハシは背の高いトオルの胸を二度殴った。トオルは笑うのを止めていた。松山が女から離れてさらに殴りかかろうとするハシを止めた。ハシ、お前は孤児のオカマなんだ、トオルはもう一度真剣な声でそう言った。今は素晴しい歌手かも知れないが、昔は孤児でオカマだったんだろ？　そのことを消そうたって無理なんだよ、俺はお前より年上でいろんな奴を知ってるから言うんだけど、そのことを忘れちゃだめだ、こんな豚みたいなグルーピーとおまんこできないことなんかどうでもいいことなんだぞ。若い女が、もつれた舌で、豚ってなによ、と唇を尖らせた。トオルは突き出た尻を思いきり蹴った。うるせえ、豚黙ってろ、ハシ、金が手に入るとダメになる奴っているだろ？　そんな奴はな、自分は生まれた時からハイヤーに乗ってたんだって錯覚しちまうアホなんだよ、なあ、どんなにいいものを食ってみんなからチヤホヤされても、お前は孤児でオカマだったことに変わりはないんだよ、俺達はお前の後で演奏すると燃えるよ、こういうことってあまりなかったなって松山なんかといつも話してるんだ、ずっと、燃えて演りたいからな、ハシ、孤児でオカマだったことを忘れちゃだめだ。

そうじゃないんだ、ハシはそう言いたかった。若くない女の小刻みに震える柔らかい皮膚が好きなのは、安心するからなんだ、理由はよくわからないが、安心するんだ、柔らかい部屋を思い出す、僕を支えているのは、孤児だったことでも、オカマだったということでもない、あの音だ、周囲にゴムを張った柔らかい部屋でキクと一緒に聞かされたあの音だ、あの音を捜したくて歌ってる、あの音に近い歌をうたいたいと思ってるんだ、あの音は、いつも必ず柔らかい部屋で聞こえる。衣装をとった女の太腿の内側の皮膚で作られた床と壁と家具、内部に詰まった気体の量が絶えず変化する風船のようにどんな形にも固まることのない常に収縮を繰り返す柔らかい部屋、その中でだけ聞こえてくる音。

街を見下ろすホテルの最上階。厚い窓ガラスにパーティーの終わった部屋が映っている。中央のテーブルには痩せた青年が裸のまま眠っている。純金の砲弾を肛門に入れてみせた青年だ。鳥をかたどった氷の彫刻は全部溶けた。

ハシは窓際に立って街を見ている。雨が降り始めた。厚いガラスで遮断されて音は聞こえない。雨は街灯の回りで銀色の針になって輝く。高校に入った頃こうやって教室の窓からキクが跳ぶのを眺めたっけ、と思い出した。匂いが浮かんできた。鼻をつく匂い、何の匂いだろう。目を閉じて考えた。黒板拭きに付いたチョークの粉だと気付くとハシは声を出さずに少し笑った。見事にジャンプしたキクが微笑んで手を振る、あの男は僕の兄貴だ、そう言ってキクを指差しクラスメートに自慢した、ハシの目の裏側に廃鉱の島と海が広がった時、寝ていた青年が気味の悪い声をあげて起き上がった。わあワセリンが全然とれてねえや、そう言って尻に手をやった。目の前のガラスに青年の裸と自分の顔が重なって映っている。ハシはぞっとした。裸の青年を被っているガラスの中の自分の顔、ガラスの向こう側で煙っている街並、目の裏側に広がっていた廃鉱の島と海、それらは別々の透明な絵になって重なり合い、ハシは一瞬自分がどこにいるのかわからなくなった。透明な絵の隙間に、顔を残したまま落ちていくような気がした。息が詰まった。水滴が転がる厚いガラスが自分を遮断し閉じ込めていると思った。思いきりガラスを叩いた。割れない。裸の青年は真青な顔のハシと目が合うと純金の砲弾を放り投げる。それでやるとちゃんと割れるよ、残り物のパンを齧りながらそう言った。

26

キクの囚人服の肩口に銀色の線が一本縫いつけられている。キクと山根、中倉と林の四人は船舶職員訓練科に編入すると同時に別の雑居房に移った。キクは新しい雑居房に入った日に山根の恐しい腕力を目のあたりに見た。山根は朝から頭が痛いと訴えていた。全身に鳥肌を立て額と首筋に冷たい汗を掻いていた。頭骸に嵌め込んだプラスチック板がずれたのかも知れない、もし俺が意識を失ったりじっと動かなくなっても声をかけたり動かしたりするなよ、硬質プラスチックの板が妙なところに触れると、俺は、どうするかわからんからな、そうキク達に言った。わからんって死ぬかも知れないのか？　キクは聞いた。死ぬならまだいいが、と山根は無理に笑顔を作った。死ぬならまだいいが、俺は暴れだすかも知れん。

新入房者挨拶の時、山根は満足に喋れず震えながらうずくまった。キクと林と中倉は、ひどい風邪を引いているから、と先輩囚を必死になだめた。生意気な奴だと山根に腹を立てる先輩囚の肩や腰を中倉が揉み始めた。揉ませながら二人の先輩囚は中倉の腋臭を笑った。そうですか、済みません、汗を掻くとどうも、中倉はそう言って平気な顔をしていた。女ならなあ、おめこの時おつなもんだがなあ、先輩囚がそう言った時、中倉はいやな顔をした。後日、中倉はオフクロのことを思い出したのだ、と語った。オフクロも匂いが強くてよ、夏なんか隣の部屋にいても臭いんだ。いつもは感じねえんだが、男が一緒だとな、やけに匂うんだな。中倉はキクと林の方を見て、うつぶせになった先輩囚の首を締める真似をして笑った。そうやっていやな気分を解そうとしたのだが、背後にいたもう一人が気付き、怒った。てめえら新参のくせになめてやがんな。中倉の肩を軽く蹴った。この時山根は、静かにしてくれ静かにしてくれと呟きながらうずくまっていた。息子の心臓の鼓動を必死に思い出しているのだろう、とキクは思った。キクは先輩囚の怒りが山根に及ばないよう必死に謝まったが、だめだった。謝まれば謝まるほど二人は増長した。大声でわめき、中倉の頬を張った。勢い余って山根の頭を小突いてしまった。山根は、止めろ止めろと囁いていたが、突然立ち上がり鳥の鳴き声に似た気合を発して正拳で雑居房の壁を突いた。厚さが五センチ以上もある漆喰塗りの壁だ。それがボロボロに崩れた。そして、静かにしろ！　と怒鳴った。全員が度胆を抜かれた。先輩囚も顔色を変えて立ちつくし黙った。山根は再びうずくまり頭を抱えて頭痛に耐えた。

「何年くらい修業したらあんたくらいに強くなれるんだい？」模擬海図で重複線船位測定をしながら中倉が山根に聞いている。「何のことだ？」山根は船位測定や針路測定などの机上作業がにが手だ。手足や体が大きいのでデバイダや三角定規を扱いにくそうに動かす。

「とぼけんなよ、壁壊しやがったくせに、やっぱり五年くらいかかるのか？」

「壁を突き破るのは誰でもできる、あんなものは訓練要らない」

「そんな冗談言うなよ、謙遜しやがって」

「ならお前ハンマーでなら崩せるか？」

「ハンマーか？　うんどうかなあ、どうかなあキク」中倉はキクのほうを見る。キクは遠隔物標の方位測定によるコンパスの偏自差を測っている。「俺は、ハンマーでも自信ないな」

「そうか、おい山根、ハンマーと訓練とどんな関係があるんだよ？」

山根は模擬海図の灯台と山頂との見通し線と港内ブイとの位置の線の交点を捜している。中倉の方を見て、ちょっと待ってくれ、と言って、交点の緯度経度を読み、キクが既に測った数字と照らし合わせてみる。数字が合っていたので山根は指を鳴らして喜んだ。

「あのなあ中倉、空手の訓練というのはなあ、拳を固くするためにやるんじゃないんだぞ」

「そんなら何だ」

「スピードと、気合だ、いくら拳が鉄みたいになってもハンマーで崩れない壁を突き抜かすのは無理だろ？」

ベルが鳴って、教官が解答用紙を集めろと指示した。山根はまた話を中断し慌ててキクの答案を写し始める。小柄な老人の船舶訓練教官がそれを見つけて、人の答えを写しても何にもならんぞ、と言う。教室に笑いが起こって山根は頭を搔きながら答案を提出した。

昼食後、山根は一枚の新聞紙を広げ端を握って下げて、正拳突きで穴をあけてみろ、と中倉の目の前に差し出した。新聞紙？　バカにするなよ、と中倉は何度も試したがうまくいかない。新聞紙はパラリとめくれてしまう。中倉は十数回突いて、汗をかいていた。山根は新聞紙をキクに持たせ、鳥のような気合と共に見事な手本を示した。新聞紙はほとんど揺れず拳大の穴がきれいにあいたのだ。穴をあけようと思って突いたんじゃだめだ、と山根は言った。正拳突きの気合というのはなあ、例えば板を突き抜くとするか、ようしこの板をぶち割るぞと思っちゃまずだめだ、こう思うわけだ、いいか？　俺の全身全霊の力を拳に乗せると次の瞬間拳は板の向こう側にある、板を空気のようにすり抜けて拳は次の瞬間板の向こう側にある、と自分に言いきかすんだ、わかるか？

「集中力だな」キクが言った。山根が頷く。お前ら今までで一番せっぱつまった時思い出して、失敗したら死ぬ覚悟で突いてみろよ。よし、とキクが立ち上がった。キクは新聞紙を前にして目を閉じ呼吸を整えた。かっと目を開けるのと同時に拳を突き出した。山根ほどきれいな穴ではなかったが、新聞紙を拳が突き抜けた。お前棒高跳びのこと思い出してたろ？　山根がそうキクに聞く。キクは嬉しそうに頷いた。次は林だ。林は掛け声をかけリズムをつけて上体を左右に揺らし、静止した瞬間に突いた。

穴があくというより裂けるという感じだったが、成功した。今の体の動きは何だよ水上スキーか？　キクが聞いた。林は恥ずかしそうに首を振って、水球のシュートだ、と答えた。水球をやってたんだ、でも水球じゃ食えねえからな。中倉はキクと林が新聞紙を突くのを眺めていたが、スポーツやってない奴は何を考えればいいんだ？　と困った顔で山根に聞いた。俺は板前だからな。だって中倉さんサルベージ船乗ってたんだから、潜水のプロなんだろ？　林がそう言う。潜水なあ、ありゃ集中力っていうよりか忍耐力の方だからなあ。山根が、スポーツじゃなくてもいいんだ、と教えた。要は全身全霊を拳に集める気持ちなんだぞ。ようしわかった、こい！　しばらく空を見上げていた中倉は何かを思い出したように頷き、舌を舐め、新聞紙に向かい合った。目を大きく開き息がしだいに荒くなる。死ねえ！　と叫んで拳を突き出した。きれいに穴があいて、キク達が拍手する。すごいじゃないか中倉、何考えてたんだ？　中倉は、別に、と小さく呟いて首を振る。

船舶訓練の教室に戻る途中、中倉がキクの肩を叩いた。俺な、オフクロの顔思い出してたんだよ、中倉はそう言った。あの新聞紙の向こうにな、オフクロの顔があってさ、それをこうぶっ叩いてやろうと精神を集中したんだ。

「顔は、よくないぞ」

キクは中倉の肩に手をかけてそう言った。

ボッ、ボッと中倉が雑居房の壁に寄りかかって唇を鳴らしている。さかんに首をひねりながら、ボッ、ボッ。何だよそれ？　山根が聞く。わかんねえかなあ、キクお前わかるだろ？　キクは首を振る。ライターの音だよ、それも安物じゃないぜ、マカオに行ったダチから貰ったやつだ、ダンヒルだ、知ってるか？　すげえ重いんだぞ、ふたをこうパチッと開けるだろ？　すぐには火を点けねえのな、ん、とちょっと待って親指をグリッと回すと、ボッってな、いい音なんだよ、知らねえ奴に言ってもだめなんだけどよ、たまらねえ音だ、いかにも火って感じの音でよ、煙草がうめえんだ、その音をさ、思い出そうとしてるんだが、うまくいかねえんだ、ボッって音じゃねえな、シュボッ、シュボッ、って感じなんだな。

日曜と祝日は職業訓練がない。晴れた日だとソフトボールやサッカーがやれるがきょうは雨だ。他の班の連中はクラブ活動をやる。絵を描いたりギターを弾いたり歌をうたったりする。本を読む受刑者も多い。船舶訓練第三班のキク達四人は時間をもて余している。山根だけは図書館から「くりから魔王の秘密」という本を借りてしばらく読んでいたが、中倉がうるさく話しかけて邪魔をするので途中で止めた。

さっきまで四人は腕相撲をやっていた。総あたりで対戦したが驚いたことに林が一番強かった。キクも負けたことはなく自信はあったが中倉にようやく勝っただけで林と山根は段違いに強かった。山根と林の勝負は見ているだけでも力が入った。どちらかの腕が折れるのではないかと思ったほどだ。林の腕は山根の半分くらいしかないが筋肉が柔らかく手首が恐ろしく強かった。山根との勝負はなかなかつかず薄っぺらな座布団が二人の肘で裂け中の綿が飛び出した。何十回に及ぶ山根の攻勢を林は手首の力でしのぎ、最後は持久力で勝った。いくら倒し込んでも手の甲と腕を床につけない林に山根が根負けした格好だった。山根は仰向けに転がって長いこと腕を揉んでいた。負けたのは初めてだ、と驚いていた。高校時代は、と林は顔を赤らめて言った。高校時代は、毎日腕だけで五千メートル、足だけで一万メートル、泳いでいたからな、水泳の選手は、柔らかだからな、強くはないけど柔らかなんだ。山根は起き上がって、いや強いよ、そう言って笑った。その後、山根の提案で坐り相撲というのをやった。坐ったまま四つに組み腰と腕で相手をひねり倒すのだが、これは山根が圧倒的に強く他の三人はすぐに飽きた。そんな中で、中倉の、ボッ、ボッ、が始まったわけである。シュボッ、シュボッ、どうも違うなあ、くそっ、バホッ、バホッ、バホッ、ジュバッ、ジュバッ、シュバッ、シュバッ、スボッ、スボッ、ボッ、ボッ、耳には残ってるんだがなあ。林が、汽車汽車シュッポシュッポ、と歌い出した。みんなが笑った。笑いがすっかり収まった時、中倉が、くそお煙草が吸いてえなあ、と大声をあげ、顔を歪めて笑おうとしたがうまくいかず、泣きだした。

山根が窓を開けた。雨に濡れる若葉の匂いとコーラス部の合唱が窓から入ってくる。山根が中倉に何か言おうとした時、扉の監視窓が開いた。看守が顔を出し、中倉が慌てて泣くのを止める。

「四時に開錠するから廊下に整列しろ」

看守はそう言って監視窓を閉じた。何があるんですかあ？　林が聞く。遠ざかりながら看守の返事が扉の向こうで響いた。

「慰問劇だ」

講堂には全受刑者とほとんどの職員が集まっている。椅子の数が足りないので受刑者は板張りの床に直接坐る。所長が挨拶する。本日は函館商科大学の演劇部のみなさんが慰問に参られました。毎年雨が続くこの季節になると外へ出て運動できないみなさんのために慰問に来て下さいます。一昨年、昨年と、今回で三度目であります、みなさんの中にはこの劇を心待ちにしている人もきっとあることでしょう、この度は所外の雰囲気に少しでも触れ、心をうるおし、楽しんで下さい。

幕が開いた。「ミュージカル、アルプスの青いこだま」と書いた紙が下がっている。舞台の左端から腰の曲がった老人が出てきた。背景には小さな山小屋と木立ち、雪を被った山々が描いてある。鳥の鳴き声が音楽に変わり老人が嗄れ声で歌い始める。おお、また春じゃ、おお、また花が咲く、雪が溶けらあ、熊っこが起きらあ、魚が跳ねらあ、娘はどこへ行たか、どうやら、町でも行たらしい、町であめでも買うとるか、真赤なべべでも買うとるか。

なんだあのくそじじい、と中倉が呟き、林が、シーッと看守の方を見て制止する。女は出ねえのかよ？　中倉は膝を抱いてそう言う。娘がどうのこうの言ってるからきっと女も出るさ、横に坐っているキクが耳打ちした。

なかなか女は出て来なかった。村の駐在や山小屋の客や木こりや動物の皮商人が佐平じいを訪ねてきたが、女は一人もいない。

芝居のあらすじはこうだ。佐平が育てている娘は実は孫で、母親トリエは夫の死の直後山小屋の客と逃げてしまった。山小屋の生活は苛酷だったのである。娘が十四歳になったあの春の日、立派な紳士が山小屋を訪れる。その紳士は、今では四つのサーカス団を経営する母親トリエの秘書だったのである。秘書はトリエが娘を引き取りたい意向を佐平じいに伝える。佐平じいは悪態をついて秘書を追い返す。このあたりで山根は居眠りを始めた。一番熱心に見ているのは中倉で、そうだ男と逃げたオフクロなんかぶっ殺してやれ、と呟いている。やっと娘が登場した。中倉は立ち上がりかけたが林とキクに制服の裾を摑まれて思いとどまった。受刑者は女の短いスカートから突き出た足に拍手した。娘が踊りながら歌う。あたしは山で生きてきた、ずっときれいなこの山で、動物さんや小鳥さん、みんなと仲良く生きてきた、山が好き山が好き、この山が大好き、でも、あれは本当のことかしら、ママがどこかにいるなんて、おとうが私のおじいさんだって、ああ、どうしよう、あたしはどうすればいいの？　あけびの女王様教えてちょうだい。あけびの女王が体中に蔓をからませて舞台に現れた。山の霊の化身で生き物の支配者らしい。これ娘、どうして欲しいのかお言い、あんたは動物達に優しくずっといい子で生きてきましたね、何でも望みを叶えてあげるわよ。何が欲しいのか言いなさい。娘は困り果てて、それがどうしていいかわからないんです。と歌った。するとあけびの女王は、何が欲しいのかわからない子供は峠の地蔵になっておしまい、と怒って、体にからませた蔓をビュンビュン振り回した。舞台でマグネシウムがボンと焚かれて煙が上がり前の方の受刑者が咳込んでいる間に、娘は石の地蔵にされてしまった。スピーカーから娘の泣き声が聞こえる。ひでえや、と中倉が言った。石の地蔵にしちまうなんてひでえ神様だ、そう思わねえか？　石の地蔵になった娘はそうとは知らない母親トリエと秘書の悪だくみを聞き、結局佐平じいの愛情に気付き、あけびの女王から元に戻して貰ってめでたしめでたしと終わる。最後の娘の歌、あたしは何も知らなかった、石になって女王様を恨んだけど、自分のことや、回りのことを、ゆっくり考えられた、それまでのあたしって何て世間知らず、何ておばかさん、じっくり考えるって何て大事なこと、石になっても辛抱すれば、必ず春がやってくる。

雑居房に帰る途中、劇に感動して目をうるませた中倉が、それにしても石の地蔵にするなんてちょっとひでえよな、と言った。わかんないのかい中倉さんは、石の地蔵みたいにおとなしく刑期を務めればやがて出所の日も近いっていう、あれは説教だぜ、と林が言う。山根が頷く。下らねえよ。そんなことはない、第一男つくって逃げるようなオフクロはとんでもない奴に決まってるんだ、よかったなあ、あのじじいと暮せてなあ、中倉が真剣にそう言うので林と山根は顔を見合わせて笑う。中倉はキクに応援を求めた。キクお前はどうだ？　やっぱり下らねえと思うか？　先頭を歩いていたキクは、いやおもしろかったよ、と振り向いて言った。おもしろかったか？　どこがおもしろかったんだ？　山根が聞く。

「娘が石の地蔵にされるだろう、あそこが良かった」

中倉は意外な顔をして、冷てえ野郎だな、あそこは可哀相だったじゃねえか、と言った。キクは笑いながら答えた。

「自分の欲しいものが何かわかってない奴は石になればいいんだ、あのあけびの女王は偉いよ、だって欲しいものが何かわかってない奴は、欲しいものを手に入れることできないだろう？　石と同じだ、あのバカな娘はずっと石のままだったらよかったんだ」

27

鏡や夜のガラス窓、よく磨かれた黒い大理石の壁、金属製のバンパーや波のない水面をハシは恐がるようになった。自分を映すものに怯えた。コンサートが終わる。興奮状態のまま観衆に手を振り楽屋に引き上げてくる。楽屋の壁一面の鏡には二時間にわたって数千人の聴衆とバンドの音を支配した男の顔が映る。

お前は誰だ？　とハシは呟く。自分じゃない気がする。カメラが焚く何百発の閃光に晒されて微笑みや突然の怒りの表情を絶やさず恐しい速さで喋り続ける、お前は一体誰だ？　僕の体の中で何をしてるんだ？　そうだあれ以来だ、僕は自分が嫌いだった、弱虫で他人の顔色ばかり窺ってた、そんなことでは強い歌手になんかなれないと思った、人前で演技をするように教えられた、僕はうまかった、カメラの前ではみんな演技するものだが僕は特別にうまかった、他人の顔色なんか窺ってはいないという演技だ、質問をはぐらかし、自分の意見だけを強引に話す、非常識な言葉や逆説を使って、すると、他人が僕の顔色を窺うようになった、いつ頃だったかはっきりとは憶えていないが、僕は、他人が僕の顔色を窺う時のために自分の体の中に別の生き物を培養した。

乳児院でシスターが本を読んでくれたことがある、事業の成功と引き換えにある男は化物と契約し気味の悪い卵を呑む、卵は目に見えないくらい小さい、気管に貼り付いて唾液で繭を作り蛹《さなぎ》になる。蛹は成功者になるための助言をする、もっと顔を上げ胸を張って歩いたらいかがでしょう、相手の目を見て話した方がいいですよ、蛹は成虫になると体内を飛び回り大きな態度で命令するようになる、僕の体にいる生き物もあの時初めて命令した、舌を切れ、そう言った、僕が飼い始めたこいつは何だろう、羽を持った小さな虫みたいだ、僕が舌を切ってもこいつは痛みを感じない、僕の舌の切れ端、拾い上げるとただの血の固まりだった、指先で摘んだらプチュと音がした、あの時だ、僕の切れ端が潰れて飛び散った時、僕の中で羽を持った虫が孵化した、虫は僕を改造するつもりだ、臓器を酸で溶かし僕を別人にしようとしている、この羽を持った虫は、コンサートツアーを成功させ、僕に常に話しかけ、命令する、こいつは返事しない。だから今のところ会話は成立しない。こいつはいつも僕のことを侮辱する、お前は弱虫だ、俺が強くしてやってるのだ、そう言う。

九州全域にわたった公演旅行が終わった夜、ハシは、一日でいいから故郷の島に帰りたいと言いだした。ニヴァは賛成した。ニヴァも一緒に行きたかったが、ハシは一人で行くと言い張った。休日は練習日になっていたからニヴァはバンドの連中を説得しなくてはいけなかったが、彼らは快く了承し、ハシには休息が必要だと逆に帰省を勧めた。ハシはひどく疲れているのだとみんなが思っていた。ハシはコンサートの興奮を静めるのに苦労しているように見えた。話しかけてもほとんど口をきかずリハーサル以外は自分の部屋に閉じこもってニヴァも入って行くのを許されなかった。全く眠れないらしくてニヴァが使っていた睡眠薬を飲み始めた。つわりと、ハシのことが重なってニヴァの神経も参っていた。ニヴァは何度かかかり付けの医者に相談した。心配することはありません。医者はそう言った。公演が休みなしに続く演奏家は誰でも軽い神経症に患るものです、お子様の誕生が責任感を生むことでしょうし、大丈夫ですよ、郷里への帰省？　いいことですね、何よりの薬になることでしょう。

ハシは、汽車で佐世保まで行った。バスの出発時刻までかなり時間が余った。廃鉱の島へ帰るにはこれからバスとフェリーボートを乗り継がなくてはいけない。デパートへ行ってみることにした。中学生の頃、屋上で催眠術をかけられたあのデパートだ。佐世保の街はいつも曇っている。影のない街並、ハシは、通り過ぎる人や建物、景色全体が発する一種の波を感じた。公演旅行で知らない街を訪れる度に感じる波。音とか色、匂いとか風ではない。その人間やその建物やその景色との距離が縮まったり遠くなったりする時に、自分との間にある空気が歪むのだ。街は変わっていない。キクとハシは駅から続いて繁華街へ出るこの広い道路を歩くのが好きだった。道路の両側には、暗い窓の中でゆるやかに男女が踊るダンスホールや無数の鳥が尖塔の上空を舞う教会、果物や香辛料を並べた露店、干魚を売る行商人達、廃墟になる以前の街があったのだ。曇った街は昔と変わっていない。

市場の中に入った。入口付近に水槽がある。数百匹のうなぎが泳ぎ回る水槽だ。白い手袋をはめた男が水槽の隅にうなぎを追いつめ捕まえるのが面白くて長いこと眺めていた記憶がある。白い手袋の男は摑んだうなぎをキクとハシの目の前に差し出した。頰にヌルヌルした腹がくねってあたり二人の子供は悲鳴を上げ周囲の大人達は笑った。うなぎは一ヵ所に群れている。全部同じ方向に頭を向けて重なり合う。風呂に沈む女の髪の毛のようだ。あの頃も確かそんな風に思ったことがあった。

市場を出て、映画館の前を通って道路を渡り、小さな公園を横切るとデパートの入口が見えてくる。ハシはエレベーターでまっすぐ食堂に行った。オムライスを注文した。おいしくなかった。ハシはウエイトレスがハシを見ている。ハシは顔を伏せた。ウエイトレスはじっとハシを見てしきりに首をひねっている。同僚を呼びハシを指差して何か耳打ちする。二人でハシに近づいてきた。あんたが言いなさいよ、いやあんたが言いなさいよ。ハシは顔を上げない。あのう、失礼ですが、あなたは歌手のハシじゃない？　ウエイトレスは頰を赤くしてそう聞いた。ハシは、違うよ、と言おうとした。顔を上げた瞬間に別の言葉が口から出た。ああ僕はハシだけど何か用？　二人のウエイトレスは手を叩いて跳び上がった。わあ、やっぱり。他の客もこちらを見た。ウエイトレスは色紙を持って来た。調理場から料理人達が顔を出して何か言っている。テレビで見るよりちょっと背が低いみたいだな。ハシは慣れた手つきでサインした。子供を連れた和服の婦人がハンカチを広げた。あの、握手して下さい。ハシは婦人の手をとり手の甲に接吻した。喚声が起こって他の客や他のウエイトレス、コックや店長がハシのテーブルに押し寄せてきた。ちょっと待ってくれ一列に並べよ僕はどこにも行かないからさ、ハシは立ち上がり笑いながらそう言った。汗が滲むブラウスの背中にサインを貰った女店員が質問した。オムライスが好きなの？　ハシは頷いてオムライスの皿に目を落とした。裏返しになったスプーンの表面に歪んだハシの顔が映っている。笑っている顔。名刺が目の前に差し出されて地元の新聞社の者だと男が質問を始めた。カメラマンがストロボを焚く。新しいレコードはいつ出るんですか？　後にいた女学生が髪に触わろうとする。買ったばかりだという下着にサインを貰う髪を染めた女、ビールを飲んでいた老人が叫ぶ。おいがサインしちゃるぞ、おいのサインじゃいかんか。後方の人達に押されて子供が転ぶ。抱き起こそうとした母親がテーブルにあったコップと調味料の瓶を倒す。新聞記者の背広が汚れる。コップが床で割れる。押すな！　誰かが怒鳴る。すると今度の旅行は完全にプライバシーなわけですね？　背後に群がった女学生が次々にハシの髪の毛に触わる。周囲の人垣はどんどん厚くなる。子供の泣き声が聞こえる。サイン帳や色紙やハンカチや本や鞄や買物袋や包装紙や下着やブラウスや手の平やブローチや靴下にハシはサインを続ける。テーブルが傾く。カメラマンが目の前でストロボを焚く。髪に触わろうと手を伸ばす女学生が眼鏡を落とす。誰かの靴が踏む。女学生は悲鳴をあげて拾おうとする。それでは地方文化とコンサートには直接の結びつきはないと考えますか？　テーブルが傾く。オムライスの皿がスプーンを乗せたまま滑ってくる。表面に映っているハシの顔。お前は誰だ？　ハシは呟く。何だ何だ何だ何だ何だこの騒ぎは、え？　ハシ？　おいおいお前は本当にハシか？　酔っ払った若い男がかん高い声で怒鳴る。スプーンと一緒に歪んだハシの顔が床に落ちる。眼鏡を捜して床を這う女学生の手がケチャップでベトになる。おいおいおいおいお前は本当にハシか？　若い男がまた怒鳴る。レンズの破片と卵とケチャップに塗れた飯粒をべっとり踏みつけながらハシは頷いた。

フェリーボートの便数が減っていた。バスの降車場脇にあった売店が壊されている。黒い背広を着た男がキクとハシに溶けかかったアイスクリームを買ってくれた売店だ。キャンディを舐める少女が描いてある懐しい看板が土砂に埋まっていた。沖に動物の形をした島が見える。帰りたいと思ったのは、犬に会いたかったからだ。キクがプレゼントしてくれた白い長い毛の犬、ミルク。ミルクと海岸で遊ぼうと思った。犬は、ハシが百三十万枚以上のレコードを売った歌手だと知らない。ミルクは僕を憶えているだろうか？　もし僕が羽を持った虫に支配されて別人になってしまっていたらミルクはどうするだろうか？　吠えて噛みつくかも知れない、そしたら僕は虫の奴隷になってもいい、ミルクが昔と変わらずに鼻を鳴らして擦り寄って来たら、海岸へ連れて行こう、一緒に走ろう、それだけでいい、何か思い出すかもしれない。あの羽を持つ虫が誕生するずっと以前にも僕には輝やいていた時期があったのだと思い出すかも知れない。

フェリーに乗り込む。何度乗っても好きになれない重油の匂い、錆びた手摺り、破れたシートカバー、腹に響くエンジンの震動、何も変わっていない。島が次第に大きくなる。島の全景が船室の窓に収まりきれなくなってハシは甲板に出た。海は穏やかだ。波も、舳先が作る飛沫も低い。風は重油の匂いを消し潮の香りを運んで来る。彼方の沖あいの小さな緑色の点に過ぎなかったものがゆっくりと形になり輪郭を現して視界のすべてを被う景色となる。島。ハシは急速に島に近づきながら何かを思い出したかった。震動を感じながらゆっくりと近づけば小さな点が風景にまで脹れ上がる。島への接近に似たある幸福な出来事が何かあったような気がした。幸福な出来事は思い浮かばず、初めてこのフェリーボートにキクと二人で乗った時を思い出してしまった。溶けかかったソフトクリームのべとついた感触が口の中に一瞬戻った。涙が出そうになった。船は速度を落とす。桟橋にロープが投げられる。港から見える丘の中腹に無人の高層住宅が並んでいる。帰って来た、ハシは声を出して呟いた。

「ミルク！」

桑山の家に通じる坂道に差しかかるとハシは大声で呼んだ。舗装されたバス通りから家までの坂道は記憶にあったものより狭くて傾斜が滑らかだった。左側の土手のカンナの群生が途切れると小さな街灯が付いた電柱がある。電柱を三歩過ぎて振り向くと海が見える。海を眺めながら後ずさりする。右側にいくら教えて貰っても名前を憶えられなかった白い花が咲いている。白い花の匂いが一番強くなるあたりに斜めに伸びた金柑の木がある。いつも金柑の木を過ぎて、ミルク！　と呼ぶと坂道の突き当りから白い毛をなびかして犬が走ってきたのだった。ハシは同じ場所に立って何度も呼んだ。ミルクは駆けて来ない。繋がれているのかも知れない、と思った。しかし繋がれていても吠えるはずだ、ハシは不安になって坂道を最後まで上がった。

桑山のプレス機の音が聞こえなかった。庭は瓦礫と草に被われて、ミルクはどこにもいなかった。キクと二人で作った犬小屋は板が腐って蟻が巣くっている。水入れの皿が泥塗れで横に転がっている。家は全部の窓の雨戸が閉まっていた。桑山は引っ越したのかな、とハシは思った。しかし表札は下がったままだ。ガスや電気の検査済みを示す金属片が貼ってあるし郵便受けには断水の日時を知らせる紙が入っていた。桑山はいるのだ、ミルクがどこにいるのか聞かなくては。玄関の戸は錠がかかってなかった。開けてみてハシはぞっとした。家の中は真暗で酒と排泄物の混じった匂いがした。玄関から廊下に空瓶がびっしり並んでいた。ウイスキーと焼酎の空瓶。奥で咳が聞こえた。

「誰や？」

桑山の声だ。僕だよ、ハシは答えた。一瞬静かになって、片方の耳にイヤホーンを差し込んだままの桑山が現れた。

「ハシか？　ほんなことハシか？」ハシは頷いた。桑山は持っていたラジオを落とした。

「今ラジオでお前のこと喋りよったぞ、丁度、夢丸がお前のこと喋りよったところだ、夢丸と友達になったとか？」

「夢丸って誰だい？」

「若か落語家なんやが、知り合いか？」

「知り合いなんかじゃないよ」

「上がれ、上がらんか」

桑山はラジオを消してハシの腕を引っ張り家に上がらせた。ミルクは？　ハシは聞いたが、それには答えず、目が悪うなってしもた、明るかとけ出たら目の痛なる、そう言った。台所にも茶の間にも八畳の座敷にも薄暗い豆電球が点っているだけだった。

「暗かか？　電気点けてもよかぞ、おいはこいばはむるけんが」

桑山は熔接工が使うようなゴーグルをはめた。そして電気を点けた。茶の間に布団を敷いて八畳に和代の仏壇が置いてあった。

「景気の悪うなったやろ、年金も出っし、工場は閉めてしもた。プレス機は売っても安うしかならんけんそのまましとる。おととい和代の墓参りに行ったばかりやったな、そいけんやろか、そいけんハシが急に来たとやろか、和代の引き合わせやろかね？」

「ミルクは？　どこ行ったの？」

「人にやった」

「誰に？」

「下の海岸の、製塩所の守衛さんに、番犬にちょうどよかて言うて、やった」

桑山は丹前と浴衣を脱ぎ箪笥から洋服を引っ張り出して着換えた。ちょっと待っとけ、ちょっと待っとけハシ、買物してくるけん、そう言って慌てて外に出て行った。ハシは箪笥からはみ出した懐しい小さな服を取り出した。見覚えのある小さなシャツやズボンはほとんどサイズ違いで二着ずつ揃っている。キクとハシが不公平にならないように和代は同じものを買い与えた。ヨットがプリントされた夏のシャツ、チェックのカーディガン、尻に大きな染みがある半ズボンは廃墟の野犬に噛まれた時に穿いていたやつだ。

外でざわめきが聞こえた。半ズボンを持ったまま廊下に顔を出すと、ゴーグルをはめた桑山がハシを指差した。ほら見てみろ、本当やったやろが、テレビに出とるハシとおんなじやろが。島の人々が十人余り集まっていた。ハシ？　えろうなったなあ、乾物屋の老婆が大声で言ってみんなが笑った。少しずつハシに近寄って来た。和代の美容院の隣に店を出していた若い靴屋、バス通りの菓子屋、文房具屋、個人タクシーの運転手、その女房達。若い靴屋がハシに握手した。他のみんなも次々に握手を求めた。よう帰ってきた、よう帰ってきた、ハシお前は島の誇りぞ。桑山はみんなに茶碗を配っている。台所から酒を持って来た。ほんなこて、こがん言うたら何やが、同じ兄弟でなあ、えらい違いじゃ、ハシお前はおい達の誇りたい、お前が週刊誌で賞めらるると自分のことのごと嬉しかもんなあ。個人タクシーの運転手を除いてみんなが酒を飲み始めた。雨戸を閉めきって電球を点けているのでまだ日は高いのだが夜と錯覚してしまう。あんたキクには会うたね？　乾物屋の老婆が小さな声で話しかけた。ハシは首を振る。刑務所に入ったとやろ？　まじめに運動ばすればよかとにねえ。桑山は色の濃いガラスを嵌めたゴーグルのためにどこを見ているのかわからない。乾物屋の老婆の話を聞いていたようだ。キクのことは言わんでくれ、と老婆に向かって言った。キクは、恥やが、あいつは恥やろが。桑山は大声を出して茶碗の酒を一気に飲み干した。みんなが黙った。桑山が咳込む音だけが薄暗い部屋によく響いた。客達はお互いに顔を見合わせた。

若い靴屋が妙な雰囲気になってしまった座を救おうとして言った。ハシ、いっちょ歌わんや？　専門家にこがんとこで歌わすっとは失礼じゃなかやろか？　と乾物屋の老婆が気を回してそう言った。客達はハシの反応を見て、それからうつ向いている桑山の表情を探った。和代さんもハシの歌ば聞きたかったとやなかやろかね、文房具屋がそう言った。桑山は以前より痩せてまた一回り小さくなったようだ。髪の毛も更に薄くなり、血管や染みの浮き出た細い手足と首、肉のない頬や胸を見て、虫そっくりだとハシは思った。ゴーグルは複眼だ。触角と羽をつけて全身に鱗粉を塗せばそのまま電球に向かってフラフラと飛んでいってしまうだろう。桑山はゴーグルをずらして目を押さえ涙か汗を拭って、歌うてくれ、とハシに頼んだ。和代に聞かせてやりたか、和代が喜ぶと思わんか？　他の客達もそうだそうだと合槌を打った。拍手が起こった。「僕は歌わないよ」とハシは全員を見回して言った。「疲れてるし歌いたくない」桑山はそれを聞いて何度も深く頷いた。和代もハシが帰ってきただけで満足しとるやろ、いつもテレビで見とるし、歌いとうなか者に歌わせんでよか、そう言った。他の客達は桑山の言葉に曖昧に頷いた。桑山は下を向いたまま喋らなくなった。

ハシは布団が敷いてある八畳の部屋に入って机の引き出しを開け何か捜している。客達はやがて一人、二人と帰り始めた。乾物屋の老婆が席を立つと若い靴屋を除く全員が後に続いた。靴屋は済まなそうな顔をしている。中腰になって、あのう、とハシに声をかけた。あのう歌ばうたえなんて勝手言うてすまんやったね、気にせんごとしてくれよ。ハシは机の引き出しから数本のカセットテープを持って茶の間に戻り、気になんかしてないよ、と言った。ただ疲れててうたいたくなかっただけなんだから。靴屋は安心したらしく桑山に会釈してからまだ明るい外へ出て行った。

ハシはカセットテープをバッグに詰め込んだ。桑山はハシの動作をじっと見ている。驚いたよ、昔と全然変わってないんだもん、机の引き出しの中の物やなんかがさ。桑山は茶碗に酒を注ぎそれを一息で飲んだ。

「おいは他人の引き出しに触わるごたることはせん、ハシは、泊っていくか?」

「いや、帰る」

「そうか、何もなかもんなあ、東京はどがん風か? 面白かやろ?」

「面白いことなんかないよ、僕ちょっとミルクに会ってくる。ミルクに会ったらその後まっすぐもう帰るからさ、フェリーもなくなるし」

ハシは立ち上がった。桑山は何も言わない。部屋を出ようとすると、見送るつもりなのかよろけながらハシを追って来た。玄関で靴を履いているハシに桑山は声をかけた。頼りにならん父親ですまんなあ。ハシは笑いながら振り向く。どうしてそんなこと言うんだい？　桑山はゴーグルの中に指を差し込んで目尻を掻いている。お前なんか心配事のあったとやろが。ハシが玄関を出ると桑山は手を振った。ゴーグルの奥の目はどうなっているのだろう。鼻先で力なく細い手を振っている。触角と羽をもぎとられた虫が暗い穴に落ちて跪いているようだ。元気でやれよ、と叫んだ。元気でやれ、キクの分もな。

ハシは坂道を下りながら、桑山にサングラスを買って送ってやろう、と思った。あのゴーグルじゃ目の回りが痛くなるに違いない。バス通りに戻る。道路沿いに歩く。製塩所へ下りる赤土の側道を捜す。目印は赤煉瓦の建物だ。炭鉱の発破貯蔵庫跡、その横から続く赤土の道を海へ向かって下りていく。途中に大きな豚小屋と製塩所が出す石灰の投棄場がある。無人の炭住が並ぶ谷間に石灰が溶け込んだ白い沼が見える。白い沼の周囲には鉄条網が張ってある。キクとハシは沼が真白になった頃鉄条網を潜ろうとしたことがある。沼にたくさんいた食用蛙がどうなったか見たかったのだ。あんなに白く濁ってしまったのだから生き物は全部死んでいる、とハシは言った。もし食用蛙が生きていたら体中真白になっているはずでそんな蛙は珍しいから高く売れるかも知れない、キクはそう言った。二人は鉄条網を潜らずに引き返した。立入禁止の札があったからではない。臭気がひどかったからだ。蛙だろうがめだかだろうがこんなひどい臭いの白い水の中で生きているわけがない、と思った。もし生きてるとしてもさ、とハシは言った。そんな生き物を僕は見たくないな、何だか恐いよ。白い沼は真上に太陽があっても決して輝くことがない。表面には何も映っていない。製塩所は海に臨んでいる。ハシが中学校の三年生の夏に完成した。落成式の日をよく憶えている。花火が上がって全戸に紅白の餅が配られ、その日の夕方にガゼルが死んだ。オートバイで崖から落ちたのだ、キクとハシは燃えるオートバイを見に行った。ガソリンが海に流れて波打ち際で青白い炎が揺れた。キクはとても悲しんで紅白の餅を食べなかった。

製塩所の門衛に守衛室の所在を聞く。犬を連れた守衛は六時にならないと来ない、と教えられた。ハシは製塩所内を横切って海岸に出た。引き潮だ。濡れた岩を歩く。海藻を採っている老婆に出会ってハシはギクリとした。昔、あれが自分を捨てた母親ではないだろうかと怯えた乞食女に似ていたからだ。男物の股引きを膝までまくり上げ、先端を割った竹の棒で海藻を絡め採っている。岩の上に着物が脱ぎ捨ててある。灰色の、薄っぺらな着物だ。島の裏側の小さな湾に船を浮かべその中に住んでいる人だろう。とハシは思った。その人達を何度か見たことがある。みんな灰色の薄っぺらな着物を着ていた。ハシは老婆に挨拶した。老婆は顔を歪めて笑い、竹の棒を引き上げて慌てて灰色の着物を体に巻きつけた。竹の棒が濡れた岩場を滑り波に流されそうになる。ハシが拾い上げた。先端に海藻が絡み付いている。海藻の表面は虹のように光っていた。製塩所が流す油に塗れているのだ。ハシは老婆に棒を渡した。

東京から来たのかと老婆は尋ねた。どうしてわかるの？　ハシは聞いた。何となく、老婆はそう答えて笑った。僕はねえ、竹の棒を水面に突っ込む老婆の背中に向かってハシは大声を出した。僕はねえ気が狂ってるんだよ。気違いなんだよ。老婆は振り向いて真剣な顔で言った。本当の気違いはおいが気違いて言わんやろが。ハシは乾いた岩を見つけて寝転んだ。岩には潮の匂いが染み込んでいる。ハシは空に向かってまた大声をあげた。僕は気違いだ、頭と体がバラバラだ。老婆は興味深そうに近づきハシを覗き込んで囁いた。

「あんた、蝿ば食べんやったね？　蝿ば食べたろ？」

「え？」

「おいの義理の息子がちょうどあんたのごとなったとさ」

「気違いに？」

「そう、そいでいっつちゃ言いよった、蝿ば食うた、蝿ば食うたて」

老婆の話によると、一万匹に一匹の割合いで人間の顔をした蝿がいるのだそうだ。口を開けて寝ているとその人頭蝿は人間の声帯の匂いにつられて口の中に入ってしまうことがある、声帯の肉は人間の器官の中で最も甘い味がするらしい、人頭蝿を食べてしまうと人間は発狂する。頭の中で蝿がブンブン飛び回るからだ。その人間は蝿の言うなりになってしまう。どうやったら治るのかなあ、とハシは聞いた。

「治らん」と老婆は言った。

「じゃあどうすればいいんだい？」

「仲ようせんば」

「蝿と？」

「そう、蝿と仲ようせんば、よう話し合うて仲ようなったらよか」

老婆はそう言って笑った。

遠くで犬が吠えた。ハシは叫びながら起き上がった。ミルク！ミルク！ミルク！彼方の防波堤の上に白い点が現れた。ミルク！ここだ！ハシは走り出した。濡れた岩で滑り転びそうになった。ミルクは背の低い男に鎖で繋がれていた。鎖をピンと張り後足だけで立ち上がって吠え続けている。背の低い男が鎖を外した。白く長い毛をなびかせてミルクは一直線に駆け出した。防波堤から岩場に跳び降り、波飛沫を避けて恐しい勢いで近づいてくる。美しい白い毛が夕日を透かして輝く。ハシは両手を拡げてミルクを迎える。そうだ、何一つ変わっていない。

28

少年勇洋丸は函館港第二区の海上でエンジンを停止している。港内での実習訓練である。

六名の機関科訓練生はエンジンの点検、九名の甲板科訓練生は二班に分かれて海図実習とロラン波及びレーダー測定、海上法規の口頭試問を行なっている。大声で甲板科を指導しているのは少年勇洋丸船長の江田だ。江田は海上保安庁出身の無口な男で、体はそう大きくない。街中を歩いていたら養老年金を受けて毎日流動食しか採っていない貧弱な年寄りにしか見えないが、船に乗り込むと顔付きまで違ってくる。刑務所内で授業をする時の江田の目蓋は重くたるんでいる。皺が何本も入った目蓋は厚く痒いのか小指の先で引っ掻くのがくせだ。船に乗って海へ出ると江田の目蓋はクルクルとめくれて鋭い眼球が現れる。声も格段に大きくなるが時々船舶職員養成の情熱に老いた体がついていけなくなる時もある。普段は無口で授業や訓練以外ではほとんど口をきかない。江田の他には機関長と看守が二人、それに田所補導部長が同乗している。

エンジンを停止した少年勇洋丸は上下にかなり揺れる。キクは狭い船室で山根達と海図を囲み、チャートワークの実習をしている。針路、速力、実推測位置、方位、日出没時、潮時潮汐、潮流潮速の記載訓練。上下動の激しい船室で机上作業を続けると気分が悪くなる。キクと山根は揺れに弱かった。山根が三角定規とデバイダを放り出して外の風に当たろうと船室を出ようとする。「山根、どこに行くんだ?」江田船長が声をかける。山根は真青な顔をして、「外へ出て函館山山頂の雲の様子を見ようと思ったのであります」と嘘をつく。「バカタレ、チャートワークを続けろ」青い顔で吐気をこらえる山根やキクを見るのが江田船長の最大の楽しみなのだ。海図に神経を集中していれば船に酔ったりは、せんはずだ、船酔いしても死にはせんが、海図がわからんと海の真中で死んでしまうんだぞ。中倉はサルベージ船に働いていただけあって揺れには強い。船が揺れてると思わなきゃいいんだよ、とキクや山根に教える。船長が言ってることはな、正しいんだよ。船の動揺を忘れるんだ、シャバのことでも女でもいいから他のことを徹底的に考える。徹底的にだぞ、そしたら酔わない。船酔いの兆候としてはまずこめかみが痺れてくる。口の中が乾き生唾が喉を這い上がる。キクは吐気に耐えてトラバース表を読んでいる。我慢できなくなると、うっと呻いて顔を上げる。遠く海面を眺めて吐気が収まるのを待つ。隣で潮時潮高の計算をする林は全く平気な顔で、中倉の肩を突つきキクを指差して笑い合っている。青い顔で窓から遠くを眺めたままのキクに中倉が、おいキク、声をかけた。キクは顔を上向けたまま中倉を見る。

おいキク、ダチュラって何だ？　キクは眉に皺を寄せた。知らん顔をする。でかい声で寝言いってるぜ、きのうなんか夜中うるさくて眠れやしねえよ、最初何て言ってんのかよくわからなかったが、あれだけ何回も言やなあ、何だよ、ダチュラって、これか？　中倉はそう言って小指を立てた。女にしちゃ変な名前だな。

キクは返事しないでまたトラバース表に目をやる。トラバース表とは航行距離と針路によって経緯度の差を読みとる時に使用する。十八・五ノットの船が百十九度の針路で四十五分間航行した、経差、緯差をトラバース表を使って求めよ。なあキクって、ダチュラって何なんだよ。

中倉の顔を見ると世の中には健康状態や気象の僅かな変化で人を殺せる人間がいることがよくわかる。林からも似たような印象を受ける。山根も同じだ。落下中のガラスの写真を思わせる。背景が流れ支えるものがないために落下しているのだとわかるガラスの写真。次の瞬間には割れているという予感、どんなに考えても原因は不明だが、まばたきした次の瞬間にはもう刃物を相手の喉に突き刺しているだろう、そう思わせる顔だ。

雨が降り始めた。昼食の時、中倉達がしつこくダチュラの意味を聞くので、キクは女の名前だと嘘をついた。本名かどうかは自分も知らない。昔ファッションモデルをやってたのでその時の芸名だろう、そう答えた。林が、水上スキーの教師やってた頃俺もファッションモデルと一発やったことがある、と自慢した。いくら脚が長くてもあれをやる時は関係ないね、脚抱えると重くてさ、犬の格好でやると腿が長いからケツが高く上がりすぎて、オチンチンが届かないんだよ。

午後は応用実習が行われた。昔は漁労だったが、イカの激減のために四年前から水葬になった。水葬といっても死体をそのまま海に投げ込むのではない。一旦死体を焼いて骨を十五センチ立方の鉛の箱に入れ、それを海に沈めるのである。墓を買えない人々の間でこの方法が流行している。この作業の時には宗教教誨師が少年勇洋丸に乗り込む。鉛の箱には番号と名前が刻まれている。港で、手渡しで一箱ずつ積み込み大鼻岬に向かった。船倉にびっしり詰まった鉛の箱のために重くなった勇洋丸は満載喫水線まで沈んでいる。大鼻岬を少し過ぎたあたりに公営の海中墓地がある。陸上の詰所に係員が一人いる。黄色いロープが海面を台形に仕切っている。浮標が四本あってこう書いてある。黄色いロープ内を航行し、また理由の如何を問わず物を投棄した者は市の条例により罰せられる。詰所からの許可が出て墓地内に入った。江田船長が、エンジン停止、投錨を指示する。訓練生は全員合羽を着けて甲板へ整列した。船倉から箱を取り出す。一箱ずつ持ち足許に置いて合掌した後に海へ投げる。宗教教誨師が祈り始める。天よりの光差し込む母なる海に抱かれ波騒ぐ神の声聞きて安らかな眠りに就かれんことを。

キク達四人は、鉛の箱を遠くへ投げるのを競う。砲丸投げの要領だ。最も遠くへ投げるのはやはり山根で、キクは合羽が体にまとわりついて投げにくい。波のない海面に細い雨が吸い込まれる。雨が落ちてくる空も、対岸の港も沖合に発生しこちらに流れてくる霧も、二人の看守が火をつけた線香の煙も、受刑者の合羽も鉛の箱もすべて灰色だ。海面で箱が起こす飛沫だけが一瞬白く浮き上がる。

鉛の箱がすべて沈められた。看守が花束を投げる。港へ戻る、エンジン始動、訓練生は全員配置につけ、江田船長が怒鳴る。キクと中倉は船首で錨を引き上げる。船は港へ向かって動き始める。

キクは対岸の防波堤を見る。一点を見つめて素早く手を振った。中倉が気付いて、何だ？と聞いた。キクは小指を立てた。女か？　キクは頷く。中倉は対岸を見た。あの赤い傘がそうか？　キクはもう一度手を振った。中倉も一緒に手を振る。対岸の防波堤の上、じっと立っている赤い傘があった。レインコートを着て双眼鏡で少年勇洋丸を追っている。アネモネ。何だキクの女は函館に来てるのか？　林と山根が防舷用の古タイヤを抱えて船尾に来た。あそこにキクの女が来てるんだ、と中倉が教える。なあみんなで名前を呼んでやろうぜ、女喜ぶよきっと。中倉がそう言って、林と山根が頷いた。叱られるぞとキクが止めたが、三人は手を振りながら一斉に大声を出した。

「ダチュラ!」

アネモネは嬉しそうに赤い傘を大きく振って応えた。

キクは手紙を書いている。いよいよ一週間後に実習航海が始まります、八泊九日の日程です。いよいよ港の外に出るのかと思うと胸がわくわくします。寄港地はこの前書いた通りです。変更はありません。アネモネ殿。

キクは雑居房の窓から差す陽が畳を熱くするのに気付いた。じっとしているだけで体中に汗が吹き出るのに気付いた。はっとして窓にとびつき眩しい光と濃い影だけの景色を見て、夏だ! と叫んだ。ぐったりと横になっている中倉が、アホか、と呟き、林と山根が笑う。とぼけた野郎だな。もうとっくに夏じゃねえか。キクは頭を掻きながら雑居房の壁を何回も蹴った。うるせえぞ何はしゃいでるんだ。山根が不思議そうな顔でキクを見ている。いやあ夏を忘れてた、とキクは言った。夏が好きなんだ俺は。中倉が寝返りを打って舌打ちする。アホが、刑務所の夏は最悪なんだぞ、窓を見てみろ窓を、網戸がないだろうが、寝汗をびっしょり掻いて蚊にいっぱい刺されて、地獄だよ。

看守が監視窓を開けてキクを呼んだ。桑山出ろ、面会だ。面会? くそお、毎週じゃねえか、中倉が体を起こしてぼやく。ダチュラのねえちゃんいい娘だなあ。キクが制服の釦をはめ直して出ようとすると、看守が言った。

「桑山、弟らしいぞ」

弟？　ハシか？　キクは足を止めた。看守が頷く。週刊誌によく載ってる顔だよ、歌手なんだってな。「会いたくない」キクは雑居房に戻ろうとした。看守がその腕を摑む。「会ってやれ、弟は、病気なんだそうだ」

面会室にハシはいなかった。目と眉の吊り上がった大柄な女だけで部屋を違えたかなとキクは思った。顔を引っ込めようとすると、あの、あたしハシの、と女が呼び止めた。いつかテレビにハシと一緒に出ていた女だとキクは思い出した。ハシが結婚した女だ。キクは椅子に坐らず立ったままだった。さっきまであたしとここで待っていたんですが、目と眉の吊り上がった大柄な女は低い声でいった。暗い赤を塗った唇を擦り合わせ、どうか坐ってくれというようにキクを見上げ手の平で椅子を示した。あなたの声と足音が聞こえたら、引き止めたんですけれど、手洗いに行くと言って、きっと恐いんだと思います。ハシはあなたと会うのが恐いんです。ニヴァが体を動かすと煙草と香水が交互に匂ってくる。キクは黙っていた。ニヴァは両手をハンドバッグの下に置いて天井を見上げたり出口の方を振り向いたりした。ニヴァは金網の仕切りが有難かった。錆びた金網が息苦しさを少し吸い取っている気がする。あんたは誰なんだ？　キクが言った。ニヴァは一瞬肩を震わせて顔を上げた。あたしはハシの妻です、静かに、はっきりと答えた。ずっと泣き出しそうな表情だったがその一言で気を取り直したようだった。ハシはとても疲れてるんだと思います、先月の終わり頃からそんな素振りを見せ始めて、ずっと何ヵ月も演奏旅行をやってたんですが、舞台の上では今までと変わらないように見えました、最初は、コンサートの興奮がなかなか冷めないんだろうってスタッフとも話していたんですが、そのうちあまり話をしなくなって、一日中イライラしてるんです、九州に行った時、ちょっと帰省したいと言うものですから、お父様のところへやりました、それで帰ってきてから大分元に戻りかけていたんですが、また眠れないと言って睡眠薬の量が前より増えてるんです、医者は精密検査をした方がいい、仕事を休んだ方がいいと言います、残っている公演もあと僅かなのでキャンセルして旅行でもしようかと言うんですが、どこへも行きたくないらしいんです、演奏旅行の日程を増やしてくれと逆にそう言います、コンサートがなくなると、死んでしまうと言うんです、舞台に出る時はいつも同じハシなんですが、その他は一日中部屋に閉じこもってます、何か独り言を言いながら部屋の隅でじっとしています、話しかけても返事しないし、最近じゃ部屋の窓に黒い紙を貼って薄暗くしています。

「部屋で、何してるんだ」

テープを聞いてるんです、歌手ですからテープを聞いても変じゃないんですが、その、テープが、動物の鳴き声とか雨垂れや風やヘリコプターの音とか、故郷の島から何本か持ってきたんですが、映画やテレビに使う効果音のテープを新しく買い込んで、そればかり聞いています、おとといです、あなたに会いたいと言い出しました、理由は話してくれません、あたしにはもう何も話してくれないんです。

キクの顎がゆっくりと角度を変えた。面会室の出口を向いた。気配に気付いてニヴァも振り向いた。ハシは駝鳥の羽で作った白いジャケットを着て立っていた。ポケットから透明なプラスチック板に密封された白い錠剤を取り出した。封を切って手の平に錠剤を乗せ口に放り込もうとした時ニヴァが飛びついて腕を摑んだ。だめよハシ。一錠こぼれて面会室の床を転がった。楕円形で、米粒みたいだ、とキクは思った。ハシは残りの何錠かを握りしめているようだ。ニヴァがその手をこじ開けようとしている。キクは立ち上がった。椅子が倒れてその音でニヴァがこっちを見た。キクは出口の扉を叩き、看守を呼んだ。ハシ達の方を一度も振り返らずに外に出た。いいのか？看守が聞く。黙って頷いたキクは歩きながらすべての思いを振り払おうとした。女と揉み合っていたハシの青白い顔を頭から追い出そうとした。ハシのあんな顔は見たことがなかった。何て顔だ、キクは小さく呟いた。今にも鼻や口や耳から血が染み出てきていつかの和代と同じように太腿や腕が硬くなってしまいそうな、いやな顔だった。二度と見たくない。いやな顔だ。でもあいつは自分が悪い、自分のせいだ。頭に浮かんでくるハシの細い腕を消そうとしていると、背後で叫び声が聞こえた。

キク！

バカ野郎、そう呟いてキクは歩き続ける。呼んでるぞ、いいのか？　看守がいった。

キク！

ハシの短い叫び声は廊下の両側に並ぶ独房の扉を引っ掻きその中から響いてくるような気がした。通り過ぎる独房の一つ一つに怯えたハシの複製が坐って休みなく呼びかけている、そんな気がした。キクは立ち止まった。ハシの叫び声が途切れた。キクはぞっとした。目や鼻や耳や口から血を吐いて倒れ既に全身が硬くなってしまったハシを思い浮かべてぞっとした。面会室へ走った。ハシ、死ぬなよ、と思った。全力で走った。看守が錠を外すと弾けるように中に飛び込んだ。ハシは動物園の猿のように金網にぐったりと貼り付き目だけを大きく開き音をたてて何かを嚙み砕いていた。舌と歯の隙間から唾液に塗れた白いものが見える。さっきの錠剤だな。横に突っ立って顔を手で被っているニヴァに、ハシは顎を振って、出て行けと合図した。ニヴァはハシとキクを交互に見てどうしようかと迷っているようだった。

出て行けよ！　ハシは怒鳴った。白く濁った唾液がニヴァの顔に飛んだ。ニヴァは悲しそうな表情で唾液を拭った。肩が震えている。ニヴァはキクの方を見た。キクは突然二人の女を思い出した。和代と、キクを捨てキクに殺された女だ。二人共今のニヴァと同じ表情の時があったと思った。出て行け！　ハシがもう一度怒鳴った時キクは金網越しに殴りつけた。金網にぴったり顔を寄せていたハシは壁まで吹っとんだ。驚いて駆け寄ろうとするニヴァに、悪いけど二人きりにしてくれ、キクは言った。ハシは倒れたまま目を擦っている。金網の錆粒が目に入ったらしい。よろけながら起き上がった。ジャケットの袖で唇を拭って丸椅子に坐った。駝鳥の羽が一枚唇に貼り付いている。

「なぜ、殴った？」

「お前女に威張り散らして楽しいのか」

「僕、痛くないよ、体が麻痺してるんだ」

ハシは下を向いたままだ。下を向いたまま喋りだす。元気そうだね、キクに殴られたの生まれて初めてだ、他の奴を殴ったのはよく見てきたけど、キク、会いたかったよ。ハシは言葉を切る瞬間にキクを見た。訴えるような目だ。低い声で喋り始めてゆっくりと恐る恐る相手を見る。相手の表情を探る。この人は僕のことが好きか、嫌いか、優しいか、意地悪をしようとしてるか、一瞬のうちに判断する。乳児院以来周囲の大人達と付き合う中でハシが身につけた護身術だ。

「キク、僕ってどんなだったっけ、よくわかんないんだ、僕ってどんなだった?」

「それより、お前は何しに来たんだ」

「僕は変わったかな? 変わったと思う? あの頃と比べてやっぱり変わったのかな、ほら二人で見に行ったじゃないか、高校の受験の発表だよ、和代が一緒に行きたがってそれでも血圧が低いから朝風呂に入るとかグズグズしてたから僕らだけで行ったろ? 確かバスがなかなか来なくて役場のジープに乗せて貰ったんだよね、そうでしょ? 憶えてる?」

「お前、島へ帰ったらしいな」

「うん、ニヴァに聞いたの?」

「ミルクは元気だったか?」

「ああ、僕のこと憶えてたよ、きっとキクのことも憶えてるよ、そうだ、乾物屋のおばあさんが言ってたな、僕は島の誇りなんだって、キクは島の恥なんだってさ」

キクは黙った。ハシは唇の端を歪めて微笑んだ。

「僕、キクがもっと参ってると思ってたよ、元気そうだったんでびっくりした、裁判の時なんか元気なかったじゃない? だからもっと参ってると思ってた、きっと参ってるだろうから一緒に考えようと思ったんだ、昔、二人で聞いただろ? 医者の部屋でさ、音を聞いたろ? キクは知らないんだよね」

「知ってる」

ハシは驚いて顔を上げた。

「音を聞いたのを思い出したのかい？」

キクは頷いた。

「どんな音だった？」

「今はもう忘れたよ」

「いつ思い出したの？」

「あの女を撃ってからだよ、ずっと聞こえてた、今はもう消えたけどね」

ハシはそれを聞いてブルブル震えだした。目を大きく開いて落ち着きがなくなり、慌ててポケットから錠剤を取り出し嚙み砕いた。

「僕ね、恐いんだ、自分が誰なのかわからなくなる時がある、鏡を見ても誰だろうと思ってしまう、体が二つに裂けて別々に動いてる感じなんだ、僕は、一万匹の中に一匹しかいないっていう人間の顔をした蠅を食べてしまったんだよ、その人間の顔の蠅はあんまり悪いことをしたんで蠅にされた前世の犯罪者なんだ、僕の頭の中で飛び回って僕を支配しようとしている、そうか、やっぱり殺さなきゃいけないのか、僕はね、あの後一回しかあの音を聞いてないんだ、佐世保の川沿いの公衆便所でね変態の浮浪者からいたずらされてね、そいつの頭を煉瓦で殴って殺して以来、聞いてないんだ、頭の中の蠅はね、ひどいことを僕に命令する、舌を切れとかね、少女の肛門にチエーンを突っ込めとか、舞台に上がってきたファンをマイクスタンドでぶん殴れとかね、でもみんなそうやればうまくいくんだ、僕はね、体が二つに割れて頭がいつも痛くてわけのわかんないものに怯えてるだろう？　だからあの音を聞きたいんだ、どうしたら聞けるのか考えていたら、蠅が教えてくれた。一番愛してる者を殺さなきゃだめだって、愛する者を犠牲にして初めて望みが叶うんだって、その証拠に僕のあそこを舐めた変態の浮浪者を僕は愛していたかも知れないんだよ、そいつの頭を殴って殺して初めてあの音を聞けたわけだからね、そうか、キクもそうか、あの人はキクのおかあさんだったんだろ？　その人を殺してあの音を聞いたんだね、やっぱり蠅の言うことは正しいんだ、愛している人間を殺さなきゃいけないんだ、この世の中を支配してるのは優しい神様なんかじゃなくて、犯罪者の王なんだ、だからそいつから何か教えを乞うためにはひどいことをしなきゃいけない、そうか、やっぱりそうか、僕はニヴァを殺さなきゃいけないんだ、ニヴァはね、今、僕の子を妊娠してるの、だからニヴァを殺すと腹の子まで殺すことになって、僕はきっと、二回もあの音を聞けるよ、そうでしょ？　キクもそう思うだろ？」

看守が、時間だ、と言った。ハシはさっと立ち上がり、出て行こうとする。ありがとう、キクよくわかったよ。看守がキクにもう一度、時間だぞ、と言う。キクはわけがわからずに茫然と坐っている。さよならキク、元気でね、ハシは面会室を出た。

「待て！　待て！　ハシ」

看守がキクの腕を摑む。時間なんだ桑山、既に三分も超過してる。キクはニヴァを呼ぼうと思った。名前を知らない。おばさん、おばさんと叫んだ。ニヴァが現われた。ハシがとても喜んでました、ありがとうございます。看守がキクの腕を引っ張り連れ出そうとする。

「あいつは、ハシは狂ってる、どうしたんだ？　誰があいつをあんなにした、あいつは完全に狂ってるぞ」

看守が二人面会室に入ってきて、キクの両脇を摑んで引き摺り出した。ニヴァは立ちつくしている。キクは廊下を引き摺られながら、一体どうしたって言うんだ、と呟いた。あいつはあいつなりに必死なんだ、とキクは思った。ハシが可哀相でならなかった。怒りが込み上げてきた。会ったこともないような奴らがよってたかって俺達に勝手なことを言う、そうだ何一つ変わっていない、俺達がコインロッカーで叫び声をあげた時から何も変わってはいない、巨大なコインロッカー、中にプールと植物園のある、愛玩用の小動物と裸の人間達と楽団、美術館や映写幕や精神病院が用意された巨大なコインロッカーに俺達は住んでる、一つ一つ被いを取り払い欲求に従って進むと壁に突き当たる、壁をよじのぼる、跳ぼうとする、壁のてっぺんでニヤニヤ笑っている奴らが俺達を蹴落とす、気を失って目を覚ますとそこは刑務所か精神病院だ、壁はうまい具合に隠されている、かわいらしい子犬の長い毛や観葉植物やプールの水や熱帯魚や映写幕や展覧会の絵や裸の女の柔らかな肌の向こう側に、壁はあり、看守が潜み、目が眩む高さに監視塔がそびえている、鉛色の霧が一瞬切れて壁や監視塔を発見し怒ったり怯えたりしてもどうしようもない、我慢できない怒りや恐怖に突き動かされて事を起こすと、精神病院と刑務所と鉛の骨箱が待っている、方法は一つしかない、目に見えるものすべてを一度粉々に叩き潰し、元に戻すことだ、廃墟にすることだ。キクは思い出したように突然、ハシ！　と叫び面会室に走ろうとした。看守が引き留める。キクは思い出したように突然、心臓の音だ、聞こえるかハシ！　お前を産んだ女の心臓の音だぞ！　キクの声は廊下中に響き、桑山、狂っているのはお前の方じゃないか、看守がそう言って笑った。

アネモネは岸壁に立って双眼鏡で少年勇洋丸が港を出ていくのを見ている。キクはどんな方法で脱走するつもりなのだろうか？

二日前にケーキ屋を辞めた。ノリ子ちゃんが寂しいと泣いてくれた。同僚四人で送別会をしてくれた。レストランの隅っこを借りて、一人一人がプレゼントをくれた。ハンカチのセットとかキーホルダー。ノリ子ちゃんは色紙でカバーをつけた本をくれた。この本に出てくる女の子がアネモネにちょっと似ている、と言った。若くして金と名声を得た小説家の妻になり遊び回って発狂するゼルダという名前の女の子だ。どこが似てるの？　アネモネは聞いてみた。あたしは頭が悪いけど気が変になったりはしないわよ、どこが似てるのかしら？　ノリ子ちゃんはしばらく考えてから、まずあんたもゼルダも美人だし、と言った。自分じゃ頭悪いって言ってるけどあんた頭いいと思うわ、きれいだし、でもね、何か欠けてるような気がするのよ、大事なものがね、ショートケーキにバニラエッセンスを入れ忘れたようなもんでさ、ノリ子ちゃんは杏仁豆腐を食べながらそう言った。でも誰だって何か欠けてるんじゃないの？　完全な人っていないんじゃないの？　同僚の一人が口をはさんで他のみんなも頷いた。そんな意味じゃない、ノリ子ちゃんは緑色の寒天を喉に詰まらせ咳込んでから話を続けた。端で見ていてさ、バカだなあと思って憎たらしくてきっと不幸になるぞとわかってても心の底でうらやましくてしようがない女っているじゃない？　アネモネってそんな女なんじゃないかなあって思うの、そんな女だったらいいなあってね。アネモネは何となく賞められたような気がして、ありがとう、と言った。ありがとう、でもあたし狂ったりしないわよ。

キクが指示したことは全部済ませた。まず十数着の私服を用意すること、なるべく目立たない車を少年勇洋丸の寄港地のすぐ傍に置きそれがキクに一目でわかるように工夫すること、食料と水、そしてモーターボート、でかいやつ、東京に近いありふれた市民ハーバーに係留させてダイビング器材を積んでおくこと。

少年勇洋丸は遥か沖合に進み見えなくなった。アネモネは汗で肌に貼り付いたブラウスのポケットからキーを取り出し指でクルクル回しながら車に向かう。四輪駆動のランドローバーだ。車体は赤で、横腹にＤＡＴＵＲＡ、と描いた。キクはどうやって脱走しようというのだろう、エンジンをかけてアネモネは勇洋丸の最初の寄港地へ走りだした。

窓を開ける。下着まで汗でびしょびしょだ。路面は焼けて遠くの景色が歪んで見える。この季節になると鰐は大喜びで尻尾を水に叩きつけたものだった。キクと初めて会ったのも夏だった。ノリ子ちゃんがくれた本が助手席に置いてある。キク達の少年勇洋丸が出港するまで退屈だったのでちょっと読んでみようとしたが、字が小さくて頭が痛くなり、すぐに止めた。窓からの風で本のページがめくれた。信号が赤になった時アネモネは右ページの一行目を読み、気に入って、声に出して呟いた。まじめな女の子には魅力がないから、あたしはまじめになりたくないわ。

29

ニヴァは妊婦のためのヨガ教室に通い始めた。公演旅行がすべて終わり新しいレコード吹き込みまで三週間の休暇となったハシはひどい脱力症状に落ち込み、今まで以上にニヴァを疲れさせた。ストレスと睡眠不足による流産を恐れたニヴァは薬に頼らない精神安定をヨガに求めたのである。ハシは部屋を暗くし寝椅子を持ち込んで一日中横になったままで何もしなかった。誰かが僕を追い駆けてくる、と訴えた。でも逃げてもしようがないんだ、いずれ摑まる、そんなことを言った。しかし今のところハシは無害だった。暴力を振るうこともなかったし自殺を企てる気配もなく、僅かだが食事も摂っていた。コンサートツアーの疲れが溜まっているのだとまだニヴァは信じていた。ハシの状態を聞いたミスターDは精神病院に入れろとニヴァに勧めた。精神病院でのハシをテレビで紹介するのだと言った。最近下降ぎみのハシのレコードセールスが、発狂という話題で上向きになるだろう、Dはそう思っているらしい。

トオルと松山が訪ねて来た。ハシは珍しく暗い部屋から出てきて二人を歓迎した。トオルはプレゼントを持ってきた。ハーモニカだった。元気がない時は楽器を演奏するのが一番いいんだぜ、トオルがそう言った。ハシは喜んで早速吹き始めた。Gのブルース。松山は壁に飾ってあったギターを弾き、トオルは床に転がっていたボンゴを叩いた。突然のジャムセッションだったがニヴァは嬉しくて泣きそうになった。ハシは目を閉じ気持ち良さそうにハーモニカを吹いている。こんなハシを見るのは久し振りだった。演奏でハシが甦るのならまた早い時期にコンサートを組んでみようか、と思った。トオルがブルースに乗せて、汽車でドサ回りを続ける売れない芸人の歌をうたう。俺は深夜の無人駅でキャンバス地のボロ鞄を汽車の屋根から降ろす、夜露で光るプラットホームのコンクリートにそっと降ろす、そっと扱わないと中のクラリネットがだめになっちまう、そうでなくてもマウスピースにはひびが入ってるのに、クラリネットがもし割れたら、俺はインデアンナイフで喉をかき切るだろう、俺からクラリネットを取るとただの喘息持ちのO脚のオイボレになってしまう、汽車の尾灯が遠ざかっていく、灯は二つ、赤と青、赤い灯は俺の心、青い灯は昔の恋人の心だ、二つ並んだままどんどん俺から遠ざかっていく。

ニヴァが拍手するとトオルは照れて笑った。なあハシはいつハーモニカ練習したんだよ、トオルが聞いた。ハシはその声が聞こえないほど夢中になって吹いている。今度のコンサートではハーモニカ吹けばいいじゃないか、松山が言った。ハシは小さく頷いた。「ミッドナイト・ランブラー」のフレーズを恐しい速さでハシは吹き続けた。ニヴァは、少し背を丸めてハーモニカに息を吹き込むハシを見ていて、ずっと忘れていた気分が戻ってくるのを感じた。初めてハシの歌を聞きハシに抱かれた時の気分、自分を許し自分を解放し自分に対して優しくなれるということ、あの時のハシは発光体だった。誰の力も借りずに輝き、ニヴァは柔らかい光の膜に包まれるのがわかった。遥かに年下の男がそんな磁力を発するのが不思議でならなかった。あの時ふいにこの若い男はあたしの知らない地獄を通過してきたのではないかと思った。地獄の記憶を柔らげようとする波が常に起こっていてそれが他人にも及ぶのだろうと思ったのだ。今はそう思わない。ハシは地獄を見たり通過してきた人間ではない。自分の中に一個の内臓として地獄を飼っている人間だ。声帯の震えで自らの地獄を照らしだし吐き出して何とか均衡を保ってきたのだ。「ああ、ちょっと俺疲れて来たなあ」とトオルが言い松山も頷いた。お茶でも入れるわ、ニヴァは台所へ行って湯を沸かした。ボンゴの音が聞こえなくなり、ギターも止んだ。ハシのハーモニカだけが鳴っている。よほど嬉しいんだわ、とニヴァは思った。リンゴ茶を用意していると松山が台所に入って来た。松山は下を向いて悲しそうな顔をした。ハシはどうしちまったんだい？　そう言った。ちょっと疲れてるのよ、でもあなた達来てくれてよかったわ、あんなに元気になったのも久し振りなのよ。松山は首を振って、あいつは元気じゃない、異常だよ、と呟いた。ちょっと見て来いよ、あいつ、唇が切れて血だらけで吹いてるんだぜ、トオルが止めろって言っても聞きゃしないよ。松山とニヴァはハシのところに戻った。トオルはソファに坐って両手を上げ、どうしようもない、と示した。ハシの口の周りは真赤だった。ハシ！　ニヴァは叫んだ。反応はない。腕ずくで止めさせようか？　トオルが言った。このままだと唇がベロベロになって飯も食えなくなるぞ。ニヴァが頷いた。頼むわ。トオルはハシに近づいてハーモニカに手を伸ばした。ふいにハシはトオルの腹を蹴った。後に回りこんだ松山に気付いたハシは窓際に寄って壁を背にした。トオルが飛びかかった。髪を摑んで床に倒す。倒れてもハシはハーモニカを唇に強く押し当てて離さなかった。松山はハーモニカを奪おうとする。ハシは音を出し続けている。声と共に出る不協和音で、ニヴァは耳を押さえた。絞め殺される動物の鳴き声のようだった。松山は額に汗を浮かべているハシからようやくハーモニカを奪い取った。ハーモニカは血に塗れていた。バカ野郎、どうしたって言うんだ、松山は泣きそうな声でハシに言った。ハンカチでハシの唇を拭いてやった。そんなに馬鹿みたいになっちゃだめだよ。ハシは皮が破れた唇を動かして天井を見つめたまま言った。

「ポップスターってこんなもんじゃないのか」

夜、ハシは窓から外を眺めていた。ニヴァはハシを病院に入れる方がいいのだろうか、と考えている。松山もトオルも治療を勧めた。外国の精神病院に入れればいいんだよ。どこの病院に入ってもミスターDは捜し出し新聞記者とテレビカメラを送り込むだろうとニヴァは思った。ハシはもう身を隠す場所などないのだ。ハシは身を潜める権利を売り払って有名になったのだ。ハシを救えるのは自分だけだ、とニヴァは思った。あたしはハシが抱えている地獄に付き合わねばならない、ハシと共に戦わなければいけない、そんなことができるだろうか、恐らく今は地獄に呑まれようとしているハシとあたしは戦わなくてはいけないんだわ。

ハシは表の道路の一点を見つめている。路上に灰色の染みがある。轢き殺された猫か犬の死骸だ。体型から判断すると猫だろう。ハシは長いことじっと見つめていたが、ふいに部屋を出て行った。何をしに行ったかニヴァにはわかる。猫の死骸を道路から剥がし埋めに行ったのだ。これまでにも何度か蛾やゴキブリや鼠の死骸を埋葬したことがある。しばらくしてハシは真青な顔色で戻って来た。ニヴァは無視して寝室に入った。妊娠中の注意を書いてある本を読んでいたがいつの間にか眠ってしまったようだ。

異様な気配で目を覚ました。ベッドの横にハシが立っていた。ニヴァは恐しくて声をあげそうになった。ハシは全身が小刻みに震えていた。ニヴァは勇気を振り絞って睨み返した。ニヴァ、僕の子供は元気か？　ハシは小さな声で聞いた。僕の子供は死んだ方がいいと思わないか？　僕は子供にお手本を見せたり相談に乗ってやったりとてもできないよ、ニヴァ、僕の頭の中にはね、蠅がいるんだ、人間の顔をした蠅だ、そいつが命令してるんだよ、ニヴァを殺せって、あのね、ある音があるんだ、僕はその音を聞きたいんだ、キクも言ってたけどね、その音は愛する人を殺さないと聞けないんだよ、愛する人を殺してひどい罰を受けて、人間の顔をした蝿と同じ仲間にならないと聞けないんだ、僕はその音を聞くために産まれてきたんだ、猫の死体を花壇に埋めてやったから、そうだ蛾も植木鉢に埋めてやったから、ニヴァと子供を殺しても罰が軽くなるだろう、僕の子供は、死んだ方がいいんだ。

ハシは首筋に鳥肌を立てて大きく脹らんだニヴァの腹のあたりを見ていた。ブルブル震えている。殺したくない、殺したくない、ニヴァ、殺したくないけど殺さなきゃ音も聞けないし僕は人間の顔をした蝿になれない、蝿の顔をした人間にされてしまう。大きく開かれたハシの目は充血して濁り、ニヴァは恐怖で口がきけなかった。必死で恐怖と戦った。声を出そうとした。喉がヒリヒリ痛んで声は出ない。ニヴァは殺されてもいいと思った。胎児と一緒に死んでもいいと思った。ハシを愛していない、と感じた。今までの恐怖はハシを殺人犯にしたくないという思いから発していることに気付いた。体が急に軽くなった。ハシの顔が醜いと思った。下腹から突き上げるものが喉を擦り抜けて口から飛び出した。ニヴァは叫んでいた。あなたの子供は死ななないわよ！　ハシはギクリと身を固くした。あなたの子供は死なないわよ、たとえ卵のままドブに流されても、生き残るわ、コインロッカーで生き返った男の子供よ、絶対に死なないわよ、そして大きくなってあなたのところへやって来るわ、蠅になってしまったあなたのところへ現れて、あなたを足で踏み潰すだろうと思うわ。

30

太平洋へ出た少年勇洋丸は本州沿岸に沿って南下を続けた。受刑者十五名、職員は船長、機関長、甲板長、無線局長、補導部長、看守二名、の七名、合計二十二名が乗っている。甲板科の九名が交代で操舵する。操舵室には六名が詰めている。江田船長と無線局長、訓練生は一名が舵をとり一名がレーダーその他の航海計器を見て、二名が海図を読む。キクは二日目に舵を握った。山根が航行レーダー、方向探知機の係になり中倉と林が海図に向かっている。以前の実習航海はイカ釣等の漁労訓練が主だったが、漁協との話し合いの結果廃止となった現在では、操船、航海技術の習得を目標とする訓練に変わっている。

操船訓練の一つに人命救助作業がある。自船から乗組員が落水した時の処置。江田船長が中倉に船位を問う。東経百四十二度三十九分、北緯四十度四十四分。ふいに甲板員が伝声管で人命救助訓練の開始を伝えてくる。「右舷落水者あり」了解、とキクは叫んで、エンジンを中立にし右に大きく転舵する。自船のスクリュープロペラで傷つけないように、落水者から船尾を離すのである。再びエンジンを微速前進とし、落水者を海上に確認して救命浮輪を投下する。落水者を常に視認しつつ風下より救助に向かう。落水者の二十メートルから三十メートル手前でエンジンを中立にし、惰性によって接近する。必ず落水者が右舷側になるように静かに接近する。落水者の替わりに赤いビーチボールが浮いている。キクは失敗した。風波の影響を考えに入れなかったのだ。港内での訓練と違って外洋では風波が強い。落水者に接近する時は必ず左舷に風波を受けるようにしなければならない。キクは右舷から受けてしまった。右舷から風波を受けると船は落水者からどんどん遠ざかってしまう。

「どうした桑山、難しいか？」江田船長が笑いながら聞いた。キクは、こんなに風波が強いとは思わなかったと、弁解した。江田船長は林に、天気図を読ませる。林の報告、小笠原方面に安定した高気圧があります、南寄りの風が吹いています、シベリアの南端に冷たい高気圧が張り出し南下が、予想されます。江田船長は頷きながら聞き、こんな時最も警戒を要するのは何だ？　と質問した。突風であります、中倉が大声で答えた。無線局長が、塩釜第二管区本部発表の海上予報を船長に報告した。弱い台風が発生したらしい、沖縄南方の洋上で消滅する見込みである。

海は滑らかだ。時々飛び魚の群れが海面を跳ねる。甲板には微かな風が吹いているが、操舵室の中は暑い。中倉と林の首筋から汗が海図の上に垂れる。キクは汗が目に入らないように額を袖で擦りジャイロコンパスを睨んでいる。

宮城県、須ノ崎港、三日目の夜である。少年勇洋丸は灰色の倉庫が並ぶ岸壁に停泊した。係留を終えた受刑者達はどことなく落ち着きがない。今夜は所外面会の日なのだ。前もって家族や知人から申し込みのあった受刑者に限って、夕食後の一時間が与えられる。陽が落ちた岸壁に面会者が集まって来た。岸壁の背後の路上に看守二名と補導部長が立ち人数と氏名を書類と照らし合わせている。受刑者の名前が次々と呼ばれる。キク以外の全受刑者が船を降りて岸壁に上がった。山根には幼児を抱いた女、たぶん奥さんだろう、林には若い男女、姉か兄夫婦に見える、中倉は母親だ、名前を呼ばれた中倉は少しためらった。あまり嬉しそうではなかった。後側の道路の街灯のせいで、岸壁に並んで囁き合う人々は柔らかな影になった。山根が幼児を抱き上げている。

甲板に一人だけ残ったキクに船長が近づいてきた。笑い声や喚声があがる岸壁を眺めるキクに、寂しいか？　と話しかけた。キクは陽焼けした船長の横顔を長いこと見て、みんな楽しそうですね、と言った。お前は、孤児だそうだな。水面に映った街灯の光が揺れながらキクと船長の顔に届く。孤児って、やっぱりいろいろと辛いんだろうな。顔を照らす強い光の模様が揺れる。それにつれて表情まで変わっていくような気がする。わしが知っとる奴の中に孤児が二人いた、二人共若い頃はぐれてたようだ、もうずい分昔で、今とは事情も違うからな、孤児というだけで大きな会社は就職を断わるような時代だったからな、わしの知り合いの二人は二人共えらいひねくれ者で、ひねくれんと生きていけん言うとったな、孤児というのは二つのタイプがあるそうだな、めちゃくちゃ反抗する奴と、人の顔色見てごまする奴と、桑山は、どっちのタイプだったのかな。

船長の声は低く嗄れて奇妙な安心感があった。昼間の航海の疲労と体の火照りを潮風が冷やす。わからないな、とキクは答えた。そうか、わからんか、それでも寂しかったことに変わりはなかろう。キクは黙っていた。桑山、見ろ、船長は岸壁の上に並んだ様々な影の重なりを指差した。あれは、家族だ、わしにも娘が二人いる、孫も一人できたばかりだ、お前はずっと一人だったかも知れんが、家族を作ることはできるんやぞ、桑山、家族を作れ、お前から始まる家族を作るんだよ。

キクは並んだ影の中から山根と中倉と林を捜した。林は岸壁に腰掛けていた。紙切れのようなものを灯りに透かして眺めている。写真らしい。山根は幼児を肩車している。手招きしてキクを呼んだ。おおいキクちょっと来いよ。行って来い、と船長がキクの肩を叩いた。キク俺の息子だぞ、山根は自慢そうに赤ん坊をキクに見せた。俺はこいつを本当の船乗りにするんだ、知ってるか、こいつはまだ一歳になってないくせに泳げるんだぞ、山根は顔を崩して笑っている。キクは赤ん坊に近寄りガーゼに包まれた小さな胸に耳をあてた。赤ん坊はびっくりして泣き出した。聞こえるか？　と山根が聞く。キクは頷いた。山根は赤ん坊を大きく揺らしながら歌い始めた。我は海の子、白波の、騒ぐ磯辺の松原に、歌はゆっくりと周囲に拡がった。船長は笑みを浮かべて聞いていたが、やがて甲板に立ち上がり大声で一緒に歌い始めた。小さい声で、キクも歌った。歌い終ると、拍手が起こった。

キクは道路上に強い光の束が流れるのに気付いた。ヘッドライトは倉庫の灰色の壁を浮かび上がらせ、岸壁の影を濃くして再び消えた。真赤なランドローバーがあっという間に走り過ぎていった。すべてが灰色に煙った港の、湿気を帯びた夜をランドローバーが一瞬掻き乱した。アネモネだな、キクは思った。このすぐ傍にいるはずの、アネモネのヌルヌルして熱く尖った舌を思い出した。

訓練生は船倉に作られた簡易ベッドに寝る。六畳ほどの狭い中に五段、三列の寝台が詰め込まれている。寝返りを打つ余裕はない。職員は上の船室で眠り、看守は交代で甲板に見張りに立つ。ほとんどの訓練生が眠れないでいた。久し振りで家族に会って興奮しているのと、船倉は暑く湿気が多いからである。船倉に窓はない。ハッチは開けたままになっているが風は全く入って来ない。汗が肌着と寝具を濡らす。十五人の呼吸が船倉の空気をますます重く湿らせる。微かな嗚咽が聞こえる。キクは中央の寝台の三段目だ。隣の山根が手を伸ばしてキクの肩を突つき、右端の最下段、中倉を指差した。ビニールの枕に突っ伏して中倉は泣いているようだった。ばあさんが死んだらしい、と山根がキクの耳許で囁いた。あいつ、おばあちゃん子だったんだ、おふくろと何か言い合ってた、可哀相だな。キクは、そんな話には興味がなく眠いのだという仕草をした。いくら寝苦しくても眠っとかないと明日がきついよ。山根は頷いた。中倉の嗚咽は長いこと続いた。

この港を折り返し点に少年勇洋丸は函館へ戻る。脱走するならこの港が一番いい。東京までの三ヵ所にアネモネは別々の車を隠しているはずだ。キクはみんなが寝静まるのを待った。あちこちから寝息が聞こえる。キクがそっと起き上がろうとした時だ。中倉があたりを見回しながら寝台を脱け出した。船倉を横切ろうとする中倉の肩にキクは手をかけた。中倉はビクンと震えて立ち止まった。どこへ行くんだ？　キクは囁いた。小便だよ、と中倉は答える。キクが手を離すと中倉は便所には向かわずハッチの階段を昇った。キクは慌てて山根を揺すった。山根さん起きてくれ、中倉が脱けようとしてる、止めなきゃ。そう言ってキクは寝台を降りハッチからそっと甲板を眺めた。

中倉は船橋の陰に身を隠して看守の様子を窺っている。看守は岸壁にいた。道路の向かいにある交番の巡査と二人で話しながら釣りをしている。時々船の方に目をやる。起きてきた山根が、中倉、止めろ、と囁く。指示がないのに甲板にいる中倉は既に脱走を企てたと見なされる。船舶職員試験の受験資格も失う。隠れている中倉の背中がブルブル震えている。看守に見つからずに岸壁へ上がるのは不可能だ。海へ飛び込むために左舷に寄ると船が揺れる。船長が気付かないわけがない。車の音がしてしまった、とキクは思った。アネモネは徹夜でどこかの建物の上から勇洋丸の甲板を見張っている。キクが出て来たら看守の注意をそらすことになっているのだ。あいつ、俺と中倉を間違えてる。ランドローバーは岸壁の手前で止まった。アネモネの声がする。すみません、この先の海員会館のとこで酔っ払いが乱闘してるんです。巡査がアネモネの声の方に駆けて行った。二人の足音が聞こえる。キクは迷った。アネモネは走って戻って、看守にこう言うだろう。おまわりさんがちょっとだけ手を貸してくれって言ってます。看守が交代要員に知らせるのをアネモネは無理やり乱闘の現場に引っ張っていくはずだ。このまま中倉と一緒に逃げた方がいいのか、それとも。

アネモネの駆けてくる音がする。看守が岸壁から道路に跳び降りた。キクは決心した。中倉のことは知らない、今を逃すと脱走の機会はないかも知れない、キクがハッチから甲板に出ようとしたその時だ。中倉が立ち上がって、ああああああ、と叫び、海に飛び込んだ。キクは首を引っ込めた。船室の灯りがついた。船長と補導部長が同時にとび出して、看守も岸壁に戻った。中倉は、ああああと叫び続けて海面を足で蹴っている。もうだめだ、そう呟いてキクは甲板に出た。探照灯が点いた。補導部長が中倉を照らしている。山根や林も甲板に出て来た。看守が駆けてきて、船倉に戻れ！と警棒を振り上げる。岸壁にアネモネが真青な顔を出した。海に飛び込んだのがキクではないと知って甲板を見た。キクは、早く姿を隠せ、と手を振った。アネモネは再び道路に降り車のエンジンを吹かした。補導部長がキクや山根を船倉に追い込み、ハッチを閉めた。車が走り去る音、船長の怒号、中倉、ボートフックに摑まれ！

翌日、中倉の事情聴取と刑務所への報告で出港が四時間遅れた。処分は函館へ戻ってから決められることになった。中倉は船倉に監禁されている。食事を運んだ時、脱走するつもりはなかったんだ、とキクに話しかけた。

中倉はおばあちゃん子だった、オフクロは大嫌いだった、オフクロは髪を染めた腋臭の強い元看護婦でいつもおばあちゃんを苛めていた、オフクロはニヤニヤ笑っておばあちゃんが交通事故で死んだと言った、保険と慰謝料が入ったので愛人とハワイへ旅行したのだと笑った、中倉は脱走しようとしたのではなくオフクロを殺してまた船に戻ってくるつもりだった、項垂れて話す中倉をキクは殴りたかった。お前のせいで脱走は絶望的になった、今夜から監視が厳しくなるだろう。

少年勇洋丸は全速力で走っている。出航が遅れたためと、台風がコースを変えたのである。無線機の波長はずっと気象放送に合わせてある。船長はあくまでも予定の寄港地を目指している。勇洋丸の性格上、係留場所や宿舎の確保が難しい。

まだ雨は降って来ない。全天を覆い水平線に接した雲は熱を孕んでいる。低く垂れた底面に陰影はなく巨大な金属の板のようだ。熱を帯びて猛烈に脹れ上がった金属の板、灰色の錆と微生物の死骸に被われて光を反射することがない。雲と海面の狭い隙間をまず風が吹き始めた。風の端は海面を泡立てて届く。熱い雲に触れながら生暖く頬を撫で、信号代表旗を千切れるほどはためかせ、甲板に干してあった訓練生の制服を次々に吹きとばした。風の僅かな合間、船酔いの前兆が訓練生を襲う。一瞬風が途絶えた時に肌の表面の生暖い刺激が体内に染み込むのだ。

海にうねりが生じた。船長は初めて自ら舵を握った。横波をかわしながら背後を指差した。恐ろしい勢いで鉛色の壁が近づいてくる。突風が駆け抜け船が大きく傾く。突風は波頭を砕き白い泡が後方に流れた。

雨が降り始めた。あっという間に甲板は水浸しになった。斜めから落ちてくる。ビニールの合羽を跳ね上げ制服をびっしょり濡らして体に貼り付かせ肌を叩く。うねりが船を持ち上げる度に、キクは首の付け根が痺れてきた。船長はシーアンカーの準備を命じた。続いて甲板長が訓練生に船倉へ入るよう指示した。船倉では中倉が床を転げ回って呻いていた。中倉は胸を押さえて嘔吐している。その匂いが鼻をついた。寝台に横になって体を固定していろという命令だが、船の揺れが激しくて寝台に上がることができない。訓練生の一人が中倉の嘔吐物に足を滑らせて転んだ。甲板の生暖い風が船倉全体に充ちていた。キクは寝台にしっかりと摑まり首の付け根の痺れを散らそうとした。狭い船倉に詰め込まれた訓練生の吐く息が中倉の嘔吐物の臭気と混じり肌の表面に気味の悪い膜を張った。皮膚の感覚が無くなっていく。痺れは首の付け根から顔を這って頭の中に拡がる。皮膚の表面と首から上だけが重く痺れている。内臓や筋肉はむしろザワザワと騒いでいるのだ。訓練生は次々に床に倒れ寝台のシーツを剝ぎとって嚙む。頭が磁石になったようだ。内臓や神経や筋肉を引きつける。喉に何か溜まっている。唇を開くと酸っぱい唾液が首筋を垂れる。キクは天井を見ている。下を向くと吸い寄せられた胃が口まで突き上がってきそうだった。目の前で電球が大きく揺れている。電球の残像は暗いオレンジ色だ。奇妙なカーブを描く。オレンジ色の曲線は重なって星の形になる。星はグルグル回転しながら消え、また現れる。船が揺れているということがわからなくなった。後頭部が腫れ上がったのではないかと感じる。頭の肉が脹れネバネバと溶けだして電球の光と混じり天井の板につながる。傾いては振り戻される船と頭の端が粘る糸で結ばれている。足許で誰かが吐いている。靴の底がヌルヌルする。電球の揺れが作る模様が目の裏側で交錯する。黄色と緑とオレンジ色の斑点、誰かがキクの足首を摑み吐いている。目の裏側の斑点が嘔吐物のようにドロドロと流れ始める。頭を切り落としたくなった。どんなにすっきりするだろう、床に倒れたらおしまいだ、嘔吐物に塗れもう二度と立ち上がる気力を失ってしまう。

キクを呼ぶ声がした。ハッチから誰か呼んでいる。桑山、山根、林、ちょっと操舵室に来い。キクは寝台を掴んでいる手を離さずに床に転がる訓練生の足や背中を踏んでハッチの方に進んだ。床に倒れないでいたのはキクと林と山根と、機関科の二名だけだった。キク達は這うように操舵室に進んだ。甲板長が額から血を流して倒れていた。

お、来たか、と船長がキク達を見て、レーダーの監視とロランによる船位確認を命じた。海面は次々に盛り上がり頂点が弾けて、粉々に割れたガラスのような飛沫が風下に吹き抜ける。波頭の端は砕けて水煙となる。操舵室の窓を叩きつける水滴の塊が雨か波飛沫か全く区別がつかない。しかし船倉より遥かにましだった。酸っぱい匂いがないし閉じ込められていないからだ。直接暴風雨に触れる緊張が船酔を消す。まずいな、船長が呟いた。船はほとんど進んでいない。次々と襲って来る横波を避けているだけに見える。小型漁船は最も近い港へ避難するようラジオが伝えている。船長は、最も近い港を捜すようにと林に命じた。睦郡です、と林が叫ぶ。無線局長は海上保安庁を呼び続けている。交信過剰で応答がない。睦郡港の漁協本部を呼び出した。緊急避難で入港すること、係留地の確保を要請する。漁船の緊急入港が相次いでいるので急いでくれ、と漁協本部が応答した。

海面は泡立って白い。波頭はのめり崩れ落ちて真白な泡が風下に吹き流される。山根がレーダーに移動しない点を発見した。同時にSOS連続打電が無線に飛び込んできた。八トンの小型漁船、現在地東経百四十二度十八分、北緯三十八度五十八分、遭難しています、操船不能、救助を求めています、本船より北東に〇・八海里離れているだけですが。無線局長の報告を船長は無視した。全員が船長を見る。このまま港に入る、風雨は激しさを増している、寸秒を争う、睦郡港では一九〇五までに防波堤を通過しろと言っている、救助の余裕は全くない、海上保安庁が助けるはずだ、海上保安庁に緊急連絡をとれ、交信過剰なら睦郡港の漁協に陸上交信を依頼しろ。

「助けに行きましょう」山根が言った。船長は無視している。睦郡港からの返信、海上保安庁は、気仙沼、広田、大船渡、松島、石巻各方面で救助作業に追われており、睦郡港沖合いには一隻の巡視艇も出動できないそうであります。船長は頷いたが、進路を変えようとはしない。

「船長先生、自分は救助に向かうべきだと思います」山根が敬礼してそう繰り返した。江田船長は、黙れ！　と一喝した。あと三分ほどで遭難漁船との最短地点を通過します、林が海図から顔を上げた。小型漁船からの連絡が途絶えました、無線局長が叫ぶ。三名の訓練生が船倉から這い上がって来た。自分らは漁師であります、小さな漁船はこの嵐じゃもちません、お願いします、助けてやって下さい、三人は嘔吐物に塗れた制服で土下座した。よく聞け！　と船長は全員を睨みながら言った。貴様ら考え違いをしておらんか、お前らの身柄は国が保護しとるんだぞ、他人のことを考える余裕などないはずだ。一人の訓練生は土下座したまま目を真赤にして泣きだした。船長先生は漁師のこと知らね、もし自分が遭難船に乗ってたら助けに来て欲しいと思う、わし、そう思う。「あのなあ、甲板長も負傷しているんだぞ、この波だ、わしは操舵せねばいかん、救助のしようがないだろうが」

「俺達がやる」山根がそう言った。

見えました、と林が叫ぶ。斜め前方にオレンジ色の煙が上がっている。遭難信号だ。船長が山根を呼んだ。小声で耳打ちする。山根はその度に頷き、船倉からワイヤロープを持って来るように林に頼んだ。それから林さん元気そうなのを五人集めて来てくれ。まずキクと林が腹にロープを巻きその端を船橋に結びつけて船尾と船首に出て行った。林はうまく手摺りを摑んだがキクは風に吹き飛ばされ甲板を転がった。キクはロープを引いて這い上がる。揚錨機と船橋、船橋と係船ウインチにそれぞれロープを張る。そのロープを伝って二人一組となり船首と船尾に二組ずつがまわる。全員が腹にロープを巻きその端は係船ウインチと揚錨機に結ばれている。キクと組んだのは中倉だ。船酔いから少し回復したのか顔色が戻っている。キクがボートフックを握る。小型漁船は転覆し乗組員達は赤い救命ブイに摑まって波の間に見え隠れする。少年勇洋丸が近づくと何人かが手を振った。ボートフックの先に救命胴衣を引っ掛け船尾の梯子に摑まらせる。キクは歯を剝き出しにして何か叫んでいる若い男の肩口にボートフックを伸ばした。もう少しで届くという時、波がいきなり遭難者を高く持ち上げたまま船を包んだ。キクと中倉は手摺りにしがみついて波の落下に耐えた。激しい潮流の海に一瞬潜ったような感じだった。遭難者は波の頂上に乗って放り出され頭から甲板に叩きつけられた。額が割れている。キクは襟にボートフックの先端を掛けて引き寄せた。日本人ではなかった。こいつら密漁者だ、中倉が呟いた。東南アジアの顔をしていた。中倉は気絶している密漁者を抱きかかえた。迷彩色のズボンの腰に硬い物があった。小さな拳銃だった。

宮城県、睦郡港、防波堤の出入口にある発光浮標、岬の突端で回転する無人の灯台、光源はそれだけだ。岸壁に二基の探照灯があったが沖合から吹き込んで来る風のために倒れ電球とレンズが粉々に砕けた。ガラスの破片は濡れたコンクリートに貼りついていたがやがて打ち寄せる巨大な波で流され、渦を巻く風に乗って暗い空へ舞い上がっていった。停電が続いている。

少年勇洋丸が岸壁に横づけした時、重そうな水色のレインコートを着た四人の警官が出迎えた。漁協本部の連中は遠巻きにして眺めていた。警官と補導部長は訓練生の宿舎について長いこと話し合った。電話線は切断されている。警官達はトランシーバーで連絡し合っている。漁協本部の集会場は既に避難している漁船の乗組員達でいっぱいだ、と説明があった。小学校があるが受刑者の宿泊を校長が拒否しているという。宿舎としては漁市場にある倉庫しかない、警官はそう言った。補導部長は、受刑者は国が身柄を保護しているのだから、と警官を説得したが聞き入れられなかった。その話し合いの間、訓練生達は上陸が認められず、浸水に嘔吐物が浮かんだ船倉に閉じ込められていた。補導部長は着換えと毛布を借りるのを条件に倉庫の床に訓練生を泊めることに妥協した。早速訓練生達を移送したい、彼らは疲労しきっているのです。現在睦郡には四名の警官しかいない、県警本部から応援部隊が到着するまで待って欲しい、警官側はそう言った。受刑者の移送、監視ももちろんですが、あなた方が救助したあの外国人達は一応密入国者です、我々は逮捕せねばならんのです。

　救助された密漁船の乗組員は七名いた。船倉の隅で固まって寒いのかガタガタ震えていた。ほとんどがどこかに怪我していた。彼らがいるために船倉はますます狭くなった。中央の寝台は船の揺れと詰め込まれた訓練生の圧迫で壊れ、キク達はその隙間に坐る場所もなく全員立っていた。浸水は腿の高さ、流れだした重油と嘔吐物の匂いが鼻をついた。岸壁に係留されていても船倉は揺れる。遭難船を救助したという興奮で最初のうちは全員元気が残っていた。もう少しだ、辛抱してくれ、看守や船長が交代でハッチから顔を出すが、返事する者がだんだん少なくなった。船は絶え間なく小刻みに揺れ時々ガクンと傾く。全員寝台の手摺りに摑まっているが、何人かが疲労から足を滑らせてしまう。嘔吐物と重油が浮いた汚水の中に倒れる。酸っぱい臭気を放ち重油でヌルヌルになった顔を上げる者を見ても誰も笑わなくなった。船倉は外気から遮断されている。揺れる度に生暖い空気が掻き乱されて、いやな匂いの汗が噴き出る。

くそお独房に帰りてえなあ。山根は頭痛を訴えている。救助作業で後頭部をウインチの金具にぶつけたらしい。キクは吐気に耐えながら船が大きく揺れるたびに、一枚の絵を少しずつ思い出していた。乳児院、その礼拝堂の壁に掛かっていた絵だ。髭の男が産まれたばかりの羊を天に向かって掲げているやつだ。父親なのだと教えられた男は確か海を見下ろす断崖に跪いていた。その海は高い波が連なって砕け散り荒れ狂っていたはずだ。小さな難破船が隅に描かれていたような気がする。俺はあの絵の中の小さな難破船に乗っていたのかも知れないとキクは思った。頑張れ、耐えるんだ、この船倉を出たらあの髭の男が山の頂上で黄金の光を輝やかせて迎えてくれるかも知れないぞ、ハッチから補導部長が顔を出した。

「全員出てこい、これから宿舎に移動する」

歓声を上げ抱き合いながら船倉を出た訓練生達を待っていたのは、投光機付きのジープと、二列に並んだ警察官、好奇な目で眺め指差して何か言い合う漁師の群れだった。キク達はトラックに積み込まれた。トラックの中で全員に毛布が一枚ずつ配られた。密漁者達はジープで別の場所に運ばれていった。

トラックはなかなか出発しない。補導部長が、約束の着換えはどうしたのか、と警官隊の責任者に文句を言っている。船乗りならヘドに濡れても死にゃせんぞ、見物していた漁師の一人が叫んで、拍手が起きた。補導部長は構わず、受刑者は国の保護を受ける身分だから、と言い続けた。トラックの中から受刑者の声が響いた。着換えなんかいらねえぞ！　その時突風が襲いトラックの幌が剝げ音をたててはためき、あっという間に吹き飛ばされた。投光機が受刑者を照らしだした。嘔吐物に塗れ重油で全身を汚した一人が立ち上がり警官隊と漁師の群れに向かって叫んだ。誰が、お前らの世話になるか！　全員が立ち上がろうとした。雨が無防備の受刑者を叩きつける。警官隊がトラックを囲んだ。警棒に手をかけている。端にいる一人の受刑者が毛布で荷台を打ちながら叫ぶ。なめるなよポリ公、お前らなんか恐かねえんだ。言われた警官が思わず警棒を抜いた。同僚が慌てて制した。補導部長と船長と看守は、受刑者に、坐れ！　と怒鳴り続けている。支給された薄い毛布は雨を吸い込んですぐにぐっしょりと重くなった。

倉庫は港の外れにあった。出入口は体を折り曲げなければ入れないほど小さく、中は体育館の何倍も広かった。セメントの袋が天井まで積み上げてある。フォークリフトが並ぶ倉庫の隅に、訓練生達は新聞紙を敷いて横になった。山根はひどく具合が悪そうだった。全身に鳥肌を立てて額と首筋に冷たい汗を掻いている。灰色の眉と睫が細かく震えている。ビニールを貼ったような顔に苦しそうな皺が何本も浮かんでいる。

雨と風が衰える様子はない。キクの体にはまだ船倉の揺れが残っている。ろうそくが五本だけの暗い倉庫が、海に浮いている感じがする。内臓の揺れは止まっていない。握り飯と熱いお茶が届けられた。山根を除く全員が喚声をあげた。山根は食べなかった。お茶を少し飲んだだけだ。割り当ての三個を流し込むように食べたキクは、船酔いって不思議だな、と林に話しかけた。林も頷いた。内臓はむかついているのに必ず食べてしまう。胃や腸が揺れるんで飯の通りがよくなるのかも知れないな、林はそう言って笑った。横から中倉が口をはさんだ。食えなくなったら終わりだぜ。三人は体を折って頭を押さえている山根を心配そうに見た。

握り飯と熱いお茶は訓練生達に台風の興奮を呼び戻した。機関室の浸水や船倉での激しい船酔い、遭難船の救助などを思い出して語り、江田船長は就寝前の航海反省会を始めた。その時だ。倉庫の扉が開いた。従業員用の出入り口ではなくフォークリフトやクレーンが出入りする大きな扉だ。風が吹き込んで新聞紙が舞い上がりろうそくが消えた。銀色のバスが入ってきた。バスには窓がなく天井に巨大な灯りを乗せている。キクは見たことがあった。この銀色のバスはあのクリスマスイブの夜、雪の上に停まっていたのと同じやつだ。十数人の警官隊と共に派手な柄の防災ジャンパーと黄色のヘルメットの男達が現れた。背広を着た男が一人いてピカピカ光る細長い棒を持っている。その男の後から、テレビカメラが続いた。責任者が補導部長に挨拶に来た。密漁船を救助した訓練生のインタビューを録りたいのです。少年刑務所所長の許可がとってあるとテレビ局の責任者は胸を張った。救助作業に参加した訓練生が、テレビカメラに向かって後向きに坐り背中に番号札がつけられた。ライトが一斉に点灯し倉庫全体が黄色い光で浮き上がった。背広の男が喋りだす。

「こちらは睦郡港の第八倉庫からお送りします、これまでのニュースでお伝えした通り台風十二号はかなりの速さで太平洋を北上し、関東、東北の太平洋沿岸に数多くの被害を出しております、昨夜からきょう未明にかけての気象庁の予報に見通しの甘さがあったと各方面からの声も上がっているのですが、ここに、緊急事態ならではの珍事が起こりました。少年刑務所の実習船が、遭難したタイの密漁船を救助し逮捕したという、心暖まる話題です、今夜は、お疲れのところを訓練生のみなさんに、特別にお集まり頂いてお話を伺います、前もって御了解頂きたいのですが、受刑者のみなさんの人権保護のために、後向きに坐って貰っています、インタビューの音質も同じ理由によりまして変えてあります、さて、名前を明かすのも人権保護上問題がありますので番号をつけて頂ました、さてと、それではですね、三番の方、今の率直な気持ちをお聞かせ下さい」

三番は林だった。林は、疲れました、と短く答えた。「そうですか、いや本当にお疲れさまでした、一番の方はいかがですか」自分は、はあ疲れたども、嵐の時は心さ張ってっから、大丈夫だったけど、港に入ってからが、その、疲れました。「なるほど、やはり根っからの海の男で陸に上がると疲れると、こういうわけですね。それでは六番の方、救助した船が密漁船だと、すぐにわかりました?」六番はキクだった。キクは答えなかった。強烈なライトで背中が熱い。目の前で若い男が反射板を持って立っている。チューインガムを嚙みながらキクを見てニヤニヤ笑っている。「そうですか、お答えできないようでしたらええと、五番の方、今と同じ質問ですが、いかがでしょう」五番の訓練生は恥ずかしそうに背を丸めて、なんかクイズ番組みてえだな、と照れた。

キクの目の前の反射板に山根が映っている。山根はセメントの袋を抱くようにして横になっている。病院へ運ぶよりそっと寝せておいた方がいいと補導部長が言って、風邪薬をのんでうつ伏せに寝ている。テレビカメラやマイクロフォンの太いコードが何本も床を走っている。カメラが移動する度に太いコードが跳ねる。一本のコードが山根の側頭部に軽く当たった。山根はピクリと両足を動かした。頭を押さえて低い声で呻いている。頭を振って上体を起こし突然鳥のような気合を発して手刀をセメント袋に突き刺した。警官隊も、テレビスタッフも、訓練生も一斉に山根の方を見た。ライトを左右から浴びて山根は何回もセメント袋を手刀で引き裂いた。何だあいつ、ガムを噛んでいたライトマンが呟く。何やってんだよ、本番中だぜ。セメント袋をボロボロにした山根は周囲に集まった警官隊を無視して胸に手を当てた。目を閉じて唇を噛み何かに耐えていた。息子の心臓の音を思い出しているのだとキクは思った。誰かを殺しそうになるほど凶暴になりそうな時な、俺は赤ん坊の息子の心臓の音を思い出すんだよ。山根はそう言ったことがある。

一人の警官が山根の肩に触れ、どうかしたのか？　と聞いている。老人の警官だ。山根は目を開けて、両手を合わせて拝み、そっとしといて下さい、と頼んだ。山根は歯を喰いしばりまた奇妙な声で唸り始めた。テレビスタッフの責任者が、あいつこれか？　と頭の横で指を回した。それを見た若い警官が警棒で山根の肩を突ついた。山根は両手を胸に当て、止めて下さい、と首を振る。どうしたんだ、テレビのじゃまだから止めろ、おい、どうしたんだ、おい、やめろ、やめるんだ、若い警官は何回も警棒で突いた。キクは、山根が、ああだめだ、と呟くのを聞いた。その後の山根の動きをはっきりと見たものはいない。それほど速い動きだった。山根はフワリと立ち体を回転させて拳を突き出した。次の瞬間年とった警官の顎が千切れて床を転がりセメントの粉に塗れた。若い警官が警棒で殴りかかった。山根は右にかわし足を回して警官の首の後ろに蹴りを入れた。骨が折れる音がした。警官は前のめりに吹っ飛びライトにぶつかって倒した。電球の破片が散りアナウンサーの男は目に入ったのだろう悲鳴を上げて膝をついた。目を押さえてしゃがみ込んだところを山根が蹴り上げた。アナウンサーは仰向けに跳ね上がる。喉が裂けている。テレビスタッフは逃げ出した。誰も声をださない。警官隊は拳銃に手をかけた。床に伏せろ！　と訓練生、テレビスタッフ達に怒鳴る。その怒鳴った警官に山根は走り寄った。警官は恐怖に捉われて拳銃を抜いた。しかし撃てなかった。山根は二本の指で正確に目を突いた。指はパシャッという音で根元まで埋まった。警官が拳銃を落とした。床に落ちた瞬間暴発して弾丸は銀色のバスの車体に弾ね返りセメント袋に減り込んだ。警官隊は全員が拳銃を構えた。船長が、止めろ！　と叫んで飛び出した。山根が振り向いた。二人の警官が山根の足を狙って撃った。山根は太腿を押さえてよろけ床に倒れた。山根は片足を撃ち抜かれている。転げ回ってライトを二本倒し、鉄製のライトスタンドを振り回して警官隊に投げつけた。警官隊は低い姿勢で半歩ずつ山根に近づいた。山根は足を押さえて何とか立ち上がろうとしている。撃たないでくれ！　と船長が叫ぶ。テレビスタッフり一人の警官がそのライトスタンドを支えにして立とうとした。山根は歯を食いしばりブルブル震えながらライトスタンドを蹴り倒した。一人の警官がそのライトスタンドを蹴り倒した。山根はバランスを失ったが倒れる寸前に怪我をしていない方の足でその警官に飛びかかった。腰のベルトを摑んだ。警官は、息が洩れるような悲鳴をあげて拳銃の台座を山根の頭に振り降ろした。山根はそれを顔で受けた。拳銃の台座は山根の鼻の骨を潰した。しかし次の一撃が振り降ろされる前に山根は正拳で警官の膝を砕いた。警官は膝を折って崩れ落ちる。警官は山根の上に折り重なって倒れ、山根の動きを一瞬封じることになった。腕を狙え、と指示が出た。三人が発砲した。一人の弾が山根の右腕に当たった。ちくしょう、床に伏せた林が呟いた。山根はそれでも立ち上がろうとした。血が出ている左足の膝をつき右足と左腕で体を起こそうとする。気をきかしているつもりなのかテレビのスタッフ達は残りのライトをすべて山根に浴びせた。山根が腰を浮かそうとした。若い警官が、警棒でその腰を打った。山根はびくともしなかった。目を大きく開き肩で息をする若い警官は次に首筋を狙って警棒を振り降ろした。山根はそれを肩で受けた。鈍い音がしたが山根はピクリとも動かず若い警官を睨みつけた。警官は震え上がりめちゃくちゃに山根の顔を殴り始めた。その時キクが飛び出した。暗かったのでライトに照らされた場所に現れるまで誰も気付かなかった。キクは若い警官の襟首を摑み引き摺り倒した。背後にいた一人がキクの耳の横を殴った。林と中倉と他の二人の訓練生が飛び出して来た。それを見た二人の警官は倉庫の天井に向かって拳銃を発射した。キクはその警官の足にタックルした。二人は拳銃を奪い合って揉み合った。キクが馬乗りになった時目の前に別の拳銃が突きつけられた。銃声が響いた。キクの顔に血が飛び散った。目の前にいた警官が腰を押さえて反り返り後向きに倒れた。中倉が、拳銃を構えていた。そして一人のテレビスタッフのこめかみにあてていた。拳銃を捨てろ、と中倉は警官隊に向かって言った。

中倉が銀色のバスを運転している。一緒に乗っているのはキクと林だ。バスは戸舐港に向かって嵐の中を走る。戸舐港は少年勇洋丸の予定停泊地で、アネモネが待っているはずだ。戸舐港の手前二キロで三人は銀色のバスを捨てた。既に雨は止んでいる。岸壁に近いビジネスホテルの駐車場にDATURAと描かれた赤いランドローバーがあった。アネモネを電話で呼びだした。アネモネは、キクの情婦です、と中倉と林に自己紹介した後ランドローバーを走らせた。宮城県全域に道路封鎖が敷かれた頃、ランドローバーは宇都宮を通過した。

翌日、キク、林、中倉の三人が凶悪脱走犯として全国に手配され、関東、東北の主要道路に検問所が設置されホテル、旅館が片っ端から捜査されている頃、四人は純白のヨットスーツに身を包み、二百六十馬力のエンジンを二基搭載したハトラスのパワーボートを走らせ大島を抜け八丈島で堂々と給油し台風一過晴天の海を、カラギ島目指して全速力で進んでいた。

31

僕の羊、僕の妹、僕の船、僕の公園、盗まれた僕の目玉、僕は目玉を捜した。僕と、僕の目玉は、蠅の羽音によって切り離され、永久にくっつくことはなく、僕は見えるものに手を触れることができないし、触れたものを見ることもできなかった、僕の目玉は塔の上にある、塔は僕を見張っている、塔の主は蠅だ、そして塔は顔がわからない僕の父親だ、ハシはそんな詩を朗読してどう思うかとニヴァに聞いた。ニヴァは返事をせずに天使の服をデザインしている。ハシの衣装ではなく腹の中の赤ん坊の外出着だ。どう思うか、もう一度ハシは大声で聞いた。ニヴァは黙っていた。ハシはテーブルにあったじゃがいもとベーコンの乗った皿をニヴァに向かって投げつけた。皿はニヴァの髪をかすめて壁で割れ、ベーコンとじゃがいもは白いブラウスをべっとりと汚した。

ニヴァはブラウスと首についたベーコンとじゃがいもを一切れずつ剝がして灰皿に

捨てた。寝室に行って柔らかい紙で汚れをとりブラウスを着換えた。収納棚から新品のボストンバッグを取り出した。カナダ・アラスカへの新婚旅行用に買っておいたものだ。下着と洋服と化粧品と何冊かの本を詰めた。首筋に触わってベーコンの油の匂いが残っていたので、香水を薄く振った。髪を梳き、鹿が雀を踏みつけている柄のネッカチーフを巻いた。鏡にハシが映っていた。こちらを見ていた。ニヴァは笑いかけた。ボストンバッグを下げてハシの目の前を通り部屋を出た。一言も口をきかなかった。その日、ニヴァは帰って来なかった。次の日も帰らなかった。

最初ハシは一人になって嬉しかった。ニヴァが一緒にいなければニヴァを殺さなくてはいけないという強迫観念が薄まるだろうと思ったのだ。すぐにそうではないと気付いた。ニヴァが傍にいない時間が長ければ長いほど、ニヴァと今度会ったら会った瞬間に殺さなくてはいけないと思うようになった。ハシはニヴァを殺したくなかった。それはこの世の中で最もやりたくないことの一つだった。だからこそやらなければいけないとハシは怯えている。恐怖がハシを捉えている。ハシの細胞が記憶している恐怖、飢えとか死に対するものではない。時間だ。飢えを自覚し死を予感していたある時間の長さの恐怖だ。嬰児に理由がわかるはずがない。怯え続けた時間を細胞が憶えているだけだ。ハシは十三時間コインロッカーに放置されていた。夏の、十三時間、犬の吠声、盲人の杖の音、駅のアナウンス、自動販売機から切符やコーラが落ちてくる音、自転車の警鈴、紙屑が風に舞う音、遠くのラジオから流れる歌、八人の小学生がプールに飛び込む音、眼帯の老人の咳、水道の水がバケツを叩く音、交差点での急ブレーキの軋み、巣を作る鳥のさえずり、女が肌を擦する音、女の笑い声、そして自分の泣き声、木とプラスチックと鉄と女の柔らかな皮膚と犬の舌の感触、血と排泄物と汗と薬と香水と油の匂い、すべての感覚は恐怖だけに繋がっているのだ。ハシは細胞が記憶している声を聞く。その声は、こう言っている。お前は不必要だ、お前を誰も必要としていない。

ミスターDは事務所の屋上で黒人女に体を揉ませていた。屋上にはピンクの人工芝のテニスコートと藤棚があって、ミスターDは藤の花が散った日蔭に寝そべっている。

ハシはエレベーターから出ると眩暈がした。濃い色のサングラスをかけた。桑山に送ってやろうと買ったやつだ。屋上は回りを超高層のビルディングに囲まれている。太陽を受ける左側のビルは巨大な滝に見える。壁全体に嵌め込まれた窓ガラスに西へ流れる薄い雲が映っているからだ。雲は輪郭をオレンジ色に輝やかせて、この屋上に桑山を引きずり出したらあっという間に目が潰れてしまうだろうと、ハシは思った。ハシは藤棚の蔭に入った。汗を掻いていない。色の悪い肌は乾いて表面に白い粉が浮いている。数十秒太陽に当たっただけで皮膚がヒリヒリ痛んだ。この熱暑の中で水着だけの男と女がテニスをしている。

おいハシお前の兄貴が逃げたぞ、脱走したんや、えらい奴やな、ミスターDは脇に置いた新聞を指差した。凶悪脱走犯、依然として行方摑めず、警官他五名を殺害、乱闘中に負傷した一人は病院で死亡、協力者が逃走を仲介？　捜査本部は計画的犯行と断定、ハシは大きな字だけを読んだ。「もうちょっとよう読んでみ、ハシちゅう歌手の兄貴やいうて書いてあるやろ、兄貴のおかげで、お前のレコードもちったあうれるかも知れんな」

何の用で呼び出したの？　とハシは聞いた。ミスターDは笑い出した。「何の用やて笑わすなアホ、レコーディングどないしたんじゃ一ヵ月も引き伸ばしやがって、曲はどないした、できたか？」ミスターDは全身に汗を搔いている。黒人女が細長い指で背中の汗を掬いその上に灰色のパウダーを塗って揉み込む。薄荷の匂いがする。曲はまだだけど詩を書いている、とハシは言った。ポケットから紙切れを出して朗読する。僕の羊、僕の妹、僕の船、僕の公園、盗まれた僕の目玉、「もうええ、止め、下らん」途中でDが制した。

背後で笑い声が聞こえた。水着でテニスをしていた二人が腹を波打たせながら笑っている。女は髪をぴったりと撫でつけハシよりもはるかに背が高い。薄いガラス繊維のブラジャーを尖った乳房が突き上げている。盗まれた僕の目玉だってえ、バカみたい。女のへそに汗が溜まっている。ハシは女に笑われて耳が熱くなった。水着の女がじろじろ眺め回すのが恥ずかしかった。ハシは長袖の金ラメのブラウスと灰色のコール天のズボン、蛇皮のブーツを履いている。ハシは長袖の金ラメ……男が水着の女に透明なソーダ水を持ってきてやった。「ハシ、お前もうすぐ契約切れになるけど、どないするねん、更新するか？　ニヴァがおらんと何にもできんやろ」ミスターDの背中と腰に黒人女が乗り膝と肘を使って四つん這いになる。ショートパンツに包まれた尻が高く上がる。黒人女の太腿の内側を汗が垂れDの腰を伝う。

屋上には右側の超高層ビルが作る長方形の濃い影がある。ハシは自分がなぜこんなに暑い屋上にいるのか一瞬わからなくなった。水着の男女、ミスターDと黒人女はそれぞれ勝手な会話を交している。急に屋上の視界が不快になった。正方形の広場とその向こう側の巨大なガラスの塔が、今突然に湧き起こった蜃気楼ではないかという錯覚に陥った。自分の体の中にある点、例えば中耳の管が目から抜け出しブワブワと空気を吸って脹れあがりこの正方形の広場が完成したような感じがする。「ハシ、どないするんや、俺は契約書の控えを持って来いて言うたんやぞ、おいハシ、聞いとるんか、お前何しに来たんや」

ハシは丸い陶器のテーブルに手を伸ばしソーダ水のコップを取った。細かい水滴が表面に浮いたコップを額や頬に当てた。あまり冷たくなかった。一口飲んだ。あ、と水着の男が声を出した。それ、僕のだよ。ソーダ水は生ぬるく、ほとんど何も摂ってない喉や内臓にネバネバ糸を引くように流れ込んだ。気持ちが悪くて思わず喉を押さえた。コップが落ちて割れた。乾いたコンクリートに泡粒が吸い込まれる。水着の男女は顔を見合わせた。みんなが僕のことを迷惑そうに見る、とハシは思った。ハシはブツブツ呟き始めた。この世の中をこそこそこそこそ這い回っても僕はボロを着た乞食じゃない、違う、僕は恥ずかしい、何故僕は僕は恥ずかしいなんて平気で喋るんだろう、体が大きくて色の黒い女の腋の下の汗はたぶんとても酸っぱいだろう、僕は高いところで着物を汚さないように水を飲んだりお芝居を見たり美術館や競技場を見物したことはないけどそれが問題なんだろうか、みんなが僕を迷惑そうに見る。

「どうしたんや、どうしたんや」気が付くとDが腰にバスタオルを巻いてハシを揺っていた。あ、D、僕は、役に立つ？　あんたにとって、役に立つ人間かい？「どうしたんや、何おかしなこと言いよるんや、しっかりせえハシ」答えてよ、ねえ、大事なことなんだよ、答えてくれよ、僕はみんなの役に立ってるだろうか、みんな僕のせいで幸福になってくれているだろうか、僕が願ってるのは、それだけなんだ、あとは何も要らない、D、本当に僕が欲しいのはそれだけだよ、みんなが楽しそうに笑うことだけなんだ、お金なんて要らない、半年前にニヴァが買った大きな車に乗ってるとみんなが僕を羨ましそうに見るけど僕は決して幸福じゃないんだ、みんなどうして僕に優しくしてくれないんだろう、僕はみんなが幸福になるようにしてるのに、ねえD、みんなが僕を避けるんだよ、ニヴァはどっかへ行ってしまった、キクもいない、桑山は虫になってしまった、松山もトオルも僕から逃げた、和代は死んでしまった、シスター達は悲しそうな顔をする、僕のことをみんなが迷惑がってる、僕はただみんなから好かれたいんだ、ハシと一緒だと心の底から幸福になると言われたいんだ、それだけなんだ、それ以外考えたことがない、それなのに、僕は捨てられた、広い広い広い広い広い広い広い広い広いコインロッカーの中に、みんなが僕を捨てた。

ハシはDの腰に抱きついていた。ハシの乾いた肌にDの汗がくっつく。放せ、とシスターDは言った。気持ち悪いから放さんかい。ハシは震えながらしがみついた。ちょっとあれおかしいわね、水着の女が黒人女と顔を見合わせる。「放せ言うとるのがわからんのか！」Dはハシを突きとばした。ハシは陽向に転がった。ズボンのポケットから小さな瓶が落ちた。睡眠薬の錠剤が入っている瓶がキラキラ光りながら屋上を転がった。ハシは追いかけた。屋上の端でやっと追いつき蓋を開けた。十三本のガラスの塔が今にも倒れてきそうだった。視界が歪み、ハシはどこかへ帰りたいと思った。どこなのかわからないが帰りたいと思った。睡眠薬を三錠手の平に乗せた。嚙み砕いた瞬間に吐気が起こった。熱いコンクリートに黄色い汁を吐いた。Dと水着の男女がこちらを見ているのがわかった。黒人女はエレベーターの方へ歩いていく。ショートパンツに包まれた硬そうな尻が揺れる。黒人女は影の中に見えなくなった。あいつ本当に狂っとるな、Dの声が聞こえる。僕は狂ってなんかいない。錠剤を噛み砕く。白く濁った唾液を飲み込む。僕は狂っていない、みんなから嫌われて悲しいだけだ。

ハシは夏の休日の雑踏を歩いている。道路は溶けたゴムの匂いがする。柔らかくぬかるんでベトベト糸を引いているようだ。通りを歩くすべての人々がガラスと鉄とコンクリートにはさまれて足の裏で糸を引き擦り真白なさなぎを作る。

この街はブヨブヨに脹れ上がった銀色のさなぎだ。巨大な蝶はいつ飛び立つのだろうか。地面からの熱気をさなぎのまゆが包み込む。いつかそれが爆発するだろう。雌の蝶が舞い上がりその腹が裂けて何百万という人間の顔をした蠅が建物の表面を被う。もうハシの耳にはその羽音が聞こえている。僕はどうしてみんなに好かれようと努力してきたんだろう、誰か傍にいて優しくしてくれないと僕は生きてこれなかったんだろうか、コインロッカーに捨てられて以来、僕は、何が欲しかったのだろうか、何かが欲しかった、何かに飢えてた、やはりあの音なんだろうか、あの音だけだろうか、僕は何一つ手に入れていない、ぼくは変わっていないんだ、まだコインロッカーの中にいる、肌を腐らせたまま箱の中に閉じ込められてる、盲導犬が僕の匂いに気付いて吠えてくれるまで待っていることはもうしないぞ、それでは何をしたらいいんだ。

ハシは赤いガードをくぐり抜けた。赤いガードは電車が通り過ぎる度に湯気を立てて喘いでいる。焼けた空気を吸うとドロドロした膜が喉を被う。前を歩く人間の頭が揺れて道路全体が沸騰する重い液体に見える。熱帯植物の模型が並んだ公園があった。ハシはベンチの端に坐る。隣であぐらをかいた浮浪者が煙草を持ってないかと話しかけた。片目が真赤に充血し髭にパン屑が絡みついて腰には強い酒の入った牛乳瓶を下げている。この暑いのに毛糸の手袋をしている。ハシはその手袋の上に一万円札を置いた。そして耳許で囁いた。僕のあそこを舐めてくれないか、その後で煉瓦で頭を殴らせてくれ、あと一万円払うからさ。

浮浪者は下を向いて笑い始めた。何回も頷き、その前にアイスクリームを買ってくれと言った。棒についた緑色のアイスクリームを舐めながら、歩きだした。ついて来いと顎を前に振る。公園を横切って路地に入った。路地を何回も折れ曲がった。バーや飲み屋がびっしりと並ぶ通りに出た。店は閉まっている。路地の両側に乾いていないゴミの山がある。石油缶の中に目玉が流れ出た魚の頭が詰まっている。倒れた酒瓶から茶色の雫が垂れている。店と店の隙間に浮浪者は入っていった。突き当たりに共同便所がある。木の扉が破れていて女の足首が見えた。浮浪者が指差して笑う。肌色のスリップ一枚の女が出てきた。しばらくハシと浮浪者を見ていたがやがて路地の向こうに消えた。二人は狭い便所に入った。ちょっと待ってくれ、僕は君の頭を殴る煉瓦を捜してくる、ハシがそう言って出て行こうとした時浮浪者がハシの髪を摑んだ。何が煉瓦だバカ野郎、お前らは汚ない、お前らの体は汚れている、浮浪者は髪を摑んでハシを揺すった。私は汚ないと十ぺん告白しろ、俺の前で言うんだ、お前みたいな奴がこの世を犬や豚並にまで辱しめている、それがわからないのか。ハシは恐くなった。この髭を生やした浮浪者は空気で作られた優しい犬の生まれ変わりではないのだと気付いた。今に天の怒りが下るぞ、失うものの何もない俺達だけが救われる大洪水がくるのだ、お前のような卑しいやつは野に果ててネズミの巣となるであろう、お前のしゃれこうべをネズミが走り回るのだ。オカマめ。ハシは便所を出ようとした。浮浪者はいきなり腹を殴りつけた。ハシは板壁にぶつかりそのまま崩れ落ちた。浮浪者がズボンのポケットを探る。金と靴を奪われた。いいか国賊、これは汚れたお前を清める儀式なのだ、俺に感謝しろ、お前は地獄に落ちるだろうが俺が天にお願いして舌を抜くことだけは許して貰ってやる、そこで、自らの血を流し、祈れ、祈って我身の汚れの源を断て。ハシは生まれて初めて他人から殴られた。これまで殴ったことも殴られたこともない。浮浪者は一万円札を数えながら振り返り、祈れ！　ともう一度怒鳴った。

あの人はきっと僕には想像もできない苦痛に耐えているのだろう、とハシは思った。もしかしたら父親ではないか、と考えた。僕に何かを教えようとしたのかも知れない、非常な苦痛に一人で耐えなければ、恐怖を克服することなどできないと教えようとしたんだ、そうだ、僕は襲いかかる恐怖に耐えて自分一人で立ち向かったことがない、ずっと誰かに助けて貰ってきた、盲導犬や乳児院のシスターや里親や、そしてキクが僕を救ってくれた、だから僕はその人達に好かれようとずっと努力してきたのだ、その他の人達にまで、救って貰おうとして、気に入られようとしてきた、しかし、自分一人きりで戦わなくてはいけない時が必ず来る、僕はそれにぼんやりと気付いた、そして今まで僕を守ってくれていた人間を一人ずつ遠ざけていった。僕は強くなろうとしたのだ、強くなるというのは僕を愛してくれる人を遠ざけることなんだ、僕は苦痛に耐えなくてはならない、最もひどい苦痛に耐えよう、そうだ、ニヴァを殺せば僕は強くなれる。

その夜ニヴァは四日振りに帰って来た。勝手なことをしてすまなかったとハシに謝まった。

ハシはニヴァを殺すという恐しい義務を果たすために、自分の幻聴や耳鳴りや血液の移動音や脈搏、鏡に映るもう一人の自分や窓ガラスが反射する幻覚を総動員させて勇気を得ようと思った。ハシは百ミリのガラスとゴムで作った外からの音を完全に遮断する小さな部屋へ入った。その部屋はあの精神科医が聞かせてくれた音を捜すためにハシが作ったものだ。ゴムの中にスピーカーが埋め込まれて、どんなに小さな音でも外からの雑音と混じらないように完璧な防音室になっている。この小さな部屋でハシはいつもと同じようにうずくまっている。ただこれまでと違うのはスピーカーから音が何も聞こえないことだ。ハシは耳鳴りや幻聴だけを聞こうとしている。僕はニヴァを殺さなきゃいけない、それは恐しいことだ、その恐怖と苦痛を乗り越える勇気を与えてくれ、真暗な中でハシは目を閉じた。光源のない部屋で目をつむると闇が拡がっていくのがわかる。黒く重いビロードの暗幕が目の裏側で引かれそれがどんどん自分から遠ざかっていくのだ。闇が極限まで拡がると彼方に灰色の点が現れる。引っ掻き傷のような細長い点の集まりになる。その点にゆっくりと色が染み込んでいく。点が増え始める。広場に人々が集まってくるような増え方ではない。卵細胞が分裂していくのとも違う。一つの点の色の変化が刺激となって隠された電球がふいに灯るように新しい点は現れる。爆発する花火のフィルムを逆回転させて見るのと同じだ。徐々に密度が濃くなる。畑の中で発光するトマトのようになり、結核菌の顕微鏡写真ほどに拡がり、指先に付いた蛾の鱗粉よりも輝き、解剖した猫の胸筋のように縞状でうねり、火山を流れる河が沸騰し底に眠る砂金が水面で弾け散る様を思い出させて、点は最後に暴動寸前の大群集となる。大群集の一人一人が怒りのために発光する。全員が松明を持って振っている。いつもと全く同じだとハシは思う。この後点滅する大群集が真昼の海に変わるのだ。一つだけ違うことがある。音がない。汽笛に似た耳鳴りが続いているが聞こえるのはそれだけだ。真昼の海を巨大なジェット機が横切る。海面から断崖へと一瞬のうちに影が移動する。ハシは断崖から落ちた。海面に短い間漂い沈んでいく。水はヌルヌルして粘り気があり底へ近づくにつれて赤くなっていく。海藻に足をとられる。海中に突き出た岩に引っ掛かって人間の指を持つ水藻が絡まり身動きがとれなくなる。

突然ハシはギクリと身震いして目を開けた。音が聞こえたのだ。自分の体を流れる血の音。腕の血管を移動する血の音。細かな波がある。一定の間隔で波が起こっている。ハシは耳を澄ませた。この音だ、と呟いた。ニヴァを殺すために、やっぱりこの音が聞こえてきた、この音は最大限の勇気を与えてくれる、わかったぞ、心臓の鼓動だ。

ハシは小さな部屋を飛び出した。ニヴァを捜す。ニヴァの洋服が洗面所に脱ぎ捨ててある。シャワーだ。心臓の鼓動はハシが台所で包丁を摑むと歓喜の旋律を奏で始めた。風呂場へ向かう途中ハシを圧倒的な至福感が包んだ。ハシは包丁を握りしめた。変な匂いがした。爪が燃える匂いだ。風呂場のガラス戸を透かして腹が突き出たニヴァが見える。ハシはその前で跪き、心臓の鼓動に感謝した。その音は床や部屋や建物全体を揺らしハシの中で地鳴りのように響いていた。ハシは風呂場の扉を開けた。ニヴァの体を水滴が被っていた。ハシは包丁を構えた瞬間、あの時精神科医の部屋で聞いた心臓の音は誰のだったのか、と考えた。しかし構わず包丁をニヴァの下腹目がけて突き出そうとした。ニヴァは休みなく振りかかる飛沫の中で目を大きく開いた。細い腕を前へ突き出した時、突然空気を震わす心音の響きが止んだ。ハシは驚き、激しい歓喜が一瞬にして恐怖に変わった。ハシは包丁を突き出す腕を止めようと思った。遅かった。包丁の先端はニヴァの横腹に埋まった。

32

ついにあたしは鰐の国にやって来たんだわ、とアネモネは思った。出航して何時間か甲板に出ていたらあっという間に皮膚がただれ蒸し焼きのうさぎみたいな肌になった。

アネモネは左の薬指に珊瑚の指輪を嵌めている。小笠原母島でキクが買ってくれた。母島には米軍駐留時代の小さな教会があって、そこでキクとアネモネは結婚式をした。中倉が神父の代わりに祈りを捧げてくれた。その後四人は静かな入江で泳いだ。ずっとボートで走り放しだったので泳ぐのは初めてだった。林があまりに速く泳ぐのでみんな驚いた。元サルベージ船に乗っていた中倉が三人にダイビングを教えた。海中にテーブル珊瑚が岩棚から突き出ている場所があり、そこを潜って遊んでいた時だ。突然、林が、あっと叫び恐しい勢いで何かを追い始めた。中倉とキクとアネモネは海底から林の追っ駆けっこを眺めた。楕円形の生き物が水面から一気に暗い深場へ逃げ込もうとしていた。きれいな甲羅の亀だった。林はフィンを上手に使って猛然と追い駆け何度も摑まえそうになるのだが、亀は寸前に方向を変えてかわす。息が苦しくなった林は最後の手段に出た。一旦亀から離れ更に十メートルほど深く潜ったのだ。そして海底を蹴り亀の斜め後方から素晴しいスピードで上昇し、亀が気配を感じて方向を変えようとした瞬間背中をがっしりと摑まえた。そのまま林は上昇を続け興奮のあまり膝のあたりまで水面にジャンプして水球のシュートのように亀を砂浜へ放り投げた。

アネモネが食べようと言い出した。昔友達から亀の料理法を聞いたことがあると言った。ねえキクまず火を起こしてちょうだい。乾いた海藻に火をつけ太い流木を折って燃やす。赤くくすぶった流木の先を亀の腹に擦りつけるのだ。アネモネは亀を引っくり返し鼻の頭から汗を砂浜に落としながら焼けた棒を何回も擦りつけた。亀は手足をゆっくりと動かし首を精いっぱい伸ばした。焼かれる胴体を残して頭だけ逃がれようとしているようだ。爪や毛糸が燃える時の匂いがした。亀は海綿が水を吸い込むような鳴き声を出す。何かちょっと残酷だな、中倉が呟いた。林が頷いて唾を呑み込む。何よあんた達、とアネモネが顔を上げて怒鳴った。ここは鰐の国なのよ、鰐の国じゃ捕まったらみんな火で炙って殺して食べちゃうのよ、バカね。白い腹は焼けて柔らかくなったがまだ亀は生きていた。鳴きながら口を開けたり閉じたりした。アネモネは亀をまたうつ伏せにして、甲羅を剝ぐように、と男達に言った。キク早くやってよ、力がいるんだから、冷えちゃうとまた剝がしにくくなるんだから。キクは、お前やれ、と中倉の肩を叩いた。中倉は摑まえた奴に責任があると言って林を見た。かんべんしてくれ、と林が言った。生き物を殺したことないんだ、生まれてから、どんな小さなカマキリとかさ、虫でもな、殺したことないんだ、強盗《たたき》やってババアを殺したけどあれが最初で最後にしたいんだよ、かんべんしてくれ。

アネモネは三人の男達を苛々して見ていたが、ふと亀に目をやって、あっと声を上げた。亀は砂浜を駆け出していたのだ。甲羅は揺れる度に光を反射してキラキラ輝いた。四人は一斉に追いかけた。林が波打ち際で摑まえようと手を伸ばした時、亀が波に触れて、ジュッと音がした。林は手を引っ込めた。亀は波で体を冷やしてからゆっくりと海に入っていった。誰も摑まえようとしなかった。大した奴だなあ、と林が呟いた。見たかよ、捕えられて腹を焼かれても諦めちゃいけないんだなあ。全員が頷いた。

キクとアネモネは巨大な夕陽が沈むのを眺めた。海岸沿いに密生した椰子とマングローブの緑が強烈なオレンジ色の光で際立つ。海面を漂う色の付いた泡が一つずつ消えていくごとに、海岸に寝転ぶキクとアネモネの輪郭が濃くなっていく。夏の亜熱帯の夕暮れは、焼けた肌から遠い体の深い部分に冷たい結晶のようなものを産みつける。結晶は氷よりも冷たく体の中に、陽が落ちて暗くなっていくのと同じ速さで拡がっていく。その結晶が皮膚のすぐ下にまで迫った時、自分の肌の表面がどれほどの熱を持っているかよくわかる。アネモネはキクの耳の穴に舌を入れた。塩辛く砂でザラザラした。もう金網はないのだ、とアネモネは思った。ねえ本当だったでしょう、アネモネは耳に息を吹き込みながら囁いた。あたしのベロの下に鰐の国があるのよ、熱くてすべてがアイスクリームみたいに溶けちゃって、スタジオはきれいに真白な壁に戻るのよ。何を言ってるのかわからない、とキクは笑った。赤く爛れていたアネモネの太腿の皮をそっと剝がした。新しい皮膚は濡れて夜光虫と月を映し、震えている。

パワーボートは轟音を発して舳先を高く跳ね上げ、夜が明けていく母島の海面を出発した。あたしの体を境にして鰐の国の空気が裂けていく、アネモネは甲板に立っている。前方を指差す。黒い点が見える。北硫黄島。近づくにつれて島の周囲に煙を吐く岩が姿を現わす。海底火山の突出部だ。岩には無数のひび割れがあり硫気を噴出している。ガスは海面に低く立ち込め朝の水蒸気と混じる。北硫黄島を抜けるにはボートの速度を極端に落とさなくてはならない。いたる所に浅い岩礁が隠れているからだ。舳先にキクが身を乗り出してボートを誘導する。硫黄の匂いがパワーボートを包んだ。岩の裂け目や、海中から噴煙が昇っている。波のない海面に巨大な泡が浮かび上がり、濁った気体が詰まった半球は更に脹れ上がって鈍い音と共に破裂する。ガスは暖められた水蒸気に溶け、太陽に照らされる角度に応じて様々な色に変化する。直射を受ける噴煙は黄色く、影は暗い赤、逆光を透かすと乳白色に濁る。ガスは低く漂い始めた。熱を逃がさない膜になった。

ボートは座礁を防ぐため人が歩く速さで進んでいる。腐乱した鶏卵の臭い、アネモネは男達の手前必死で耐えていたが、やがて胸と鼻を押さえてキャビンに逃げ込んだ。黄色く濁った視界に太陽が隠れた。キクは目を開けていられなくなった。水中マスクを被る。喉がヒリヒリ痛んだ。林にスクーバタンクとレギュレーターを運んで貰う。呼吸は楽になった。ガスは中に籠って出ていかない猛烈な熱気で重く澱んでいる。太陽の熱は硫黄でさらに熟して体にべっとりと貼り付く。焼けた泥の中に埋められたようだ。

突然、船底で、ボクッという鈍い音がした。震動が足に伝わる。中倉は顔色を変えてボートを停めた。キク、てめえ何やってんだ！　中倉が怒鳴る。こんなとこで座礁したら死んじまうぞ。林がボートフックを持って船の周囲を見渡す。岩じゃない、岩礁は絶対になかった。キクは自分に言い聞かせた。エンジンを止めたボートは揺れながらゆっくり後退する。エンジン音が止むとあたりから硫化ガスが噴き出る不気味な音だけが聞こえ始める。気体が海中を駆け昇る音、水面で泡が弾ける音、その重い飛沫、噴出するガスが岩肌を擦る音。

林が、見ろ！　と声を出した。右前方の海面に巨大な銀色の魚が浮かんでいる。バラクーダだった。眠っていて硫黄の海へ迷い込んだのだろうか。まだ微かに息がある。脹らんだ白い腹を突つくと尾鰭をピクピク動かした。口から尖った歯が覗いている。エンジンをかけろ、バラクーダだった、心配ない、キクが中倉に叫んだ。スクリューが回りだすと船は右へ少し旋回する。その時だった。あっという間に銀色の魚が巻き込まれた。鋭い金属が魚の骨と肉を切り刻む音が続いた。黄色く濁った海面にバラクーダの破片が飛び散った。血脂の匂いが一瞬ガスの中を突き抜け、パワーボートの航跡に鮮やかな赤い塊りが浮いて残っている。

ミルリ環礁は四十あまりの小島からなる。すべての島と周囲二キロの海域を日系二世が個人で所有している。東南アジアの島国で国内線の航空会社を起こし現在は引退した人物だ。無人島だったミルリ環礁に浄水施設と小さな火力発電所を作った。燃料はミルリの三つの極小島の土だ。珪藻土に似た色の一種の泥炭を精製して燃し熱源としている。

キク達が乗るパワーボートは給油のためミルリを訪れた。狭く複雑な水路を作る島はほとんどが無人島だ。南硫黄島とカラギ島に挟まれて常に南の風が吹き降雨量も多いためにバナナや椰子、マングローブが島全体を被っている。ミルリの海図はない。公的な交通がないからだ。入り組んだ細い水路は浅く海藻が密生していて熱帯の沼か河を進んでいるような錯覚に陥る。視界は様々な形の島で完全に遮ぎられ、水面はヌルヌルとした海藻で緑色に濁っているせいだ。北硫黄島のガス発生海域を抜けるのにエンジン停止と発進を繰り返し予想以上に燃料を使ってしまった。カラギでは何が起こるかわからない、ミルリで給油しようとキクが決定した。ミルリの所有者は十数台のボートを持っているらしい。水中翼船、グラスボート、小型の潜水艦まであると聞いたことがある。燃料はあるだろう。だが売って貰えるかどうかわからない。このうっそうと茂るマングローブの島々こそ鰐の王国にふさわしいと、アネモネだけが喜んでいる。

硫黄島を通過した時、自衛隊の軽飛行機が長いこと追跡してきた。貴船はどこへ向かうか？　無線が入った。カラギだ、とパワーボートは答えた。目的は？　と問われて、観光である、と返事すると、引っ返せ、と通告してきた。現在カラギには宿泊施設がなく遊泳禁止の水域が多い、観光に不向きである、至急、引っ返されたし。キクは構わずに走り軽飛行機を振り切った。やばいんじゃねえか、中倉と林はそれ以来心配そうな顔をしている。

環礁の中央部、入り組んだ水路の奥深くに栈橋が見えた。小さな入江の砂浜から突き出ている。鉄柱にセメントを吹きつけた立派なもので、木造の小屋とその向こうには密林が切り開かれてアスファルトの道路が続いていた。砂浜に近づく。砂浜には真二つに折れた手漕ぎのカヌーが捨ててある。中倉はベルトに小型拳銃を差し舳先から桟橋に飛び乗った。林が係留ロープを投げる。キクは軽油と交換するつもりの米と総合ビタミン剤をリュックサックに詰め、アネモネは虫除けスプレーを全身にかけて、島へ上陸した。

小屋に人の気配がない。水上スキーの板、ドラム缶、救命胴衣、スクーバタンク、投網と何本かのロープ、いずれも破損したり錆びたり腐蝕して穴があいたりボロボロに崩れている。人の気配はない。湿った床の隅に蟹の巣がある。島全体から懐しい匂いが漂っているのをキクは感じた。太陽に焼かれ乾きひび割れ土に溶ける途中の金属や木材の匂いと、影になったコンクリートに拡がる時の黴の匂いだ。

足の裏に粘つくアスファルトの道路、両側の密林は僅かに切り開かれてマンゴやパイナップルを植えた形跡がある。なだらかな坂を上がりきると小さな島の全部が見渡せた。島は楕円形で周囲二キロより少し広く三キロにはとても及ばない。密林は途切れていくつかの建物が並んでいる。ヘリポートと灰色の格納庫、小規模な発電所とその燃料の精製工場、テラスのある椰子の葉ぶきの家とバレーボールコート、だが人影は見えない。発電所も工場も静まり返っている。聞こえるのは密林からの鳥の鳴き声と波の音だけだ。

誰もいないのかしら、アネモネが呟いた。おい、来てみろ、格納庫を覗いていた中倉が呼んだ。割れた窓ガラスから中を指差している。埃塗れのヘリコプターが二機。その上だ、と中倉は天井を見上げる。薄暗い天井に何千匹というこうもりがぶら下がっていた。背後で扉が開く音がした。四人は驚いて振り向いた。中倉はベルトの拳銃を抜いた。椰子の葉ぶきの家の扉が開いている。風でもう一度閉まり、また開いた。黒い山羊が現れた。板張りのテラスを音をたてて跳ねる。何回か鳴いた後テラスから庭へ飛び降りて短い草を食べ始めた。びっくりさせやがる。中倉がそう言って拳銃をベルトに差し込んだ時、アネモネが悲鳴を上げた。家の窓を見ている。ガラスにぴったりくっついてこちらを眺めている人間の顔があった。ニヤニヤ笑っている。その老人はキク達に手招きした。

巨大な水槽にナポレオンフィッシュが泳ぐ室内で老人は濃いコーヒーを入れてくれた。籐の家具と、様々な貝殻の収集棚、鮫の歯とブルーマリンの剝製、二羽の鸚鵡と手回し式の蓄音機。暑いかね？　老人は聞いた。四人は顔を見合わせて首を振った。テラスから風が通り、太陽の直射から逃れただけで涼しかった。老人は膝のあたりで千切ったズボンと真白な麻のシャツを着ている。斜視だ。濃いコーヒーは恐ろしく甘かった。

モーターボートの燃料を分けて欲しい、とキクは頼んだ。金を払ってもいいし、米やビタミン剤を持ってるから交換してもいいし。キク達がボートを着けた入江と丁度反対側にもう一つ桟橋があって、そこに係船岸壁と軽油の地下貯蔵タンクがあるから好きなだけ給油していけ、そう老人は言った。代金は要らんよ、お礼もいい。ところで、どこへ行くのかね？　カラギだ、と中倉が答えた。老人は頷いて中倉のベルトからグリップを覗かせている拳銃に目をやった。籐で編んだ台にガラスを載せたテーブルには数冊の写真帳がある。老人はそのうちの一冊を開いて、小型ジェット機の操縦席に坐る自分を指差し、アネモネに示した。マレーシアの国会議員選挙の遊説のチャーター便は全部自分が操縦したのだ、そう老人は自慢した。アネモネは、悪いけど急いでいるの、そう言って立ち上がった。コーヒーをどうもありがとう、香りといい風味といい、とても素晴しいエスプレッソだったわ。老人は残念そうな顔でアルバムを閉じ、黒い山羊と共にキク達を途中まで見送った。熟し過ぎて潰れたマンゴ畑の傍で、中倉の拳銃を指差し、誰を撃つのかね？　と聞いた。「悪い奴らだよ」中倉は人差し指を太陽に向けて答えた。老人は笑った。一人で住むようになってから君達が最初の客だ、カラギから帰る時にも寄ってくれ、老人は黒い山羊の背を撫でながら言った。

一人で住んでると病気になった時、困るでしょう？　そう聞いたのは林だ。

「一度うつぼに噛まれた傷が化膿して、足がドラム缶みたいに腫れ上がったことがある。丁度ペニシリンも切れてたし、私は足を切断しようと思ったよ、そんなに恐くなかった、どうしたら自分一人で切断できるか大分考えて、ギロチンが一番いいと気付いた、問題は大きな刃だがこれは泥炭を裁断する鋼鉄の刀を使うことにした、刀を斜めに削ってね、木で台を組んで自分で紐を引けばストンと刃が落ちてくるように、工夫した、板が余ったんで、足の墓や松葉杖までちゃんと前もって作っといたよ、刀を納める溝を削るのが一番苦労した、狭すぎると滑りが悪くなるし、広すぎると刃がグラグラして刃先が当たる角度が安定しないからね、日曜日に実行しようとしたが雨が降って一日延ばした、止血剤やら包帯やら消毒液やらみんな準備を整えて、刃先が太腿の真中あたりに落ちるように腫れ上がった足を固定した、もうその頃足にはあまり感覚もなくて、真黒な棒みたいだったからね、惜しくなんかなかったよ、右足だったんだが、左足を横に曲げたままでいるのが辛くてね」

「右足だったら、ちゃんとあるじゃないか」中倉がそう言った。

「うん、失敗したんだ、骨で止まってしまった、よく刃先も磨いたつもりだったんだが、切断できなかった、君達は知らんだろうが、人間の骨は、硬いんだぞ、すごく硬い」

「痛かったでしょ？」アネモネが聞く。

「いや、それより膿が切り口から溢れ出て、それが目に入らないようにするのが大変だった、盲になるからな、足が駄目になっても構わんが、盲になるのは絶対に困る」

「どうして？」

「私は飛行機乗りだからだ、飛行機は、片足でも何とかなるが、盲じゃ、無理だ」

アスファルトの道路を黄色と黒の縞蛇が横切った。老人は右足太腿の傷跡を見せた後、一発でいいから拳銃を撃たしてくれと中倉に頼んだ。密林へ向かって無雑作に発射した。鳥の群れが一塊りになって密林から離れた。また、寄ってくれ、老人は何回もそう言った。パワーボートに乗り込んでから、キクはふと顔を上げて老人に聞いた。あのヘリコプターだけど、まだ飛ぶんですか？　老人は頷く。「一時間も手入れすれば、どこだって行けるぞ」

さっき密林を飛び立った鳥の群れはまだ上空を旋回している。その影が、水藻に覆われた緑の海面に映る。黒い山羊が尻尾を振って虻を追い払いながら、鳴き続けた。

カラギ島は女物の靴に形が似ている。潜水器材の点検をしている時、猛烈なスコールの中に入った。パワーボートのエンジン音がおかしくなったのはその後だ。操舵していた林はエンジンを停めた。キクと中倉が機関室にもぐり冷却器や潤滑油圧を調べる。油の焼ける臭いがした。燃料噴射ポンプ、吸排気弁、燃料弁、噴射圧力の調整をする。原因は冷却器の海水管の中に混入していた海藻だった。海水濾し器の金網が破れており、ミルリの水路を埋めていた藻が入り込んだのだろう。エンジンを作動させ管に海水を流して掃除する。機関室は蒸し暑く汗が噴き出る。キクも中倉もすっかり陽に焼けた。

穴のあいた濾し器を取り外しながら、中倉が話しかける。おい、その薬を手に入れたらどうするんだ、本当に東京に撒く気か？　キクは海水管にワイヤブラシを差し込んで動かす。千葉に撒かねえか、俺は千葉に撒きてえな。中倉は小さなボルトをシャツのポケットに入れて故障した部品を機関から抜き取る。新しい濾し器を取り付ける。オフクロがいるからか？　キクは笑いながら聞いた。中倉は頷く。だから千葉で降ろしてやるっていったのに。油に塗れたキクの胸を海藻の切れ端が汗に乗って滑り落ちる。千葉へ逃げてりゃあっという間に摑まっちまうよ。ワイヤブラシに緑色の藻がべっとりと絡みついてくる。

林はどうしてついてきたのかね？　家族なんか、いなかったのかな。キクは機関室の床に溜まった海藻を排水孔から流す。細い藻には繊毛が生えていてそれが指の間でヌルヌルする。行くとこなんかねえんだよ。どうせいつかは摑まるんだしよ、とにかく行くところなんかねえ、海の底ぐらいのもんだ。中倉の額に海藻が貼り付いている。キクは手を伸ばして取ってやった。俺は、摑まらないよ、キクはそう言って海水管の蓋を被せる。でもダチュラが無かったらどうするんだ？　中倉は、過給器の羽の汚れを取るキクに聞いた。キクはハトラスの巨大なエンジンを叩いて、マリアナ諸島やマーシャル群島を捜してみるつもりだ、と答えた。

その時軽飛行機の爆音が聞こえて二人は甲板へ出た。自衛隊の飛行機だった。カラギへは近づくな、と無線が繰り返している。機関故障につき現在修理中である、済みしだい忠告通り小笠原方面へ引き返す、キクはそう応信した。軽飛行機はしばらくボートの上空を旋回していた。完全に見えなくなってからキクはボートを走らせた。アネモネはキャビンで昼寝している。中倉はスクーバタンクの残圧を再点検し、林は海図を読んでいる。太陽は傾きかけている。カラギ島はすぐ目の前にある。

33

女物の靴の形をしたカラギ島の、踵と土踏まずの中間あたりにウワネ岩礁があった。暗くなってからボートはウワネ浦に入った。エンジンの音を最小にして、ライトを点けずに進んだ。ゆるやかな波が海面に映る月を散らす。ボートは岩礁の数メートル手前にアンカーを降ろした。

キクと中倉の二人がまず潜って岩礁の周囲を回り、海底地震で生じたという亀裂を捜した。水中ライトが真暗な岩肌を照らす。細い光の筒を様々な魚が通過する。中倉は、必ずすぐ後からついて来るようにとキクに何度も注意した。中倉はしっかりと岩を摑みながら移動する。ウワネ岩礁の周囲には水深や場所によって速い潮の流れがある。引き込まれると流されたり深場にはまったりする。岩礁は海底に対しほぼ垂直に切り立っている。十二、三階建てのビルを屋上だけ残して沈めた格好だ。最も深い沖合い側の岩根で水深計は三十八メートルを示した。中倉とキクは水深二十メートルの地点を岩礁に沿って回り三、四メートルごとに付近の岩肌を水中ライトで照らした。暗いので、亀裂に見える岩影はいくつもある。タンクの空気が無くなりかけた頃、中倉が前方を指差した。体長三メートルほどの虎鮫がライトに浮かび上がった。慌てて水中銃を構えたキクを中倉が制した。鮫はゆっくりと二人の周囲を回っている。中倉はライトを消した。灰色の滑らかな影になった虎鮫は旋回を止めふいに向きを変えて近づいてきた。キクは迫って来る牙目がけて水中銃を撃った。大きくそれてかすりもしない。中倉はキクが持っていた水中ライトを奪うと自分のと合わせて二灯にして鮫の目を狙って点滅させた。鮫は二人の二メートルほど手前で急に向きを変えた。中倉はライトを点滅し続けた。鮫はしばらく二人の様子を窺っていたがやがて反対側に遠ざかっていった。

そのすぐ後、キクが亀裂を見つけた。岩肌にライトの光を反射するものがあったのだ。ジュラルミンのパイプと太いワイヤの網が岩の根に固定されて亀裂を封じていた。空気タンクの残圧計がゼロになったので、二人は一本のジュラルミンパイプに目印の浮標を結びつけて一旦ボートへ引き返した。

キャビンの電熱器でアネモネはスパゲティを作った。食事をしながら中倉が作業順序の確認をする。アネモネ一人がボートに残ることになった。アネモネは一緒に行きたいと文句を言ったが、鮫がウヨウヨいると聞かされて思いとどまった。まず、中倉が潜り、アンカーロープに結びつけた機材が降ろされるのを受け取った。三台の水中スクーター、海底作業用のバッテリーと電動掘削機二本、スクーバタンク十二本、水中銃六丁とロープ類。林とキクが降りて来るまでに、中倉はワイヤの網を切断した。ジュラルミンパイプを組み合わせた格子とワイヤの網は入口を二重に塞いでいる。岩に巻きつけられたワイヤは固く錆びていてカッターの爪を食い込ませるのに骨が折れた。岩とワイヤの隙間にナイフを差し込みワイヤを浮かせて切断する。ジュラルミンパイプの格子はセメントを流し込んで固定してあった。ワイヤの切断作業はなかなか進まなかった。中倉は電動掘削機を使うことにした。キクがコードをバッテリーに繋ぐ。ものすごい音を出して中倉はセメントを剝がし始めた。岩礁が細かく震動する。

眠っていた魚達が岩陰から一斉に飛び出してきた。セメントは厚い。中倉は林と交代した。残圧計を見る。こんなところで手間どっていると空気はいくらあっても足りないぞ。

アネモネは空と海面を交互に眺めている。真下の海底から岩を砕く音が聞こえてくる。ビルの建築現場や道路工事などで聞きなれたピストンの爆発音、暗い海が震動を吸収している。ボートは沖の方から伝わる風を受けて静かに揺れるだけだ。

海面に光るものが見えた。波間に見え隠れしながらしだいに数が増える。アネモネは思わずキクから渡された拳銃と水中銃を握りしめた。光は点滅しながらかなりの速さで海面を移動している。イルカだった。全身に夜光虫を貼り付かせたイルカの群れだった。アネモネは一瞬とても恐かったので、なあんだイルカか、と大きな声で一人言を言った。光るイルカは次から次に現れた。海面を青白い燐光で染めて沖へ向かう。遊園地の乗り物みたいだ、とアネモネは思った。一番最後には水上スキーを履いた裸のサンタクロースがイルカに引っ張られてニコニコ笑いながら出てくるんじゃないかしら、キクに見せてやりたいな。流線型の輪郭を輝かせてイルカの群れは海を渡っていく。微かな残像が目の裏側で揺れる。アネモネは涙が出そうになった。キクと一緒に見れたらいいな、と思った。キクが刑務所にいた頃、見せたくてしようがないものがあった。それが何だったか忘れていて思い出すのに手間どった。自分で作ったカーテンだった。これからはどんなものだって二人で一緒に眺めることができるんだ、アネモネはそう思った。

中倉は左手に電動掘削機を抱え右手で水中スクーターを操作している。林はゴムバンドで束ねた六本のスクーバタンクを、キクがバッテリーと水中銃を運んでいる。水中スクーターの先端に付いているライトだけが唯一の灯りだ。洞窟は奥へ進むに従って広くなる。岩陰に五十センチもあるハタやブダイがいるのを見ると、この洞窟には、封印されていた亀裂とは別に出口があることがわかる。洞窟の底質は軟土で、巻き上げて水を濁さないよう、慎重に前進する。無数のうつぼがいる。ライトが当たると牙を剝いて威嚇する。両手が塞がっているので刺激して攻撃を受けたら逃げようがない。林はうつぼが嫌いらしい。一度人間の手首ほどの太さのやつが鎌首をもたげて岩陰から現れた。中倉の足に嚙み付こうとして、フィンの先を喰い千切った。それを見た林は恐がって前へ進もうとしなくなった。中倉とキクが、うつぼは巣から出て襲いかかることはない、と何回か実験してみせて、やっと林は納得した。洞窟は上下左右に曲がりくねっている。先の見通しがきかない曲がり角に中倉は小さな水中ライトを一個ずつ置く。目印だ。洞窟はかなり広くなった。キクは廃鉱の坑道を思い出している。天井にぶら下がったこうもりに林が怯えた。赤い目をして気味の悪い鳴き声を出したからだ。中倉が急に振り向いて、伏せろ、と手で合図した。中倉は水中スクーターのスイッチを切り電動掘削機を放り出して洞窟の底に腹這いになった。キクと林がそれに倣おうとしてる時に、前方の灰色の岩肌が動いた。魚の壁だった。イシダイの大群だ。光を目がけて突っ込んで来た。キクは危険を察知した。俺達に驚いてるんじゃない、あの魚の壁の向こう側に何かいるんだ。中倉がキクに水中銃を寄こせと手を差し出す。三人は前方に向けて水中銃を構えた。逃げるイシダイの中には腹が裂けて臓物を引き摺りながら泳いでいるやつがいる。灰色の鱗が飛び散る。

ライトの丸い灯りに迷彩色の鮫が映った。小型だが大きく開けた口から覗く歯は鋭い。中倉は水中銃を発射し先頭の鮫の喉元に命中させた。苦しがって踠くその背後から続けて三匹が現れた。一匹は血を吐く仲間の白い腹に喰い付き、二匹はこちらへ向かった。キクが水中銃を撃つ。外れた。鮫は牙を剥いたまま突っ込んできた。キクは足首に嵌めているナイフを抜こうとして身を捩じった。鮫の下顎がキクの背中を擦った。レギュレーターのホースを鮫は歯で引っ掛けたようだ。尾鰭を激しく振り体をくねらせて、引き千切ろうとする。洞窟の中は砂煙で何も見えなくなった。ブシュッと音がする。誰かが水中銃を撃った音だ。緑色の魚の血が目の前を流れ腹を波打たせた一匹が軟土に半分顎を突っ込んで暴れている。キクのレギュレーターホースが引き千切られた。猛烈な勢いで泡が噴き出る。キクは足首のナイフを抜いたところだった。送られてくる空気が止まった。予備のスクーバタンクを捜す。洞窟内の視界は限られている。バラバラな方向を照らすライトの三つの光の輪の中に見えるのは巻き上がった細かい砂と魚の臓物と鮫の緑色の血とレギュレーターホースから噴出する白い泡だけだ。息が苦しくなった。落ち着け、と自分に言い聞かせる。予備のタンクは確か林が運んでいたはずだ。林を捜した。とにかく水中ライトのところへ進もうとした。こめかみが痛くなる。

突然目の前に鮫が現れた。背中に銛が突き刺さっているが、キクの首めがけて襲いかかった。キクはレギュレーターホースの切れ端を摑み噴出する泡を鮫に浴びせた。鮫の喉が僅かに上を向いた。キクはナイフを突き上げた。ナイフは真白な喉に減り込んだ。その時キクは大量の水を飲んだ。鼻からも水が入った。咳込む。胸壁がけいれんし咳込んだ直後に口と鼻は水を吸い込む。自分の意志とは関係なく水がどんどん入ってくる。キクは激しい恐怖に襲われた。咳を止めなければ、と慌てた。力を振り絞って鼻と口を押さえる。苦しくて胸が裂けるようだ。予備のタンクを捜さなければ、と思う。タンク、タンクと考える間に自分がどこにいて何をしているのか全くわからなくなってしまった。なぜこんなに苦しいのかもわからない。古い空気が腐って膨張し体を真二つに引き裂こうとしている。目の前が一瞬暗くなった。キクは顎の力を抜いた。諦めてしまったのだ。空気の代わりに水を飲んだ。水を飲むと苦しさが消えた。海水は音をたてて内臓になだれ込む。器官が水に浸っていく。死ぬんだな、とキクは思った。全く苦しくなかった。苦しさを感じない自分に少し腹が立った。最後まで抵抗せず諦めて降参したのだ、と気付いた。全身が痺れていく。しかし心臓は必死に打っている。キクは猛烈に腹が立ってきた。なぜ死ぬことに簡単に同意してしまったのだろうと後悔した。心臓の音は止んでいない。再び残っているすべての力を集めて、水を飲み込むのを止めようとした。だめだ。胸壁が勝手に動いている。手を上げることもできない。その時誰かが口に新しいレギュレーターを押し込んだ。ものすごい勢いで空気が入ってきた。水を呑むのを止めたとたんに苦しくなった。すべての細胞に針を刺されたようだ。キクは無意識にレギュレーターを外そうとして暴れた。空気を無理やり送り込んでくる奴をナイフで刺し殺してやりたかった。誰かが強く胸を押した。キクの肺は押されて空気を吐いた。また新しい空気が胸を乾かしながら飛び込んできた。ヒリヒリする痛い空気だ。肺の気泡の一つ一つが喘ぐのを感じた。吐き出す。目の前がゆっくりと明るくなった。中倉と林が顔を覗き込んでいる。大丈夫か？　と指で合図をする。キクは微かに頷いて見せた。

キクは鮫の緑色の血の中で二つのことを知った。死に抗うのを止めると体から苦しさが消えること、心臓の鼓動が聞こえる間は諦めずに苦しさと戦い続けなければいけないこと、の二つだ。

キクが落ち着くのを待って、三人は再び洞窟を進み始めた。中倉と林も空気を使い果たして新しい予備タンクに替えた。三匹の鮫が死に、二匹がその臓物を喰い千切っている。洞窟内に水中スクーターの音だけが響く。中倉が前方を指差した。まだ少し腐肉の付いた人骨が二体砂に埋まっている。すぐ傍に錆びたダイバーズナイフ、頭蓋骨は蝶々魚の巣になっていた。紫の海藻がゆらめきその向こうに広い闇が見える。ライトの光が届かない広い闇の部屋だ。中倉が水中スクーターの速度を上げた。

紫の海草を潜ると岩棚に出た。中倉が絶対にレギュレーターを外すな、と二人に伝える。岩棚には何百匹という巨大な伊勢海老がいた。光を当てると虹色の甲殻が輝く。階段状になった岩壁にびっしり貼り付き一斉に触角を動かす。交響楽団の器楽奏者が全員指揮棒を振っているようだ。その片隅に目が潰れたうつぼが群れている。ライトに驚いて逃げ出す揚羽蝶に似たミノカサゴと虎斑紋様の海蛇、口から黄色の糸を吐き出す体中に棘のある深海魚の一種は光を浴びると破裂するのではないかと思うほど腹を脹らませた。

岩棚は、尖塔を持つ寺院の内部を思わせる。高い天井と伊勢海老が並ぶ祭壇、紫の海藻は揺れる天蓋で、盲のうつぼは司祭、極彩色の魚達は懺悔を乞う信者だ。そしてその奥には縦長の聖像として三つの亀裂が口を開けている。中倉は慎重に近づいた。一つ一つ裂け目の奥をライトで照らす。中央の裂け目を覗いた中倉はキクと林を手招きして呼んだ。その支洞は足許から急角度で傾斜していた。中倉が奥の一点を指差す。周囲とは明らかに色の違う岩がある。しかも大きな刃物でザックリと切ったような平面が見える。中倉は水深計を見る。現在地で二十九メートル。あの灰色の岩場では恐らく四十メートルはあるだろう。中倉は減圧表示板と減圧コンピューターを見比べて計算する。空気は足りるか？　水深四十メートルの場所で作業時間は何分とれるか？　中倉は指を六本立てて示した。六分だ。中倉とキクがロープを付けて灰色の岩まで進むことにした。林はロープの端を確保し緊急に備えて岩棚で待機する。バッテリーと掘削機を抱えて二人は裂け目から入った。

支洞の底質は軟土ではなく珊瑚虫の死骸だ。その表面を薄く海苔が覆っている。水圧が体を重くする。圧迫されるというより水の粘り気が増した感じだ。海水がネバネバと体に絡みつくような気がする。珊瑚の死骸は骨を連想させる。キクは火葬場から貰ってきた和代の骨を思い出して、体にまとわりつく水圧のぬめりのせいもあって一瞬いやな気分になった。その気分は、自分を産んだ女を殺した後の虚脱感に似ていた。体の血がゆっくりと凝固するか、或いは抜かれているようだった。まずいぞ、と思った。海底ではほんの些細な不安から簡単に恐慌をきたすことがある。あらゆる音と匂いから遮断されているため、あっという間に不安が脹れ上がるのだ。もし空気が止まったらどうしよう、そう考えると頭の中で堂々巡りが始まりひどい恐怖に捉われて震えだしたり吐いたり急に浮上しようとしたり意識を失ったりする。キクは別のことを考えようと努めた。アネモネの舌と腋の下と性器を思い浮かべた。太陽に焼けて爛れた皮膚の裏側、触れると透明な糸を引く鰐の王国の入口を、暗い海底に重ね合わせた。

水深計を見る。三十八メートル。中倉が灰色の岩をライトで照らした。貝や海苔に被われているがコンクリートに間違いなかった。平たいコンクリートの塊だ。あちこちに罅が入っている。罅の隙間から白い突起が伸びていた。珊瑚のようだ。中倉が掘削機のコードをバッテリーに接続した。罅割れの最も大きな箇所に掘削機の先端をあてる。スイッチを入れた。洞窟が揺れ始める。珊瑚や岩の間で眠っていた熱帯魚が驚いて巣から飛び出す。コンクリートは最初ビクともしなかった。中倉は時計を見ながら辛抱強く罅割れを拡げていった。震動の具合でコンクリートの厚さがわかるのか中倉が両手で示す。三十センチくらいだろう。コンクリートの破片が飛び散る。放物線を描いてゆっくりと沈んでいく。中倉は二本の罅を交錯させた。交点を集中的に掘削する。砕き続けて手の平ほどの穴があいた。中倉は腹這いになってライトで照らし覗き込む。顔を上げて首を振った。キクも内部を覗いた。よく見えない。白い珊瑚が繁殖している。中倉はさらに穴を拡げた。人間が入れるくらいの大きさになった。中倉は掘削機の回転数を最大限にして作業を続ける。そうするうちに、コンクリートの平面約三分の一が音と煙を出して陥没した。中倉も一緒に落ちた。キクは水中ライトを持って後に続いた。

中は瓦礫と珊瑚とで埋まっている。中倉はヌルヌルした藻に絡まって跪いていた。ロープを引いて体を起こしてやる。ライトで内部を照らし出す。このコンクリートは大型のトーチカらしい。銃眼が三方向にある。底はドロリとした軟土だ。瓦礫をどけてみたが、巨大な脳珊瑚が二つあるだけで、他は何もない。中倉が苦笑した。キクは脳の形をした珊瑚を見て、山根を思い出した。俺は頭蓋骨の一部を剝がされ自分の脳を眺めてまるでブヨブヨの豆腐みたいだと思ったよ、山根はそう言ったことがあった。自分が考えたり感じたりするのはこの豆腐みたいなやつのおかげかと思うとな、自分が豆腐になった気がして、どうでもいいような気分になったよ。豆腐と脳珊瑚か、キクは呟いて、落ちていた掘削機のスイッチを入れた。柔らかい脳珊瑚を壊し始めた。珊瑚は簡単に折れ、吹っ飛んだ。中倉がキクを制止した。珊瑚の破片で白く濁った隙間を指差す。光るものがあった。中倉はキクから掘削機を奪いていねいに脳珊瑚の残骸をどけた。銀色の筒が現れた。モリブデン鋼製のガスボンベだ。胴体には何も刻まれていない。ガスボンベは人間の太腿ほどで十六本が積んであった。隙間に厚いビニールが挟んである。鎖をかけてその端はコンクリートに埋め込まれている。中倉はコンクリートを掘って鎖を外した。ボンベの山はゆっくりと崩れた。三本ずつゴムのベルトをかけて固定したものを二組、ボンベは六本運ぶことにした。ロープを引いて合図し急斜面を林に引き上げて貰う。林が待機する岩棚から灯りが洩れている。街灯のない夜道から見上げる人家の窓のようだ。何ヵ所か珊瑚の残骸に引っ掛かってロープが張りつめている。林の姿が見えた。力一杯ロープを引き上げているのがわかる。掘削機とバッテリーはトーチカに置いてきた。キクと中倉はガスボンベだけを抱えている。トーチカと岩棚の半分まで来た。二匹のミノカサゴが驚いたようにキクの目の前を素速く泳ぎ過ぎた。

その直後だ。中倉の叫び声と噴出する泡の音が聞こえた。キクは振り向いた。中倉はレギュレーターを口から外し額のあたりを押さえ苦しそうに呻きガスボンベを左脇に抱えたまま急斜面を転がり落ちていた。キクはわけがわからなかったが林に合図してロープをゆるめ助けに行った。中倉はトーチカの上に横になってまだ額を押さえている。キクに気付くと顔を上げ近くにいたミノカサゴを指差した。刺されたのだ。ミノカサゴの美しい背鰭には鋭い突起があり刺されると全身が痺れる。刺された箇所は激しく痛む。中倉は手真似で、小便をかけてくれ、と言った。酸性毒だから小便を額にふりかけてくれ。キクがためらっていると、中倉はドライスーツのファスナーを開け無理矢理キクの性器を引っ張り出した。先端を刺傷にあてる。早くしろとキクの股を押さえる。キクは必死に尿意を起こす。キクの股間に頭を突き出している中倉の格好を見ているると下腹に力を入れるほどにおかしくなって笑い出しそうになり尿意が遠ざかる。中倉はいつ小便が出てきてもいいようにピンク色の先端を額に擦りつけている。キクは下腹を押した。また笑い出しそうになり我慢した。

ふいに中倉がキクの性器を離した。どうしたのだろう、キクは顔を覗き込んだ。水中マスク越しに見る中倉の顔が急に歪み始めた。目をきつく閉じ、唇を喰いしばっている。顎がブルブルと震えている。歯が唇に喰い込み、薄く血が出てきた。キクの太腿にしがみついた。腕が金属のように硬直している。キクはあることに気付いた。確かミノカサゴに刺された時中倉はレギュレーターを口から外したはずだ。キクは中倉が抱えていたガスボンベに目をやった。ボンベの先端にある嘴型の弁が捩じ曲がって緑色の泡が噴出している。泡はすぐに圧し潰されて弾ける。液化して海水に混じっている。中倉は目を開いた。瞳孔が開いている。水中マスク越しに見る眼球は干乾らびて萎んだ果物のようだ。目蓋の縁が充血している。薄い緑色の泡を吐いた。キクの太腿は締めつけられて筋が切れそうだ。中倉は突然その腕を離した。泡を吹き出して何か怒鳴る。嗽《うがい》をしながら大笑いするような声だった。キクは太腿の痺れに耐えて逃げようとした。中倉はロープを引いて止める。キクは中倉と繋がっているロープをナイフで切った。林に合図を送る。引き上げてくれ。全力でフィンを動かした。太腿が痺れて思うように進まない。水圧がネバネバまとわりついて、これと似たような夢を何回も見たな、とキクは思った。足が痺れて体が重い時に、友人や肉親が殺そうと追い駆けてくる夢だ。中倉は自力で急斜面を這い上がり後を追って来る。気味の悪い声を出し続ける。嗽をしながら笑っているような声。林がロープを引っ張ってくれる。キクは息を切らして岩棚に這い上がった。海中では水圧のため体が軽く感じ、また地上より温度が低いから激しい運動をしてもその限度に気付かず呼吸ができないほど疲労してしまうことがある。岩棚に上がり立った瞬間キクは目の前が暗くなった。意識が遠のいていく。気を失ったら呼吸を忘れてしまう。うずくまり背を丸めて肺の気胞を縮め強く息を吸った。空気を吸え、と自分に命令した。心臓の音を聞いた。肺に空気を溜め、吐け、とまた自分に言い聞かせた。繰り返す。心臓はまだ止まっていない。そっと目を開けた。目の前の海老が触角を動かしているのが見えた。背後に呼吸音を聞いた。林が、上がってきた中倉に手を差し出している。キクは、やめろ、と叫んだ。声にはならない。ゴボゴボゴボと水泡が飛び出すだけだ。中倉は林の手を摑んだ。林の顔がマスク越しに歪んでいる。中倉は右手でナイフを抜いた。林は摑まれた手を振り解こうとする。キクは水中銃を拾い、構えた。林の腹にナイフを押しつけた中倉に狙いをつける。撃つ。銀色の銛は飛行機雲のような筋を引いて中倉の喉に吸い込まれた。

34

ハシは風呂場に坐り込んだままだ。手の指がブヨブヨにふやけているのに気付き出し放しのシャワーを止めた。包丁を握っていた。血はシャワーに流されている。ニヴァを刺したのは夢だったのだろうか、ハシはずぶ濡れのまま部屋に戻ってニヴァを呼んだ。ニヴァが帰ってきて部屋にいたのだという形跡を捜した。灰皿やキャラメルの包み紙や鏡台の化粧品や玄関の靴の乱れやテーブルの食器の汚れ具合を調べた。握っていた包丁を台所の棚に仕舞う。何一つ変わった様子はない、とハシは思った。やっぱりあれは奇妙な夢だったんだ。

ニヴァの白く脹れ上がった腹に減り込んだ包丁の先端と染み出てきた黒っぽい血、夢にしてはやけにはっきりと頭に残っている。狂っている、そう言ったミスターDの声を思い出した。本当に狂っているのだろうかとハシは不安になった。実際にものを見るのと同じに夢を見るようになったら、きっと狂った証拠なんじゃないか、そう思ってぞっとした。小さい頃ゴミ捨て場で見かけた老婆のことを考えた。あの老婆は狂人だった。空を指差して何も飛んでないのに、飛行機！　と叫んで地面に伏せていた、僕もあんな種類の人間になったのだろうか、なぜだろう？　やっぱり狂人の乞食の老婆の産み捨てた子供だったのだろうか、舌を切ったりしたから罰が当たったのかも知れない、僕が見るものは全部他の人には見えないもので、他の人がちゃんと見えるものでも僕には歪んで見えるのだろうか。

ハシは冷蔵庫から氷を出した。手が痺れて痛くなるまで氷を握っていた。次にガス台に火をつけた。火の中に手を入れた。悲鳴を上げて飛び上がった。手の平が薄く焦げた。紙に数字を書いた。でたらめの数字を並べて足し算をした。新聞を拡げ声を出して、死亡欄の記事を読んだ。行浦義雄、ぎょううらよしお、書道家、十一日午前二時二十分、心不全のため松山記念病院で死去、八十三歳、告別式は松山市本町九―三の行浦書芸塾で、喪主は妻ヨシ枝さん、住所は松山市神入町三ノ四、全部ちゃんと読めた。正常じゃないか、と思った。

台所の流しに置いてある透明なゴミ袋が目に入った。赤いものが見える。血のついた脱脂綿だった。ハシは全身に鳥肌が立った。ニヴァを刺したのは夢ではなかったんだ、恐怖に襲われた。今にも警察が逮捕に来るかも知れない、摑まればキクのように、裁判を受けて金網と鉄格子と高い塀のある灰色の建物へ送られてしまう、僕は弱いから何をされるかわからない、廃鉱の島の誇りだったのに、恥になってしまうだろう。

玄関の扉を誰かがノックした。ハシは恐しくて気を失いそうになった。自分が本当に狂っているかどうか試すいい機会だと思い直した。またノックの音。覗き穴から外を見る。制服の警察官だった。ハシは震えだした。震えながら錠を外して警察官を招き入れた。ぐっと腕を掴まれて手錠をかけられるのを覚悟した。二人の警察官はハシを見ると敬礼した。夜分申し訳ありません、年配の一人がそう言った。奥さんがあんなことになってしまって、お取り込み中大変失礼なのですが、一応調査に参りました。何のことか全くわからなかったが、あそうですか、どうぞ、とハシは部屋へ案内した。部屋を見回しながら警官は、しかし大変でしたね、とハシに声をかけた。ハシは苦笑いしながら頷いた。警官は棚から包丁を捜し出した。ハシに示して聞く。これで奥さんは自殺しようとしたんですね？　ハシはまた頷く。しかしまた古風な自殺の方法だ、血が付いてないな。ハシは立ち上がって、僕が洗い流したんです、と大声で言った。しかし何でまたそんな夫婦喧嘩をしたんですか、これですか？　警官はそう言って小指を立ててみせた。いやね僕のファンの女の子がね、訪ねてきて僕と関係があったとか何とかでたらめを言って、ひどい嘘をついてね、ニヴァが本気にして怒っちゃったんです、ハシはそう答えた。インタビューと同じ要領だった。何の話をしているのかわからなくても相手の目をしっかりと見て寂しそうに笑いながら答えれば会話が成立する。はあそうですか有名人って陰で苦労してるんですねえ、テレビなんかで見るだけだと、いつも楽しそうにしてますがねえ、奥さんは妊娠してらしたそうじゃないですか、あなたがひどいことを言ったので自殺しようとしたらしいですよ、子供を堕せとか何とか。

ハシは冷蔵庫からオレンジジュースを出して警察官に飲ませた。椅子を勧めると警官はあっさりと応じた。芸能人の生活を知りたがった。ある有名な女性歌手はリハーサルの時必ず気を落ち着かせるためにオナラをするんですよ、そういうことを話してやると警官は喜んだ。ハシも一緒に笑った。笑いながら、全部が夢なのだという思いに捉われ始めた。ずーっと夢の中にいるんだ、と確信した。笑い終わり、煙草を二本ずつ吸った警官が帰ろうとした時、ハシは聞いた。これ、全部、夢なんでしょ？　あなたたちみたいな夢の世界の人は僕の夢に登場した後、どこに帰るの？　スッと消えちゃうの？　警官は頭を掻いて笑った。いやあ全くその通り、お互いにいい夢を見たいと思いますよ。敬礼して扉を閉めようとした。待ってくれ！　ハシは叫んだ。驚いて振り返った警官の頰をハシは撫でた。本当のことを教えてよ、これは夢なんでしょ？　夢の世界だから僕がニヴァを刺したとしても罪にならないんでしょ？　警官は一瞬顔色を変えた。二人でお互いに顔を見合わせた。あなたが奥さんを刺したんですか？　そう聞いてハシの腕を摑んだ。ハシは恐くなった。首を振った。それがわからないから聞いてるんじゃないか、そう小さい声で言った。二人の警官は何か耳打ちし合った。ハシはまた警官の頰に触った。汗と脂でヌルヌルした肌だった。これほど精巧に出来た警官の夢の模型はどうやって消せばいいのだろうとハシは思った。ねえハシさんもう真夜中なんですよ、私達はあなたの冗談に付き合っているわけにはいかないんだ、幸い、お腹の子供には影響なかったらしいから、病院に見舞われたらいかがですか？

二人の警官はエレベーターに姿を消した。ハシは玄関の扉を閉めた。金属のドアを手の平で撫でる。質感が失かった。床の絨毯に触れた。指の間に埃と毛玉が溜まる。テーブルの表面に触れオレンジジュースの瓶を摑みもう一方の手の甲に一滴垂らし黄色の酸っぱい汁を舐めた。ガチョウを思い出した。触れるものを全部黄金に変えてしまうガチョウだ。そのガチョウは寂しいだろうとハシは思った。手を差しだして触れる瞬間にすべてが質感を失ったら、そいつは最後にはこの地球で一人ぼっちになってしまう。ハシは息が詰まりそうだった。暑いせいかも知れないと考えた。冷房のスイッチを入れた。不快な音がして油臭い風が顔に当たった。窓ガラスに頰を当てた。冷たくて気持ちが良かった。白く曇りガラスはすぐに体温と同じになった。

ハシは小さい頃を思い出した。廃鉱の島の頃のこと。あの頃は自分の体の輪郭がはっきりしていたような気がする。自分の体の表面は、いつもヒリヒリしていた。擦り剝いた傷口や夏陽に焼けて一枚皮が剝がれた後のピンクの新しい肌のように、ヒリヒリして風や光の向きが変わっただけで全身が反応した。膜が貼り付いている、今の僕には何重にも膜が貼り付いて外気を遮断している、薄いビニールか粉か油のようなものだ、僕は触れたものを確かめることができない、僕の眼球や耳や鼻は体から離れてしまってる。ハシは体をヒリヒリさせようと思った。夢の中から出ようとした。ここから出るためにはこの中で一度死ねばいい。左手を握りしめる。テーブルにあった包丁で手首の血管の上をスッと切った。赤い線が引かれてあっという間に血が噴き出てきた。急に恐くなった。痛みを感じなかったからだ。この夢の中で死ぬともう二度とヒリヒリする世界へ戻ることはできないんじゃないか、と思った。

走って部屋を出た。廊下を駆け抜けエレベーターに飛び乗り、動かしてから緊急用の通話ボタンを押した。エレベーターが止まった。もしもしもしもしと声が聞こえてきた。どうしました、停電ですか？　小さなプラスチックの箱から男の声がする。ここから出してくれ、お礼はいくらでも払うよ、ハシはボタンを押して怒鳴った。火事ですか、電気が停まったんですか、エレベーターは一体どうなってるんです、どんな状態なんですか？　男の声は壊れたラジオみたいだった。ぎゅっと押し潰して電波に乗せた声。このエレベーターは僕をどこへ連れていこうって言うんだ、扉が開いたらそこは地獄じゃないのか、早くここから出してくれ！　ハシはエレベーターの壁を足で蹴る。どんな事故が起こったのかくわしく説明して下さい、今そのエレベーターは十二階と十一階の中間で停まってるんです。エレベーターの中は電気がついていますか？　ハシは小さなプラスチックの箱を殴りつけた。壊そうとした。中に小人が入っているような気がしたのだ。エレベーターは降下を始めた。一階で扉が開いた。消火器を抱えた男が二人立っていた。工具箱を下げている。ハシの手首を見て声を出した。どうしたんです？　どこで怪我しました？　ハシは構わずにエレベーターを降り表へ出た。通りを走った。血は止まりそうになかった。外科医を見つけた。ブザーを押す。灯りは消えていて何の応答もない。玄関の戸を叩いた。何だお前は？　若い男が二階の窓から顔を出した。ハシは血の流れる左手首を見せた。あの切っちゃったんです。男は舌打ちした。死ね！　と叫んで窓を閉めた。

ハシは道路の真中を歩いた。左手だけが生きている感じだった。彼方に十三本の塔が見えた。目が霞んだ。この街は巨大な銀色のさなぎだ。ヌルヌルする糸を吐いて繭を作る。繭は外気を遮断する。触感を曖昧にする。さなぎはいつ蝶になるのだろうか。巨大な繭はいつ飛び立つのだろうか。糸や繭が、あの彼方の塔が崩れ落ちるのはいつか。ハシは道路の中央分離帯で横になった。左手だけが呼吸している。植込みの隙間からヘッドライトが一瞬目を刺す。土の匂いを嗅ぐ。乾ききってポロポロで何の匂いもしない。眠れ！　ハシは自分に命令した。体のどこかに煮えたぎるものがある。体を切り裂いて煮えたぎるものを取り出しブヨブヨのさなぎの夜の街に叩きつけたかった。ハシはゆっくりと眠りに落ちた。

キクが砂浜に立っている。穴を掘っているようだ。眩しくてよくわからない。キクの横に潜水服を着けたまま硬直した死体がある。キクは死体を穴に埋める。女の声がする。乳房と尻の尖った若い女。アネモネは赤いビニールの傘をさして祈りの言葉を捧げている。穴に砂を入れる。風が砂を巻き上げてアネモネは目を押さえる。埋葬を終えたキクは海岸に突き出ているマングローブの太い枝を折った。小枝を取り払いナイフで削り始める。棒を作っているようだ。自分の身長と比較して長さを計り砂浜に突き刺し体重をかけてみて強度を試している。黒い山羊と一緒に老人が海岸に降りて来た。老人は砂を掬い油塗れの手を擦り合わせて海水で洗う。沈んだ砂から油が離れて浮き上がり色のついた膜を海面に張る。

ヘリコプターの修理が終わった、老人がそう告げる。アネモネは立ち上がりキクに向かって叫ぶ。キク！　東京を爆撃に行くわよ。キクは二人の方に手を上げて、ちょっと待ってくれ、と合図する。あいつは何やってんだ？　老人が呟く。黒い山羊は脹らんだ乳房から乳白色の汁を垂らす。音をたてて砂浜が吸い込む。キクはあの棒で跳ぶのよ。黒い山羊が出す汁の甘い匂いが漂う。蠅が群がって来る。キクは棒の握り具合を確かめている。アネモネは波打ち際に立って傘を高く掲げた。あたしの真上を飛んでよキク。キクは赤いビニールの傘の頂点を睨む。走り出した。影になったアネモネの裸を目がけて走る。筋肉が張りつめている。蹴り上げられる白い砂が後方で舞い上がる。キクは海岸全体から立ち昇る熱気を掻き乱す。マングローブの先端が微かに揺れている。汗がキクの体から離れる。キクの息がここまで届くような気がする、アネモネは目を閉じた。いつも耳の穴や腋の下に吹き込んでくれるあの熱い息が全身を包む。足音が迫った。アネモネは目を開けた。真白な砂に太い棒が突き刺さった。風が駆け抜けた。汗を一瞬に凍りつかせるような風。傘が飛んだ。砂浜を転がる。赤い傘はキラキラ光りながら珊瑚礁の水面に浮いた。濃い緑に囲まれた中でゆっくりと回転する小さなビニールの赤をアネモネは長いこと見つめていた。

こうもりが騒ぎ始める。天井と壁を被っているので格納庫全体がザワザワと音をたてているようだ。ヘリコプターのエンジンが唸りをあげた。回転翼が動く。キクが格納庫の扉を開けた。光が差し込んだ。空気がいっぺんに白く濁った。雨のように天井のこうもりが降ってきた。床にボタボタ落ちる。一斉に気味の悪い声で鳴く。床はこうもりで埋まる。

ヘリコプターはゆっくりと格納庫を出る。車輪がこうもりを踏みつける。回転翼の速度が上がる。血塗れのこうもりが吹き飛ばされる。生き残りは格納庫の隅に群れている。僅かな湿り気と日陰を求めて固まり羽を震わせている。牙を剝いて仲間に噛みつき爪で引っ掻く。自分達が作る影の中になるべく深く潜り込もうとしている。ヘリコプターは浮き上がった。残された狭い闇でザワザワと震える黒い固まりがどんどん遠ざかる。キクは呟いた。待ってろよ、ハシ、すぐ、会いに行くからな。見たこともないような奴らに脅され怯えているハシが頭に浮かんだ。

ハシは膝を抱えて震えている。何か言おうとするが声が出ない。僕より背の高い人間はみんな僕を苛めてやろうと思っている、ハシは常にそう感じる。ハシは全身から薬の匂いを発して、優しい盲導犬が現れるのを待っている。犬なんかいない。この街の朝の幹線道路には干乾びて地面に貼り付いた犬の轢死体があるだけだ。誰かがハシの肩を突つく。起きろ、おい、こんなところで休んだりしちゃだめだ、起きろ。ハシは逃げようとする。地面から立ち昇る排気ガスが喉と目の表面をヒリヒリ焼く。車の窓から出た顔に囲まれている。手首から流れた血が芝生の上で固まっている。

両側の道路はひどい渋滞だ。ハシは顔を上げる。警官が肩を突ついている。こんなところで寝ちゃいかん、怪我してるじゃないか。遠くで救急車のサイレンが鳴る。トラックの運転手が嚙んでいたガムを吐き出す。何だテレビによく出てた捨て子の歌手じゃねえか、何だ乞食になってたのか。ハシは起き上がった。左手首が芝生にくっついたままだ。固まった血で剝がれない。土に血を吸われているような気がする。全身が木の枝になってしまったんじゃないか、ハシは左手首を剝いだ。薄皮が破れる音がした。数本の芝が傷口にくっついている。

おいお前はいつから乞食になったんだ。トラックの運転手が怒鳴る。早く前に進めと警官が腕を振る。週刊誌とボールペンを運転席の窓から差し出した。にいちゃん悪いけどよ、サインしてくれよ、そこの外人の女がオッパイ出して白眼剝いてるグラビアあんだろ？　そのページにサインしてくれよ。トラックを降りて週刊誌をハシに渡した。ハシは首を振って、いやだ、と呟く。後方の車のクラクションと怒号でその声は聞こえない。運転手は指の先に唾をつけて週刊誌のページをめくり、ここだ、とハシの目の前に示した。乳房の大きな外人女が中世の拷問機具の前で逆立ちしているグラビアだった。な、サラサラって書いてくれよ、レコード買うぜ。警官が運転手を制止しようとする。トラックを動かせ迷惑じゃないか。動きのとれない後の車から二人の男が降りてトラックの荷台を蹴った。何やってんだ馬鹿野郎卵積んでんだぞ。ハシはグラビアの外人女を見ている。乳房を揺らす女の顔がとても寂しそうだなと思っている。運転手同士が肩を突き合い、一人の男が金属バットでトラックの荷台を叩いた。震動で止め金が外れる。卵が道路に二、三個落ちて割れた。

救急車のサイレンが近くなった。ハシは立ち上がる。空気は白く濁っている。十三本の塔が輝く。道路は卵でヌルヌルしている。救急車がサイレンを鳴らして通り過ぎる。ヘルメットの若い男が笑っている。週刊誌のページがガソリン臭い風でめくれる。寂しそうな顔の外人女が見えなくなる。無数の卵が道路を転がる。ハシは卵を二個拾う。高い塔に向けて投げた。届かずに車のボンネットで割れた。ヌルヌルした黄色い半球がゆっくりと車体を滑っている。移動する黄色の半球は建物の窓ガラスを反射した。

病室の窓ガラス、室内の観葉植物を映して緑色に輝いている。ゴムの木の鉢植え、厚い葉が冷房の送風に揺れる。青白い顔の女が厚い葉をワセリンで磨いている。半透明の紫色のネグリジェ、女の両足は浮腫んでいる。透けて見える腹に包帯が巻いてある。扉がノックされて女はベッドに戻った。腹に毛布をかけ肩にタオルをかける。どうぞ、開いてるわ、とニヴァは言った。看護婦と一緒にハシが入って来た。ニヴァは悲鳴をあげて叫ぶ。この男を追い出してちょうだい！　ハシは悲しそうに首を振った。左手首をニヴァに見せる。もう狂ってないよニヴァ、僕は自分を罰した、一晩中考えたんだよ。ニヴァは震えている。看護婦がハシを追い出そうとした。五分間でい い、とハシは言った。ニヴァはベッドの隅でうずくまり扉を指差している。帰って。看護婦はハシの腕を摑み外に連れ出そうとする。ハシはその手を振り解いた。看護婦はよろけて床にあった消毒液を倒す。茶色の瓶は床を転がり壁にぶつかって割れた。酸の匂いが病室の空気を縮める。ニヴァが目と鼻を押さえる。結局、不必要ということなんだ、それにつきるんだ、ハシは酸の臭気に目を赤く腫らして言った。僕は自分が誰からも必要とされていないのを知っている。僕はずっと必要とされなかった、だから、他人を必要としない人間になろうと思ったんだ、でもねニヴァ、僕だけじゃなかったんだよ、必要とされてる人間なんてどこにもいないんだよ、全部の人間は不必要なんだ、それがあんまり寂しかったから僕は病気になったんだ、きのうの夜ね、僕の血がどんどん地面に吸い込まれていったよ、体が軽くなった、小さな虫達が集まってきて僕の腕で休んだ、虫を一つずつ僕は潰したよ、虫は一本の黒い線になって死んだ、この虫を潰すのと同じように、誰かが僕を潰そうとしてると思ったんだ、虫は僕の腕を公園だと思ったのかも知れない、僕に殺された虫は僕のことを人間だってわからなかっただろう、ライオンだって思ったかも知れない、蝶々とは違うくらいはわかったかも知れないけどね、それと同じで虫みたいに僕は潰されても何から潰されたのかわからないって奴がいるんだよ、きっとそいつらの体は空気で出来てるんだ、ブワブワした風船みたいな奴らだ、そいつらが僕を産み捨てた女を粘土で作ったんだ。

「なぜ、あたしを刺したの？」

たぶんそいつらに好かれようとしたんだ僕は。

「なぜあたしを刺さなきゃいけなかったの？」

恐かったんだよ、替わりに僕が潰されるんだと思って、恐かった。

「ハシ、あなた病院に行った方がいいわ、あたしにはどうすることもできないもの」

病室にミスターDが入って来た。ヘルメットと白衣の男達が続く。ハシを両脇から摑まえた。ハシは振り解こうと踠く。部屋の隅に逃げ消毒液の瓶のかけらを投げつける。白衣の男達はハシの両手と両足、頭を押さえつけた。ミスターDあんたはブワブワした空気みたいな奴らの手先だな、そう叫んだハシの口にゴムの球が押し込められ顎を巻いてベルトでしっかりと固定された。ゴムの球はハシの舌の裏にヌルリと滑り込み歯に当たってびくともしなかった。ゴムの感触がハシを恐慌状態にした。何もしないから許してくれ、そう叫ぼうと思った。言葉はゴムに遮断されて出て来なかった。ガガガガガガガガガガガ、という音が洩れただけだった。ハシは足をばたつかせた。恐怖に顔を引きつらせている。ニヴァのすすり泣きが聞こえた。白衣の男達はハシに灰色の変わった服を着せている。服というより異常に長い袖がついた袋だ。革のベルトがついている。袋にすっぽり包まれガチャガチャ金具が締まると全く身動きが取れなくなった。ハシは恐くて小便を洩らした。あ、この野郎汚ねえ、男がハシの頭を突く。止めてよ！　恐がってるのよ、ニヴァがベッドから床に降りた。ミスターDが近づこうとするニヴァを止める。こいつは気が変や、可哀相やが気が変なんやで。ハシはミスターDの足許に転がされている。ニヴァの足と腹しか見えない。紫の布地が透けてニヴァの腹が動いている。脹らんだ腹の肉が時々ピクンピクンと突き出る。ハシは自分の赤ん坊の方へ近づこうとした。全身に力を入れた。ニヴァの腹に触れたかった。袋とゴムは体を締めつけて這うことも許さない。白衣の男達がハシを持ち上げて肩に担いだ。

悲しんじゃあかんニヴァ、こいつは焼きれたんや、黒焦げなってんのや、少し休めばまた何とかなるかも知れんやないか。ハシは廊下を運ばれていく。休んじゃだめだ、とニヴァは思った。休んでる時間はないし場所もないのだ、ニヴァは腹を押さえてハシの後を追い、指輪を抜いて拘束衣の中に押し込んだ。エメラルドよ、ハシわかる？　いつかあなたが好きだって言ったエメラルドよ、ハシ聞こえる？　ニヴァはハシの耳許で囁く。テレビカメラがハシを囲んだ。ライトの放列と閃光がハシとニヴァを捕える。ハシの青白い顔が浮かび上がる。テレビカメラはニヴァの脹らんだ腹を映す。ハシ休んじゃだめよ、熱線に身を焼かれて体中黒焦げになっても休んじゃだめよ、逃げちゃだめ、どこへ逃げてもこの人達は追って来るんだから、焼かれ続けてエメラルドになりなさい、燃え続けて宝石になるのよ。ハシはテレビカメラを覗き込んでいる。レンズの表面に暗い虹が見える。ハシの顔が映っている。口にゴムの球を詰め込まれて泣いている痩せた顔、僕だ、僕の顔だ、とハシは思った。ゴムに潰されている喉の奥でハシは何度も呟いた。レンズに映る歪んだ泣き顔に呼びかけた。どこに行ってたんだ、ずいぶん捜したんだよ。

ハシの髪の毛にガラスの破片が絡まっている。消毒液の瓶のかけらだ。強く匂う。連れていかれた建物から同じ匂いがした。建物の中庭に大きな桜の木がある。浴衣を着た少女が木陰で編み物をしている。バレーボールをするパジャマ姿の男達、オルガンを囲んで歌をうたう女達が一斉にハシを見る。ハシは担がれたまま中庭を横切る。白衣の男達が一歩踏み出すたびに太陽が揺れる。中庭の端の鉄条網を潜る。建物の中は暗い。入口にマネキン人形が置いてある。ランドセルを背負って学帽を被る子供の人形だ。プラスチックの札を握っている。おとうさんおかあさん僕元気で待ってるよ、そう描いてある。茶色でツルツルした顔や腕にひびが入っている。壁と天井が白い部屋に入る。寝台の上に置かれた。太腿を締めつけていた革ベルトが外される。目の前を鋏が過る。ズボンを裂いているようだ。太腿に柔らかいものが触れ涼しい風が当たる。

注射針の先端から薬が一滴垂れる。針が刺さった。体が暖くなる。噛みしめていた顎の力が抜ける。口の中のゴムの球と自分の舌や歯との区別がつかなくなった。体が深く寝台に減り込んだ気がする。天井に並んだ蛍光管が一本故障している。黒ずんで弱い点滅を繰り返している。そのたびに一瞬影が拡がっては消える。色の薄いギザギザの影だ。拘束衣の金具を解く音がする。黒いゴムの球が外された。唾液で濡れている。白い泡がゴムの表面を滑る。

両腕を摑んで寝台から降ろされた。白衣の男に引き摺られるように廊下を歩く。鉄格子の部屋が両側に並んでいる。湿った畳の上に放り込まれた。部屋の隅に毛布が積んである。向かい側の患者がハシを見ている。体中に斑点のある老人、浴衣がはだけて透明なビニールのおむつが見える。やがてハシに声をかけた。お前、お前はいい人か？　ハシは畳に肘をついて起き上がった。それを見た老人は悲鳴をあげて部屋の隅へ逃げた。壁に背中を付け肩で息をしている。顔を天井に向けて何か言っているがよくわからない。ハシの方をこっそり見て目が合うとまた悲鳴をあげる。お前、お前はあれだろ、知ってるぞお前、お前は悪い人だろ、影を踏んでいい人を不幸にするあれだろ、私は我慢してるからわかるんだ、いくらだ五百円か？　金で解決しようとしてるなお前は、私は五百円なんて持ってないぞ、持ってないけど私はいいんだ、いつも神様にありがとうありがとうありがとうなんだ。老人は興奮している。額に血管が浮き出る。声が大きかったので看護人がやって来た。鉄格子を蹴って、いけなあああい！　と怒鳴る。老人はハシを指差し看護人に助けを求める。あいつは悪い、私の影を踏んで不幸にする、悪い人はこんなとこに連れて来ないでくれ、電気ビリビリビリビリだ、悪い人は警察いい人だけが病院だ、正義はいつも勝つとは限らないんだから神様だって電気ビリビリで影を踏んで捕まるとひどいぞきっと。看護人はまた鉄格子を蹴った。いけなあああい！　履いていたスリッパでコンクリートの床を叩く。いけなああああい！　こら、じいさんいけなあああい、これをつけるか？　看護人は黒いゴムの球を老人の目の前で振って見せる。老人はゴムの球を見て手を口に突っ込んだ。右の拳を飲み込もうとしている。ゲッゲッと音を出した後泣き始めた。かん高い泣き声だ。看護人は怒った。おい、じいさん、わからないの？　いけなあああい！　いけなあああい！　老人は泣き続ける。先生を呼んでくるぞ、おい本当に先生を呼んでくるぞ俺は、いいのか？　先生という言葉を聞くと老人は背筋を震わせ声を出すのを止めた。手の平を噛んで堪えている。嗚咽が洩れる。手の平に歯が喰い込んでいる。おい、手を離せ、いけなあああい！　手を噛むな。血が滲んでいるようだ。老人は頭をブルブル振る。錠を開けて看護人は中に入った。老人の手を口から離そうとする。スリッパで畳を叩く。いけなあああい！　看護人は老人の頬をスリッパで殴った。老人はやっと我に返ったようだ。看護人は耳を引っ張って、いけなあああい！　と怒鳴った。老人は怯えて頷く。はい、はい、はい、はい。看護人がもう一度スリッパを振り上げた。止めなよ、ハシは思わず声をかけた。看護人が振り向く。何だお前は、今何て言った？　ハシは黙った。今何て言ったんだ？　ハシは恐くなった。看護人は目を吊り上げて睨んでいる。ハシは下を向いた。老人をスリッパで殴る音がした。はい、はい、はい、はい、という弱々しい声。ハシはいやな気分になった。ジョキジョキと自分の舌を切りたくなったが、舌を切るのはあの白衣の男の方だと思った。目を閉じて、乳児院で習ったお祈りを唱えながら、止めろ、と言った。止めてくれ、ともう一度言って目を開けた。看護人がこちらを見ている。老人の耳から手を離して、偉いんだなお前は、と言った。

ゆっくりと老人の檻を出る。ハシの部屋の錠を開けた。入って来る。止めろって何だお前、誰に言ったんだ？　看護人はスリッパを履いて腰に下げていた警棒を抜いた。ハシは下を向いている。その顔の前に警棒を差し出す。ハシはこっそりと手の甲をつねってみた。感覚がない。殴られても痛くないだろうと思った。看護人を見上げる。あんたに言ったんだよ。看護人は苦笑しながら首を振る。ハシの肩を突いて畳に転がすと左足首を摑んだ。持ち上げる。ハシは右足で畳を叩き逃れようとする。威張るなよな、お前、看護人はそう言ってハシの足の裏を警棒で殴った。激痛が走る。もう一発。ハシの後頭部の皮膚が引きつった。痛みは踵から直接顎に響く。それでもハシは声を出さなかった。歯を嚙みしめた。声を出すと、ごめんなさい、と言ってしまいそうだった。三発目は土踏まずに当たった。股の付け根が震える。打撃と打撃の間に恐怖が産まれるのだと初めて知った。痛みを想像するから恐くなるのだとわかった。顎の力を緩めなかった。足首が痺れてきた。四発目で太腿の筋肉がけいれんを起こし性器に小便が詰まった。次の一撃で確実に小便を洩らしてしまうだろう、そう思った。謝まろうか、と考えた。その瞬間恐怖が体中に充ちた。歯の裏側にまで詰まった。顎が震え始める。ごめんなさい、と言おうとした時舌を嚙んでしまった。僕は舌を切ったんだ、と思い出した。あの痛みにも堪えたんだ、そう自分に言い聞かして恐怖を乗り切ろうとした。だめだった。舌を切った時の痛みなんか忘れていた。あの異常な老人のせいだ、なんで僕が苦しまなくちゃいけないんだろう、ふと気付いた。見ているのは老人だけだと気付いたのだ。

小便を洩らしても恥ずかしくないんだ。来い、と呟いた。殴られる瞬間までの恐怖を追い出すためにもう一度呟いた。早くしろ、早く打て。言葉に出すと少し楽になった。殴られる痛みの予感が薄れた。尿意が遠のいた。その時五発目がきた。歯を食いしばって堪えた。僅かに小便が洩れた。全身に力を入れて我慢した。次の一撃に備えて、来い、早く来い、とまた呟いた。次第に声が大きくなった。早くしろ、早く打て、来い、来てみろ、負けないぞ。拳で畳を叩いた。早く打て！　そう叫んだ。看護人が摑んでいた足首を離した。ハシの腹が波を打っている。足の裏が熱い。体を起こして看護人を見た。頰を赤くしている。警棒を振り上げた。その瞬間にハシはまた叫んだ。打ってみろ！　警棒は看護人の頭の上で止まっている。静かに降ろして、看護人は言った。お前はここから出られないんだぞ、わかってるのか、いい薬を飲ませてやる、よく効くんだよ、頭の中をきれいに掃除する薬だ、腐った脳みそを吸い出してやるからな、楽しいぞ。

ハシの足裏が腫れてきた。老人がハシを見ている。看護人が廊下の向こうに行ってしまうと、笑いかけた。お前、いい人だったんだな。ハシは黙って足の裏を揉む。壁に押し当てると冷たくて気持ちがいい。おい、おいお前、いい人、いい人ってば、老人は手の平を舐めながら呼ぶ。うるさいなあ、とハシは老人を睨んだ。関係ないんだから、静かにしろよ。老人は悲しそうな顔になって何度も頷いた。はい、はい、はい、はい、はい、ハシは部屋の隅に目をやってギクリとした。折り畳んで重ねられた毛布の下から細い足の指が覗いていたからだ。背後に女が隠れていた。足に毛布を乗せている。髪の毛と額と左手と足の指だけが毛布から出ている。手足の指が細く色が白いので女だろうとハシは思った。頭が壊れているのだと老人が教えてくれた。いい人でも悪い人でもないキャベツだ、腐っているキャベツだがキャベツなのでいい人でも悪い人でもない、ただ食べられはしない。キャベツは左手の小指に金のリングを嵌めている。毛布を被って暑くないのだろうか。檻の中には窓がない。廊下の両端で換気扇の回る音がするが風はどこからも入って来ない。ハシは壁に凭れる。蒸し暑いがキャベツは汗を掻いていない。天井に黄色い電球、笠の影はちょうどキャベツの左手まで届く。キャベツの左手の指輪が一定の間隔で光る。ハシは天井を見上げる。電球も笠も揺れていない。キャベツが指を動かしているのだ。ある角度に来るとリングが灯りを反射して光る。キャベツの指は毛布の表面に触れ離れる。その繰り返しの間隔が一定なのだ。

看護人が食事を運んできた。チューブに詰まった流動食だ。牛乳と米と粉野菜と塩が入っている。ハシは、看護人がキャベツの口にチューブを突っ込み流動食を押し出すのを眺めた。キャベツの顔は奇妙なマスクのために見えない。顔全体を被っている。似たようなマスクをハシは廃鉱の島でたくさん見たことがある。口から蛇腹の管が垂れた防毒マスクだ。管の止め金を外して、看護人が暗い穴に流動食のチューブを突っ込んでいる。喉が鳴っているので、ちゃんと食べているのだろう。

　食事が済むと看護人は毛布を全部どけた。やはり女だ。ビニールのおむつを取り換える。キャベツは股を拭いて貰い天花粉を塗って貰った。何をされてもじっとしていた。終わるとまた毛布を被った。自分で毛布を抱える時だけ低く声を出した。看護人がハシに言った。キャベツの頭はきれいに掃除してある、すぐにお前もああなるぞ。キャベツはまた指を動かし始めた。ハシは指の動きを見続ける。時々天花粉の匂いが届く。キャベツは波を発している。微かな指の動きが空気を揺らす。部屋には窓がなく紫外線灯が天井にあるだけだ。夜なのか昼なのかわからない。ハシはゆっくりとキャベツに近づいた。ハシが湿った畳を進むたびに、キャベツの指の動かし方が変わった。ハシは、薬島の公園で悲しそうに筋肉を痙攣させていた男を思い出していた。舞踏病の男を相手にハシは歌を練習したのだ。足許に機銃掃射を浴びるように踊る男の傍で、何時間も歌い続けたのだった。何万種類の旋律を考えながら。ハシは畳を這って進みキャベツに触われる距離まで近づいた。毛布から突き出たキャベツの足は血行が悪いせいか、茶色に乾いて、浮腫《むく》んでいた。ハシはその指の先にそっと触れた。反応はない。指を軽く摘んだ。重い液体の入ったゴムの袋みたいな感触だ。針で穴を開ければ消えてしまうだろう。佐世保の河沿いの公衆便所でハシを舐めてくれた浮浪者と同じだ。ハシは思った。この女は、コインロッカーから僕を救ってくれた犬のなれの果てだ。恩返しをしようと思った。僕にできるのは歌をうたうことだけだ。毛布の束の向こうにあるはずの顔に向けて、ハシは低い音域の木管楽器に似た音を出した。最初キャベツは変化を見せなかった。耳が聞こえないのではないだろうか。ハシは音色を少しずつ変えた。深い森を渡る角笛の音から、柔らかい葉っぱがそよいで湖面に落ちる音へ、さらに広がる微かな波紋が岸辺の砂を濡らす音、そして三連符のトリルで始まる鳥の鳴き声のような舞踏病のバラードをハミングした。旋律が部屋に立ち込める。毛布が僅かに動いた。歌は聞こえてるんだ、ハシは音量を大きくした。キャベツの指の動きが速くなり、手の平にうっすらと汗が噴き出てきた。その時だ。背後から叫び声があがった。

元気を出せ!

廊下の向かいに並んだ鉄格子に患者達がしがみついていた。叫んだのは老人だ。ハシは歌うのを止めた。おい、いい人、やっぱりあんただったか、天気予報が入らないのでラジオじゃないのはわかっていたが、いい人がやっぱり歌っていたのか、あんたはいい人なんだからもっと大きな声で遠足や誕生日の歌をうたったらいいじゃないって、キャベツだって、嫌がってる、元気のない歌はいい人がうたうともっと元気がなくなる。ハシが歌うのを止めるとキャベツは元のように指を動かし始めた。嫌がってるんだ
って？　本当にそうなのだろうか。

おい、いい人、お前、病気じゃないのか？

鉄格子から首を出しずらりと並んだ患者達がハシを見ている。全員が不安そうな表情だ。

もし病気だったら私が先生に言ってやるぞ、注射を頼んでやる。

僕の歌は嫌いか？　ハシは患者達に聞いた。彼らはお互いに顔を見合わせた。老人がみんなを代表して言いにくそうに口を開いた。

うん、私は、元気になりたいんだ。

ハシは、わかったよ、と小さく呟いてキャベツの傍を離れた。部屋の反対側の隅に行って横になった。患者達はしばらくハシを眺めていたがやがて檻から顔を引っ込め、紫外線灯の届かない場所に這って戻った。老人だけがいつまでも心配そうにハシを見ていた。おやすみ、ハシは体を半分起こしてそう言った。老人は嬉しそうに頷いて、やっと顔を引っ込めた。元気を出せ、か、ハシは誰にも聞こえないように独り言を言った。そう言えば元気が出るような歌って知らないな、そう思って苦笑した。無

理だよ、と呟くと、声を出して笑った。何もかもが馬鹿々々しくなって、笑いが込み上げてきた。何万種類の旋律を作り、あらゆる音を記憶し、舌まで切ったたっていうのに、何一つ変わってはいなかった。本当の自分に巡り合っただけだ。口にゴムの球を詰め込まれ全身を革のベルトで縛られて、許してくれと呟きながら泣いているだけの自分を捜しあてただけだ。キャベツが毛布をゴソゴソ動かす音がする。ハシはその方に目を向けて、もう一度うたってみようか、と口を開きかけたが、すぐに止めた。飽きているのに気付いた。忘れたかった。これまで溜め込んだ音色や旋律を全部吐き出してしまいたかった。新しい歌をうたいたかった。目を閉じて、新しい歌をうたえそうな予感を探った。これまでに手に入れた膨大な数の旋律と音色、それらに結びついている記憶を頭の中から一つ一つ追い払っていった。浮浪者や血まみれの鋏や鴨の脂肉や柔らかい皮膚の女や廃鉱の湿った空気や額から汗を垂らすキクの笑顔、あらゆる場所と人間と匂いを追い払った。長いことかけて何度もやった。ガランとした目の裏側に残るのはいつも同じ映像だ。つい数時間前に見た、テレビカメラのレンズの表面に映っていた自分、身動きができず怯えて喋ることもできない自分の顔だ。ハシはその顔を消そうとはしなかった。懐しかったからだけではない。自分でも理由がわからないが、新しい歌をうたいだすのはその顔だと思った。名前も意味も衣服も運動も剥ぎ取られて怯えているその顔を辿っていこうと決めた。これからどんなことがあってもその顔を離すまいと思った。人間の顔をした蠅を呑み込んでも、もう僕は決して忘れないぞ、怯えて泣き出す自分を嫌うことはない、その他には、どこを捜しても自分は見つからないんだから。

遠くでヘリコプターの爆音が聞こえる。クロスチューブとスキッドにこうもりの血が乾いてこびりついている高速ヘリコプターだ。頭上を対角線に横切っていく。操縦桿を握る老パイロットは楽しそうに笑っている。いやあ、これを飛ばすのは実に四年振りなんだ。東京湾の埋め立て地にあるヘリポートに着陸した。給油と整備のためだ。キクとアネモネはガスボンベを入れた旅行鞄を大事そうに抱えてヘリコプターを降りる。二人はだだっ広い格納庫の隅でコーラを飲んだ。老パイロットと二人の整備員は顔見知りらしい。回転翼を胴体の中に収納できる新型ヘリコプターについて話している。そのヘリコプターは高速時においては完全なジェット推進の飛行機となり、M0・8まで加速することができるのだそうだ。話が途切れるのを待ってキクは声をかけた。俺達はちょっと用事を済ませてくるから。老パイロットは頷く。時間に遅れないでくれよ、管制塔がうるさいんだから、四時間後にはミルリへ戻るよ。アネモネと手をつなぎ歩き始めたキクは振り返らずに言った。

四時間もありゃ、充分だ。

車がほとんど通らない湾岸道路を二人は一言も喋らずに歩いた。夏はまだ終わっていない。カラギやミルリと同じくらい東京は暑い。違うのは、道路の彼方から漂ってくるガソリンの匂いと耳鳴りのように固まって届く大勢の人間の話し声だ。直線のトンネルを潜る。長いトンネルの中は銀色で、時折り大型トラックが唸りをあげて通り過ぎる。アネモネは空中で千切れた鰐を思い出した。あの時、雨が降ればいいと思った。なぜだろう。もう二度と雨が降って欲しいなどと思いたくない。アネモネはキクの背中に触れた。汗でシャツがべっとりと貼り付いている。トンネルの出口に交叉する道路端にオートバイの整備工場があった。看板のペンキが剝げかかっている小さな工場だ。真黒に陽焼けして白い麻のスーツとワンピースを着ているキクとアネモネを、若い店員はじろじろ見た。店員は髪の先を赤く染めている。ガラスが曇っているショーウインドウに中古車が二台陳列してある。排気量の大きい方をアネモネは指差した。

あれ、買うわ。二五〇CCのオフロードバイクだ。エンジンをかけてくれ、とアネモネは言った。エンジンの音に耳を澄ませてから、アネモネは白いワンピースのまま跨がった。道路に出て十メートルほど走った後、ハンドルから両手を離した。大したもんだ、と若い店員が呟いた。車体の安定を調べてる、中古車を買う時には大事なことなんだ。

アネモネが免許証を見せ必要な書類にサインしている間、キクはガスボンベの入った鞄をオートバイの荷台に括った。それにしてもあんた達いい色に焼けてるね、サーファーかい？　白いスーツできめてるところ見ると、サーフシティ・ベイビーズだね？　店員が金を数えながらそう聞く。ヘルメットの顎紐を締めて、いや違う、とキクは言った。

俺達は、コインロッカー・ベイビーズだ。

高速道路はひどい渋滞だった。アネモネは車と車の間をすり抜けてオートバイを走らせる。途中二台の大型トラックに阻まれてノロノロ運転をした。キクは並んで進む隣のタクシーの車内に自分の写真を見つけた。その横は中倉と林だ。太い字で、この写真の男を見かけた方は、と書いてある。写真は警察で撮られたものだ。あのクリスマスイブの日、自分を産み捨てた女を殺した翌朝に留置場から引きずり出されて写された。俺に触るな、とキクは叫び続けた。床にへばりつき、許してくれ、と何百回も泣き呻いた。写真はひどい顔をしている。涙が溜まった目は焦点が合っていない。唇はだらしなく半開きで、歯が覗いている。情けない面だな、キクは写真に向かってそう呟いた。怯えてちゃだめだ、怒れ、迷ったらもうおしまいだ、一瞬でもとまどうと厚いガラスで遮られ、閉じ込められてしまうぞ。突然渋滞が途切れた。片側車線に事故車が寄せてある。牛乳を運ぶタンクローリーだ。タンクが裂けて、あたり一面白く濁った水が溜まっている。キクの写真を乗せたタクシーが猛烈な勢いで走り去った。ミルクの匂いの中、タクシーが消えた道路の向こうに、十三本の塔が現れた。塔は熱気を孕んで霞んでいる。オレンジ色の光が塔の先端で点滅する。太陽に照らされてその光は弱々しい。遠くからだと塔の群れは身を寄せ合って喘いでいるように見える。石の壁と金属の窓は炙った亀の腹よりも柔らかそうだ。夏に溶かされた柔らかな箱の群、漂うミルクの匂い、あの箱の一つ一つに赤ん坊が閉じ込められている。キクは荷台の革ベルトをゆるめ、鞄を開けた。ガスボンベを確かめる。アネモネはスロットルを引き絞った。オートバイは街に架けられた長大な橋を、彼方の塔に吸い込まれるように突っ走る。何一つ変わってはいない、誰もが胸を切り開き新しい風を受けて自分の心臓の音を響かせたいと願っている、渋滞する高速道路をフルスロットルですり抜け疾走するバイクライダーのように生きたいのだ。俺は跳び続ける、ハシは歌い続けるだろう、夏の柔らかな箱で眠る赤ん坊、俺達はすべてあの音を聞いた、空気に触れるまで聞き続けたのは母親の心臓の鼓動だ、一瞬も休みなく送られてきたその信号を忘れてはならない、信号の意味はただ一つだ。キクはダチュラを摑んだ。十三本の塔が目の前に迫る。銀色の塊りが視界を被う。巨大なさなぎが孵化するだろう。夏の柔らかな箱で眠る赤ん坊達が紡ぎ続けたガラスと鉄とコンクリートのさなぎが一斉に孵化するだろう。

廊下の向こう側でガラスの割れる音がした。看護人の叫び声がする。早く運べ！　檻の中に入れてしまえ！　急に廊下の扉が開いて、拘束衣を着せられた男が運ばれてきた。ハシがいる檻に放り込まれた。男が畳に落ちると部屋全体が揺れた。まるで人間の形をした鉄の彫刻が天井から落ちてきたようだった。キャベツは怯えて毛布をはねのけ低い唸り声をあげる。防毒マスクから垂れた蛇腹の管が震えている。いやな音が部屋に満ちた。自分の骨が削られるのを頭の裏側で聞くような音だ。拘束衣の男の擦り合わせる歯から出ていた。男は医者と看護人から四人がかりで押さえつけられている。医者は先端から液体がポトポト落ちる太い注射器を取り出した。拘束衣の男の額には何本も血管が浮かび、可能な限り開いた眼球は飛び出して真赤だ。ハシは、男がアイラインを引いているのかと思った。まぶたの縁がうっ血して黒ずんでいるからだ。男は突然拘束衣のまま体をくねらせた。ものすごい力だった。肩を押さえていた看護人が壁際まで吹っとんだ。ハシは拘束衣がどれだけ体を絞めつけるかよく知っている。あの硬い布で被われ厚い皮のベルトを巻かれると、指を一ミリ動かすこともできなくなるのだ。身を乗り出して見ていた他の患者達が喚声をあげた。何という元気なお人だ、頑張れ、頑張ってくれ！　浴衣をはだけた老人がそう叫んでいる。看護人は怒鳴りつけようと老人を睨んだが、医者の悲鳴がそれを制した。男は首と足を使ってブリッジの姿勢で反り返っていた。ベルトが千切れる！　医者は注射器を握りしめたまま、かん高い声を上げた。厚い皮のベルトは男の筋肉の輪郭に沿って貼り付き、ギリギリギリギリ音をたてて何本もの裂け目が入った。あまりに強く嚙みしめているので男の歯は根元から折れそうだ。皮のベルトがついに弾け飛んだ。バックルが目を打ったのか一人の看護人が床を転げ回っている。患者達の喚声が一段と高くなった。ハシは妙な匂いを嗅いだ。男の口から出ていた。爪が燃えるような匂いだ。胸騒ぎがする。これと同じ匂いをニヴァを刺した風呂場で嗅いだ。包丁の先端からこれと同じ匂いがした。鋼鉄の巨人が目覚めたぞ、太古の昔に腹から血を流して海から現れにんじんと雷とストーンヘンジで埋められた鋼鉄の巨人が眠りから覚めたぞ、腐った魚の肉の時代が終わるぞ、もう一度鋼鉄と爆弾の時代がやって来る、我々に元気を与えこの檻から出て再びピンポン野球ができるようにと神が彼岸から送りたもうたのだ、目を輝やかせて老人が叫んでいる。医者が注射針を男の喉に刺そうとした時だった。男の腕が拘束衣を突き破った。その腕は一人の看護人の首を掴んだ。指が喉に食い込んでいる。看護人は呻いて警棒を抜き男の腕を叩いた。硬いゴムかなにかを叩くような音がした。拘束衣を破った男は笑い声をあげた。水を含んでうがいをしているような笑い声だ。医者は露出した男の腕に注射しようとした。針が沈まない。皮膚がへこむだけで沈まない。医者は強く押した。針は根元から折れてしまった。喉を摑まれた看護人は口と鼻から黄色い汁を垂らし始めた。舌が真白になり顎まで垂れる。医者はさらに太い針をつけた注射器を男の首筋に当てた。首に浮き出た太い血管に狙いをつける。針は皮膚を破ったが注射液を押し出すポンプがびくともしない。だめだ、と医者は呟いた。患者達の喚声で聞こえなかったが、医者は何度も首を振って呟いた。だめだ、いったいどうしたんだ、こいつは。

ハシは檻を出た。廊下を走る。診察室の床は足の裏にベトベト絡みついた。薬剤の瓶が割れて床のリノリウムを溶かしているのだ。聴診器や血圧計や嵌口具や点滴のホース、白衣やピンセットや錠剤が散乱している。

外は真昼だ。ハシは鉄条網を潜り抜け、中庭を横切った。あたりは静まり返っている。壁へ向かう。花壇のひまわりに何万匹という羽虫が群れている。人の気配のない中庭でその羽音だけが聞こえる。患者達の姿が見えない精神病院の中庭は、準備がまだ終わっていない処刑場に似ている。死刑囚は誰なのだろう。噴水が上る楕円形の池にハシは近づいた。水を飲みたかった。拘束衣を突き破った男の口から出ていた匂い、爪を燃やす時の匂いはハシの喉をヒリヒリさせた。ハシは周囲を見渡しながら池の水を両手で掬い、顔に近づけて悲鳴をあげた。羽虫の死骸がびっしりと浮いていたからだ。

壁の向こうに通じる鉄の門は開いていた。門のすぐ傍に窓ガラスが粉々になっている乗用車が捨ててあった。どこにも衝突をした様子はないのに、後部座席のシートに血が付いて、左側のドアは半分引き千切られている。ハシは団地と花火工場に挟まれた道路を歩きだした。時々吹く風に乗って強い臭気が流れてくる。ひどく酸っぱくて鼻の奥をツーンとさせ目を開けていられない臭気だ。だがその臭気はハシにとってありがたかった。いくら道路沿いに歩いても誰にも会わないばかりか、工場からも団地からも人の気配がまったくなかった。まだ自分は狂ったままなのかも知れない、そう思い始めたハシは強い酸味を帯びた臭気だけを頼りに歩いていたのだ。その目を刺す臭気が流れて来なかったら、道路の真中で立ちつくし動くことができなかっただろう。交差点には車が数台止まっているが、人は乗っていない。事故があった跡はなく、信号は正常に点滅しているのだ。ハシはキーが残っている乗用車のカーラジオをつけてみた。男の声が聞こえてきてハシはボリュームを最大にあげた。男は天気予報を告げるような声で、ゆっくりと喋る。同じ文句の繰り返しだ。ガスの元栓を締めて下さい、退去の際家財道具を持ち出さないで下さい、避難路は六歳以下の子供と八ヵ月以上の妊産婦を優先させています、装甲車が先導するグループは六歳以下の子供と八ヵ月以上の妊産婦だけです、ガスの元栓を締めて下さい、退去の際家財道具を……どの放送局にチューニングしても同じだった。ハシは臭気に導かれて歩き続けた。学校の運動場を横切る。同じだ、と呟いた。廃鉱の島に残されていた無人の学校と同じだった。脱ぎ捨てられた小さな靴や体操着や教科書が入ったままのランドセルが散らばっている。バレーボールコートを縁どる石灰の白線引きは直角を作る二辺の途中で止まったままだ。狭い商店街を抜ける。銀行では逃げ出した客が忘れた買物袋の中で肉や魚が腐り始めていた。レストランのカウンターにはフォークを刺したままのハンバーグが転がっている。音を出さずに回り続けるレコード屋のターンテーブル、果物屋の店先で踏み潰されている葡萄と梨とバナナには蠅が群がってまだ乾いていない。

ハシは臭気の発生源を突きとめた。周囲に竹が植えられている公園、酸っぱい臭いはその地面全体に撒かれた白い粉のものだった。ハシは目を押さえて駆け抜けようとした。公園の半分を被う青いビニールシートが目に入った。潰された果物と同じように蠅が集まっている。ハシは近づいてビニールシートの端をそっと持ち上げた。人間の足の指が現れた。ハシは叫び声をあげて右手を口に持っていった。手の甲を噛んだ。手の甲から、微かに爪の燃える匂いがしたがハシは気付かなかった。竹林から蝉の鳴き声が聞こえる。ハシは口を手で押さえたまま竹林に逃げ込んだ。吐気に耐えて走る。竹林の中は陽が差し込まないためか湿っていて、柔らかな土は靴に入り足を重くする。竹林が途切れるあたりで犬が死んでいた。頭を砕かれている。ハシは立ち止まり、犬を埋葬してやろう、と思った。深い深い穴を掘って埋めてやろう、そのうちに吐気は収まるかも知れないし、全くわけのわからない周囲のことも落ち着いて考えることができるようになるかも知れない。土が柔らかいので穴を掘るのは楽だ。いつか薬島の空地に死んだ赤ん坊を埋めたのを思い出した。風が吹いて竹の葉がザワザワと鳴った。吐気が収まってきた。喉の乾きも薄らいだ。体がしだいに軽くなるような気がした。波を呷った時に似ている。喉と胃のあたりが熱くなり、ハシは気分が良くなった。ハシは爪の燃える匂いを嗅いだ。強く匂った。軽い眩暈がした。穴を掘り終え犬の後肢を掴んだ、その時だ。体が恐しい勢いで膨張していくような感覚に捉われた。そして突然、右手で掴んだ犬の死骸をズタズタに引き裂きたいという強い衝動に襲われた。ハシはびっくりした。ふいに襲ったその衝動は、ハシの体の中で爆発的に拡がり目を閉じても首を振っても唇を噛みしめても消えなかった。ハシは恐くなって犬を掴んだ右手を離そうとした。そのとたん、こめかみに激痛が走った。反射的に犬を掴んだ手に力を入れてしまう。するとこめかみの痛みは消えた。左手で犬のもう一本の足を掴んだ。引き裂け、という声がした。ぞっとした。回りを見渡す。誰もいない。ズタズタにしろ、引き裂け、もう一度聞こえた。ハシは鳥肌を立てて、口を固く閉じた。喋ったのはハシ自身だったのだ。何だ、どうしたんだ、僕はまた狂ってしまったのか。頭に穴があいて熱湯を注ぎ込まれているようだった。犬を離そうとするとこめかみが破裂しそうになる。引き裂け、自分の口が勝手に動いて声が出てくる。ハシは口を歪めて、ふざけるな、と呟いた。僕は昔、コインロッカーから犬に助けられたんだ、苦しんで死んだ犬を粗末にできるもんか。ハシは悲鳴を上げながら犬を離した。こめかみの激痛に引きずられてよろけながら竹林を出た。目を開けていられなかった。足の裏が焼けたアスファルトを踏んでいることだけがぼんやりとわかる。頭に触れた。穴があいていないか確かめた。熱い油をドロドロとあとからあとから注ぎ込まれるような感じがしたからだ。油は火のついた動物の脂肪で、血流を速め筋肉に貼り付き痙攣させ全身を固くした。太腿が熱を持っている。我慢できないほど熱い。ハシは目をつぶったまま走り出した。ポプラの樹や車のバンパーやゴミの袋やブロック塀や電話ボックスや電柱にぶつかった。額が切れて血が流れるのがわかるが痛みは全くない。ぶつかるたびに筋肉が硬度を増した。狭い溝で転んだハシは、生温いドブ水を通して人間の気配を感じた。微かに目を開けた。ドブ水に浸った人間の足が見えた。犬に対して起こった衝動が再び体中に込み上げてハシのまぶたを一気にめくった。並木道と街があった。陽炎が昇り、放心した女が片足を溝に落として坐っている。全身にいきわたった火のついた脂肪のせいで、ハシは巨人になった気がした。口から緑色の汁が溢れ、坐っている女を小指の先で殺せる気がした。ハシは女に近づいた。女は水玉模様のワンピースを着た妊婦だ。左肩に怪我をしている。溝のドブ水を足で掻き回わし、ハシを見て力なく笑いかけた。つわりが治ったしもうビール飲んでもいいわよね先生、先生あたしつわり軽かったけどビールずっと我慢してたのよ、ハシにそう話しかけた。女に一歩近づくたびにハシの頬の筋肉が緩んだ。両手を女の口にかけて顔を引き裂く自分の姿が頭に浮かんだ。引き裂くのだ、裂いてやる、ハシは思った。女の喉が唾を飲み込んで震える。ハシは笑っていた。うがいするような音で笑っていた。ハシは股の間に手を置いた。アスファルトから腰へと突き上がってくる快感でハシは射精した。射精は止まらなかった。体中の毛穴からも白い液体が勢いよく噴き出てきそうだった。ハシは妊婦の髪に触った。髪を摑み溝から引っ張り上げた。女が声を上げる前に口の中に右手を突っ込んだ。女は喉の奥から酸っぱい汁を吐き舌を硬く丸めた。ハシは髪を摑んでいた左手を女の上顎にかけた。その時やっと射精は止み、柔らかくて冷んやりとした気持ちのいい空気に包まれた。圧倒的な至福感に包まれた。女の唇が僅かに裂ける。その時、ハシはビクンと体を震わせた。心臓の鼓動を聞いたのだ。はるか彼方から聞こえてきた。そうだ、絶大な快感と圧倒的な至福の中で妊婦を殺す時、この音は必ず僕を包んでくれるんだ、しかし誰の心臓だ？僕のか？この女のか？ハシは大きく開かせた女の喉の奥を覗き込んだ。暗い穴には幾筋も交錯した血管が走り、一番奥に薄い膜が見えた。白い斑点がびっしりとこびりついた半透明の粘膜だ。そこに見憶えのある形が浮かび上がった。降り続ける雪を背景に羽を広げた美しい鳥の形、孔雀だ、キクが女を撃ち殺したクリスマスイブの夜に見た孔雀だった。緑と銀色の翼のかげに、年をとった病気の女が立っている。ハシは怒り狂って、静かに微笑む病気の老作家の皮膚を引き剝がした。見たことのない女が、老作家の皮膚の裏側に潜んでいた。そうか、お前が僕をコインロッカーに捨てたんだな、ハシはそう呟いた。ハシはその自分を産み捨てた女の胸を引き裂いた。内臓を掻き分けてその中に入った。ヌルヌルとして暖かく、濡れてヒクヒクと収縮する赤い塊りがあった。心臓だ。とうとう見つけたぞ、ハシは叫んだ。この心臓の音だったのか、僕を産んだ女の心臓の音だったのか、僕は空気に触れるまでずっとこの音を聞いていたんだ。ハシはその音に感謝した。体中にみなぎる力と圧倒的な至福をもたらしたその音に感謝した。その音を憎むことはできなかった。ハシは母親を許した。さらに老作家と孔雀とそれらを映し出してくれた半透明の粘膜にも感謝した。粘膜と血管と暗い穴と硬く丸めた舌を持つ、目の前の女を、殺したくない、と思った。僕の力を抜いてくれ、血を全部抜いてくれ、あの硬い拘束衣を着せてくれ、この女を殺させないでくれ。ハシは捜し始めた。爪の燃える匂いに支配されていない、火のついた脂肪に犯されていない自分の器官を捜し始めた。足の指先から髪の毛一本一本に至るまで捜した。どこにもない。火のついた脂肪はすべて細胞を支配している。ある部分がピクリと震えた。どこだ？　ハシは必死に探る。舌だ。舌の先端だ。ハシがいつか切りとった舌の先端の、記憶だ。ハシは嚙みしめた歯の隙間に、舌の先端の記憶を滑り込ませた。舌の先端の記憶は、痛みを発し少しずつ舌全体を従えていく。僕は負けないぞ、この女は殺さない、決して心臓の音を消さないぞ。柔らかな舌が歯の間から突き出た。歯は舌を嚙み切ろうとする。舌の痛みが際立つ。痛みは僅かずつ口の中に拡がった。声帯に絡みついた脂肪をゆっくりと溶かしていく。そうだ、心臓の音は信号を送り続けている、この狂った妊婦の腹にいる胎児も同じ信号を受け取っている。ハシは息を吸い込んだ。涼しい空気が舌と声帯を冷やす。母親が胎児に心臓の音で伝える信号は唯一つのことを教える、信号の意味は一つしかない。ハシはまた息を吸い込んだ。冷たい空気が喉と唇をつなぐ神経を一瞬甦らせ、ハシは声を出した。初めて空気に触れた赤ん坊と同じ泣き声をあげた。もう忘れることはない、僕は母親から受けた心臓の鼓動の信号を忘れない、死ぬな、死んではいけない、信号はそう教える、生きろ、そう叫びながら心臓はビートを刻んでいる。筋肉や血管や声帯がそのビートを忘れることはないのだ。

ハシは妊婦の顎から手を離した。赤ん坊と同じ声をあげながら女から遠ざかる。無人の街の中心へと歩き出した。ハシの叫び声は歌に変わっていく。聞こえるか？　ハシは彼方の塔に向かって呟いた。

聞こえるか？　僕の、新しい歌だ。

解説

金原ひとみ

何かしら、自分は罪を犯しているような気がしていた。学校に行っていなかったからでも、親と仲が悪かったからでも、煙草を常習していたからでもない。学校に行き、親と仲良くし、煙草を吸っていなかった頃からそんな気はしていた。全ての場所から消え失せてしまいたい気持ちのまま、遊ぶ廃人みたいな楽しくも虚しい日々を過ごしていた頃、逃避のためか模索のためか、私はよく本を読んでいた。そしてある時、特に何かの目的や意図を持ってではなく、無秩序に並べられた本の棚の中から『コインロッカー・ベイビーズ』を手に取った。

私はキクとハシの世界に入り込み、現実を忘れた。キクになりたいと思ったし、ハシになりたいと思ったし、アネモネになりたいと思った。彼らの持つ全ての力を手に入れたいと思った。そして読み終える頃、私の中の罪悪感は薄れていた。その代わり、かすかな全能感があった。読後感は決して良くなかったし、二日酔いのように気だるく、体中に毒が回っている感覚があった。でも体の隅々までが清々しかった。

僕は狂っていない、みんなから嫌われて悲しいだけだ。ハシはそう言った。ああそうか私は嫌われて悲しかっただけなんだ。自分が最も欲しいものは何かわかってない奴は、欲しいものを手に入れることが絶対にできない。キクはそう考えている。そうだ私は欲しいものが何か分かってないから欲しいものを手に入れる事が出来ないんだ。まじめな女の子には魅力がないから、あたしはまじめになりたくないわ。アネモネは小説の一節を呟いた。そうかまじめな女の子には魅力がないから私はまじめになりたくなかったんだ。何となく感じてはいたけれどよく分からなかった事が、あっさりと彼らの声を通して耳に入ってきた。それらの言葉はウイルスのように免疫となり、繰り返し思い出し何度も力をもらった。そして体中に染み込んだ言葉が与えてくれた力はいつしか、生まれた時から備わっていたかのように自分自身のものとなった。

ずっと憂鬱だった。この生きづらい中で何を信じどう生きるべきなのか悩み、迷っていた。生きやすい選択肢もあった。テレビドラマやバラエティーやオリンピックを楽しんだり、家族と仲良くしたり、学校に行って先生に右を向けと言われて右を向いたり、猫を可愛いと言ってみたり低反発の枕を買ってみたり、そういう事を繰り返す事で得ていく生き方だ。キクとハシはでも、そういう生き方を選択しなかった。彼らはコインロッカーの中できちんと泣き声をあげたし、吐き戻したし、音を探したし歌を歌ったし、母親を殺して母親を認めたし、ダチュラを追い求めたし、東京を破壊しようとした。コインロッカーを破壊しようと目的に向かって動き続けた。

彼らは、ここがコインロッカーの中であると教えてくれたのかもしれない。暑苦しく狭苦しいコインロッカーの中で、お前は目も覚ましていないんだと、仮死状態で眠っているんだと焚きつけてくれたのかもしれない。弱虫め、僕は、ちゃんと生き返ったんだぞ。ハシが薬島で硬くなった赤ん坊を埋める時に呟いた言葉は、私自身に向けられていると感じた。

かつて私が罪悪感を持っていたのは、見えている世界に疑いを抱いていたからだった。この世の全てが、ここはコインロッカーの中などではなく、広く自由な場所なのだと私に思い込ませていた。眠ったまま夢を見続ける事を世界はいつも強要している。私は疑いを持ち続ける事を躊躇《ためら》い、それを罪だと感じていた。世界に生かしてもらっているという引け目があったからだ。でも私はキクとハシの声で目を覚まし、四方を包む鉄の壁を破壊するべきだと気がついた。このまま何もしなかったら目を閉じたまま、コインロッカーの中に反響する嘘偽りの世界だけを信じ続け、仮死状態のまま生気を失い、生まれていてもいなくても同じような、最初からなかった存在として、消えてなくなってしまうのだから。

キクとハシが幼い頃、催眠剤で眠らされ心音を聞かされ、無自覚のまま自閉的な気質を抑え込まれたように、私もまた世界にとって都合の悪い気質を抑え込まれていた。でもやがてハシが偶発的にその事実に気づき、その時聞かされていた音が何の音であったのか探し続けたように、私もまた抑え込まれた理由や原因を探り始めた。

〈盲導犬が僕の匂いに気付いて吠えてくれるまで待っていることはもうしないぞ〉

ハシの決意は、私の決意となった。


今も私はコインロッカーの中にいる。外に出る方法は分からない。この世界自体がコインロッカーならば、出る事など不可能なのかもしれない。けれどコインロッカーの中で暗闇を見つめ声を上げ続けなければならない。キクがダチュラでコインロッカーを破壊出来ると思ったように、私も必ず何かしらの方法でコインロッカーを、世界を破壊する事が出来るはずだ。自爆してもいい。とにかくこの世界を破壊したい。コインロッカーを爆破したいという気持ちを捨てたら全てが終わりだ。必ず、外には私の見た事のない世界があると信じ続け、そこに希望を抱き続けている。

〈信じられるかね？　興奮剤を欲しがる人が減ったんだ、みんな静かに眠りたがって

いる〉

薬島で薬屋のおやじがそう言った。でも私は興奮剤が欲しい。眠るとは、意識を失う事だ。私は眠るのも気絶するのも死ぬのも嫌だ。常に目を開け全てを意識していたい。全てを見つめ、その全ての中にいる自分を見つめたい。

やがて真っ暗なコインロッカーに穴を開け、そこから一筋の光が差し込む時、私は外の世界の眩しさに顔を顰《しか》めるだろう。胎児が産道から頭を出した時のように、恐怖の中で光の強さに戦《おのの》きながらゆっくりと目を開け、それまでと違う世界を見つめるだろう。そうして巨大な蜂の巣のようなコインロッカーから何人もの子供たちが這い出してきた時、世界は鉄屑と化すのだ。

本作品の会話部分には、身体の障害や人権にかかわる差別的な表現が含まれていますが、作者の意図が差別を助長するものではないこと、また、作品の背景をなす状況を表現するための必要性、作品自体の持つ文学性等を考え、削除、変更は行なわず、初刊時どおりの表記としました。読者各位のご賢察をお願いします。——編集部

本書は一九八〇年一〇月に刊行された講談社文庫を新装版としたものです。

|著者|村上 龍　1952年、長崎県に生まれる。武蔵野美術大学中退。'76年に『限りなく透明に近いブルー』で群像新人文学賞、芥川賞を、'81年に本作『コインロッカー・ベイビーズ』で野間文芸新人賞、'96年に『村上龍映画小説集』で平林たい子文学賞、'98年に『イン ザ・ミソスープ』で読売文学賞、2000年に『共生虫』で谷崎潤一郎賞、'05年に『半島を出よ』で野間文芸賞、毎日出版文化賞、'11年に『歌うクジラ』で毎日芸術賞を受賞。小説、エッセイにとどまらず「TOPAZ〈トパーズ〉」などの映画製作や、サッカー、国際政治、経済に関する著作など、あらゆるジャンルで旺盛な活動を展開している。

新装版《しんそうばん》　コインロッカー・ベイビーズ

村上《むらかみ》 龍《りゅう》

© Ryu Murakami 2009

2009年7月15日第1刷発行
2015年8月24日第16刷発行

発行者――鈴木　哲
発行所――株式会社　講談社
東京都文京区音羽2-12-21　〒112-8001
電話　出版 (03) 5395-3510
　　　販売 (03) 5395-5817
　　　業務 (03) 5395-3615

Printed in Japan

講談社文庫

定価はカバーに
表示してあります

デザイン―菊地信義
本文データ制作―講談社デジタル製作部
印刷―――豊国印刷株式会社
製本―――株式会社国宝社

落丁本・乱丁本は購入書店名を明記のうえ、小社業務あてにお送りください。送料は小社負担にてお取替えします。なお、この本の内容についてのお問い合わせは講談社文庫あてにお願いいたします。

本書のコピー、スキャン、デジタル化等の無断複製は著作権法上での例外を除き禁じられています。本書を代行業者等の第三者に依頼してスキャンやデジタル化することはたとえ個人や家庭内の利用でも著作権法違反です。

ISBN978-4-06-276416-2

講談社文庫刊行の辞

二十一世紀の到来を目睫に望みながら、われわれはいま、人類史上かつて例を見ない巨大な転換期をむかえようとしている。

世界も、日本も、激動の予兆に対する期待とおののきを内に蔵して、未知の時代に歩み入ろうとしている。このときにあたり、創業の人野間清治の「ナショナル・エデュケイター」への志を現代に甦らせようと意図して、われわれはここに古今の文芸作品はいうまでもなく、ひろく人文・社会・自然の諸科学から東西の名著を網羅する、新しい綜合文庫の発刊を決意した。

激動の転換期はまた断絶の時代である。われわれは戦後二十五年間の出版文化のありかたへの深い反省をこめて、この断絶の時代にあえて人間的な持続を求めようとする。いたずらに浮薄な商業主義のあだ花を追い求めることなく、長期にわたって良書に生命をあたえようとつとめるところにしか、今後の出版文化の真の繁栄はあり得ないと信じるからである。

同時にわれわれはこの綜合文庫の刊行を通じて、人文・社会・自然の諸科学が、結局人間の学にほかならないことを立証しようと願っている。かつて知識とは、「汝自身を知る」ことにつきていた。現代社会の瑣末な情報の氾濫のなかから、力強い知識の源泉を掘り起し、技術文明のただなかに、生きた人間の姿を復活させること。それこそわれわれの切なる希求である。

われわれは権威に盲従せず、俗流に媚びることなく、渾然一体となって日本の「草の根」をかたちづくる若く新しい世代の人々に、心をこめてこの新しい綜合文庫をおくり届けたい。それは知識の泉であるとともに感受性のふるさとであり、もっとも有機的に組織され、社会に開かれた万人のための大学をめざしている。大方の支援と協力を衷心より切望してやまない。

一九七一年七月

野間省一

講談社文庫　目録

村上春樹　ノルウェイの森(上)(下)
村上春樹　ダンス・ダンス・ダンス(上)(下)
村上春樹　遠い太鼓
村上春樹　国境の南、太陽の西
村上春樹　やがて哀しき外国語
村上春樹　アンダーグラウンド
村上春樹　スプートニクの恋人
村上春樹　アフターダーク
村上春樹／佐々木マキ絵　羊男のクリスマス
村上春樹／佐々木マキ絵　ふしぎな図書館
村上春樹／糸井重里　夢で会いましょう
村上春樹・文／安西水丸・絵　ふわふわ
U・K・ル＝グウィン／村上春樹訳　空飛び猫
U・K・ル＝グウィン／村上春樹訳　帰ってきた空飛び猫
U・K・ル＝グウィン／村上春樹訳　素晴らしいアレキサンダーと、空飛び猫たち
U・K・ル＝グウィン／村上春樹訳　空を駆けるジェーン
T・ファリッシュ著／B・ルート絵／村上春樹訳　ポテト・スープが大好きな猫
群ようこ　濃い人々〈いとしの作中人物たち〉
群ようこ　いいわけ劇場

群ようこ　浮世道場
群ようこ　馬琴の嫁
室井佑月　Piss ピス
室井佑月　子作り爆裂伝
室井佑月　ママの神様
室井佑月／丸山あかね　プチ美人の悲劇
村山由佳　すべての雲は銀の…(上)(下)
村山由佳　永遠。
室井滋　ふぐママ
室井滋　心ひだひだ
室井滋　うまうまノート
室井滋　気になり飯《めし》〈うまうまノート②〉
村野薫　死刑はこうして執行される
睦月影郎　義《あ》姉《ね》〈武芸者 冴木澄香〉
睦月影郎　有《う》情《じょう》〈武芸者 冴木澄香〉
睦月影郎　忍《しのび》萌《もえ》
睦月影郎　変《かわり》萌《もえ》
睦月影郎　卍《まんじ》萌《もえ》
睦月影郎　甘《あま》蜜《みっ》三《ざん》味《まい》

睦月影郎　平成好色一代男 独身娘の部屋
睦月影郎　平成好色一代男 清純コンパニオンの好奇心
睦月影郎　平成好色一代男 和装セレブ妻の香り
睦月影郎　新・平成好色一代男 秘伝の書
睦月影郎　新・平成好色一代男 元部下のOL
睦月影郎　新・平成好色一代男 隣人と。女子アナと。
睦月影郎　帰ってきた平成好色一代男 一の巻
睦月影郎　平成好色一代男 占女《せんにょ》楽天編
睦月影郎　帰ってきた平成好色一代男 完結編
睦月影郎　武家娘〈明暦江戸隠密控〉
睦月影郎　Gのカンバス
睦月影郎　密通妻
睦月影郎　姫《ひめ》遊《なそび》
睦月影郎　肌《はだ》褥《しとね》
睦月影郎　影《かげ》舞《まい》
睦月影郎　傀《く》儡《ぐつ》舞《まい》
睦月影郎　とろり蜜姫・掛け乞い〈睦月影郎傑作選〉
向井万起男　渡る世間は「数字」だらけ
向井万起男　謎の1セント硬貨〈真実は細部に宿る in USA〉

講談社文庫　目録

村田沙耶香　授乳
村田沙耶香　マウス
村田沙耶香　星が吸う水
森村誠一　暗黒流砂
森村誠一　殺人の花客
森村誠一　ホームアウェイ
森村誠一　殺人のスポットライト
森村誠一　殺人プロムナード
森村誠一　流星の降る町〈『星の町』改題〉
森村誠一　完全犯罪のエチュード
森村誠一　影の祭り
森村誠一　殺意の接点
森村誠一　レジャーランド殺人事件
森村誠一　殺意の逆流
森村誠一　情熱の断罪
森村誠一　残酷な視界
森村誠一　肉食の食客
森村誠一　死を描く影絵
森村誠一　エネミイ

森村誠一　深海の迷路
森村誠一　マーダー・リング
森村誠一　刺客の花道
森村誠一　殺意の造型
森村誠一　ラストファミリー
森村誠一　夢の原色
森村誠一　ファミリー
森村誠一　虹の刺客(上)(下)〈小説・伊達騒動〉
森村誠一　雪煙
森村誠一　殺人倶楽部
森村誠一　ガラスの密室
森村誠一　作家の条件〈文庫決定版〉
森村誠一　死者の配達人
森村誠一　名誉の条件
森村誠一　真説忠臣蔵
森村誠一　霧笛の余韻
森村誠一　悪道
森村誠一　悪道　西国謀反
森村誠一　ミッドウェイ

森瑤子　夜ごとの揺り籠、舟、あるいは戦場
守誠　3分単〈1日3分・「簡単パズル」で覚える・英単語〉
森詠　吉原首代　左助始末帳
毛利恒之　月光の夏
毛利恒之　地獄の虹
毛利恒之　虹の絆〈ハワイ日系人　母の記録〉
森まゆみ　抱きしめる、東京〈町とわたし〉
森田靖郎　東京チャイニーズ〈裏歌舞伎町の流氓たち〉
森田靖郎　TOKYO犯罪公司《コンス》
森博嗣　すべてがFになる〈THE PERFECT INSIDER〉
森博嗣　冷たい密室と博士たち〈DOCTORS IN ISOLATED ROOM〉
森博嗣　笑わない数学者〈MATHEMATICAL GOODBYE〉
森博嗣　詩的私的ジャック〈JACK THE POETICAL PRIVATE〉
森博嗣　封印再度〈WHO INSIDE〉
森博嗣　まどろみ消去〈MISSING UNDER THE MISTLETOE〉
森博嗣　幻惑の死と使途〈ILLUSION ACTS LIKE MAGIC〉
森博嗣　夏のレプリカ〈REPLACEABLE SUMMER〉
森博嗣　今はもうない〈SWITCH BACK〉
森博嗣　数奇にして模型〈NUMERICAL MODELS〉

講談社文庫　目録

森　博嗣　有限と微小のパン〈THE PERFECT OUTSIDER〉
森　博嗣　地球儀のスライス〈A SLICE OF TERRESTRIAL GLOBE〉
森　博嗣　黒猫の三角〈Delta in the Darkness〉
森　博嗣　人形式モナリザ〈Shape of Things Human〉
森　博嗣　月は幽咽のデバイス〈The Sound Walks When the Moon Talks〉
森　博嗣　夢・出逢い・魔性〈You May Die in My Show〉
森　博嗣　魔剣天翔〈Cockpit on knife Edge〉
森　博嗣　今夜はパラシュート博物館へ〈THE LAST DIVE TO PARACHUTE MUSEUM〉
森　博嗣　恋恋蓮歩の演習〈A Sea of Deceits〉
森　博嗣　六人の超音波科学者〈Six Supersonic Scientists〉
森　博嗣　捩れ屋敷の利鈍〈The Riddle in Torsional Nest〉
森　博嗣　朽ちる散る落ちる〈Rot off and Drop away〉
森　博嗣　赤緑黒白〈Red Green Black and White〉
森　博嗣　虚空の逆マトリクス〈INVERSE OF VOID MATRIX〉
森　博嗣　φ《ファイ》は壊れたね〈PATH CONNECTED φ BROKE〉
森　博嗣　θ《シータ》は遊んでくれたよ〈ANOTHER PLAYMATE θ〉
森　博嗣　τ《タウ》になるまで待って〈PLEASE STAY UNTIL τ〉
森　博嗣　ε《イプシロン》に誓って〈SWEARING ON SOLEMN ε〉
森　博嗣　λ《ラムダ》に歯がない〈λ HAS NO TEETH〉

森　博嗣　η《イータ》なのに夢のよう〈DREAMILY IN SPITE OF η〉
森　博嗣　目薬α《アルファ》で殺菌します〈DISINFECTANT α FOR THE EYES〉
森　博嗣　イナイ×イナイ〈PEEKABOO〉
森　博嗣　キラレ×キラレ〈CUTTHROAT〉
森　博嗣　タカイ×タカイ〈CRUCIFIXION〉
森　博嗣　議論の余地しかない〈A Space under Discussion〉
森　博嗣　探偵伯爵と僕〈His name is Earl〉
森　博嗣　レタス・フライ〈Lettuce Fry〉
森　博嗣　君の夢　僕の思考〈You will dream while I think〉
森　博嗣　四季　春～冬
森　博嗣　森博嗣のミステリィ工作室
森　博嗣　アイソパラメトリック
森　博嗣　悠悠おもちゃライフ
森　博嗣　僕は秋子に借りがある I'm in Debt to Akiko〈森博嗣自選短編集〉
森　博嗣　どちらかが魔女 Which is the Witch?〈森博嗣シリーズ短編集〉
森　博嗣　的を射る言葉〈Gathering the Pointed Wits〉
森　博嗣　森博嗣の半熟セミナ　博士、質問があります！
森　博嗣　DOG&DOLL
森　博嗣　TRUCK&TROLL

森　博嗣　100人の森博嗣〈100 MORI Hiroshies〉
森　博嗣　銀河不動産の超越〈Transcendence of Ginga Estate Agency〉
森　博嗣　つぶやきのクリーム〈The cream of the notes〉
森　博嗣　つぼやきのテリーヌ〈The cream of the notes 2〉
森　博嗣　つぼねのカトリーヌ〈The cream of the notes 3〉
森　博嗣　喜嶋先生の静かな世界〈The Silent World of Dr. Kishima〉
森　博嗣　実験的経験〈Experimental experience〉
森博嗣／ささきすばる絵　悪戯王子と猫の物語
森博嗣／土屋賢二　人間は考えるFになる
森枝卓士　私的メコン物語〈食から覗くアジア〉
森　浩美　推定恋愛
森　浩美　推定恋愛 two-years
諸田玲子　鬼あざみ
諸田玲子　笠《かさ》雲《ぐも》
諸田玲子　からくり乱れ蝶
諸田玲子　其《そ》の一日《いちにち》
諸田玲子　末世炎上
諸田玲子　昔日《せきじつ》より
諸田玲子　日月《にちげつ》めぐる

諸田玲子　天女湯おれん
諸田玲子　天女湯おれん　これがはじまり
諸田玲子　天女湯おれん　春色恋ぐるい
森福　都　楽　昌　珠
森津純子　家族が「がん」になったら〈誰も教えてくれなかった介護法と心のケア〉
森　達也　ぼくの歌、みんなの歌
桃谷方子　百　合　祭
森　孝一　「ジョージ・ブッシュ」のアタマの中身〈アメリカ「超保守派」の世界観〉
本谷有希子　腑抜けども、悲しみの愛を見せろ
本谷有希子　江利子と絶対〈本谷有希子文学大全集〉
本谷有希子　あの子の考えることは変
本谷有希子　嵐のピクニック
森下くるみ　すべては「裸になる」から始まって
茂木健一郎　「赤毛のアン」に学ぶ幸福《しあわせ》になる方法
茂木健一郎　セレンディピティの時代〈偶然の幸運に出会う方法〉
茂木健一郎　漱石に学ぶ心の平安を得る方法
茂木健一郎 with ダイアログ・イン・ザ・ダーク　まっくらな中での対話
望月守宮　無　貌　伝〈〜双児の子ら〜〉
森川智喜　キャットフード

森川智喜　スノーホワイト
森　繁和　参　謀
山岡荘八　新装版　小説太平洋戦争(1)(2)(3)
山口　瞳／常盤新平　編　新装版　諸君！この人生、大変なんだ
山田風太郎　婆　沙　羅
山田風太郎　甲賀忍法帖〈山田風太郎忍法帖①〉
山田風太郎　忍法忠臣蔵〈山田風太郎忍法帖②〉
山田風太郎　伊賀忍法帖〈山田風太郎忍法帖③〉
山田風太郎　忍法八犬伝〈山田風太郎忍法帖④〉
山田風太郎　くノ一忍法帖〈山田風太郎忍法帖⑤〉
山田風太郎　魔界転生(上)(下)〈山田風太郎忍法帖⑥⑦〉
山田風太郎　江戸忍法帖〈山田風太郎忍法帖⑧〉
山田風太郎　柳生忍法帖(上)(下)〈山田風太郎忍法帖⑨⑩〉
山田風太郎　風来忍法帖〈山田風太郎忍法帖⑪〉
山田風太郎　かげろう忍法帖〈山田風太郎忍法帖⑫〉
山田風太郎　野ざらし忍法帖〈山田風太郎忍法帖⑬〉
山田風太郎　忍法関ヶ原〈山田風太郎忍法帖⑭〉
山田風太郎　妖説太閤記(上)(下)
山田風太郎　新装版戦中派不戦日記

山田風太郎　奇想小説集
山村美紗　三十三間堂の矢殺人事件
山村美紗　ヘアデザイナー殺人事件
山村美紗　京都新婚旅行殺人事件
山村美紗　大阪国際空港殺人事件
山村美紗　小京都連続殺人事件
山村美紗　グルメ列車殺人事件
山村美紗　天の橋立殺人事件
山村美紗　愛の立待岬
山村美紗　花嫁は容疑者
山村美紗　十二秒の誤算
山村美紗　京都・沖縄殺人事件
山村美紗　京都三船祭り殺人事件
山村美紗　京都絵馬堂殺人事件〈名探偵キャサリン傑作集〉
山村美紗　京都不倫旅行殺人事件
山村美紗　京友禅の秘密
山村美紗　京都・十二単衣《じゅうにひとえ》殺人事件
山村美紗　燃えた花嫁
山村美紗　千利休・謎の殺人事件

2015年6月5日現在